站在巨人的肩上
Standing on Shoulders of Giants

TURING
图灵教育

iTuring.cn

站在巨人的肩上
Standing on Shoulders of Giants

TURING
图灵教育

iTuring.cn

TURING 图灵程序设计丛书

Python编程
从入门到实践

【美】Eric Matthes 著　袁国忠 译

Python Crash Course
A Hands-On, Project-Based Introduction to Programming

人民邮电出版社

北　京

图书在版编目（CIP）数据

Python编程：从入门到实践 /（美）埃里克·马瑟斯（Eric Matthes）著；袁国忠译. -- 北京：人民邮电出版社，2016.7（2017.4重印）
（图灵程序设计丛书）
ISBN 978-7-115-42802-8

Ⅰ. ①P… Ⅱ. ①埃… ②袁… Ⅲ. ①软件工具—程序设计 Ⅳ. ①TP311.56

中国版本图书馆CIP数据核字(2016)第139461号

内 容 提 要

本书是一本针对所有层次的 Python 读者而作的 Python 入门书。全书分两部分：第一部分介绍用 Python 编程所必须了解的基本概念，包括 matplotlib、NumPy 和 Pygal 等强大的 Python 库和工具介绍，以及列表、字典、if 语句、类、文件与异常、代码测试等内容；第二部分将理论付诸实践，讲解如何开发三个项目，包括简单的 Python 2D 游戏开发，如何利用数据生成交互式的信息图，以及创建和定制简单的 Web 应用，并帮读者解决常见编程问题和困惑。

本书适合对 Python 感兴趣的任何层次的读者阅读。

◆ 著　　　　[美] Eric Matthes
　　译　　　　袁国忠
　　责任编辑　岳新欣
　　执行编辑　杨 琳　张 曼
　　责任印制　彭志环

◆ 人民邮电出版社出版发行　　北京市丰台区成寿寺路11号
　　邮编 100164　电子邮件 315@ptpress.com.cn
　　网址 http://www.ptpress.com.cn
　　北京昌平百善印刷厂印刷

◆ 开本：800×1000　1/16
　　印张：29.75
　　字数：703千字　　　　　　　2016年7月第1版
　　印数：26 001 - 30 000册　　2017年4月北京第7次印刷
　　著作权合同登记号　图字：01-2016-1807号

定价：89.00元
读者服务热线：(010)51095186转600　印装质量热线：(010)81055316
反盗版热线：(010)81055315
广告经营许可证：京东工商广字第 8052 号

版 权 声 明

前　言

如何学习编写第一个程序，每个程序员都有不同的故事。我还是个孩子时就开始学习编程了，当时我父亲在计算时代的先锋之一——数字设备公司（Digital Equipment Corporation）工作。我使用一台简陋的计算机编写了第一个程序，这台计算机是父亲在家里的地下室组装而成的，它没有机箱，裸露的主板与键盘相连，显示器是裸露的阴极射线管。我编写的这个程序是一款简单的猜数字游戏，其输出类似于下面这样：

```
I'm thinking of a number! Try to guess the number I'm thinking of: 25
Too low! Guess again: 50
Too high! Guess again: 42
That's it! Would you like to play again? (yes/no) no
Thanks for playing!
```

看到家人玩着我编写的游戏，而且它完全按我预期的方式运行，我心里不知有多满足。此情此景我永远都忘不了。

儿童时期的这种体验一直影响我至今。现在，每当我通过编写程序解决了一个问题时，心里都会感到非常满足。相比于孩提时期，我现在编写的软件满足了更大的需求，但通过编写程序获得的满足感几乎与从前一样。

读者对象

本书旨在让你尽快学会Python，以便能够编写能正确运行的程序——游戏、数据可视化和Web应用程序，同时掌握让你终身受益的基本编程知识。本书适合任何年龄的读者阅读，它不要求你有任何Python编程经验，甚至不要求你有编程经验。如果你想快速掌握基本的编程知识以便专注于开发感兴趣的项目，并想通过解决有意义的问题来检查你对新学概念的理解程度，那么本书就是为你编写的。本书还可供初中和高中教师用来通过开发项目向学生介绍编程。

本书内容

本书旨在让你成为优秀的程序员，具体地说，是优秀的Python程序员。通过阅读本书，你将迅速掌握编程概念，打下坚实的基础，并养成良好的习惯。阅读本书后，你就可以开始学习Python高级技术，并能够更轻松地掌握其他编程语言。

在本书的第一部分，你将学习编写Python程序时需要熟悉的基本编程概念，你刚接触几乎任何编程语言时都需要学习这些概念。你将学习各种数据以及在程序中将数据存储到列表和字典中的方式。你将学习如何创建数据集合以及如何高效地遍历这些集合。你将学习使用while和if语句来检查条件，并在条件满足时执行代码的一部分，而在条件不满足时执行代码的另一部分——这可为自动完成处理提供极大的帮助。

你将学习获取用户输入，让程序能够与用户交互，并在用户没停止输入时保持运行状态。你将探索如何编写函数来让程序的各个部分可重用，这样你编写执行特定任务的代码后，想使用它多少次都可以。然后，你将学习使用类来扩展这种概念以实现更复杂的行为，从而让非常简单的程序也能处理各种不同的情形。你将学习编写妥善处理常见错误的程序。学习这些基本概念后，你就能编写一些简短的程序来解决一些明确的问题。最后，你将向中级编程迈出第一步，学习如何为代码编写测试，以便在进一步改进程序时不用担心可能引入bug。第一部分介绍的知识让你能够开发更大、更复杂的项目。

在第二部分，你将利用在第一部分学到的知识来开发三个项目。你可以根据自己的情况，以最合适的顺序完成这些项目；你也可以选择只完成其中的某些项目。在第一个项目（第12~14章）中，你将创建一个类似于《太空入侵者》的射击游戏。这个游戏名为《外星人入侵》，它包含多个难度不断增加的等级。完成这个项目后，你就能够自己动手开发2D游戏了。

第二个项目（第15~17章）介绍数据可视化。数据科学家的目标是通过各种可视化技术来搞懂海量信息。你将使用通过代码生成的数据集、已经从网络下载下来的数据集以及程序自动下载的数据集。完成这个项目后，你将能够编写能对大型数据集进行筛选的程序，并以可视化方式将筛选出来的数据呈现出来。

在第三个项目（第18~20章）中，你将创建一个名为"学习笔记"的小型Web应用程序。这个项目能够让用户将学到的与特定主题相关的概念记录下来。你将能够分别记录不同的主题，还可以让其他人建立账户并开始记录自己的学习笔记。你还将学习如何部署这个项目，让任何人都能够通过网络访问它，而不管他身处何方。

为何使用 Python

继续使用Python，还是转而使用其他语言——也许是编程领域较新的语言？我每年都会考虑这个问题。可我依然专注于Python，其中的原因很多。Python是一种效率极高的语言：相比于众多其他的语言，使用Python编写时，程序包含的代码行更少。Python的语法也有助于创建整洁的代码：相比其他语言，使用Python编写的代码更容易阅读、调试和扩展。

大家将Python用于众多方面：编写游戏、创建Web应用程序、解决商业问题以及供各类有趣的公司开发内部工具。Python还在科学领域被大量用于学术研究和应用研究。

我依然使用Python的一个最重要的原因是，Python社区有形形色色充满激情的人。对程序员来说，社区非常重要，因为编程绝非孤独的修行。大多数程序员都需要向解决过类似问题的人寻求建议，经验最为丰富的程序员也不例外。需要有人帮助解决问题时，有一个联系紧密、互帮互助的社区至关重要，而对于像你一样将Python作为第一门语言来学习的人而言，Python社区无疑是坚强的后盾。

　　Python是一门杰出的语言，值得你去学习，咱们现在就开始吧！

致　　谢

　　要是没有No Starch Press出色的专业人士的帮助，本书根本不可能出版。Bill Pollock邀请我编写一本入门图书，因此这里要深深感谢他给予我这样的机会。Tyler Ortman在我编写本书的早期帮助我理清思路。Liz Chadwick和Leslie Shen详细阅读了每一章，并提出了宝贵的意见，而Anne Marie Walker让本书的很多地方都更清晰。Riley Hoffman回答了我就图书出版过程提出的每个问题，并且耐心地将我的作品变成了漂亮的图书。

　　感谢技术审稿人Kenneth Love。我与Kenneth相识于一次PyCon大会，他对Python和Python社区充满热情，一直是我获取专业灵感的源泉。Kenneth不仅检查了本书介绍的知识是否正确，还抱着让初学编程者对Python语言和编程有扎实认识的目的进行了审阅。即便如此，倘若书中有任何不准确的地方，责任都完全由我承担。

　　感谢我的父亲，感谢他在我很小的时候就向我介绍编程，而且一点都不担心我破坏他的设备。感谢妻子Erin在我编写本书期间对我一如既往的鼓励和支持。还要感谢儿子Ever，他的好奇心每天都会给我带来灵感。

目　　录

Part 1

基础知识

本书的第一部分介绍编写 Python 程序所需要熟悉的基本概念，其中很多都适用于所有编程语言，因此它们在你的整个程序员生涯中都很有用。

第 1 章介绍在计算机中安装 Python，并运行第一个程序——它在屏幕上打印消息"Hello world!"。

第 2 章论述如何在变量中存储信息以及如何使用文本和数字。

第 3 章和第 4 章介绍列表。使用列表能够在一个变量中存储任意数量的信息，从而高效地处理数据：只需几行代码，你就能够处理数百、数千乃至数百万个值。

第 5 章讲解使用 if 语句来编写这样的代码：在特定条件满足时采取一种措施，而在该条件不满足时采取另一种措施。

第 6 章演示如何使用 Python 字典，将不同的信息关联起来。与列表一样，你也可以根据需要在字典中存储任意数量的信息。

第 7 章讲解如何从用户那里获取输入，以让程序变成交互式的。你还将学习 while 循环，它不断地运行代码块，直到指定的条件不再满足为止。

第 8 章介绍编写函数。函数是执行特定任务的被命名的代码块，你可以根据需要随时运行它。

第 9 章介绍类，它让你能够模拟实物，如小狗、小猫、人、汽车、火箭等，让你的代码能够表示任何真实或抽象的东西。

第 10 章介绍如何使用文件，以及如何处理错误以免程序意外地崩溃。你需要在程序关闭前保存数据，并在程序再次运行时读取它们。你将学习 Python 异常，它们让你能够未雨绸缪，从而让程序妥善地处理错误。

第 11 章为代码编写测试，以核实程序是否像你期望的那样工作。这样，扩展程序时，你就不用担心引入新的 bug。要想脱离初级程序员的阵容，跻身于中级程序员的行列，测试代码是你必须掌握的基本技能之一。

## 第 1 章

起　步

　　在本章中，你将运行自己的第一个程序——hello_world.py。为此，你首先需要检查自己的计算机是否安装了Python；如果没有安装，你需要安装它。你还要安装一个文本编辑器，用于编写和运行Python程序。你输入Python代码时，这个文本编辑器能够识别它们并突出显示不同的部分，让你能够轻松地了解代码的结构。

1.1　搭建编程环境

　　在不同的操作系统中，Python存在细微的差别，因此有几点你需要牢记在心。这里将介绍大家使用的两个主要的Python版本，并简要介绍Python的安装步骤。

1.1.1　Python 2 和 Python 3

　　当前，有两个不同的Python版本：Python 2和较新的Python 3。每种编程语言都会随着新概念和新技术的推出而不断发展，Python的开发者也一直致力于丰富和强化其功能。大多数修改都是逐步进行的，你几乎意识不到，但如果你的系统安装的是Python 3，那么有些使用Python 2编写的代码可能无法正确地运行。在本书中，我将指出Python 2和Python 3的重大差别，这样无论你安装的是哪个Python版本，都能够按书中的说明去做。

　　如果你的系统安装了这两个版本，请使用Python 3；如果没有安装Python，请安装Python 3；如果只安装了Python 2，也可直接使用它来编写代码，但还是尽快升级到Python 3为好，因为这样你就能使用最新的Python版本了。

1.1.2　运行 Python 代码片段

Python自带了一个在终端窗口中运行的解释器，让你无需保存并运行整个程序就能尝试运行Python代码片段。

本书将以如下方式列出代码片段：

```
❶ >>> print("Hello Python interpreter!")
Hello Python interpreter!
```

加粗的文本表示需要你输入之后按回车键来执行的代码。本书的大多数示例都是独立的小程序，你将在编辑器中执行它们，因为大多数代码都是这样编写出来的。然而，为高效地演示某基本概念，需要在Python终端会话中执行一系列代码片段。只要代码清单中包含三个尖括号（如❶所示），就意味着输出来自终端会话。稍后将演示如何在Python解释器中编写代码。

1.1.3　Hello World 程序

长期以来，编程界都认为刚接触一门新语言时，如果首先使用它来编写一个在屏幕上显示消息 "Hello world!" 的程序，将给你带来好运。

要使用Python来编写这种Hello World程序，只需一行代码：

```
print("Hello world!")
```

这种程序虽然简单，却有其用途：如果它能够在你的系统上正确地运行，你编写的任何Python程序都将如此。稍后将介绍如何在特定的系统中编写这样的程序。

1.2　在不同操作系统中搭建 Python 编程环境

Python是一种跨平台的编程语言，这意味着它能够运行在所有主要的操作系统中。在所有安装了Python的现代计算机上，都能够运行你编写的任何Python程序。然而，在不同的操作系统中，安装Python的方法存在细微的差别。

在这一节中，你将学习如何在自己的系统中安装Python和运行Hello World程序。你首先要检查自己的系统是否安装了Python，如果没有，就安装它；接下来，你需要安装一个简单的文本编辑器，并创建一个空的Python文件——hello_world.py。最后，你将运行Hello World程序，并排除各种故障。我将详细介绍如何在各种操作系统中完成这些任务，让你能够搭建一个对初学者友好的Python编程环境。

1.2.1　在 Linux 系统中搭建 Python 编程环境

Linux系统是为编程而设计的，因此在大多数Linux计算机中，都默认安装了Python。编写和维护Linux的人认为，你很可能会使用这种系统进行编程，他们也鼓励你这样做。鉴于此，要在这种系统中编程，你几乎不用安装什么软件，也几乎不用修改设置。

1. 检查Python版本

在你的系统中运行应用程序Terminal（如果你使用的是Ubuntu，可按Ctrl + Alt + T），打开一个终端窗口。为确定是否安装了Python，执行命令python（请注意，其中的p是小写的）。输出将类似下面这样，它指出了安装的Python版本；最后的>>>是一个提示符，让你能够输入Python命令。

```
$ python
Python 2.7.6 (default, Mar 22 2014, 22:59:38)
[GCC 4.8.2] on linux2
Type "help", "copyright", "credits" or "license" for more information.
>>>
```

上述输出表明，当前计算机默认使用的Python版本为Python 2.7.6。看到上述输出后，如果要退出Python并返回到终端窗口，可按Ctrl + D或执行命令exit()。

要检查系统是否安装了Python 3，可能需要指定相应的版本。换句话说，如果输出指出默认版本为Python 2.7，请尝试执行命令python3：

```
$ python3
Python 3.5.0 (default, Sep 17 2015, 13:05:18)
[GCC 4.8.4] on linux
Type "help", "copyright", "credits" or "license" for more information.
>>>
```

上述输出表明，系统中也安装了Python 3，因此你可以使用这两个版本中的任何一个。在这种情况下，请将本书中的命令python都替换为python3。大多数Linux系统都默认安装了Python，但如果你的Linux系统不知什么原因没有安装Python或只安装了Python 2，而你要安装Python 3，请参见附录A。

2. 安装文本编辑器

Geany是一款简单的文本编辑器：它易于安装；让你能够直接运行几乎所有的程序（而无需通过终端来运行）；使用不同的颜色来显示代码，以突出代码语法；在终端窗口中运行代码，让你能够习惯使用终端。附录B介绍了其他一些文本编辑器，但我强烈建议你使用Geany，除非你有充分的理由不这样做。

在大多数Linux系统中，都只需执行一个命令就可以安装Geany：

```
$ sudo apt-get install geany
```

如果这个命令不管用，请参阅http://geany.org/Download/ThirdPartyPackages/的说明。

3. 运行Hello World程序

为编写第一个程序，需要启动Geany。为此，可按超级（Super）键（俗称Windows键），并在系统中搜索Geany。找到Geany后，双击以启动它；再将其拖曳到任务栏或桌面上，以创建一个快捷方式。接下来，创建一个用于存储项目的文件夹，并将其命名为python_work（在文件名和文件夹名中，最好使用小写字母，并使用下划线来表示空格，因为这是Python采用的命名约定）。回到Geany，选择菜单File ▶ Save As，将当前的空Python文件保存到文件夹python_work，并将其命名为hello_world.py。扩展名.py告诉Geany，文件包含的是Python程序；它还让Geany知道如何运行该程序，并以有益的方式突出其中的代码。

保存文件后，在其中输入下面一行代码：

```
print("Hello Python world!")
```

如果你的系统安装了多个Python版本，就必须对Geany进行配置，使其使用正确的版本。为此，可选择菜单Build（生成）▶ Set Build Commands（设置生成命令）；你将看到文字Compile（编译）和Execute（执行），它们旁边都有一个命令。默认情况下，这两个命令都是python，要让Geany使用命令python3，必须做相应的修改。

如果在终端会话中能够执行命令python3，请修改编译命令和执行命令，让Geany使用Python 3解释器。为此，将编译命令修改成下面这样：

```
python3 -m py_compile "%f"
```

你必须完全按上面的代码显示的那样输出这个命令，确保空格和大小写都完全相同。
将执行命令修改成下面这样：

```
python3 "%f"
```

同样，务必确保空格和大小写都完全与显示的相同。图1-1显示了该如何在Geany中配置这些命令。

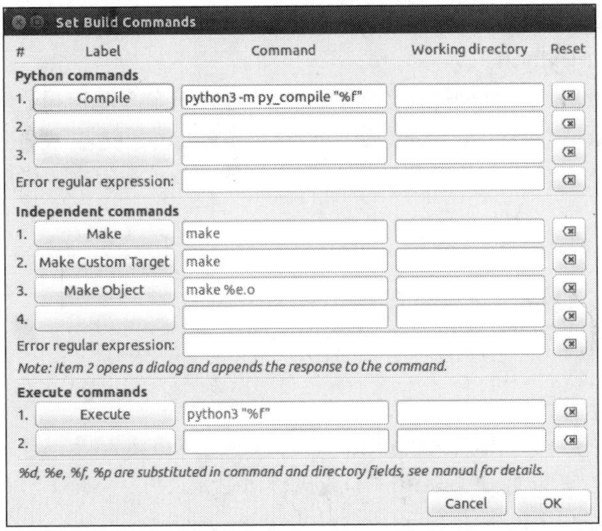

图1-1　在Linux中配置Geany，使其使用Python 3

现在来运行程序hello_world.py。为此，可选择菜单Build ▶ Execute、单击Execute图标（两个齿轮）或按F5。将弹出一个终端窗口，其中包含如下输出：

```
Hello Python world!

------------------
(program exited with code: 0)
Press return to continue
```

如果没有看到这样的输出，请检查你输入的每个字符。你是不是将print的首字母大写了？是不是遗漏了引号或括号？编程语言对语法的要求非常严格，只要你没有严格遵守语法，就会出错。如果代码都正确，这个程序也不能正确地运行，请参阅1.3节。

4. 在终端会话中运行Python代码

你可以打开一个终端窗口并执行命令python或python3，再尝试运行Python代码片段。检查Python版本时，你就这样做过。下面再次这样做，但在终端会话中输入如下代码行：

```
>>> print("Hello Python interpreter!")
Hello Python interpreter!
>>>
```

消息将直接打印到当前终端窗口中。别忘了，要关闭Python解释器，可按Ctrl + D或执行命令exit()。

1.2.2　在 OS X 系统中搭建 Python 编程环境

大多数OS X系统都默认安装了Python。确定安装了Python后，你还需安装一个文本编辑器，并确保其配置正确无误。

1. 检查是否安装了Python

在文件夹Applications/Utilities中，选择Terminal，打开一个终端窗口；你也可以按Command +空格键，再输入terminal并按回车。为确定是否安装了Python，请执行命令python（注意，其中的p是小写的）。输出将类似于下面这样，它指出了安装的Python版本；最后的>>>是一个提示符，让你能够输入Python命令。

```
$ python
Python 2.7.5 (default, Mar 9 2014, 22:15:05)
[GCC 4.2.1 Compatible Apple LLVM 5.0 (clang-500.0.68)] on darwin
Type "help", "copyright", "credits", or "license" for more information.
>>>
```

上述输出表明，当前计算机默认使用的Python版本为Python 2.7.5。看到上述输出后，如果要退出Python并返回到终端窗口，可按Ctrl + D或执行命令exit()。

要检查系统是否安装了Python 3，可尝试执行命令python3。可能会出现一条错误消息，但如果输出指出系统安装了 Python 3，则无需安装就可使用它。如果在你的系统中能够执行命令

python3，则对于本书的所有命令python，都请替换为命令python3。如果不知道出于什么原因你的系统没有安装Python，或者只安装了Python 2，而你又想安装Python 3，请参阅附录A。

2. 在终端会话中运行Python代码

你可以打开一个终端窗口并执行命令python或python3，再尝试运行Python代码片段。检查Python版本时，你就这样做过。下面再次这样做，但在终端会话中输入如下代码行：

```
>>> print("Hello Python interpreter!")
Hello Python interpreter!
>>>
```

消息将直接打印到当前终端窗口中。别忘了，要关闭Python解释器，可按Ctrl + D或执行命令exit()。

3. 安装文本编辑器

Sublime Text是一款简单的文本编辑器：它在OS X中易于安装；让你能够直接运行几乎所有程序（而无需通过终端）；使用不同的颜色来显示代码，以突出代码语法；在内嵌在Sublime Text窗口内的终端会话中运行代码，让你能够轻松地查看输出。附录B介绍了其他一些文本编辑器，但我强烈建议你使用Sublime Text，除非你有充分的理由不这样做。

要下载Sublime Text安装程序，可访问http://sublimetext.com/3，单击Download链接，并查找OS X安装程序。Sublime Text的许可策略非常灵活，你可以免费使用这款编辑器，但如果你喜欢它并想长期使用，建议你购买许可证。下载安装程序后，打开它，再将Sublime Text图标拖放到Applications文件夹。

4. 配置Sublime Text使其使用Python 3

如果你启动Python终端会话时使用的命令不是python，就需要配置Sublime Text，让它知道到系统的什么地方去查找正确的Python版本。要获悉Python解释器的完整路径，请执行如下命令：

```
$ type -a python3
python3 is /usr/local/bin/python3
```

现在，启动Sublime Text，并选择菜单Tools ▶ Build System ▶ New Build System，这将打开一个新的配置文件。删除其中的所有内容，再输入如下内容：

```
{
    "cmd": ["/usr/local/bin/python3", "-u", "$file"],
}
```

这些代码让Sublime Text使用命令python3来运行当前打开的文件。请确保其中的路径为你在前一步使用命令type -a python3获悉的路径。将这个配置文件命名为Python3.sublime-build，并将其保存到默认目录——你选择菜单Save时Sublime Text打开的目录。

5. 运行Hello World程序

为编写第一个程序，需要启动Sublime Text。为此，可打开文件夹Applications，并双击图标

Sublime Text；也可按Command + 空格键，再在弹出的搜索框中输入sublime text。

创建一个用于存储项目的文件夹，并将其命名为python_work（在文件名和文件夹名中，最好使用小写字母，并使用下划线来表示空格，因为这是Python采用的命名约定）。在Sublime Text中，选择菜单File ▶ Save As，将当前的空Python文件保存到文件夹python_work，并将其命名为hello_world.py。扩展名.py告诉Sublime Text，文件包含的是Python程序；它还让Sublime Text知道如何运行该程序，并以有益的方式突出其中的代码。

保存文件后，在其中输入下面一行代码：

```
print("Hello Python world!")
```

如果在系统中能够运行命令python，就可选择菜单Tools ▶ Build或按Ctrl + B来运行程序。如果你对Sublime Text进行了配置，使其使用的命令不是python，请选择菜单Tools ▶ Build System，再选择Python 3。这将把Python 3设置为默认使用的Python版本；此后，你就可选择菜单Tools ▶ Build或按Command+ B来运行程序了。

Sublime Text窗口底部将出现一个终端屏幕，其中包含如下输出：

```
Hello Python world!
[Finished in 0.1s]
```

如果没有看到这样的输出，请检查你输入的每个字符。你是不是将print的首字母大写了？是不是遗漏了引号或括号？编程语言对语法的要求非常严格，只要你没有严格遵守语法，就会出错。如果代码都正确，这个程序也不能正确地运行，请参阅1.3节。

1.2.3 在 Windows 系统中搭建 Python 编程环境

Windows系统并非都默认安装了Python，因此你可能需要下载并安装它，再下载并安装一个文本编辑器。

1. 安装Python

首先，检查你的系统是否安装了Python。为此，在"开始"菜单中输入command并按回车以打开一个命令窗口；你也可按住Shift键并右击桌面，再选择"在此处打开命令窗口"。在终端窗口中输入python并按回车；如果出现了Python提示符（>>>），就说明你的系统安装了Python。然而，你也可能会看到一条错误消息，指出python是无法识别的命令。

如果是这样，就需要下载Windows Python安装程序。为此，请访问http://python.org/downloads/。你将看到两个按钮，分别用于下载Python 3和Python 2。单击用于下载Python 3的按钮，这会根据你的系统自动下载正确的安装程序。下载安装程序后，运行它。请务必选中复选框Add Python to PATH（如图1-2所示），这让你能够更轻松地配置系统。

图1-2　确保选中复选框Add Python to PATH

2. 启动Python终端会话

通过配置系统，让其能够在终端会话中运行Python，可简化文本编辑器的配置工作。打开一个命令窗口，并在其中执行命令python。如果出现了Python提示符（>>>），就说明Windows找到了你刚安装的Python版本。

```
C:\> python
Python 3.5.0 (v3.5.0:374f501f4567, Sep 13 2015, 22:15:05) [MSC v.1900 32 bit
(Intel)] on win32
Type "help", "copyright", "credits" or "license" for more information.
>>>
```

如果是这样，就可以直接跳到下一部分——"在终端会话中运行Python"。

然而，输出可能类似于下面这样：

```
C:\> python
'python' is not recognized as an internal or external command, operable
program or batch file.
```

在这种情况下，你就必须告诉Windows如何找到你刚安装的Python版本。命令python通常存储在C盘，因此请在Windows资源管理器中打开C盘，在其中找到并打开以Python打头的文件夹，再找到文件python。例如，在我的计算机中，有一个名为Python35的文件夹，其中有一个名为python的文件，因此文件python的路径为C:\Python35\python。如果找不到这个文件，请在Windows资源管理器的搜索框中输入python，这将让你能够准确地获悉命令python在系统中的存储位置。

如果认为已知道命令python的路径，就在终端窗口中输入该路径进行测试。为此，打开一个命令窗口，并输入你确定的完整路径：

```
C:\> C:\Python35\python
Python 3.5.0 (v3.5.0:374f501f4567, Sep 13 2015, 22:15:05) [MSC v.1900 32 bit
(Intel)] on win32
Type "help", "copyright", "credits" or "license" for more information.
>>>
```

如果可行，就说明你已经知道如何访问Python了。

3. 在终端会话中运行Python

在Python会话中执行下面的命令，并确认看到了输出“Hello Python world!”。

```
>>> print("Hello Python world!")
Hello Python world!
>>>
```

每当要运行Python代码片段时，都请打开一个命令窗口并启动Python终端会话。要关闭该终端会话，可按Ctrl + Z，再按回车键，也可执行命令exit()。

4. 安装文本编辑器

Geany是一款简单的文本编辑器：它易于安装；让你能够直接运行几乎所有的程序（而无需通过终端）；使用不同的颜色来显示代码，以突出代码语法；在终端窗口中运行代码，让你能够习惯使用终端。附录B介绍了其他一些文本编辑器，但我强烈建议你使用Geany，除非你有充分的理由不这样做。

要下载Windows Geany安装程序，可访问http://geany.org/，单击Download下的Releases，找到安装程序geany-1.25_setup.exe或类似的文件。下载安装程序后，运行它并接受所有的默认设置。

为编写第一个程序，需要启动Geany。为此，可按超级（Super）键（俗称Windows键），并在系统中搜索Geany。找到Geany后，双击以启动它；再将其拖曳到任务栏或桌面上，以创建一个快捷方式。接下来，创建一个用于存储项目的文件夹，并将其命名为python_work（在文件名和文件夹名中，最好使用小写字母，并使用下划线来表示空格，因为这是Python采用的命名约定）。回到Geany，选择菜单File ▶ Save As，将当前的空Python文件保存到文件夹python_work，并将其命名为hello_world.py。扩展名.py告诉Geany，文件包含的是Python程序；它还让Geany知道如何运行该程序，并以有益的方式突出其中的代码。

保存文件后，在其中输入下面一行代码：

```
print("Hello Python world!")
```

如果能够在系统中执行命令python，就无需配置Geany，因此你可以跳过下一部分，直接进入“运行Hello World程序”部分。如果启动Python解释器时必须指定路径，如C:\Python35\python，请按下面的说明对Geany进行配置。

5. 配置Geany

要配置Geany，请选择菜单Build ▶ Set Build Commands；你将看到文字Compile和Execute，它们旁边都有一个命令。默认情况下，编译命令和执行命令的开头都是python，但Geany不知道命令python存储在系统的什么地方，因此你需要在其中添加你在终端会话中使用的路径。

　　为此，在编译命令和执行命令中，加上命令python所在的驱动器和文件夹。其中编译命令应类似于下面这样：

```
C:\Python35\python -m py_compile "%f"
```

在你的系统中，路径可能稍有不同，但请务必确保空格和大小写与这里显示的一致。

　　执行命令应类似于下面这样：

```
C:\Python35\python "%f"
```

　　同样，指定执行命令时，务必确保空格和大小写与这里显示的一致。图1-3显示了该如何在Geany中配置这些命令。

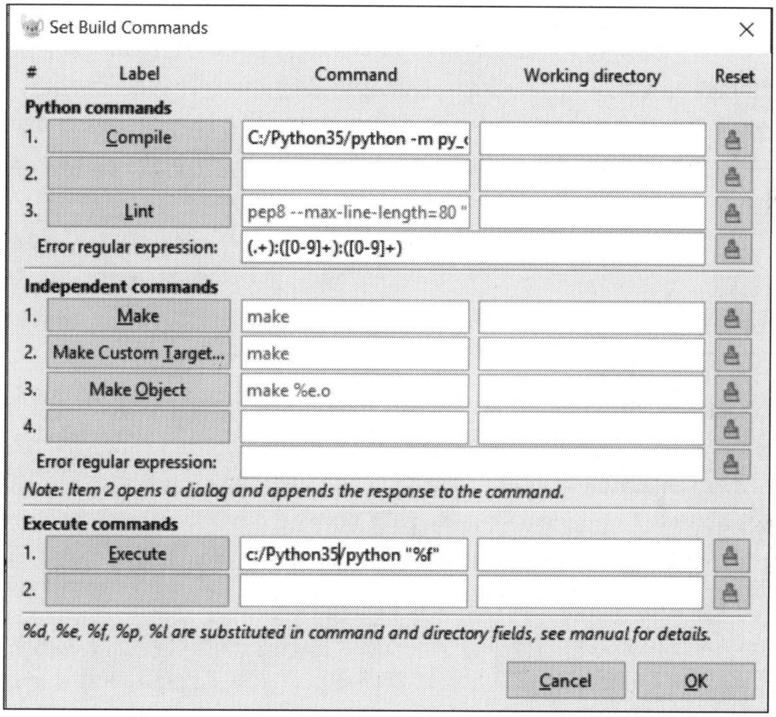

图1-3　在Windows中配置Geany，使其使用Python 3

正确地设置这些命令后，单击OK按钮。

6. 运行Hello World程序

　　现在应该能够成功地运行程序了。请运行程序hello_world.py；为此，可选择菜单Build ▶ Execute、单击Execute图标（两个齿轮）或按F5。将弹出一个终端窗口，其中包含如下输出：

```
Hello Python world!

------------------
(program exited with code: 0)
Press return to continue
```

如果没有看到这样的输出，请检查你输入的每个字符。你是不是将print的首字母大写了？是不是遗漏了引号或括号？编程语言对语法的要求非常严格，只要你没有严格遵守语法，就会出错。如果代码都正确，这个程序也不能正确地运行，请参阅下一节。

1.3 解决安装问题

如果你按前面的步骤做，应该能够成功地搭建编程环境。但如果你始终无法运行程序hello_world.py，可尝试如下几个解决方案。

❑ 程序存在严重的错误时，Python将显示traceback。Python会仔细研究文件，试图找出其中的问题。trackback可能会提供线索，让你知道是什么问题让程序无法运行。

❑ 离开计算机，先休息一会儿，再尝试。别忘了，在编程中，语法非常重要，即便是少一个冒号、引号不匹配或括号不匹配，都可能导致程序无法正确地运行。请再次阅读本章相关的内容，再次审视你所做的工作，看看能否找出错误。

❑ 推倒重来。你也许不需要把一切都推倒重来，但将文件hello_world.py删除并重新创建它也许是合理的选择。

❑ 让别人在你的计算机或其他计算机上按本章的步骤重做一遍，并仔细观察。你可能遗漏了一小步，而别人刚好没有遗漏。

❑ 请懂Python的人帮忙。当你有这样的想法时，可能会发现在你认识的人当中就有人使用Python。

❑ 本章的安装说明在网上也可以找到，其网址为https://www.nostarch.com/pythoncrash-course/。对你来说，在线版也许更合适。

❑ 到网上寻求帮助。附录C提供了很多在线资源，如论坛或在线聊天网站，你可以前往这些地方，请求解决过你面临的问题的人提供解决方案。

不要担心这会打扰经验丰富的程序员。每个程序员都遇到过问题，而大多数程序员都会乐意帮助你正确地设置系统。只要能清晰地说明你要做什么、尝试了哪些方法及其结果，就很可能有人能够帮到你。正如前言中指出的，Python社区对初学者非常友好。

任何现代计算机都能够运行Python，如果你遇到了困难，请想办法寻求帮助吧。前期的问题可能令人沮丧，但很值得你花时间去解决。能够运行hello_world.py后，你就可以开始学习Python了，而且编程工作会更有趣，也更令人愉快。

1.4 从终端运行 Python 程序

你编写的大多数程序都将直接在文本编辑器中运行，但有时候，从终端运行程序很有用。例如，你可能想直接运行既有的程序。

在任何安装了Python的系统上都可以这样做，前提是你知道如何进入程序文件所在的目录。为尝试这样做，请确保已将文件hello_world.py存储到了桌面的python_work文件夹中。

1.4.1 在 Linux 和 OS X 系统中从终端运行 Python 程序

在Linux和OS X系统中，从终端运行Python程序的方式相同。在终端会话中，可使用终端命令cd（表示切换目录，change directory）在文件系统中导航。命令ls（list的简写）显示当前目录中所有未隐藏的文件。

为运行程序hello_world.py，请打开一个新的终端窗口，并执行下面的命令：

```
❶ ~$ cd Desktop/python_work/
❷ ~/Desktop/python_work$ ls
  hello_world.py
❸ ~/Desktop/python_work$ python hello_world.py
  Hello Python world!
```

这里使用了命令cd来切换到文件夹Desktop/python_work（见❶）。接下来，使用命令ls来确认这个文件夹中包含文件hello_world.py（见❷）。最后，使用命令python hello_world.py来运行这个文件（见❸）。

就这么简单。要运行Python程序，只需使用命令python（或python3）即可。

1.4.2 在 Windows 系统中从终端运行 Python 程序

在命令窗口中，要在文件系统中导航，可使用终端命令cd；要列出当前目录中的所有文件，可使用命令dir（表示目录， directory）。

为运行程序hello_world.py，请打开一个新的终端窗口，并执行下面的命令：

```
❶ C:\> cd Desktop\python_work
❷ C:\Desktop\python_work> dir
  hello_world.py
❸ C:\Desktop\python_work> python hello_world.py
  Hello Python world!
```

这里使用了命令cd来切换到文件夹Desktop\python_work（见❶）。接下来，使用命令dir来确认这个文件夹中包含文件hello_world.py（见❷）。最后，使用命令python hello_world.py来运行这个文件（见❸）。

如果你没有对系统进行配置以使用简单命令python，就可能需要指定这个命令的路径：

```
C:\> cd Desktop\python_work
C:\Desktop\python_work> dir
hello_world.py
C:\Desktop\python_work> C:\Python35\python hello_world.py
Hello Python world!
```

大多数程序都可以直接从编辑器运行，但需要解决的问题比较复杂时，你编写的程序可能需要从终端运行。

动手试一试

　　本章的练习都是探索性的，但从第 2 章开始将要求你用那一章学到的知识来解决问题。

　　1-1 python.org：浏览 Python 主页（http://python.org/），寻找你感兴趣的主题。你对 Python 越熟悉，这个网站对你来说就越有用。

　　1-2 输入错误：打开你刚创建的文件 hello_world.py，在代码中添加一个输入错误，再运行这个程序。输入错误会引发错误吗？你能理解显示的错误消息吗？你能添加一个不会导致错误的输入错误吗？你凭什么认为它不会导致错误？

　　1-3 无穷的技艺：如果你编程技艺无穷，你打算开发什么样的程序呢？你就要开始学习编程了；如果心中有目标，就能立即将新学到的技能付诸应用；现在正是草拟目标的大好时机。将想法记录下来是个不错的习惯，这样每当需要开始新项目时，都可参考它们。现在请花点时间描绘三个你想创建的程序。

1.5　小结

　　在本章中，你大致了解了 Python，并在自己的系统中安装了 Python。你还安装了一个文本编辑器，以简化 Python 代码的编写工作。你学习了如何在终端会话中运行 Python 代码片段，并运行了第一个货真价实的程序——hello_world.py。你还大致了解了如何解决安装问题。

　　在下一章，你将学习如何在 Python 程序中使用各种数据和变量。

第2章

变量和简单数据类型

在本章中，你将学习可在Python程序中使用的各种数据，还将学习如何将数据存储到变量中，以及如何在程序中使用这些变量。

2.1 运行 hello_world.py 时发生的情况

运行hello_world.py时，Python都做了些什么呢？下面来深入研究一下。实际上，即便是运行简单的程序，Python所做的工作也相当多：

hello_world.py

```
print("Hello Python world!")
```

运行上述代码时，你将看到如下输出：

```
Hello Python world!
```

运行文件hello_world.py时，末尾的.py指出这是一个Python程序，因此编辑器将使用Python解释器来运行它。Python解释器读取整个程序，确定其中每个单词的含义。例如，看到单词print时，解释器就会将括号中的内容打印到屏幕，而不会管括号中的内容是什么。

编写程序时，编辑器会以各种方式突出程序的不同部分。例如，它知道print是一个函数的名称，因此将其显示为蓝色；它知道"Hello Python world!"不是Python代码，因此将其显示为橙色。这种功能称为语法突出，在你刚开始编写程序时很有帮助。

2.2　变量

下面来尝试在hello_world.py中使用一个变量。在这个文件开头添加一行代码，并对第2行代码进行修改，如下所示：

```
message = "Hello Python world!"
print(message)
```

运行这个程序，看看结果如何。你会发现，输出与以前相同：

```
Hello Python world!
```

我们添加了一个名为message的变量。每个变量都存储了一个值——与变量相关联的信息。在这里，存储的值为文本"Hello Python world!"。

添加变量导致Python解释器需要做更多工作。处理第1行代码时，它将文本"Hello Python world!"与变量message关联起来；而处理第2行代码时，它将与变量message关联的值打印到屏幕。

下面来进一步扩展这个程序：修改 hello_world.py，使其再打印一条消息。为此，在hello_world.py中添加一个空行，再添加下面两行代码：

```
message = "Hello Python world!"
print(message)

message = "Hello Python Crash Course world!"
print(message)
```

现在如果运行这个程序，将看到两行输出：

```
Hello Python world!
Hello Python Crash Course world!
```

在程序中可随时修改变量的值，而Python将始终记录变量的最新值。

2.2.1　变量的命名和使用

在Python中使用变量时，需要遵守一些规则和指南。违反这些规则将引发错误，而指南旨在让你编写的代码更容易阅读和理解。请务必牢记下述有关变量的规则。

- 变量名只能包含字母、数字和下划线。变量名可以字母或下划线打头，但不能以数字打头，例如，可将变量命名为message_1，但不能将其命名为1_message。
- 变量名不能包含空格，但可使用下划线来分隔其中的单词。例如，变量名greeting_message可行，但变量名greeting message会引发错误。
- 不要将Python关键字和函数名用作变量名，即不要使用Python保留用于特殊用途的单词，如print（请参见附录A.4）。

□ 变量名应既简短又具有描述性。例如，name比n好，student_name比s_n好，name_length 比length_of_persons_name好。

□ 慎用小写字母l和大写字母O，因为它们可能被人错看成数字1和0。

要创建良好的变量名，需要经过一定的实践，在程序复杂而有趣时尤其如此。随着你编写的 程序越来越多，并开始阅读别人编写的代码，将越来越善于创建有意义的变量名。

注意　就目前而言，应使用小写的Python变量名。在变量名中使用大写字母虽然不会导致错误， 但避免使用大写字母是个不错的主意。

2.2.2　使用变量时避免命名错误

程序员都会犯错，而且大多数程序员每天都会犯错。虽然优秀的程序员也会犯错，但他们也 知道如何高效地消除错误。下面来看一种你可能会犯的错误，并学习如何消除它。

我们将有意地编写一些引发错误的代码。请输入下面的代码，包括其中以粗体显示但拼写不 正确的单词mesage：

```
message = "Hello Python Crash Course reader!"
print(mesage)
```

程序存在错误时，Python解释器将竭尽所能地帮助你找出问题所在。程序无法成功地运行时， 解释器会提供一个traceback。traceback是一条记录，指出了解释器尝试运行代码时，在什么地方 陷入了困境。下面是你不小心错误地拼写了变量名时，Python解释器提供的traceback：

```
  Traceback (most recent call last):
❶   File "hello_world.py", line 2, in <module>
❷     print(mesage)
❸ NameError: name 'mesage' is not defined
```

解释器指出，文件hello_world.py的第2行存在错误（见❶）；它列出了这行代码，旨在帮助你 快速找出错误（见❷）；它还指出了它发现的是什么样的错误（见❸）。在这里，解释器发现了一 个名称错误，并指出打印的变量mesage未定义：Python无法识别你提供的变量名。名称错误通常 意味着两种情况：要么是使用变量前忘记了给它赋值，要么是输入变量名时拼写不正确。

在这个示例中，第2行的变量名message中遗漏了字母s。Python解释器不会对代码做拼写检查， 但要求变量名的拼写一致。例如，如果在代码的另一个地方也将message错误地拼写成了mesage， 结果将如何呢？

```
mesage = "Hello Python Crash Course reader!"
print(mesage)
```

在这种情况下，程序将成功地运行：

```
Hello Python Crash Course reader!
```

计算机一丝不苟，但不关心拼写是否正确。因此，创建变量名和编写代码时，你无需考虑英语中的拼写和语法规则。

很多编程错误都很简单，只是在程序的某一行输错了一个字符。为找出这种错误而花费很长时间的大有人在。很多程序员天资聪颖、经验丰富，却为找出这种细微的错误花费数小时。你可能觉得这很好笑，但别忘了，在你的编程生涯中，经常会有同样的遭遇。

注意　要理解新的编程概念，最佳的方式是尝试在程序中使用它们。如果你在做本书的练习时陷入了困境，请尝试做点其他的事情。如果这样做后依然无法摆脱困境，请复习相关内容。如果这样做后情况依然如故，请参阅附录C的建议。

动手试一试

请完成下面的练习，在做每个练习时，都编写一个独立的程序。保存每个程序时，使用符合标准 Python 约定的文件名：使用小写字母和下划线，如 simple_message.py 和 simple_messages.py。

2-1 简单消息：将一条消息存储到变量中，再将其打印出来。

2-2 多条简单消息：将一条消息存储到变量中，将其打印出来；再将变量的值修改为一条新消息，并将其打印出来。

2.3　字符串

大多数程序都定义并收集某种数据，然后使用它们来做些有意义的事情。鉴于此，对数据进行分类大有神益。我们将介绍的第一种数据类型是字符串。字符串虽然看似简单，但能够以很多不同的方式使用它们。

字符串就是一系列字符。在Python中，用引号括起的都是字符串，其中的引号可以是单引号，也可以是双引号，如下所示：

```
"This is a string."
'This is also a string.'
```

这种灵活性让你能够在字符串中包含引号和撇号：

```
'I told my friend, "Python is my favorite language!"'
"The language 'Python' is named after Monty Python, not the snake."
"One of Python's strengths is its diverse and supportive community."
```

下面来看一些使用字符串的方式。

2.3.1　使用方法修改字符串的大小写

对于字符串，可执行的最简单的操作之一是修改其中的单词的大小写。请看下面的代码，并尝试判断其作用：

name.py

```
name = "ada lovelace"
print(name.title())
```

将这个文件保存为name.py，再运行它。你将看到如下输出：

```
Ada Lovelace
```

在这个示例中，小写的字符串"ada lovelace"存储到了变量name中。在print()语句中，方法title()出现在这个变量的后面。方法是Python可对数据执行的操作。在name.title()中，name后面的句点（.）让Python对变量name执行方法title()指定的操作。每个方法后面都跟着一对括号，这是因为方法通常需要额外的信息来完成其工作。这种信息是在括号内提供的。函数title()不需要额外的信息，因此它后面的括号是空的。

title()以首字母大写的方式显示每个单词，即将每个单词的首字母都改为大写。这很有用，因为你经常需要将名字视为信息。例如，你可能希望程序将值Ada、ADA和ada视为同一个名字，并将它们都显示为Ada。

还有其他几个很有用的大小写处理方法。例如，要将字符串改为全部大写或全部小写，可以像下面这样做：

```
name = "Ada Lovelace"
print(name.upper())
print(name.lower())
```

这些代码的输出如下：

```
ADA LOVELACE
ada lovelace
```

存储数据时，方法lower()很有用。很多时候，你无法依靠用户来提供正确的大小写，因此需要将字符串先转换为小写，再存储它们。以后需要显示这些信息时，再将其转换为最合适的大小写方式。

2.3.2　合并（拼接）字符串

在很多情况下，都需要合并字符串。例如，你可能想将姓和名存储在不同的变量中，等要显示姓名时再将它们合而为一：

```
first_name = "ada"
last_name = "lovelace"
❶ full_name = first_name + " " + last_name

print(full_name)
```

Python使用加号（+）来合并字符串。在这个示例中，我们使用+来合并first_name、空格和
last_name，以得到完整的姓名（见❶），其结果如下：

```
ada lovelace
```

这种合并字符串的方法称为拼接。通过拼接，可使用存储在变量中的信息来创建完整的消息。
下面来看一个例子：

```
first_name = "ada"
last_name = "lovelace"
full_name = first_name + " " + last_name

❶ print("Hello, " + full_name.title() + "!")
```

在这里，一个问候用户的句子中使用了全名（见❶），并使用了方法title()来将姓名设置为
合适的格式。这些代码显示一条格式良好的简单问候语：

```
Hello, Ada Lovelace!
```

你可以使用拼接来创建消息，再把整条消息都存储在一个变量中：

```
first_name = "ada"
last_name = "lovelace"
full_name = first_name + " " + last_name

❶ message = "Hello, " + full_name.title() + "!"
❷ print(message)
```

上述代码也显示消息"Hello, Ada Lovelace!"，但将这条消息存储在了一个变量中（见❶），
这让最后的print语句简单得多（见❷）。

2.3.3　使用制表符或换行符来添加空白

在编程中，空白泛指任何非打印字符，如空格、制表符和换行符。你可使用空白来组织输出，
以使其更易读。

要在字符串中添加制表符，可使用字符组合\t，如下述代码的❶处所示：

```
>>> print("Python")
Python
```

❶ `>>>` **print("\tPython")**
```
    Python
```

要在字符串中添加换行符，可使用字符组合\n：

`>>>` **print("Languages:\nPython\nC\nJavaScript")**
```
Languages:
Python
C
JavaScript
```

还可在同一个字符串中同时包含制表符和换行符。字符串"\n\t"让Python换到下一行，并在下一行开头添加一个制表符。下面的示例演示了如何使用一个单行字符串来生成四行输出：

`>>>` **print("Languages:\n\tPython\n\tC\n\tJavaScript")**
```
Languages:
    Python
    C
    JavaScript
```

在接下来的两章中，你将使用为数不多的几行代码来生成很多行输出，届时制表符和换行符将提供极大的帮助。

2.3.4　删除空白

在程序中，额外的空白可能令人迷惑。对程序员来说，'python'和'python '看起来几乎没什么两样，但对程序来说，它们却是两个不同的字符串。Python能够发现'python '中额外的空白，并认为它是有意义的——除非你告诉它不是这样的。

空白很重要，因为你经常需要比较两个字符串是否相同。例如，一个重要的示例是，在用户登录网站时检查其用户名。但在一些简单得多的情形下，额外的空格也可能令人迷惑。所幸在Python中，删除用户输入的数据中的多余的空白易如反掌。

Python能够找出字符串开头和末尾多余的空白。要确保字符串末尾没有空白，可使用方法rstrip()。

❶ `>>>` **favorite_language = 'python '**
❷ `>>>` **favorite_language**
```
'python '
```
❸ `>>>` **favorite_language.rstrip()**
```
'python'
```
❹ `>>>` **favorite_language**
```
'python '
```

存储在变量favorite_language中的字符串末尾包含多余的空白（见❶）。你在终端会话中向Python询问这个变量的值时，可看到末尾的空格（见❷）。对变量favorite_language调用方法rstrip()后（见❸），这个多余的空格被删除了。然而，这种删除只是暂时的，接下来再次询问

favorite_language的值时，你会发现这个字符串与输入时一样，依然包含多余的空白（见❹）。

要永久删除这个字符串中的空白，必须将删除操作的结果存回到变量中：

```
>>> favorite_language = 'python '
❶ >>> favorite_language = favorite_language.rstrip()
>>> favorite_language
'python'
```

为删除这个字符串中的空白，你需要将其末尾的空白剔除，再将结果存回到原来的变量中（见❶）。在编程中，经常需要修改变量的值，再将新值存回到原来的变量中。这就是变量的值可能随程序的运行或用户输入数据而发生变化的原因。

你还可以剔除字符串开头的空白，或同时剔除字符串两端的空白。为此，可分别使用方法lstrip()和strip()：

```
❶ >>> favorite_language = ' python '
❷ >>> favorite_language.rstrip()
' python'
❸ >>> favorite_language.lstrip()
'python '
❹ >>> favorite_language.strip()
'python'
```

在这个示例中，我们首先创建了一个开头和末尾都有空白的字符串（见❶）。接下来，我们分别删除末尾（见❷）、开头（见❸）和两端（见❹）的空格。尝试使用这些剥除函数有助于你熟悉字符串操作。在实际程序中，这些剥除函数最常用于在存储用户输入前对其进行清理。

2.3.5　使用字符串时避免语法错误

语法错误是一种时不时会遇到的错误。程序中包含非法的Python代码时，就会导致语法错误。例如，在用单引号括起的字符串中，如果包含撇号，就将导致错误。这是因为这会导致Python将第一个单引号和撇号之间的内容视为一个字符串，进而将余下的文本视为Python代码，从而引发错误。

下面演示了如何正确地使用单引号和双引号。请将该程序保存为apostrophe.py，再运行它：

apostrophe.py

```
message = "One of Python's strengths is its diverse community."
print(message)
```

撇号位于两个双引号之间，因此Python解释器能够正确地理解这个字符串：

```
One of Python's strengths is its diverse community.
```

然而，如果你使用单引号，Python将无法正确地确定字符串的结束位置：

```
message = 'One of Python's strengths is its diverse community.'
print(message)
```

而你将看到如下输出：

```
  File "apostrophe.py", line 1
    message = 'One of Python's strengths is its diverse community.'
                              ^❶
SyntaxError: invalid syntax
```

从上述输出可知，错误发生在第二个单引号后面（见❶）。这种语法错误表明，在解释器看来，其中的有些内容不是有效的Python代码。错误的来源多种多样，这里指出一些常见的。学习编写Python代码时，你可能会经常遇到语法错误。语法错误也是最不具体的错误类型，因此可能难以找出并修复。受困于非常棘手的错误时，请参阅附录C提供的建议。

注意 编写程序时，编辑器的语法突出功能可帮助你快速找出某些语法错误。看到Python代码以普通句子的颜色显示，或者普通句子以Python代码的颜色显示时，就可能意味着文件中存在引号不匹配的情况。

2.3.6 Python 2 中的 `print` 语句

在Python 2中，print语句的语法稍有不同：

```
> python2.7
>>> print "Hello Python 2.7 world!"
Hello Python 2.7 world!
```

在Python 2中，无需将要打印的内容放在括号内。从技术上说，Python 3中的print是一个函数，因此括号必不可少。有些Python 2 print语句也包含括号，但其行为与Python 3中稍有不同。简单地说，在Python 2代码中，有些print语句包含括号，有些不包含。

动手试一试

在做下面的每个练习时，都编写一个独立的程序，并将其保存为名称类似于name_cases.py 的文件。如果遇到了困难，请休息一会儿或参阅附录 C 提供的建议。

2-3 个性化消息：将用户的姓名存到一个变量中，并向该用户显示一条消息。显示的消息应非常简单，如 "Hello Eric, would you like to learn some Python today?"。

2-4 调整名字的大小写：将一个人名存储到一个变量中，再以小写、大写和首字母大写的方式显示这个人名。

2-5 名言：找一句你钦佩的名人说的名言，将这个名人的姓名和他的名言打印出来。输出应类似于下面这样（包括引号）：

Albert Einstein once said, "A person who never made a mistake never tried anything new."

2-6 名言 2：重复练习 2-5，但将名人的姓名存储在变量 famous_person 中，再创建要显示的消息，并将其存储在变量 message 中，然后打印这条消息。

2-7 剔除人名中的空白：存储一个人名，并在其开头和末尾都包含一些空白字符。务必至少使用字符组合"\t"和"\n"各一次。

打印这个人名，以显示其开头和末尾的空白。然后，分别使用剔除函数 lstrip()、rstrip() 和 strip() 对人名进行处理，并将结果打印出来。

2.4　数字

在编程中，经常使用数字来记录游戏得分、表示可视化数据、存储 Web 应用信息等。Python 根据数字的用法以不同的方式处理它们。鉴于整数使用起来最简单，下面就先来看看 Python 是如何管理它们的。

2.4.1　整数

在 Python 中，可对整数执行加（+）减（-）乘（*）除（/）运算。

```
>>> 2 + 3
5
>>> 3 - 2
1
>>> 2 * 3
6
>>> 3 / 2
1.5
```

在终端会话中，Python 直接返回运算结果。Python 使用两个乘号表示乘方运算：

```
>>> 3 ** 2
9
>>> 3 ** 3
27
>>> 10 ** 6
1000000
```

Python 还支持运算次序，因此你可在同一个表达式中使用多种运算。你还可以使用括号来修改运算次序，让 Python 按你指定的次序执行运算，如下所示：

```
>>> 2 + 3*4
14
>>> (2 + 3) * 4
20
```

2

在这些示例中，空格不影响Python计算表达式的方式，它们的存在旨在让你阅读代码时，能迅速确定先执行哪些运算。

2.4.2　浮点数

Python将带小数点的数字都称为浮点数。大多数编程语言都使用了这个术语，它指出了这样一个事实：小数点可出现在数字的任何位置。每种编程语言都须细心设计，以妥善地处理浮点数，确保不管小数点出现在什么位置，数字的行为都是正常的。

从很大程度上说，使用浮点数时都无需考虑其行为。你只需输入要使用的数字，Python通常都会按你期望的方式处理它们：

```
>>> 0.1 + 0.1
0.2
>>> 0.2 + 0.2
0.4
>>> 2 * 0.1
0.2
>>> 2 * 0.2
0.4
```

但需要注意的是，结果包含的小数位数可能是不确定的：

```
>>> 0.2 + 0.1
0.30000000000000004
>>> 3 * 0.1
0.30000000000000004
```

所有语言都存在这种问题，没有什么可担心的。Python会尽力找到一种方式，以尽可能精确地表示结果，但鉴于计算机内部表示数字的方式，这在有些情况下很难。就现在而言，暂时忽略多余的小数位数即可；在第二部分的项目中，你将学习在需要时处理多余小数位的方式。

2.4.3　使用函数 str()避免类型错误

你经常需要在消息中使用变量的值。例如，假设你要祝人生日快乐，可能会编写类似于下面的代码：

birthday.py

```
age = 23
message = "Happy " + age + "rd Birthday!"
```

```
print(message)
```

你可能认为，上述代码会打印一条简单的生日祝福语：Happy 23rd birthday!。但如果你运行这些代码，将发现它们会引发错误：

```
Traceback (most recent call last):
  File "birthday.py", line 2, in <module>
    message = "Happy " + age + "rd Birthday!"
❶ TypeError: Can't convert 'int' object to str implicitly
```

这是一个类型错误，意味着Python无法识别你使用的信息。在这个示例中，Python发现你使用了一个值为整数（int）的变量，但它不知道该如何解读这个值（见❶）。Python知道，这个变量表示的可能是数值23，也可能是字符2和3。像上面这样在字符串中使用整数时，需要显式地指出你希望Python将这个整数用作字符串。为此，可调用函数str()，它让Python将非字符串值表示为字符串：

```
age = 23
message = "Happy " + str(age) + "rd Birthday!"

print(message)
```

这样，Python就知道你要将数值23转换为字符串，进而在生日祝福消息中显示字符2和3。经过上述处理后，将显示你期望的消息，而不会引发错误：

```
Happy 23rd Birthday!
```

大多数情况下，在Python中使用数字都非常简单。如果结果出乎意料，请检查Python是否按你期望的方式将数字解读为了数值或字符串。

2.4.4　Python 2 中的整数

在Python 2中，将两个整数相除得到的结果稍有不同：

```
>>> python2.7
>>> 3 / 2
1
```

Python返回的结果为1，而不是1.5。在Python 2中，整数除法的结果只包含整数部分，小数部分被删除。请注意，计算整数结果时，采取的方式不是四舍五入，而是将小数部分直接删除。

在Python 2中，若要避免这种情况，务必确保至少有一个操作数为浮点数，这样结果也将为浮点数：

```
>>> 3 / 2
1
>>> 3.0 / 2
```

```
1.5
>>> 3 / 2.0
1.5
>>> 3.0 / 2.0
1.5
```

从Python 3转而用Python 2或从Python 2转而用Python 3时，这种除法行为常常会令人迷惑。使用或编写同时使用浮点数和整数的代码时，一定要注意这种异常行为。

动手试一试

2-8　数字 8：编写4个表达式，它们分别使用加法、减法、乘法和除法运算，但结果都是数字 8。为使用 print 语句来显示结果，务必将这些表达式用括号括起来，也就是说，你应该编写4行类似于下面的代码：

```
print(5 + 3)
```

输出应为4行，其中每行都只包含数字8。

2-9　最喜欢的数字：将你最喜欢的数字存储在一个变量中，再使用这个变量创建一条消息，指出你最喜欢的数字，然后将这条消息打印出来。

2.5　注释

在大多数编程语言中，注释都是一项很有用的功能。本书前面编写的程序中都只包含Python代码，但随着程序越来越大、越来越复杂，就应在其中添加说明，对你解决问题的方法进行大致的阐述。注释让你能够使用自然语言在程序中添加说明。

2.5.1　如何编写注释

在Python中，注释用井号（ # ）标识。井号后面的内容都会被Python解释器忽略，如下所示：

comment.py

```
# 向大家问好
print("Hello Python people!")
```

Python解释器将忽略第1行，只执行第2行。

```
Hello Python people!
```

2.5.2   该编写什么样的注释

编写注释的主要目的是阐述代码要做什么，以及是如何做的。在开发项目期间，你对各个部分如何协同工作了如指掌，但过段时间后，有些细节你可能不记得了。当然，你总是可以通过研究代码来确定各个部分的工作原理，但通过编写注释，以清晰的自然语言对解决方案进行概述，可节省很多时间。

要成为专业程序员或与其他程序员合作，就必须编写有意义的注释。当前，大多数软件都是合作编写的，编写者可能是同一家公司的多名员工，也可能是众多致力于同一个开源项目的人员。训练有素的程序员都希望代码中包含注释，因此你最好从现在开始就在程序中添加描述性注释。作为新手，最值得养成的习惯之一是，在代码中编写清晰、简洁的注释。

如果不确定是否要编写注释，就问问自己，找到合理的解决方案前，是否考虑了多个解决方案。如果答案是肯定的，就编写注释对你的解决方案进行说明吧。相比回过头去再添加注释，删除多余的注释要容易得多。从现在开始，本书的示例都将使用注释来阐述代码的工作原理。

动手试一试

2-10 添加注释：选择你编写的两个程序，在每个程序中都至少添加一条注释。如果程序太简单，实在没有什么需要说明的，就在程序文件开头加上你的姓名和当前日期，再用一句话阐述程序的功能。

2.6   Python 之禅

编程语言Perl曾在互联网领域长期占据着统治地位，早期的大多数交互式网站使用的都是Perl脚本。彼时，"解决问题的办法有多个"被Perl社区奉为座右铭。这种理念一度深受大家的喜爱，因为这种语言固有的灵活性使得大多数问题都有很多不同的解决之道。在开发项目期间，这种灵活性是可以接受的，但大家最终认识到，过于强调灵活性会导致大型项目难以维护：要通过研究代码搞清楚当时解决复杂问题的人是怎么想的，既困难又麻烦，还会耗费大量的时间。

经验丰富的程序员倡导尽可能避繁就简。Python社区的理念都包含在Tim Peters撰写的"Python之禅"中。要获悉这些有关编写优秀Python代码的指导原则，只需在解释器中执行命令 import this。这里不打算赘述整个"Python之禅"，而只与大家分享其中的几条原则，让你明白为何它们对Python新手来说至关重要。

```
>>> import this
The Zen of Python, by Tim Peters

Beautiful is better than ugly.
```

Python程序员笃信代码可以编写得漂亮而优雅。编程是要解决问题的，设计良好、高效而漂亮的解决方案都会让程序员心生敬意。随着你对Python的认识越来越深入，并使用它来编写越来越多的代码，有一天也许会有人站在你后面惊呼："哇，代码编写得真是漂亮！"

```
Simple is better than complex.
```

如果有两个解决方案，一个简单，一个复杂，但都行之有效，就选择简单的解决方案吧。这样，你编写的代码将更容易维护，你或他人以后改进这些代码时也会更容易。

```
Complex is better than complicated.
```

现实是复杂的，有时候可能没有简单的解决方案。在这种情况下，就选择最简单可行的解决方案吧。

```
Readability counts.
```

即便是复杂的代码，也要让它易于理解。开发的项目涉及复杂代码时，一定要为这些代码编写有益的注释。

```
There should be one-- and preferably only one --obvious way to do it.
```

如果让两名Python程序员去解决同一个问题，他们提供的解决方案应大致相同。这并不是说编程没有创意空间，而是恰恰相反！然而，大部分编程工作都是使用常见解决方案来解决简单的小问题，但这些小问题都包含在更庞大、更有创意空间的项目中。在你的程序中，各种具体细节对其他Python程序员来说都应易于理解。

```
Now is better than never.
```

你可以将余生都用来学习Python和编程的纷繁难懂之处，但这样你什么项目都完不成。不要企图编写完美无缺的代码；先编写行之有效的代码，再决定是对其做进一步改进，还是转而去编写新代码。

等你进入下一章，开始研究更复杂的主题时，务必牢记这种简约而清晰的理念。如此，经验丰富的程序员定将对你编写的代码心生敬意，进而乐意向你提供反馈，并与你合作开发有趣的项目。

动手试一试

2-11 Python 之禅：在 Python 终端会话中执行命令 import this，并粗略地浏览一下其他的指导原则。

2.7　小结

　　在本章中，你学习了：如何使用变量；如何创建描述性变量名以及如何消除名称错误和语法错误；字符串是什么，以及如何使用小写、大写和首字母大写方式显示字符串；使用空白来显示整洁的输出，以及如何剔除字符串中多余的空白；如何使用整数和浮点数；使用数值数据时需要注意的意外行为。你还学习了如何编写说明性注释，让代码对你和其他人来说更容易理解。最后，你了解了让代码尽可能简单的理念。

　　在第3章，你将学习如何在被称为列表的变量中存储信息集，以及如何通过遍历列表来操作其中的信息。

列表简介

在本章和下一章中，你将学习列表是什么以及如何使用列表元素。列表让你能够在一个地方存储成组的信息，其中可以只包含几个元素，也可以包含数百万个元素。列表是新手可直接使用的最强大的Python功能之一，它融合了众多重要的编程概念。

3.1 列表是什么

列表由一系列按特定顺序排列的元素组成。你可以创建包含字母表中所有字母、数字0~9或所有家庭成员姓名的列表；也可以将任何东西加入列表中，其中的元素之间可以没有任何关系。鉴于列表通常包含多个元素，给列表指定一个表示复数的名称（如letters、digits或names）是个不错的主意。

在Python中，用方括号（[]）来表示列表，并用逗号来分隔其中的元素。下面是一个简单的列表示例，这个列表包含几种自行车：

bicycles.py

```python
bicycles = ['trek', 'cannondale', 'redline', 'specialized']
print(bicycles)
```

如果你让Python将列表打印出来，Python将打印列表的内部表示，包括方括号：

```
['trek', 'cannondale', 'redline', 'specialized']
```

鉴于这不是你要让用户看到的输出，下面来学习如何访问列表元素。

3.1.1　访问列表元素

列表是有序集合，因此要访问列表的任何元素，只需将该元素的位置或索引告诉Python即可。要访问列表元素，可指出列表的名称，再指出元素的索引，并将其放在方括号内。

例如，下面的代码从列表bicycles中提取第一款自行车：

```
bicycles = ['trek', 'cannondale', 'redline', 'specialized']
```
❶ `print(bicycles[0])`

❶处演示了访问列表元素的语法。当你请求获取列表元素时，Python只返回该元素，而不包括方括号和引号：

```
trek
```

这正是你要让用户看到的结果——整洁、干净的输出。

你还可以对任何列表元素调用第2章介绍的字符串方法。例如，可使用方法title()让元素'trek'的格式更整洁：

```
bicycles = ['trek', 'cannondale', 'redline', 'specialized']
print(bicycles[0].title())
```

这个示例的输出与前一个示例相同，只是首字母T是大写的。

3.1.2　索引从 0 而不是 1 开始

在Python中，第一个列表元素的索引为0，而不是1。在大多数编程语言中都是如此，这与列表操作的底层实现相关。如果结果出乎意料，请看看你是否犯了简单的差一错误。

第二个列表元素的索引为1。根据这种简单的计数方式，要访问列表的任何元素，都可将其位置减1，并将结果作为索引。例如，要访问第四个列表元素，可使用索引3。

下面的代码访问索引1和3处的自行车：

```
bicycles = ['trek', 'cannondale', 'redline', 'specialized']
print(bicycles[1])
print(bicycles[3])
```

这些代码返回列表中的第二个和第四个元素：

```
cannondale
specialized
```

Python为访问最后一个列表元素提供了一种特殊语法。通过将索引指定为-1，可让Python返回最后一个列表元素：

```
bicycles = ['trek', 'cannondale', 'redline', 'specialized']
```

```
print(bicycles[-1])
```

这些代码返回'specialized'。这种语法很有用，因为你经常需要在不知道列表长度的情况下访问最后的元素。这种约定也适用于其他负数索引，例如，索引-2返回倒数第二个列表元素，索引-3返回倒数第三个列表元素，以此类推。

3.1.3 使用列表中的各个值

可像使用其他变量一样使用列表中的各个值。例如，你可以使用拼接根据列表中的值来创建消息。

下面来尝试从列表中提取第一款自行车，并使用这个值来创建一条消息：

```
bicycles = ['trek', 'cannondale', 'redline', 'specialized']
❶ message = "My first bicycle was a " + bicycles[0].title() + "."

print(message)
```

我们使用bicycles[0]的值生成了一个句子，并将其存储在变量message中（见❶）。输出是一个简单的句子，其中包含列表中的第一款自行车：

```
My first bicycle was a Trek.
```

动手试一试

请尝试编写一些简短的程序来完成下面的练习，以获得一些使用 Python 列表的第一手经验。你可能需要为每章的练习创建一个文件夹，以整洁有序的方式存储为完成各章的练习而编写的程序。

3-1 姓名：将一些朋友的姓名存储在一个列表中，并将其命名为 names。依次访问该列表中的每个元素，从而将每个朋友的姓名都打印出来。

3-2 问候语：继续使用练习 3-1 中的列表，但不打印每个朋友的姓名，而为每人打印一条消息。每条消息都包含相同的问候语，但抬头为相应朋友的姓名。

3-3 自己的列表：想想你喜欢的通勤方式，如骑摩托车或开汽车，并创建一个包含多种通勤方式的列表。根据该列表打印一系列有关这些通勤方式的宣言，如"I would like to own a Honda motorcycle"。

3.2 修改、添加和删除元素

你创建的大多数列表都将是动态的，这意味着列表创建后，将随着程序的运行增删元素。例如，你创建一个游戏，要求玩家射杀从天而降的外星人；为此，可在开始时将一些外星人存储在列表中，然后每当有外星人被射杀时，都将其从列表中删除，而每次有新的外星人出现在屏幕上时，都将其添加到列表中。在整个游戏运行期间，外星人列表的长度将不断变化。

3.2.1 修改列表元素

修改列表元素的语法与访问列表元素的语法类似。要修改列表元素，可指定列表名和要修改的元素的索引，再指定该元素的新值。

例如，假设有一个摩托车列表，其中的第一个元素为'honda'，如何修改它的值呢？

motorcycles.py

```
❶ motorcycles = ['honda', 'yamaha', 'suzuki']
  print(motorcycles)

❷ motorcycles[0] = 'ducati'
  print(motorcycles)
```

我们首先定义一个摩托车列表，其中的第一个元素为'honda'（见❶）。接下来，我们将第一个元素的值改为'ducati'（见❷）。输出表明，第一个元素的值确实变了，但其他列表元素的值没变：

```
['honda', 'yamaha', 'suzuki']
['ducati', 'yamaha', 'suzuki']
```

你可以修改任何列表元素的值，而不仅仅是第一个元素的值。

3.2.2 在列表中添加元素

你可能出于众多原因要在列表中添加新元素，例如，你可能希望游戏中出现新的外星人、添加可视化数据或给网站添加新注册的用户。Python提供了多种在既有列表中添加新数据的方式。

1. 在列表末尾添加元素

在列表中添加新元素时，最简单的方式是将元素附加到列表末尾。给列表附加元素时，它将添加到列表末尾。继续使用前一个示例中的列表，在其末尾添加新元素'ducati'：

```
motorcycles = ['honda', 'yamaha', 'suzuki']
print(motorcycles)

❶ motorcycles.append('ducati')
  print(motorcycles)
```

方法append()将元素'ducati'添加到了列表末尾（见❶），而不影响列表中的其他所有元素：

```
['honda', 'yamaha', 'suzuki']
['honda', 'yamaha', 'suzuki', 'ducati']
```

　　方法append()让动态地创建列表易如反掌，例如，你可以先创建一个空列表，再使用一系列的append()语句添加元素。下面来创建一个空列表，再在其中添加元素'honda'、'yamaha'和'suzuki'：

```
motorcycles = []

motorcycles.append('honda')
motorcycles.append('yamaha')
motorcycles.append('suzuki')

print(motorcycles)
```

最终的列表与前述示例中的列表完全相同：

```
['honda', 'yamaha', 'suzuki']
```

　　这种创建列表的方式极其常见，因为经常要等程序运行后，你才知道用户要在程序中存储哪些数据。为控制用户，可首先创建一个空列表，用于存储用户将要输入的值，然后将用户提供的每个新值附加到列表中。

2. 在列表中插入元素

　　使用方法insert()可在列表的任何位置添加新元素。为此，你需要指定新元素的索引和值。

```
motorcycles = ['honda', 'yamaha', 'suzuki']

❶ motorcycles.insert(0, 'ducati')
print(motorcycles)
```

　　在这个示例中，值'ducati'被插入到了列表开头（见❶）；方法insert()在索引0处添加空间，并将值'ducati'存储到这个地方。这种操作将列表中既有的每个元素都右移一个位置：

```
['ducati', 'honda', 'yamaha', 'suzuki']
```

3.2.3　从列表中删除元素

　　你经常需要从列表中删除一个或多个元素。例如，玩家将空中的一个外星人射杀后，你很可能要将其从存活的外星人列表中删除；当用户在你创建的Web应用中注销其账户时，你需要将该用户从活跃用户列表中删除。你可以根据位置或值来删除列表中的元素。

1. 使用del语句删除元素

　　如果知道要删除的元素在列表中的位置，可使用del语句。

```
motorcycles = ['honda', 'yamaha', 'suzuki']
print(motorcycles)

❶ del motorcycles[0]
print(motorcycles)
```

❶ 处的代码使用del删除了列表motorcycles中的第一个元素——'honda'：

```
['honda', 'yamaha', 'suzuki']
['yamaha', 'suzuki']
```

使用del可删除任何位置处的列表元素，条件是知道其索引。下例演示了如何删除前述列表中的第二个元素——'yamaha'：

```
motorcycles = ['honda', 'yamaha', 'suzuki']
print(motorcycles)

del motorcycles[1]
print(motorcycles)
```

下面的输出表明，已经将第二款摩托车从列表中删除了：

```
['honda', 'yamaha', 'suzuki']
['honda', 'suzuki']
```

在这两个示例中，使用del语句将值从列表中删除后，你就无法再访问它了。

2. 使用方法pop()删除元素

有时候，你要将元素从列表中删除，并接着使用它的值。例如，你可能需要获取刚被射杀的外星人的x和y坐标，以便在相应的位置显示爆炸效果；在Web应用程序中，你可能要将用户从活跃成员列表中删除，并将其加入到非活跃成员列表中。

方法pop()可删除列表末尾的元素，并让你能够接着使用它。术语弹出（pop）源自这样的类比：列表就像一个栈，而删除列表末尾的元素相当于弹出栈顶元素。

下面从列表motorcycles中弹出一款摩托车：

```
❶ motorcycles = ['honda', 'yamaha', 'suzuki']
  print(motorcycles)

❷ popped_motorcycle = motorcycles.pop()
❸ print(motorcycles)
❹ print(popped_motorcycle)
```

我们首先定义并打印了列表motorcycles（见❶）。接下来，我们从这个列表中弹出一个值，并将其存储到变量popped_motorcycle中（见❷）。然后我们打印这个列表，以核实从其中删除了一个值（见❸）。最后，我们打印弹出的值，以证明我们依然能够访问被删除的值（见❹）。

输出表明，列表末尾的值'suzuki'已删除，它现在存储在变量popped_motorcycle中：

```
['honda', 'yamaha', 'suzuki']
['honda', 'yamaha']
suzuki
```

方法pop()是怎么起作用的呢？假设列表中的摩托车是按购买时间存储的，就可使用方法pop()打印一条消息，指出最后购买的是哪款摩托车：

```
motorcycles = ['honda', 'yamaha', 'suzuki']

last_owned = motorcycles.pop()
print("The last motorcycle I owned was a " + last_owned.title() + ".")
```

输出是一个简单的句子，指出了最新购买的是哪款摩托车：

```
The last motorcycle I owned was a Suzuki.
```

3. 弹出列表中任何位置处的元素

实际上，你可以使用pop()来删除列表中任何位置的元素，只需在括号中指定要删除的元素的索引即可。

```
motorcycles = ['honda', 'yamaha', 'suzuki']
```

❶ `first_owned = motorcycles.pop(0)`
❷ `print('The first motorcycle I owned was a ' + first_owned.title() + '.')`

首先，我们弹出了列表中的第一款摩托车（见❶），然后打印了一条有关这辆摩托车的消息（见❷）。输出是一个简单的句子，描述了我购买的第一辆摩托车：

```
The first motorcycle I owned was a Honda.
```

别忘了，每当你使用pop()时，被弹出的元素就不再在列表中了。

如果你不确定该使用del语句还是pop()方法，下面是一个简单的判断标准：如果你要从列表中删除一个元素，且不再以任何方式使用它，就使用del语句；如果你要在删除元素后还能继续使用它，就使用方法pop()。

4. 根据值删除元素

有时候，你不知道要从列表中删除的值所处的位置。如果你只知道要删除的元素的值，可使用方法remove()。

例如，假设我们要从列表motorcycles中删除值'ducati'。

```
motorcycles = ['honda', 'yamaha', 'suzuki', 'ducati']
print(motorcycles)
```

❶ `motorcycles.remove('ducati')`
`print(motorcycles)`

❶ 处的代码让Python确定'ducati'出现在列表的什么地方，并将该元素删除：

```
['honda', 'yamaha', 'suzuki', 'ducati']
['honda', 'yamaha', 'suzuki']
```

使用remove()从列表中删除元素时，也可接着使用它的值。下面删除值'ducati'，并打印一条消息，指出要将其从列表中删除的原因：

```
❶ motorcycles = ['honda', 'yamaha', 'suzuki', 'ducati']
  print(motorcycles)

❷ too_expensive = 'ducati'
❸ motorcycles.remove(too_expensive)
  print(motorcycles)
❹ print("\nA " + too_expensive.title() + " is too expensive for me.")
```

在❶处定义列表后，我们将值'ducati'存储在变量too_expensive中（见❷）。接下来，我们使用这个变量来告诉Python将哪个值从列表中删除（见❸）。最后，值'ducati'已经从列表中删除，但它还存储在变量too_expensive中（见❹），让我们能够打印一条消息，指出将'ducati'从列表motorcycles中删除的原因：

```
['honda', 'yamaha', 'suzuki', 'ducati']
['honda', 'yamaha', 'suzuki']

A Ducati is too expensive for me.
```

注意　方法remove()只删除第一个指定的值。如果要删除的值可能在列表中出现多次，就需要使用循环来判断是否删除了所有这样的值。你将在第7章学习如何这样做。

动手试一试

下面的练习比第 2 章的练习要复杂些，但让你有机会以前面介绍过的各种方式使用列表。

3-4 嘉宾名单：如果你可以邀请任何人一起共进晚餐（无论是在世的还是故去的），你会邀请哪些人？请创建一个列表，其中包含至少 3 个你想邀请的人；然后，使用这个列表打印消息，邀请这些人来与你共进晚餐。

3-5 修改嘉宾名单：你刚得知有位嘉宾无法赴约，因此需要另外邀请一位嘉宾。
❑ 以完成练习 3-4 时编写的程序为基础，在程序末尾添加一条 print 语句，指出哪位嘉宾无法赴约。
❑ 修改嘉宾名单，将无法赴约的嘉宾的姓名替换为新邀请的嘉宾的姓名。
❑ 再次打印一系列消息，向名单中的每位嘉宾发出邀请。

3-6 添加嘉宾：你刚找到了一个更大的餐桌，可容纳更多的嘉宾。请想想你还想邀请哪三位嘉宾。
❑ 以完成练习 3-4 或练习 3-5 时编写的程序为基础，在程序末尾添加一条 print 语句，指出你找到了一个更大的餐桌。
❑ 使用 insert()将一位新嘉宾添加到名单开头。

□ 使用 insert()将另一位新嘉宾添加到名单中间。

□ 使用 append()将最后一位新嘉宾添加到名单末尾。

□ 打印一系列消息,向名单中的每位嘉宾发出邀请。

3-7 缩减名单: 你刚得知新购买的餐桌无法及时送达,因此只能邀请两位嘉宾。

□ 以完成练习 3-6 时编写的程序为基础,在程序末尾添加一行代码,打印一条你只能邀请两位嘉宾共进晚餐的消息。

□ 使用 pop()不断地删除名单中的嘉宾,直到只有两位嘉宾为止。每次从名单中弹出一位嘉宾时,都打印一条消息,让该嘉宾知悉你很抱歉,无法邀请他来共进晚餐。

□ 对于余下的两位嘉宾中的每一位,都打印一条消息,指出他依然在受邀人之列。

□ 使用 del 将最后两位嘉宾从名单中删除,让名单变成空的。打印该名单,核实程序结束时名单确实是空的。

3.3　组织列表

在你创建的列表中,元素的排列顺序常常是无法预测的,因为你并非总能控制用户提供数据的顺序。这虽然在大多数情况下都是不可避免的,但你经常需要以特定的顺序呈现信息。有时候,你希望保留列表元素最初的排列顺序,而有时候又需要调整排列顺序。Python提供了很多组织列表的方式,可根据具体情况选用。

3.3.1　使用方法 sort()对列表进行永久性排序

Python方法sort()让你能够较为轻松地对列表进行排序。假设你有一个汽车列表,并要让其中的汽车按字母顺序排列。为简化这项任务,我们假设该列表中的所有值都是小写的。

cars.py

```
cars = ['bmw', 'audi', 'toyota', 'subaru']
❶ cars.sort()
print(cars)
```

方法sort()(见❶)永久性地修改了列表元素的排列顺序。现在,汽车是按字母顺序排列的,再也无法恢复到原来的排列顺序:

```
['audi', 'bmw', 'subaru', 'toyota']
```

你还可以按与字母顺序相反的顺序排列列表元素,为此,只需向sort()方法传递参数reverse=True。下面的示例将汽车列表按与字母顺序相反的顺序排列:

```
cars = ['bmw', 'audi', 'toyota', 'subaru']
```

```
cars.sort(reverse=True)
print(cars)
```

同样，对列表元素排列顺序的修改是永久性的：

```
['toyota', 'subaru', 'bmw', 'audi']
```

3.3.2   使用函数 sorted()对列表进行临时排序

要保留列表元素原来的排列顺序，同时以特定的顺序呈现它们，可使用函数sorted()。函数 sorted()让你能够按特定顺序显示列表元素，同时不影响它们在列表中的原始排列顺序。

下面尝试对汽车列表调用这个函数。

```
cars = ['bmw', 'audi', 'toyota', 'subaru']
```

❶ ```
print("Here is the original list:")
print(cars)
```

❷ ```
print("\nHere is the sorted list:")
print(sorted(cars))
```

❸ ```
print("\nHere is the original list again:")
print(cars)
```

我们首先按原始顺序打印列表（见❶），再按字母顺序显示该列表（见❷）。以特定顺序显示列表后，我们进行核实，确认列表元素的排列顺序与以前相同（见❸）。

```
Here is the original list:
['bmw', 'audi', 'toyota', 'subaru']

Here is the sorted list:
['audi', 'bmw', 'subaru', 'toyota']
```

❹ ```
Here is the original list again:
['bmw', 'audi', 'toyota', 'subaru']
```

注意，调用函数sorted()后，列表元素的排列顺序并没有变（见❹）。如果你要按与字母顺序相反的顺序显示列表，也可向函数sorted()传递参数reverse=True。

注意   在并非所有的值都是小写时，按字母顺序排列列表要复杂些。决定排列顺序时，有多种解读大写字母的方式，要指定准确的排列顺序，可能比我们这里所做的要复杂。然而，大多数排序方式都基于本节介绍的知识。

3.3.3　倒着打印列表

　　要反转列表元素的排列顺序，可使用方法reverse()。假设汽车列表是按购买时间排列的，可轻松地按相反的顺序排列其中的汽车：

```
cars = ['bmw', 'audi', 'toyota', 'subaru']
print(cars)

cars.reverse()
print(cars)
```

3

　　注意，reverse()不是指按与字母顺序相反的顺序排列列表元素，而只是反转列表元素的排列顺序：

```
['bmw', 'audi', 'toyota', 'subaru']
['subaru', 'toyota', 'audi', 'bmw']
```

　　方法reverse()永久性地修改列表元素的排列顺序，但可随时恢复到原来的排列顺序，为此只需对列表再次调用reverse()即可。

3.3.4　确定列表的长度

　　使用函数len()可快速获悉列表的长度。在下面的示例中，列表包含4个元素，因此其长度为4：

```
>>> cars = ['bmw', 'audi', 'toyota', 'subaru']
>>> len(cars)
4
```

　　在你需要完成如下任务时，len()很有用：确定还有多少个外星人未被射杀，需要管理多少项可视化数据，网站有多少注册用户等。

注意　Python计算列表元素数时从1开始，因此确定列表长度时，你应该不会遇到差一错误。

动手试一试

3-8 放眼世界：想出至少 5 个你渴望去旅游的地方。

❑ 将这些地方存储在一个列表中，并确保其中的元素不是按字母顺序排列的。

❑ 按原始排列顺序打印该列表。不要考虑输出是否整洁的问题，只管打印原始 Python 列表。

❑ 使用 sorted() 按字母顺序打印这个列表，同时不要修改它。

❑ 再次打印该列表，核实排列顺序未变。

❑ 使用 sorted() 按与字母顺序相反的顺序打印这个列表，同时不要修改它。

❑ 再次打印该列表，核实排列顺序未变。

❑ 使用 reverse() 修改列表元素的排列顺序。打印该列表，核实排列顺序确实变了。

❑ 使用 reverse() 再次修改列表元素的排列顺序。打印该列表，核实已恢复到原来的排列顺序。

❑ 使用 sort() 修改该列表，使其元素按字母顺序排列。打印该列表，核实排列顺序确实变了。

❑ 使用 sort() 修改该列表，使其元素按与字母顺序相反的顺序排列。打印该列表，核实排列顺序确实变了。

3-9 晚餐嘉宾：在完成练习 3-4~练习 3-7 时编写的程序之一中，使用 len() 打印一条消息，指出你邀请了多少位嘉宾来与你共进晚餐。

3-10 尝试使用各个函数：想想可存储到列表中的东西，如山岳、河流、国家、城市、语言或你喜欢的任何东西。编写一个程序，在其中创建一个包含这些元素的列表，然后，对于本章介绍的每个函数，都至少使用一次来处理这个列表。

3.4　使用列表时避免索引错误

刚开始使用列表时，经常会遇到一种错误。假设你有一个包含三个元素的列表，却要求获取第四个元素：

```
motorcycles = ['honda', 'yamaha', 'suzuki']
print(motorcycles[3])
```

这将导致索引错误：

```
Traceback (most recent call last):
  File "motorcycles.py", line 3, in <module>
    print(motorcycles[3])
IndexError: list index out of range
```

Python 试图向你提供位于索引 3 处的元素，但它搜索列表 motorcycles 时，却发现索引 3 处没有元素。鉴于列表索引差一的特征，这种错误很常见。有些人从 1 开始数，因此以为第三个元素的索引为 3；但在 Python 中，第三个元素的索引为 2，因为索引是从 0 开始的。

索引错误意味着 Python 无法理解你指定的索引。程序发生索引错误时，请尝试将你指定的索引减 1，然后再次运行程序，看看结果是否正确。

别忘了，每当需要访问最后一个列表元素时，都可使用索引 -1。这在任何情况下都行之有效，即便你最后一次访问列表后，其长度发生了变化：

```
motorcycles = ['honda', 'yamaha', 'suzuki']
print(motorcycles[-1])
```

索引-1总是返回最后一个列表元素，这里为值'suzuki'：

```
'suzuki'
```

仅当列表为空时，这种访问最后一个元素的方式才会导致错误：

```
motorcycles = []
print(motorcycles[-1])
```

列表motorcycles不包含任何元素，因此Python返回一条索引错误消息：

```
Traceback (most recent call last):
  File "motorcyles.py", line 3, in <module>
    print(motorcycles[-1])
IndexError: list index out of range
```

注意 发生索引错误却找不到解决办法时，请尝试将列表或其长度打印出来。列表可能与你以为的截然不同，在程序对其进行了动态处理时尤其如此。通过查看列表或其包含的元素数，可帮助你找出这种逻辑错误。

动手试一试

3-11 有意引发错误：如果你还没有在程序中遇到过索引错误，就尝试引发一个这种错误。在你的一个程序中，修改其中的索引，以引发索引错误。关闭程序前，务必消除这个错误。

3.5 小结

在本章中，你学习了：列表是什么以及如何使用其中的元素；如何定义列表以及如何增删元素；如何对列表进行永久性排序，以及如何为展示列表而进行临时排序；如何确定列表的长度，以及在使用列表时如何避免索引错误。

在第4章，你将学习如何以更高效的方式处理列表元素。通过使用为数不多的几行代码来遍历列表元素，你就能高效地处理它们，即便列表包含数千乃至数百万个元素。

操作列表

　　在第3章，你学习了如何创建简单的列表，还学习了如何操作列表元素。在本章中，你将学习如何**遍历**整个列表，这只需要几行代码，无论列表有多长。循环让你能够对列表的每个元素都采取一个或一系列相同的措施，从而高效地处理任何长度的列表，包括包含数千乃至数百万个元素的列表。

4.1　遍历整个列表

　　你经常需要遍历列表的所有元素，对每个元素执行相同的操作。例如，在游戏中，可能需要将每个界面元素平移相同的距离；对于包含数字的列表，可能需要对每个元素执行相同的统计运算；在网站中，可能需要显示文章列表中的每个标题。需要对列表中的每个元素都执行相同的操作时，可使用Python中的for循环。

　　假设我们有一个魔术师名单，需要将其中每个魔术师的名字都打印出来。为此，我们可以分别获取名单中的每个名字，但这种做法会导致多个问题。例如，如果名单很长，将包含大量重复的代码。另外，每当名单的长度发生变化时，都必须修改代码。通过使用for循环，可让Python去处理这些问题。

　　下面使用for循环来打印魔术师名单中的所有名字：

magicians.py

```
❶ magicians = ['alice', 'david', 'carolina']
❷ for magician in magicians:
❸     print(magician)
```

　　首先，我们像第3章那样定义了一个列表（见❶）。接下来，我们定义了一个for循环（见❷）；

这行代码让Python从列表magicians中取出一个名字，并将其存储在变量magician中。最后，我们让Python打印前面存储到变量magician中的名字（见❸）。这样，对于列表中的每个名字，Python都将重复执行❷处和❸处的代码行。你可以这样解读这些代码：对于列表magicians中的每位魔术师，都将其名字打印出来。输出很简单，就是列表中所有的姓名：

```
alice
david
carolina
```

4.1.1　深入地研究循环

循环这种概念很重要，因为它是让计算机自动完成重复工作的常见方式之一。例如，在前面的magicians.py中使用的简单循环中，Python将首先读取其中的第一行代码：

```
for magician in magicians:
```

这行代码让Python获取列表magicians中的第一个值（'alice'），并将其存储到变量magician中。接下来，Python读取下一行代码：

```
    print(magician)
```

它让Python打印magician的值——依然是'alice'。鉴于该列表还包含其他值，Python返回到循环的第一行：

```
for magician in magicians:
```

Python获取列表中的下一个名字——'david'，并将其存储到变量magician中，再执行下面这行代码：

```
    print(magician)
```

Python再次打印变量magician的值——当前为'david'。接下来，Python再次执行整个循环，对列表中的最后一个值——'carolina'进行处理。至此，列表中没有其他的值了，因此Python接着执行程序的下一行代码。在这个示例中，for循环后面没有其他的代码，因此程序就此结束。

刚开始使用循环时请牢记，对列表中的每个元素，都将执行循环指定的步骤，而不管列表包含多少个元素。如果列表包含一百万个元素，Python就重复执行指定的步骤一百万次，且通常速度非常快。

另外，编写for循环时，对于用于存储列表中每个值的临时变量，可指定任何名称。然而，选择描述单个列表元素的有意义的名称大有帮助。例如，对于小猫列表、小狗列表和一般性列表，像下面这样编写for循环的第一行代码是不错的选择：

```
for cat in cats:
for dog in dogs:
for item in list_of_items:
```

这些命名约定有助于你明白for循环中将对每个元素执行的操作。使用单数和复数式名称，可帮助你判断代码段处理的是单个列表元素还是整个列表。

4.1.2   在 for 循环中执行更多的操作

在for循环中，可对每个元素执行任何操作。下面来扩展前面的示例，对于每位魔术师，都打印一条消息，指出他的表演太精彩了。

```
magicians = ['alice', 'david', 'carolina']
for magician in magicians:
❶    print(magician.title() + ", that was a great trick!")
```

相比于前一个示例，唯一的不同是对于每位魔术师，都打印了一条以其名字为抬头的消息（见❶）。这个循环第一次迭代时，变量magician的值为'alice'，因此Python打印的第一条消息的抬头为'Alice'。第二次迭代时，消息的抬头为'David'，而第三次迭代时，抬头为'Carolina'。

下面的输出表明，对于列表中的每位魔术师，都打印了一条个性化消息：

```
Alice, that was a great trick!
David, that was a great trick!
Carolina, that was a great trick!
```

在for循环中，想包含多少行代码都可以。在代码行for magician in magicians后面，每个缩进的代码行都是循环的一部分，且将针对列表中的每个值都执行一次。因此，可对列表中的每个值执行任意次数的操作。

下面再添加一行代码，告诉每位魔术师，我们期待他的下一次表演：

```
magicians = ['alice', 'david', 'carolina']
for magician in magicians:
    print(magician.title() + ", that was a great trick!")
❶    print("I can't wait to see your next trick, " + magician.title() + ".\n")
```

由于两条print语句都缩进了，因此它们都将针对列表中的每位魔术师执行一次。第二条print语句中的换行符"\n"（见❶）在每次迭代结束后都插入一个空行，从而整洁地将针对各位魔术师的消息编组：

```
Alice, that was a great trick!
I can't wait to see your next trick, Alice.

David, that was a great trick!
I can't wait to see your next trick, David.
```

```
Carolina, that was a great trick!
I can't wait to see your next trick, Carolina.
```

在for循环中，想包含多少行代码都可以。实际上，你会发现使用for循环对每个元素执行众多不同的操作很有用。

4.1.3　在 for 循环结束后执行一些操作

for循环结束后再怎么做呢？通常，你需要提供总结性输出或接着执行程序必须完成的其他任务。

在for循环后面，没有缩进的代码都只执行一次，而不会重复执行。下面来打印一条向全体魔术师致谢的消息，感谢他们的精彩表演。想要在打印给各位魔术师的消息后面打印一条给全体魔术师的致谢消息，需要将相应的代码放在for循环后面，且不缩进：

```
magicians = ['alice', 'david', 'carolina']
for magician in magicians:
    print(magician.title() + ", that was a great trick!")
    print("I can't wait to see your next trick, " + magician.title() + ".\n")

❶ print("Thank you, everyone. That was a great magic show!")
```

你在前面看到了，开头两条print语句针对列表中每位魔术师重复执行。然而，由于第三条print语句没有缩进，因此只执行一次：

```
Alice, that was a great trick!
I can't wait to see your next trick, Alice.

David, that was a great trick!
I can't wait to see your next trick, David.

Carolina, that was a great trick!
I can't wait to see your next trick, Carolina.

Thank you, everyone. That was a great magic show!
```

使用for循环处理数据是一种对数据集执行整体操作的不错的方式。例如，你可能使用for循环来初始化游戏——遍历角色列表，将每个角色都显示到屏幕上；再在循环后面添加一个不缩进的代码块，在屏幕上绘制所有角色后显示一个Play Now按钮。

4.2　避免缩进错误

Python根据缩进来判断代码行与前一个代码行的关系。在前面的示例中，向各位魔术师显示消息的代码行是for循环的一部分，因为它们缩进了。Python通过使用缩进让代码更易读；简单地说，它要求你使用缩进让代码整洁而结构清晰。在较长的Python程序中，你将看到缩进程度各不相同的代码块，这让你对程序的组织结构有大致的认识。

当你开始编写必须正确缩进的代码时，需要注意一些常见的缩进错误。例如，有时候，程序员会将不需要缩进的代码块缩进，而对于必须缩进的代码块却忘了缩进。通过查看这样的错误示例，有助于你以后避开它们，以及在它们出现在程序中时进行修复。

下面来看一些较为常见的缩进错误。

4.2.1   忘记缩进

对于位于for语句后面且属于循环组成部分的代码行，一定要缩进。如果你忘记缩进，Python会提醒你：

magicians.py

```
magicians = ['alice', 'david', 'carolina']
for magician in magicians:
❶ print(magician)
```

print语句（见❶）应缩进却没有缩进。Python没有找到期望缩进的代码块时，会让你知道哪行代码有问题。

```
  File "magicians.py", line 3
    print(magician)
        ^
IndentationError: expected an indented block
```

通常，将紧跟在for语句后面的代码行缩进，可消除这种缩进错误。

4.2.2   忘记缩进额外的代码行

有时候，循环能够运行而不会报告错误，但结果可能会出乎意料。试图在循环中执行多项任务，却忘记缩进其中的一些代码行时，就会出现这种情况。

例如，如果忘记缩进循环中的第2行代码（它告诉每位魔术师，我们期待他的下一次表演），就会出现这种情况：

```
magicians = ['alice', 'david', 'carolina']
for magician in magicians:
    print(magician.title() + ", that was a great trick!")
❶ print("I can't wait to see your next trick, " + magician.title() + ".\n")
```

第二条print语句（见❶）原本需要缩进，但Python发现for语句后面有一行代码是缩进的，因此它没有报告错误。最终的结果是，对于列表中的每位魔术师，都执行了第一条print语句，因为它缩进了；而第二条print语句没有缩进，因此它只在循环结束后执行一次。由于变量magician的终值为'carolina'，因此只有她收到了消息“looking forward to the next trick”：

```
Alice, that was a great trick!
David, that was a great trick!
Carolina, that was a great trick!
I can't wait to see your next trick, Carolina.
```

这是一个逻辑错误。从语法上看，这些Python代码是合法的，但由于存在逻辑错误，结果并不符合预期。如果你预期某项操作将针对每个列表元素都执行一次，但它却只执行了一次，请确定是否需要将一行或多行代码缩进。

4.2.3 不必要的缩进

如果你不小心缩进了无需缩进的代码行，Python将指出这一点：

hello_world.py

```
   message = "Hello Python world!"
❶      print(message)
```

print语句（见❶）无需缩进，因为它并不属于前一行代码，因此Python将指出这种错误：

```
  File "hello_world.py", line 2
    print(message)
    ^
IndentationError: unexpected indent
```

为避免意外缩进错误，请只缩进需要缩进的代码。在前面编写的程序中，只有要在for循环中对每个元素执行的代码需要缩进。

4.2.4 循环后不必要的缩进

如果你不小心缩进了应在循环结束后执行的代码，这些代码将针对每个列表元素重复执行。在有些情况下，这可能导致Python报告语法错误，但在大多数情况下，这只会导致逻辑错误。

例如，如果不小心缩进了感谢全体魔术师精彩表演的代码行，结果将如何呢？

```
   magicians = ['alice', 'david', 'carolina']
   for magician in magicians:
       print(magician.title() + ", that was a great trick!")
       print("I can't wait to see your next trick, " + magician.title() + ".\n")
❶      print("Thank you everyone, that was a great magic show!")
```

由于❶处的代码行被缩进，它将针对列表中的每位魔术师执行一次，如❷所示：

```
   Alice, that was a great trick!
   I can't wait to see your next trick, Alice.
```

❷ Thank you everyone, that was a great magic show!

```
David, that was a great trick!
I can't wait to see your next trick, David.
```

❷ ```
Thank you everyone, that was a great magic show!
Carolina, that was a great trick!
I can't wait to see your next trick, Carolina.
```

❷ ```
Thank you everyone, that was a great magic show!
```

这也是一个逻辑错误，与4.2.2节的错误类似。Python不知道你的本意，只要代码符合语法，它就会运行。如果原本只应执行一次的操作执行了多次，请确定你是否不应该缩进执行该操作的代码。

4.2.5　遗漏了冒号

for语句末尾的冒号告诉Python，下一行是循环的第一行。

```
magicians = ['alice', 'david', 'carolina']
```
❶ ```
for magician in magicians
    print(magician)
```

如果你不小心遗漏了冒号，如❶所示，将导致语法错误，因为Python不知道你意欲何为。这种错误虽然易于消除，但并不那么容易发现。程序员为找出这样的单字符错误，花费的时间多得令人惊讶。这样的错误之所以难以发现，是因为通常在我们的意料之外。

---

### 动手试一试

**4-1 比萨**：想出至少三种你喜欢的比萨，将其名称存储在一个列表中，再使用 for 循环将每种比萨的名称都打印出来。

❑ 修改这个 for 循环，使其打印包含比萨名称的句子，而不仅仅是比萨的名称。对于每种比萨，都显示一行输出，如 "I like pepperoni pizza"。

❑ 在程序末尾添加一行代码，它不在 for 循环中，指出你有多喜欢比萨。输出应包含针对每种比萨的消息，还有一个总结性句子，如 "I really love pizza!"。

**4-2 动物**：想出至少三种有共同特征的动物，将这些动物的名称存储在一个列表中，再使用 for 循环将每种动物的名称都打印出来。

❑ 修改这个程序，使其针对每种动物都打印一个句子，如 "A dog would make a great pet"。

❑ 在程序末尾添加一行代码，指出这些动物的共同之处，如打印诸如 "Any of these animals would make a great pet!" 这样的句子。

---
```

4.3　创建数值列表

需要存储一组数字的原因有很多，例如，在游戏中，需要跟踪每个角色的位置，还可能需要跟踪玩家的几个最高得分。在数据可视化中，处理的几乎都是由数字（如温度、距离、人口数量、经度和纬度等）组成的集合。

列表非常适合用于存储数字集合，而Python提供了很多工具，可帮助你高效地处理数字列表。明白如何有效地使用这些工具后，即便列表包含数百万个元素，你编写的代码也能运行得很好。

4.3.1　使用函数 range()

Python函数range()让你能够轻松地生成一系列的数字。例如，可以像下面这样使用函数range()来打印一系列的数字：

numbers.py

```
for value in range(1,5):
    print(value)
```

上述代码好像应该打印数字1~5，但实际上它不会打印数字5：

```
1
2
3
4
```

在这个示例中，range()只是打印数字1~4，这是你在编程语言中经常看到的差一行为的结果。函数range()让Python从你指定的第一个值开始数，并在到达你指定的第二个值后停止，因此输出不包含第二个值（这里为5）。

要打印数字1~5，需要使用range(1,6)：

```
for value in range(1,6):
    print(value)
```

这样，输出将从1开始，到5结束：

```
1
2
3
4
5
```

使用range()时，如果输出不符合预期，请尝试将指定的值加1或减1。

4.3.2　使用 range()创建数字列表

要创建数字列表，可使用函数list()将range()的结果直接转换为列表。如果将range()作为

list()的参数，输出将为一个数字列表。

在前一节的示例中，我们打印了一系列数字。要将这些数字转换为一个列表，可使用list()：

```
numbers = list(range(1,6))
print(numbers)
```

结果如下：

```
[1, 2, 3, 4, 5]
```

使用函数range()时，还可指定步长。例如，下面的代码打印1~10内的偶数：

even_numbers.py

```
even_numbers = list(range(2,11,2))
print(even_numbers)
```

在这个示例中，函数range()从2开始数，然后不断地加2，直到达到或超过终值（11），因此输出如下：

```
[2, 4, 6, 8, 10]
```

使用函数range()几乎能够创建任何需要的数字集，例如，如何创建一个列表，其中包含前10个整数（即1~10）的平方呢？在Python中，两个星号（**）表示乘方运算。下面的代码演示了如何将前10个整数的平方加入到一个列表中：

squares.py

```
❶ squares = []
❷ for value in range(1,11):
❸     square = value**2
❹     squares.append(square)

❺ print(squares)
```

首先，我们创建了一个空列表（见❶）；接下来，使用函数range()让Python遍历1~10的值（见❷）。在循环中，计算当前值的平方，并将结果存储到变量square中（见❸）。然后，将新计算得到的平方值附加到列表squares末尾（见❹）。最后，循环结束后，打印列表squares（见❺）：

```
[1, 4, 9, 16, 25, 36, 49, 64, 81, 100]
```

为让这些代码更简洁，可不使用临时变量square，而直接将每个计算得到的值附加到列表末尾：

```
  squares = []
  for value in range(1,11):
❶     squares.append(value**2)
```

```
print(squares)
```

❶处的代码与squares.py中❸处和❹处的代码等效。在循环中，计算每个值的平方，并立即将结果附加到列表squares的末尾。

创建更复杂的列表时，可使用上述两种方法中的任何一种。有时候，使用临时变量会让代码更易读；而在其他情况下，这样做只会让代码无谓地变长。你首先应该考虑的是，编写清晰易懂且能完成所需功能的代码；等到审核代码时，再考虑采用更高效的方法。

4.3.3　对数字列表执行简单的统计计算

有几个专门用于处理数字列表的Python函数。例如，你可以轻松地找出数字列表的最大值、最小值和总和：

```
>>> digits = [1, 2, 3, 4, 5, 6, 7, 8, 9, 0]
>>> min(digits)
0
>>> max(digits)
9
>>> sum(digits)
45
```

注意　出于版面考虑，本节使用的数字列表都很短，但这里介绍的知识也适用于包含数百万个数字的列表。

4.3.4　列表解析

前面介绍的生成列表squares的方式包含三四行代码，而列表解析让你只需编写一行代码就能生成这样的列表。列表解析将for循环和创建新元素的代码合成一行，并自动附加新元素。面向初学者的书籍并非都会介绍列表解析，这里之所以介绍列表解析，是因为等你开始阅读他人编写的代码时，很可能会遇到它们。

下面的示例使用列表解析创建你在前面看到的平方数列表：

squares.py

```
squares = [value**2 for value in range(1,11)]
print(squares)
```

要使用这种语法，首先指定一个描述性的列表名，如squares；然后，指定一个左方括号，并定义一个表达式，用于生成你要存储到列表中的值。在这个示例中，表达式为value**2，它计算平方值。接下来，编写一个for循环，用于给表达式提供值，再加上右方括号。在这个示例中，

for循环为for value in range(1,11)，它将值1~10提供给表达式value**2。请注意，这里的for
语句末尾没有冒号。

结果与你在前面看到的平方数列表相同：

```
[1, 4, 9, 16, 25, 36, 49, 64, 81, 100]
```

要创建自己的列表解析，需要经过一定的练习，但能够熟练地创建常规列表后，你会发现这
样做是完全值得的。当你觉得编写三四行代码来生成列表有点繁复时，就应考虑创建列表解析了。

动手试一试

4-3 数到 20：使用一个 for 循环打印数字 1~20（含）。

4-4 一百万：创建一个列表，其中包含数字 1~1 000 000，再使用一个 for 循环将这
些数字打印出来（如果输出的时间太长，按 Ctrl + C 停止输出，或关闭输出窗口）。

4-5 计算 1~1 000 000 的总和：创建一个列表，其中包含数字 1~1 000 000，再使用
min()和 max()核实该列表确实是从 1 开始，到 1 000 000 结束的。另外，对这个列表调
用函数 sum()，看看 Python 将一百万个数字相加需要多长时间。

4-6 奇数：通过给函数 range()指定第三个参数来创建一个列表，其中包含 1~20 的
奇数；再使用一个 for 循环将这些数字都打印出来。

4-7 3 的倍数：创建一个列表，其中包含 3~30 内能被 3 整除的数字；再使用一个 for
循环将这个列表中的数字都打印出来。

4-8 立方：将同一个数字乘三次称为立方。例如，在 Python 中，2 的立方用 2**3
表示。请创建一个列表，其中包含前 10 个整数（即 1~10）的立方，再使用一个 for 循
环将这些立方数都打印出来。

4-9 立方解析：使用列表解析生成一个列表，其中包含前 10 个整数的立方。

4.4　使用列表的一部分

在第3章中，你学习了如何访问单个列表元素。在本章中，你一直在学习如何处理列表的所
有元素。你还可以处理列表的部分元素——Python称之为切片。

4.4.1　切片

要创建切片，可指定要使用的第一个元素和最后一个元素的索引。与函数range()一样，Python
在到达你指定的第二个索引前面的元素后停止。要输出列表中的前三个元素，需要指定索引0~3，
这将输出分别为0、1和2的元素。

下面的示例处理的是一个运动队成员列表：

players.py

```
players = ['charles', 'martina', 'michael', 'florence', 'eli']
print(players[0:3])
```
❶

❶处的代码打印该列表的一个切片，其中只包含三名队员。输出也是一个列表，其中包含前三名队员：

```
['charles', 'martina', 'michael']
```

你可以生成列表的任何子集，例如，如果你要提取列表的第2~4个元素，可将起始索引指定为1，并将终止索引指定为4：

```
players = ['charles', 'martina', 'michael', 'florence', 'eli']
print(players[1:4])
```

这一次，切片始于'martina'，终于'florence'：

```
['martina', 'michael', 'florence']
```

如果你没有指定第一个索引，Python将自动从列表开头开始：

```
players = ['charles', 'martina', 'michael', 'florence', 'eli']
print(players[:4])
```

由于没有指定起始索引，Python从列表开头开始提取：

```
['charles', 'martina', 'michael', 'florence']
```

要让切片终止于列表末尾，也可使用类似的语法。例如，如果要提取从第3个元素到列表末尾的所有元素，可将起始索引指定为2，并省略终止索引：

```
players = ['charles', 'martina', 'michael', 'florence', 'eli']
print(players[2:])
```

Python将返回从第3个元素到列表末尾的所有元素：

```
['michael', 'florence', 'eli']
```

无论列表多长，这种语法都能够让你输出从特定位置到列表末尾的所有元素。本书前面说过，负数索引返回离列表末尾相应距离的元素，因此你可以输出列表末尾的任何切片。例如，如果你要输出名单上的最后三名队员，可使用切片players[-3:]：

```
players = ['charles', 'martina', 'michael', 'florence', 'eli']
print(players[-3:])
```

上述代码打印最后三名队员的名字，即便队员名单的长度发生变化，也依然如此。

4.4.2　遍历切片

如果要遍历列表的部分元素，可在for循环中使用切片。在下面的示例中，我们遍历前三名队员，并打印他们的名字：

```
players = ['charles', 'martina', 'michael', 'florence', 'eli']

print("Here are the first three players on my team:")
❶ for player in players[:3]:
      print(player.title())
```

❶处的代码没有遍历整个队员列表，而只遍历前三名队员：

```
Here are the first three players on my team:
Charles
Martina
Michael
```

在很多情况下，切片都很有用。例如，编写游戏时，你可以在玩家退出游戏时将其最终得分加入到一个列表中。然后，为获取该玩家的三个最高得分，你可以将该列表按降序排列，再创建一个只包含前三个得分的切片。处理数据时，可使用切片来进行批量处理；编写Web应用程序时，可使用切片来分页显示信息，并在每页显示数量合适的信息。

4.4.3　复制列表

你经常需要根据既有列表创建全新的列表。下面来介绍复制列表的工作原理，以及复制列表可提供极大帮助的一种情形。

要复制列表，可创建一个包含整个列表的切片，方法是同时省略起始索引和终止索引（[:]）。这让Python创建一个始于第一个元素，终止于最后一个元素的切片，即复制整个列表。

例如，假设有一个列表，其中包含你最喜欢的三种食品，而你还想创建另一个列表，在其中包含一位朋友喜欢的所有食品。不过，你喜欢的食品，这位朋友都喜欢，因此你可以通过复制来创建这个列表：

foods.py

```
❶ my_foods = ['pizza', 'falafel', 'carrot cake']
❷ friend_foods = my_foods[:]

print("My favorite foods are:")
print(my_foods)

print("\nMy friend's favorite foods are:")
print(friend_foods)
```

我们首先创建了一个名为my_foods的食品列表（见❶），然后创建了一个名为friend_foods的新列表（见❷）。我们在不指定任何索引的情况下从列表my_foods中提取一个切片，从而创建了这个列表的副本，再将该副本存储到变量friend_foods中。打印每个列表后，我们发现它们包含的食品相同：

```
My favorite foods are:
['pizza', 'falafel', 'carrot cake']

My friend's favorite foods are:
['pizza', 'falafel', 'carrot cake']
```

为核实我们确实有两个列表，下面在每个列表中都添加一种食品，并核实每个列表都记录了相应人员喜欢的食品：

```
  my_foods = ['pizza', 'falafel', 'carrot cake']
❶ friend_foods = my_foods[:]

❷ my_foods.append('cannoli')
❸ friend_foods.append('ice cream')

  print("My favorite foods are:")
  print(my_foods)

  print("\nMy friend's favorite foods are:")
  print(friend_foods)
```

与前一个示例一样，我们首先将my_foods的元素复制到新列表friend_foods中（见❶）。接下来，在每个列表中都添加一种食品：在列表my_foods中添加'cannoli'（见❷），而在friend_foods中添加'ice cream'（见❸）。最后，打印这两个列表，核实这两种食品包含在正确的列表中。

```
  My favorite foods are:
❹ ['pizza', 'falafel', 'carrot cake', 'cannoli']

  My friend's favorite foods are:
❺ ['pizza', 'falafel', 'carrot cake', 'ice cream']
```

❹处的输出表明，'cannoli'包含在你喜欢的食品列表中，而'ice cream'没有。❺处的输出表明，'ice cream'包含在你朋友喜欢的食品列表中，而'cannoli'没有。倘若我们只是简单地将my_foods赋给friend_foods，就不能得到两个列表。例如，下例演示了在不使用切片的情况下复制列表的情况：

```
  my_foods = ['pizza', 'falafel', 'carrot cake']

  #这行不通
❶ friend_foods = my_foods

  my_foods.append('cannoli')
  friend_foods.append('ice cream')

  print("My favorite foods are:")
  print(my_foods)

  print("\nMy friend's favorite foods are:")
  print(friend_foods)
```

这里将my_foods赋给friend_foods，而不是将my_foods的副本存储到friend_foods（见❶）。这种语法实际上是让Python将新变量friend_foods关联到包含在my_foods中的列表，因此这两个变量都指向同一个列表。鉴于此，当我们将'cannoli'添加到my_foods中时，它也将出现在friend_foods中；同样，虽然'ice cream'好像只被加入到了friend_foods中，但它也将出现在这两个列表中。

输出表明，两个列表是相同的，这并非我们想要的结果：

```
My favorite foods are:
['pizza', 'falafel', 'carrot cake', 'cannoli', 'ice cream']

My friend's favorite foods are:
['pizza', 'falafel', 'carrot cake', 'cannoli', 'ice cream']
```

注意　现在暂时不要考虑这个示例中的细节。基本上，当你试图使用列表的副本时，如果结果出乎意料，请确认你像第一个示例那样使用切片复制了列表。

动手试一试

4-10 切片：选择你在本章编写的一个程序，在末尾添加几行代码，以完成如下任务。
- 打印消息 "The first three items in the list are:"，再使用切片来打印列表的前三个元素。
- 打印消息 "Three items from the middle of the list are:"，再使用切片来打印列表中间的三个元素。
- 打印消息 "The last three items in the list are:"，再使用切片来打印列表末尾的三个元素。

4-11 你的比萨和我的比萨：在你为完成练习 4-1 而编写的程序中，创建比萨列表的副本，并将其存储到变量 friend_pizzas 中，再完成如下任务。
- 在原来的比萨列表中添加一种比萨。
- 在列表 friend_pizzas 中添加另一种比萨。
- 核实你有两个不同的列表。为此，打印消息 "My favorite pizzas are:"，再使用一个 for 循环来打印第一个列表；打印消息 "My friend's favorite pizzas are:"，再使用一个 for 循环来打印第二个列表。核实新增的比萨被添加到了正确的列表中。

4-12 使用多个循环：在本节中，为节省篇幅，程序 foods.py 的每个版本都没有使用 for 循环来打印列表。请选择一个版本的 foods.py，在其中编写两个 for 循环，将各个食品列表都打印出来。

4.5　元组

　　列表非常适合用于存储在程序运行期间可能变化的数据集。列表是可以修改的，这对处理网站的用户列表或游戏中的角色列表至关重要。然而，有时候你需要创建一系列不可修改的元素，元组可以满足这种需求。Python将不能修改的值称为不可变的，而不可变的列表被称为元组。

4.5.1　定义元组

　　元组看起来犹如列表，但使用圆括号而不是方括号来标识。定义元组后，就可以使用索引来访问其元素，就像访问列表元素一样。

　　例如，如果有一个大小不应改变的矩形，可将其长度和宽度存储在一个元组中，从而确保它们是不能修改的：

dimensions.py

```
❶ dimensions = (200, 50)
❷ print(dimensions[0])
  print(dimensions[1])
```

　　我们首先定义了元组dimensions（见❶），为此我们使用了圆括号而不是方括号。接下来，我们们分别打印该元组的各个元素，使用的语法与访问列表元素时使用的语法相同（见❷）：

```
200
50
```

　　下面来尝试修改元组dimensions中的一个元素，看看结果如何：

```
  dimensions = (200, 50)
❶ dimensions[0] = 250
```

　　❶处的代码试图修改第一个元素的值，导致Python返回类型错误消息。由于试图修改元组的操作是被禁止的，因此Python指出不能给元组的元素赋值：

```
Traceback (most recent call last):
  File "dimensions.py", line 3, in <module>
    dimensions[0] = 250
TypeError: 'tuple' object does not support item assignment
```

　　代码试图修改矩形的尺寸时，Python报告错误，这很好，因为这正是我们希望的。

4.5.2　遍历元组中的所有值

　　像列表一样，也可以使用for循环来遍历元组中的所有值：

```
dimensions = (200, 50)
for dimension in dimensions:
    print(dimension)
```

就像遍历列表时一样，Python返回元组中所有的元素：

```
200
50
```

4.5.3　修改元组变量

虽然不能修改元组的元素，但可以给存储元组的变量赋值。因此，如果要修改前述矩形的尺寸，可重新定义整个元组：

```
❶ dimensions = (200, 50)
  print("Original dimensions:")
  for dimension in dimensions:
      print(dimension)

❷ dimensions = (400, 100)
❸ print("\nModified dimensions:")
  for dimension in dimensions:
      print(dimension)
```

我们首先定义了一个元组，并将其存储的尺寸打印了出来（见❶）；接下来，将一个新元组存储到变量dimensions中（见❷）；然后，打印新的尺寸（见❸）。这次，Python不会报告任何错误，因为给元组变量赋值是合法的：

```
Original dimensions:
200
50

Modified dimensions:
400
100
```

相比于列表，元组是更简单的数据结构。如果需要存储的一组值在程序的整个生命周期内都不变，可使用元组。

动手试一试

　　4-13 自助餐：有一家自助式餐馆，只提供五种简单的食品。请想出五种简单的食品，并将其存储在一个元组中。

　　❑ 使用一个 for 循环将该餐馆提供的五种食品都打印出来。

　　❑ 尝试修改其中的一个元素，核实 Python 确实会拒绝你这样做。

　　❑ 餐馆调整了菜单，替换了它提供的其中两种食品。请编写一个这样的代码块：给元组变量赋值，并使用一个 for 循环将新元组的每个元素都打印出来。

4.6　设置代码格式

随着你编写的程序越来越长，有必要了解一些代码格式设置约定。请花时间让你的代码尽可能易于阅读；让代码易于阅读有助于你掌握程序是做什么的，也可以帮助他人理解你编写的代码。

为确保所有人编写的代码的结构都大致一致，Python程序员都遵循一些格式设置约定。学会编写整洁的Python后，就能明白他人编写的Python代码的整体结构——只要他们和你遵循相同的指南。要成为专业程序员，应从现在开始就遵循这些指南，以养成良好的习惯。

4.6.1　格式设置指南

若要提出Python语言修改建议，需要编写Python改进提案（Python Enhancement Proposal，PEP）。PEP 8是最古老的PEP之一，它向Python程序员提供了代码格式设置指南。PEP 8的篇幅很长，但大都与复杂的编码结构相关。

Python格式设置指南的编写者深知，代码被阅读的次数比编写的次数多。代码编写出来后，调试时你需要阅读它；给程序添加新功能时，需要花很长的时间阅读代码；与其他程序员分享代码时，这些程序员也将阅读它们。

如果一定要在让代码易于编写和易于阅读之间做出选择，Python程序员几乎总是会选择后者。下面的指南可帮助你从一开始就编写出清晰的代码。

4.6.2　缩进

PEP 8建议每级缩进都使用四个空格，这既可提高可读性，又留下了足够的多级缩进空间。

在字处理文档中，大家常常使用制表符而不是空格来缩进。对于字处理文档来说，这样做的效果很好，但混合使用制表符和空格会让Python解释器感到迷惑。每款文本编辑器都提供了一种设置，可将输入的制表符转换为指定数量的空格。你在编写代码时应该使用制表符键，但一定要对编辑器进行设置，使其在文档中插入空格而不是制表符。

在程序中混合使用制表符和空格可能导致极难解决的问题。如果你混合使用了制表符和空格，可将文件中所有的制表符转换为空格，大多数编辑器都提供了这样的功能。

4.6.3　行长

很多Python程序员都建议每行不超过80字符。最初制定这样的指南时，在大多数计算机中，终端窗口每行只能容纳79字符；当前，计算机屏幕每行可容纳的字符数多得多，为何还要使用79字符的标准行长呢？这里有别的原因。专业程序员通常会在同一个屏幕上打开多个文件，使用标准行长可以让他们在屏幕上并排打开两三个文件时能同时看到各个文件的完整行。PEP 8还建议注释的行长都不超过72字符，因为有些工具为大型项目自动生成文档时，会在每行注释开头添加格式化字符。

PEP 8中有关行长的指南并非不可逾越的红线，有些小组将最大行长设置为99字符。在学习期间，你不用过多地考虑代码的行长，但别忘了，协作编写程序时，大家几乎都遵守PEP 8指南。在大多数编辑器中，都可设置一个视觉标志——通常是一条竖线，让你知道不能越过的界线在什么地方。

注意　附录B介绍了如何配置文本编辑器，以使其：在你按制表符键时插入四个空格；显示一条垂直参考线，帮助你遵守行长不能超过79字符的约定。

4.6.4　空行

要将程序的不同部分分开，可使用空行。你应该使用空行来组织程序文件，但也不能滥用；只要按本书的示例展示的那样做，就能掌握其中的平衡。例如，如果你有5行创建列表的代码，还有3行处理该列表的代码，那么用一个空行将这两部分隔开是合适的。然而，你不应使用三四个空行将它们隔开。

空行不会影响代码的运行，但会影响代码的可读性。Python解释器根据水平缩进情况来解读代码，但不关心垂直间距。

4.6.5　其他格式设置指南

PEP 8还有很多其他的格式设置建议，但这些指南针对的程序大都比目前为止本书提到的程序复杂。等介绍更复杂的Python结构时，我们再来分享相关的PEP 8指南。

动手试一试

4-14 PEP 8：请访问 https://python.org/dev/peps/pep-0008/，阅读 PEP 8 格式设置指南。当前，这些指南适用的不多，但你可以大致浏览一下。

4-15 代码审核：从本章编写的程序中选择三个，根据 PEP 8 指南对它们进行修改。

❑ 每级缩进都使用四个空格。对你使用的文本编辑器进行设置，使其在你按 Tab 键时都插入四个空格；如果你还没有这样做，现在就去做吧（有关如何设置，请参阅附录 B ）。

❑ 每行都不要超过 80 字符。对你使用的编辑器进行设置，使其在第 80 个字符处显示一条垂直参考线。

❑ 不要在程序文件中过多地使用空行。

4.7　小结

在本章中，你学习了：如何高效地处理列表中的元素；如何使用for循环遍历列表，Python如何根据缩进来确定程序的结构以及如何避免一些常见的缩进错误；如何创建简单的数字列表，以及可对数字列表执行的一些操作；如何通过切片来使用列表的一部分和复制列表。你还学习了元组（它对不应变化的值提供了一定程度的保护），以及在代码变得越来越复杂时如何设置格式，使其易于阅读。

在第5章中，你将学习如何使用if语句在不同的条件下采取不同的措施；学习如何将一组较复杂的条件测试组合起来，并在满足特定条件时采取相应的措施。你还将学习如何在遍历列表时，通过使用if语句对特定元素采取特定的措施。

4

第 5 章

if语句

编程时经常需要检查一系列条件，并据此决定采取什么措施。在Python中，if语句让你能够检查程序的当前状态，并据此采取相应的措施。

在本章中，你将学习条件测试，以检查感兴趣的任何条件。你将学习简单的if语句，以及创建一系列复杂的if语句来确定当前到底处于什么情形。接下来，你将把学到的知识应用于列表，以编写for循环，以一种方式处理列表中的大多数元素，并以另一种不同的方式处理包含特定值的元素。

5.1　一个简单示例

下面是一个简短的示例，演示了如何使用if语句来正确地处理特殊情形。假设你有一个汽车列表，并想将其中每辆汽车的名称打印出来。对于大多数汽车，都应以首字母大写的方式打印其名称，但对于汽车名'bmw'，应以全大写的方式打印。下面的代码遍历一个列表，并以首字母大写的方式打印其中的汽车名，但对于汽车名'bmw'，以全大写的方式打印：

cars.py

```
cars = ['audi', 'bmw', 'subaru', 'toyota']

for car in cars:
❶    if car == 'bmw':
        print(car.upper())
    else:
        print(car.title())
```

这个示例中的循环首先检查当前的汽车名是否是'bmw'（见❶）。如果是，就以全大写的方式打印它；否则就以首字母大写的方式打印：

```
Audi
BMW
Subaru
Toyota
```

这个示例涵盖了本章将介绍的很多概念。下面先来介绍可用来在程序中检查条件的测试。

5.2 条件测试

每条if语句的核心都是一个值为True或False的表达式，这种表达式被称为条件测试。Python根据条件测试的值为True还是False来决定是否执行if语句中的代码。如果条件测试的值为True，Python就执行紧跟在if语句后面的代码；如果为False，Python就忽略这些代码。

5.2.1 检查是否相等

大多数条件测试都将一个变量的当前值同特定值进行比较。最简单的条件测试检查变量的值是否与特定值相等：

```
❶ >>> car = 'bmw'
❷ >>> car == 'bmw'
   True
```

我们首先使用一个等号将car的值设置为'bmw'（见❶），这种做法你已见过很多次。接下来，使用两个等号（==）检查car的值是否为'bmw'。这个相等运算符在它两边的值相等时返回True，否则返回False。在这个示例中，两边的值相等，因此Python返回True。

如果变量car的值不是'bmw'，上述测试将返回False：

```
❶ >>> car = 'audi'
❷ >>> car == 'bmw'
   False
```

一个等号是陈述；对于❶处的代码，可解读为"将变量car的值设置为'audi'"。两个等号是发问；对于❷处的代码，可解读为"变量car的值是'bmw'吗？"。大多数编程语言使用等号的方式都与这里演示的相同。

5.2.2 检查是否相等时不考虑大小写

在Python中检查是否相等时区分大小写，例如，两个大小写不同的值会被视为不相等：

```
>>> car = 'Audi'
>>> car == 'audi'
False
```

如果大小写很重要，这种行为有其优点。但如果大小写无关紧要，而只想检查变量的值，可将变量的值转换为小写，再进行比较：

```
>>> car = 'Audi'
>>> car.lower() == 'audi'
True
```

无论值 'Audi' 的大小写如何，上述测试都将返回 True，因为该测试不区分大小写。函数 lower() 不会修改存储在变量 car 中的值，因此进行这样的比较时不会影响原来的变量：

```
❶ >>> car = 'Audi'
❷ >>> car.lower() == 'audi'
  True
❸ >>> car
  'Audi'
```

在 ❶ 处，我们将首字母大写的字符串 'Audi' 存储在变量 car 中；在 ❷ 处，我们获取变量 car 的值并将其转换为小写，再将结果与字符串 'audi' 进行比较。这两个字符串相同，因此 Python 返回 True。从 ❸ 处的输出可知，这个条件测试并没有影响存储在变量 car 中的值。

网站采用类似的方式让用户输入的数据符合特定的格式。例如，网站可能使用类似的测试来确保用户名是独一无二的，而并非只是与另一个用户名的大小写不同。用户提交新的用户名时，将把它转换为小写，并与所有既有用户名的小写版本进行比较。执行这种检查时，如果已经有用户名 'john'（不管大小写如何），则用户提交用户名 'John' 时将遭到拒绝。

5.2.3　检查是否不相等

要判断两个值是否不等，可结合使用惊叹号和等号（!=），其中的惊叹号表示不，在很多编程语言中都如此。

下面再使用一条 if 语句来演示如何使用不等运算符。我们将把要求的比萨配料存储在一个变量中，再打印一条消息，指出顾客要求的配料是否是意式小银鱼（anchovies）：

toppings.py

```
requested_topping = 'mushrooms'

❶ if requested_topping != 'anchovies':
       print("Hold the anchovies!")
```

❶ 处的代码行将 requested_topping 的值与 'anchovies' 进行比较，如果它们不相等，Python 将返回 True，进而执行紧跟在 if 语句后面的代码；如果这两个值相等，Python 将返回 False，因此不执行紧跟在 if 语句后面的代码。

由于 requested_topping 的值不是 'anchovies'，因此执行 print 语句：

```
Hold the anchovies!
```

你编写的大多数条件表达式都检查两个值是否相等，但有时候检查两个值是否不等的效率更高。

5.2.4 比较数字

检查数值非常简单，例如，下面的代码检查一个人是否是18岁：

```
>>> age = 18
>>> age == 18
True
```

你还可以检查两个数字是否不等，例如，下面的代码在提供的答案不正确时打印一条消息：

magic_number.py

```
answer = 17

❶ if answer != 42:
      print("That is not the correct answer. Please try again!")
```

answer（17）不是42，❶处的条件得到满足，因此缩进的代码块得以执行：

```
That is not the correct answer. Please try again!
```

条件语句中可包含各种数学比较，如小于、小于等于、大于、大于等于：

```
>>> age = 19
>>> age < 21
True
>>> age <= 21
True
>>> age > 21
False
>>> age >= 21
False
```

在if语句中可使用各种数学比较，这让你能够直接检查关心的条件。

5.2.5 检查多个条件

你可能想同时检查多个条件，例如，有时候你需要在两个条件都为True时才执行相应的操作，而有时候你只要求一个条件为True时就执行相应的操作。在这些情况下，关键字and和or可助你一臂之力。

1. 使用and检查多个条件

要检查是否两个条件都为True，可使用关键字and将两个条件测试合而为一；如果每个测试都通过了，整个表达式就为True；如果至少有一个测试没有通过，整个表达式就为False。

例如，要检查是否两个人都不小于21岁，可使用下面的测试：

```
❶ >>> age_0 = 22
   >>> age_1 = 18
❷ >>> age_0 >= 21 and age_1 >= 21
   False
❸ >>> age_1 = 22
   >>> age_0 >= 21 and age_1 >= 21
   True
```

在❶处，我们定义了两个用于存储年龄的变量：age_0和age_1。在❷处，我们检查这两个变量是否都大于或等于21；左边的测试通过了，但右边的测试没有通过，因此整个条件表达式的结果为False。在❸处，我们将age_1改为22，这样age_1的值大于21，因此两个测试都通过了，导致整个条件表达式的结果为True。

为改善可读性，可将每个测试都分别放在一对括号内，但并非必须这样做。如果你使用括号，测试将类似于下面这样：

```
(age_0 >= 21) and (age_1 >= 21)
```

2. 使用or检查多个条件

关键字or也能够让你检查多个条件，但只要至少有一个条件满足，就能通过整个测试。仅当两个测试都没有通过时，使用or的表达式才为False。

下面再次检查两个人的年龄，但检查的条件是至少有一个人的年龄不小于21岁：

```
❶ >>> age_0 = 22
   >>> age_1 = 18
❷ >>> age_0 >= 21 or age_1 >= 21
   True
❸ >>> age_0 = 18
   >>> age_0 >= 21 or age_1 >= 21
   False
```

同样，我们首先定义了两个用于存储年龄的变量（见❶）。由于❷处对age_0的测试通过了，因此整个表达式的结果为True。接下来，我们将age_0减小为18；在❸处的测试中，两个测试都没有通过，因此整个表达式的结果为False。

5.2.6　检查特定值是否包含在列表中

有时候，执行操作前必须检查列表是否包含特定的值。例如，结束用户的注册过程前，可能需要检查他提供的用户名是否已包含在用户名列表中。在地图程序中，可能需要检查用户提交的位置是否包含在已知位置列表中。

要判断特定的值是否已包含在列表中，可使用关键字in。来看你可能为比萨店编写的一些代码；这些代码首先创建一个列表，其中包含用户点的比萨配料，然后检查特定的配料是否包含在该列表中。

```
>>> requested_toppings = ['mushrooms', 'onions', 'pineapple']
❶ >>> 'mushrooms' in requested_toppings
True
❷ >>> 'pepperoni' in requested_toppings
False
```

在❶处和❷处，关键字 in 让 Python 检查列表 requested_toppings 是否包含 'mushrooms' 和 'pepperoni'。这种技术很有用，它让你能够在创建一个列表后，轻松地检查其中是否包含特定的值。

5.2.7 检查特定值是否不包含在列表中

还有些时候，确定特定的值未包含在列表中很重要；在这种情况下，可使用关键字 not in。例如，如果有一个列表，其中包含被禁止在论坛上发表评论的用户，就可在允许用户提交评论前检查他是否被禁言：

banned_users.py

```
banned_users = ['andrew', 'carolina', 'david']
user = 'marie'

❶ if user not in banned_users:
      print(user.title() + ", you can post a response if you wish.")
```

❶处的代码行明白易懂：如果 user 的值未包含在列表 banned_users 中，Python 将返回 True，进而执行缩进的代码行。

用户 'marie' 未包含在列表 banned_users 中，因此她将看到一条邀请她发表评论的消息：

```
Marie, you can post a response if you wish.
```

5.2.8 布尔表达式

随着你对编程的了解越来越深入，将遇到术语布尔表达式，它不过是条件测试的别名。与条件表达式一样，布尔表达式的结果要么为 True，要么为 False。

布尔值通常用于记录条件，如游戏是否正在运行，或用户是否可以编辑网站的特定内容：

```
game_active = True
can_edit = False
```

在跟踪程序状态或程序中重要的条件方面，布尔值提供了一种高效的方式。

动手试一试

5-1 条件测试：编写一系列条件测试；将每个测试以及你对其结果的预测和实际结果都打印出来。你编写的代码应类似于下面这样：

```
car = 'subaru'
print("Is car == 'subaru'? I predict True.")
print(car == 'subaru')

print("\nIs car == 'audi'? I predict False.")
print(car == 'audi')
```

❑ 详细研究实际结果，直到你明白了它为何为 True 或 False。
❑ 创建至少 10 个测试，且其中结果分别为 True 和 False 的测试都至少有 5 个。
5-2 更多的条件测试：你并非只能创建 10 个测试。如果你想尝试做更多的比较，可再编写一些测试，并将它们加入到 conditional_tests.py 中。对于下面列出的各种测试，至少编写一个结果为 True 和 False 的测试。
❑ 检查两个字符串相等和不等。
❑ 使用函数 lower() 的测试。
❑ 检查两个数字相等、不等、大于、小于、大于等于和小于等于。
❑ 使用关键字 and 和 or 的测试。
❑ 测试特定的值是否包含在列表中。
❑ 测试特定的值是否未包含在列表中。

5.3   if 语句

理解条件测试后，就可以开始编写if语句了。if语句有很多种，选择使用哪种取决于要测试的条件数。前面讨论条件测试时，列举了多个if语句示例，下面更深入地讨论这个主题。

5.3.1   简单的 if 语句

最简单的if语句只有一个测试和一个操作：

```
if conditional_test:
    do something
```

在第1行中，可包含任何条件测试，而在紧跟在测试后面的缩进代码块中，可执行任何操作。如果条件测试的结果为True，Python就会执行紧跟在if语句后面的代码；否则Python将忽略这些代码。

假设有一个表示某人年龄的变量，而你想知道这个人是否够投票的年龄，可使用如下代码：

voting.py

```
   age = 19
❶  if age >= 18:
❷      print("You are old enough to vote!")
```

在❶处，Python检查变量age的值是否大于或等于18；答案是肯定的，因此Python执行❷处缩进的print语句：

```
You are old enough to vote!
```

在if语句中，缩进的作用与for循环中相同。如果测试通过了，将执行if语句后面所有缩进的代码行，否则将忽略它们。

在紧跟在if语句后面的代码块中，可根据需要包含任意数量的代码行。下面在一个人够投票的年龄时再打印一行输出，问他是否登记了：

```
age = 19
if age >= 18:
    print("You are old enough to vote!")
    print("Have you registered to vote yet?")
```

条件测试通过了，而两条print语句都缩进了，因此它们都将执行：

```
You are old enough to vote!
Have you registered to vote yet?
```

如果age的值小于18，这个程序将不会有任何输出。

5.3.2　if-else 语句

经常需要在条件测试通过了时执行一个操作，并在没有通过时执行另一个操作；在这种情况下，可使用Python提供的if-else语句。if-else语句块类似于简单的if语句，但其中的else语句让你能够指定条件测试未通过时要执行的操作。

下面的代码在一个人够投票的年龄时显示与前面相同的消息，同时在这个人不够投票的年龄时也显示一条消息：

```
   age = 17
❶  if age >= 18:
       print("You are old enough to vote!")
       print("Have you registered to vote yet?")
❷  else:
       print("Sorry, you are too young to vote.")
       print("Please register to vote as soon as you turn 18!")
```

如果❶处的条件测试通过了，就执行第一个缩进的print语句块；如果测试结果为False，就执行❷处的else代码块。这次age小于18，条件测试未通过，因此执行else代码块中的代码：

```
Sorry, you are too young to vote.
Please register to vote as soon as you turn 18!
```

上述代码之所以可行，是因为只存在两种情形：要么够投票的年龄，要么不够。if-else结构非常适合用于要让Python执行两种操作之一的情形。在这种简单的if-else结构中，总是会执行两个操作中的一个。

5.3.3　if-elif-else 结构

经常需要检查超过两个的情形，为此可使用Python提供的if-elif-else结构。Python只执行if-elif-else结构中的一个代码块，它依次检查每个条件测试，直到遇到通过了的条件测试。测试通过后，Python将执行紧跟在它后面的代码，并跳过余下的测试。

在现实世界中，很多情况下需要考虑的情形都超过两个。例如，来看一个根据年龄段收费的游乐场：

- ❑ 4岁以下免费；
- ❑ 4~18岁收费5美元；
- ❑ 18岁（含）以上收费10美元。

如果只使用一条if语句，如何确定门票价格呢？下面的代码确定一个人所属的年龄段，并打印一条包含门票价格的消息：

amusement_park.py

```
  age = 12
❶ if age < 4:
      print("Your admission cost is $0.")
❷ elif age < 18:
      print("Your admission cost is $5.")
❸ else:
      print("Your admission cost is $10.")
```

❶处的if测试检查一个人是否不满4岁，如果是这样，Python就打印一条合适的消息，并跳过余下的测试。❷处的elif代码行其实是另一个if测试，它仅在前面的测试未通过时才会运行。在这里，我们知道这个人不小于4岁，因为第一个测试未通过。如果这个人未满18岁，Python将打印相应的消息，并跳过else代码块。如果if测试和elif测试都未通过，Python将运行❸处else代码块中的代码。

在这个示例中，❶处测试的结果为False，因此不执行其代码块。然而，第二个测试的结果为True（12小于18），因此将执行其代码块。输出为一个句子，向用户指出了门票价格：

```
Your admission cost is $5.
```

只要年龄超过17岁，前两个测试就都不能通过。在这种情况下，将执行else代码块，指出门票价格为10美元。

为让代码更简洁，可不在if-elif-else代码块中打印门票价格，而只在其中设置门票价格，并在它后面添加一条简单的print语句：

```
age = 12

if age < 4:
❶    price = 0
elif age < 18:
❷    price = 5
else:
❸    price = 10

❹ print("Your admission cost is $" + str(price) + ".")
```

❶处、❷处和❸处的代码行像前一个示例那样，根据人的年龄设置变量price的值。在if-elif-else结构中设置price的值后，一条未缩进的print语句❹会根据这个变量的值打印一条消息，指出门票的价格。

这些代码的输出与前一个示例相同，但if-elif-else结构的作用更小，它只确定门票价格，而不是在确定门票价格的同时打印一条消息。除效率更高外，这些修订后的代码还更容易修改：要调整输出消息的内容，只需修改一条而不是三条print语句。

5.3.4 使用多个 elif 代码块

可根据需要使用任意数量的elif代码块，例如，假设前述游乐场要给老年人打折，可再添加一个条件测试，判断顾客是否符合打折条件。下面假设对于65岁（含）以上的老人，可以半价（即5美元）购买门票：

```
age = 12

if age < 4:
    price = 0
elif age < 18:
    price = 5
❶ elif age < 65:
    price = 10
❷ else:
    price = 5

print("Your admission cost is $" + str(price) + ".")
```

这些代码大都未变。第二个elif代码块（见❶）通过检查确定年龄不到65岁后，才将门票价格设置为全票价格——10美元。请注意，在else代码块（见❷）中，必须将所赋的值改为5，因为仅当年龄超过65（含）时，才会执行这个代码块。

5.3.5 省略 else 代码块

Python并不要求if-elif结构后面必须有else代码块。在有些情况下，else代码块很有用；而在其他一些情况下，使用一条elif语句来处理特定的情形更清晰：

```
age = 12

if age < 4:
    price = 0
elif age < 18:
    price = 5
elif age < 65:
    price = 10
❶ elif age >= 65:
    price = 5

print("Your admission cost is $" + str(price) + ".")
```

❶处的elif代码块在顾客的年龄超过65（含）时，将价格设置为5美元，这比使用else代码块更清晰些。经过这样的修改后，每个代码块都仅在通过了相应的测试时才会执行。

else是一条包罗万象的语句，只要不满足任何if或elif中的条件测试，其中的代码就会执行，这可能会引入无效甚至恶意的数据。如果知道最终要测试的条件，应考虑使用一个elif代码块来代替else代码块。这样，你就可以肯定，仅当满足相应的条件时，你的代码才会执行。

5.3.6 测试多个条件

if-elif-else结构功能强大，但仅适合用于只有一个条件满足的情况：遇到通过了的测试后，Python就跳过余下的测试。这种行为很好，效率很高，让你能够测试一个特定的条件。

然而，有时候必须检查你关心的所有条件。在这种情况下，应使用一系列不包含elif和else代码块的简单if语句。在可能有多个条件为True，且你需要在每个条件为True时都采取相应措施时，适合使用这种方法。

下面再来看前面的比萨店示例。如果顾客点了两种配料，就需要确保在其比萨中包含这些配料：

toppings.py

```
❶ requested_toppings = ['mushrooms', 'extra cheese']

❷ if 'mushrooms' in requested_toppings:
    print("Adding mushrooms.")
❸ if 'pepperoni' in requested_toppings:
    print("Adding pepperoni.")
❹ if 'extra cheese' in requested_toppings:
    print("Adding extra cheese.")

print("\nFinished making your pizza!")
```

　　我们首先创建了一个列表，其中包含顾客点的配料（见❶）。❷处的if语句检查顾客是否点了配料蘑菇（'mushrooms'），如果点了，就打印一条确认消息。❸处检查配料辣香肠（'pepperoni'）的代码也是一个简单的if语句，而不是elif或else语句；因此不管前一个测试是否通过，都将进行这个测试。❹处的代码检查顾客是否要求多加芝士（'extra cheese'）；不管前两个测试的结果如何，都会执行这些代码。每当这个程序运行时，都会进行这三个独立的测试。

　　在这个示例中，会检查每个条件，因此将在比萨中添加蘑菇并多加芝士：

```
Adding mushrooms.
Adding extra cheese.

Finished making your pizza!
```

　　如果像下面这样转而使用if-elif-else结构，代码将不能正确地运行，因为有一个测试通过后，就会跳过余下的测试：

```
requested_toppings = ['mushrooms', 'extra cheese']

if 'mushrooms' in requested_toppings:
    print("Adding mushrooms.")
elif 'pepperoni' in requested_toppings:
    print("Adding pepperoni.")
elif 'extra cheese' in requested_toppings:
    print("Adding extra cheese.")

print("\nFinished making your pizza!")
```

　　第一个测试检查列表中是否包含'mushrooms'，它通过了，因此将在比萨中添加蘑菇。然而，Python将跳过if-elif-else结构中余下的测试，不再检查列表中是否包含'extra cheese'和'pepperoni'。其结果是，将添加顾客点的第一种配料，但不会添加其他的配料：

```
Adding mushrooms.

Finished making your pizza!
```

　　总之，如果你只想执行一个代码块，就使用if-elif-else结构；如果要运行多个代码块，就使用一系列独立的if语句。

动手试一试

　　5-3　外星人颜色#1：假设在游戏中刚射杀了一个外星人，请创建一个名为alien_color的变量，并将其设置为'green'、'yellow'或'red'。

　　□ 编写一条if语句，检查外星人是否是绿色的；如果是，就打印一条消息，指出玩家获得了5个点。

❏ 编写这个程序的两个版本，在一个版本中上述测试通过了，而在另一个版本中未通过（未通过测试时没有输出）。

5-4 外星人颜色#2：像练习 5-3 那样设置外星人的颜色，并编写一个 if-else 结构。

❏ 如果外星人是绿色的，就打印一条消息，指出玩家因射杀该外星人获得了 5 个点。

❏ 如果外星人不是绿色的，就打印一条消息，指出玩家获得了 10 个点。

❏ 编写这个程序的两个版本，在一个版本中执行 if 代码块，而在另一个版本中执行 else 代码块。

5-5 外星人颜色#3：将练习 5-4 中的 if-else 结构改为 if-elif-else 结构。

❏ 如果外星人是绿色的，就打印一条消息，指出玩家获得了 5 个点。

❏ 如果外星人是黄色的，就打印一条消息，指出玩家获得了 10 个点。

❏ 如果外星人是红色的，就打印一条消息，指出玩家获得了 15 个点。

❏ 编写这个程序的三个版本，它们分别在外星人为绿色、黄色和红色时打印一条消息。

5-6 人生的不同阶段：设置变量 age 的值，再编写一个 if-elif-else 结构，根据 age 的值判断处于人生的哪个阶段。

❏ 如果一个人的年龄小于 2 岁，就打印一条消息，指出他是婴儿。

❏ 如果一个人的年龄为 2（含）～4 岁，就打印一条消息，指出他正蹒跚学步。

❏ 如果一个人的年龄为 4（含）～13 岁，就打印一条消息，指出他是儿童。

❏ 如果一个人的年龄为 13（含）～20 岁，就打印一条消息，指出他是青少年。

❏ 如果一个人的年龄为 20（含）～65 岁，就打印一条消息，指出他是成年人。

❏ 如果一个人的年龄超过 65（含）岁，就打印一条消息，指出他是老年人。

5-7 喜欢的水果：创建一个列表，其中包含你喜欢的水果，再编写一系列独立的 if 语句，检查列表中是否包含特定的水果。

❏ 将该列表命名为 favorite_fruits，并在其中包含三种水果。

❏ 编写 5 条 if 语句，每条都检查某种水果是否包含在列表中，如果包含在列表中，就打印一条消息，如 "You really like bananas!"。

5.4   使用 if 语句处理列表

通过结合使用 if 语句和列表，可完成一些有趣的任务：对列表中特定的值做特殊处理；高效地管理不断变化的情形，如餐馆是否还有特定的食材；证明代码在各种情形下都将按预期那样运行。

5.4.1　检查特殊元素

本章开头通过一个简单示例演示了如何处理特殊值'bmw'——它需要采用不同的格式进行打印。既然你对条件测试和 if 语句有了大致的认识，下面来进一步研究如何检查列表中的特殊值，并对其做合适的处理。

继续使用前面的比萨店示例。这家比萨店在制作比萨时，每添加一种配料都打印一条消息。通过创建一个列表，在其中包含顾客点的配料，并使用一个循环来指出添加到比萨中的配料，可以以极高的效率编写这样的代码：

toppings.py

```
requested_toppings = ['mushrooms', 'green peppers', 'extra cheese']

for requested_topping in requested_toppings:
    print("Adding " + requested_topping + ".")

print("\nFinished making your pizza!")
```

输出很简单，因为上述代码不过是一个简单的 for 循环：

```
Adding mushrooms.
Adding green peppers.
Adding extra cheese.

Finished making your pizza!
```

然而，如果比萨店的青椒用完了，该如何处理呢？为妥善地处理这种情况，可在 for 循环中包含一条 if 语句：

```
requested_toppings = ['mushrooms', 'green peppers', 'extra cheese']

for requested_topping in requested_toppings:
❶   if requested_topping == 'green peppers':
        print("Sorry, we are out of green peppers right now.")
❷   else:
        print("Adding " + requested_topping + ".")

print("\nFinished making your pizza!")
```

这里在比萨中添加每种配料前都进行检查。❶处的代码检查顾客点的是否是青椒，如果是，就显示一条消息，指出不能点青椒的原因。❷处的 else 代码块确保其他配料都将添加到比萨中。

输出表明，妥善地处理了顾客点的每种配料：

```
Adding mushrooms.
Sorry, we are out of green peppers right now.
Adding extra cheese.

Finished making your pizza!
```

5.4.2   确定列表不是空的

到目前为止，对于处理的每个列表都做了一个简单的假设，即假设它们都至少包含一个元素。我们马上就要让用户来提供存储在列表中的信息，因此不能再假设循环运行时列表不是空的。有鉴于此，在运行for循环前确定列表是否为空很重要。

下面在制作比萨前检查顾客点的配料列表是否为空。如果列表是空的，就向顾客确认他是否要点普通比萨；如果列表不为空，就像前面的示例那样制作比萨：

```
❶ requested_toppings = []

❷ if requested_toppings:
       for requested_topping in requested_toppings:
           print("Adding " + requested_topping + ".")
       print("\nFinished making your pizza!")
❸ else:
       print("Are you sure you want a plain pizza?")
```

在这里，我们首先创建了一个空列表，其中不包含任何配料（见❶）。在❷处我们进行了简单检查，而不是直接执行for循环。在if语句中将列表名用在条件表达式中时，Python将在列表至少包含一个元素时返回True，并在列表为空时返回False。如果requested_toppings不为空，就运行与前一个示例相同的for循环；否则，就打印一条消息，询问顾客是否确实要点不加任何配料的普通比萨（见❸）。

在这里，这个列表为空，因此输出如下——询问顾客是否确实要点普通比萨：

```
Are you sure you want a plain pizza?
```

如果这个列表不为空，将显示在比萨中添加的各种配料的输出。

5.4.3   使用多个列表

顾客的要求往往五花八门，在比萨配料方面尤其如此。如果顾客要在比萨中添加炸薯条，该怎么办呢？可使用列表和if语句来确定能否满足顾客的要求。

来看看在制作比萨前如何拒绝怪异的配料要求。下面的示例定义了两个列表，其中第一个列表包含比萨店供应的配料，而第二个列表包含顾客点的配料。这次对于requested_toppings中的每个元素，都检查它是否是比萨店供应的配料，再决定是否在比萨中添加它：

```
❶ available_toppings = ['mushrooms', 'olives', 'green peppers',
                        'pepperoni', 'pineapple', 'extra cheese']

❷ requested_toppings = ['mushrooms', 'french fries', 'extra cheese']

❸ for requested_topping in requested_toppings:
❹     if requested_topping in available_toppings:
           print("Adding " + requested_topping + ".")
❺     else:
           print("Sorry, we don't have " + requested_topping + ".")
```

```
print("\nFinished making your pizza!")
```

在❶处，我们定义了一个列表，其中包含比萨店供应的配料。请注意，如果比萨店供应的配料是固定的，也可使用一个元组来存储它们。在❷处，我们又创建了一个列表，其中包含顾客点的配料，请注意那个不同寻常的配料——'french fries'。在❸处，我们遍历顾客点的配料列表。在这个循环中，对于顾客点的每种配料，我们都检查它是否包含在供应的配料列表中（见❹）；如果答案是肯定的，就将其加入到比萨中，否则将运行else代码块（见❺）：打印一条消息，告诉顾客不供应这种配料。

这些代码的输出整洁而详实：

```
Adding mushrooms.
Sorry, we don't have french fries.
Adding extra cheese.

Finished making your pizza!
```

通过为数不多的几行代码，我们高效地处理了一种真实的情形！

动手试一试

5-8 以特殊方式跟管理员打招呼：创建一个至少包含5个用户名的列表，且其中一个用户名为'admin'。想象你要编写代码，在每位用户登录网站后都打印一条问候消息。遍历用户名列表，并向每位用户打印一条问候消息。

- ☐ 如果用户名为'admin'，就打印一条特殊的问候消息，如 "Hello admin, would you like to see a status report?"。
- ☐ 否则，打印一条普通的问候消息，如 "Hello Eric, thank you for logging in again"。

5-9 处理没有用户的情形：在为完成练习5-8编写的程序中，添加一条if语句，检查用户名列表是否为空。

- ☐ 如果为空，就打印消息 "We need to find some users!"。
- ☐ 删除列表中的所有用户名，确定将打印正确的消息。

5-10 检查用户名：按下面的说明编写一个程序，模拟网站确保每位用户的用户名都独一无二的方式。

- ☐ 创建一个至少包含5个用户名的列表，并将其命名为 current_users。
- ☐ 再创建一个包含5个用户名的列表，将其命名为 new_users，并确保其中有一两个用户名也包含在列表 current_users 中。
- ☐ 遍历列表 new_users，对于其中的每个用户名，都检查它是否已被使用。如果是这样，就打印一条消息，指出需要输入别的用户名；否则，打印一条消息，指出这个用户名未被使用。

❑ 确保比较时不区分大小写；换句话说，如果用户名'John'已被使用，应拒绝用户名'JOHN'。

5-11 序数：序数表示位置，如 1st 和 2nd。大多数序数都以 th 结尾，只有 1、2 和 3 例外。

❑ 在一个列表中存储数字 1~9。

❑ 遍历这个列表。

❑ 在循环中使用一个 if-elif-else 结构，以打印每个数字对应的序数。输出内容应为 1st、2nd、3rd、4th、5th、6th、7th、8th 和 9th，但每个序数都独占一行。

5.5   设置 if 语句的格式

本章的每个示例都展示了良好的格式设置习惯。在条件测试的格式设置方面，PEP 8提供的唯一建议是，在诸如==、>=和<=等比较运算符两边各添加一个空格，例如，if age < 4:要比if age<4:好。这样的空格不会影响Python对代码的解读，而只是让代码阅读起来更容易。

动手试一试

5-12 设置 if 语句的格式：审核你在本章编写的程序，确保正确地设置了条件测试的格式。

5-13 自己的想法：与刚拿起本书时相比，现在你是一名能力更强的程序员了。鉴于你对如何在程序中模拟现实情形有了更深入的认识，你可以考虑使用程序来解决一些问题。随着编程技能不断提高，你可能想解决一些问题，请将这方面的想法记录下来。想想你可能想编写的游戏、想研究的数据集以及想创建的 Web 应用程序。

5.6   小结

在本章中，你学习了如何编写结果要么为Ture要么为False的条件测试。你学习了如何编写简单的if语句、if-else语句和if-elif-else结构。在程序中，你使用了这些结构来测试特定的条件，以确定这些条件是否满足。你学习了如何在利用高效的for循环的同时，以不同于其他元素的方式对特定的列表元素进行处理。你还再次学习了Python就代码格式方面提出的建议，这可确保即便你编写的程序越来越复杂，其代码依然易于阅读和理解。

在第6章，你将学习Python字典。字典类似于列表，但让你能够将不同的信息关联起来。你将学习如何创建和遍历字典，以及如何将字典同列表和if语句结合起来使用。学习字典让你能够模拟更多现实世界的情形。

第6章

字　典

在本章中，你将学习能够将相关信息关联起来的Python字典。你将学习如何访问和修改字典中的信息。鉴于字典可存储的信息量几乎不受限制，因此我们会演示如何遍历字典中的数据。另外，你还将学习存储字典的列表、存储列表的字典和存储字典的字典。

理解字典后，你就能够更准确地为各种真实物体建模。你可以创建一个表示人的字典，然后想在其中存储多少信息就存储多少信息：姓名、年龄、地址、职业以及要描述的任何方面。你还能够存储任意两种相关的信息，如一系列单词及其含义，一系列人名及其喜欢的数字，以及一系列山脉及其海拔等。

6.1　一个简单的字典

来看一个游戏，其中包含一些外星人，这些外星人的颜色和点数各不相同。下面是一个简单的字典，存储了有关特定外星人的信息：

alien.py

```
alien_0 = {'color': 'green', 'points': 5}

print(alien_0['color'])
print(alien_0['points'])
```

字典alien_0存储了外星人的颜色和点数。使用两条print语句来访问并打印这些信息，如下所示：

```
green
5
```

与大多数编程概念一样，要熟练使用字典，也需要一段时间的练习。使用字典一段时间后，你就会明白为何它们能够高效地模拟现实世界中的情形。

6.2   使用字典

在Python中，字典是一系列键–值对。每个键都与一个值相关联，你可以使用键来访问与之相关联的值。与键相关联的值可以是数字、字符串、列表乃至字典。事实上，可将任何Python对象用作字典中的值。

在Python中，字典用放在花括号{}中的一系列键–值对表示，如前面的示例所示：

```
alien_0 = {'color': 'green', 'points': 5}
```

键–值对是两个相关联的值。指定键时，Python将返回与之相关联的值。键和值之间用冒号分隔，而键–值对之间用逗号分隔。在字典中，你想存储多少个键–值对都可以。

最简单的字典只有一个键–值对，如下述修改后的字典alien_0所示：

```
alien_0 = {'color': 'green'}
```

这个字典只存储了一项有关alien_0的信息，具体地说是这个外星人的颜色。在这个字典中，字符串'color'是一个键，与之相关联的值为'green'。

6.2.1   访问字典中的值

要获取与键相关联的值，可依次指定字典名和放在方括号内的键，如下所示：

```
alien_0 = {'color': 'green'}
print(alien_0['color'])
```

这将返回字典alien_0中与键'color'相关联的值：

```
green
```

字典中可包含任意数量的键–值对。例如，下面是最初的字典alien_0，其中包含两个键–值对：

```
alien_0 = {'color': 'green', 'points': 5}
```

现在，你可以访问外星人alien_0的颜色和点数。如果玩家射杀了这个外星人，你就可以使用下面的代码来确定玩家应获得多少个点：

```
alien_0 = {'color': 'green', 'points': 5}

❶ new_points = alien_0['points']
❷ print("You just earned " + str(new_points) + " points!")
```

上述代码首先定义了一个字典，然后从这个字典中获取与键'points'相关联的值（见❶），并将这个值存储在变量new_points中。接下来，将这个整数转换为字符串，并打印一条消息，指出玩家获得了多少个点（见❷）：

```
You just earned 5 points!
```

如果你在有外星人被射杀时都运行这段代码，就会获取该外星人的点数。

6.2.2　添加键-值对

字典是一种动态结构，可随时在其中添加键-值对。要添加键-值对，可依次指定字典名、用方括号括起的键和相关联的值。

下面在字典alien_0中添加两项信息：外星人的x坐标和y坐标，让我们能够在屏幕的特定位置显示该外星人。我们将这个外星人放在屏幕左边缘，且离屏幕上边缘25像素的地方。由于屏幕坐标系的原点通常为左上角，因此要将该外星人放在屏幕左边缘，可将x坐标设置为0；要将该外星人放在离屏幕顶部25像素的地方，可将y坐标设置为25，如下所示：

```
alien_0 = {'color': 'green', 'points': 5}
print(alien_0)

❶ alien_0['x_position'] = 0
❷ alien_0['y_position'] = 25
  print(alien_0)
```

我们首先定义了前面一直在使用的字典，然后打印这个字典，以显示其信息快照。在❶处，我们在这个字典中新增了一个键-值对，其中的键为'x_position'，而值为0。在❷处，我们重复这样的操作，但使用的键为'y_position'。打印修改后的字典时，将看到这两个新增的键-值对：

```
{'color': 'green', 'points': 5}
{'color': 'green', 'points': 5, 'y_position': 25, 'x_position': 0}
```

这个字典的最终版本包含四个键-值对，其中原来的两个指定外星人的颜色和点数，而新增的两个指定位置。注意，键-值对的排列顺序与添加顺序不同。Python不关心键-值对的添加顺序，而只关心键和值之间的关联关系。

6.2.3　先创建一个空字典

有时候，在空字典中添加键-值对是为了方便，而有时候必须这样做。为此，可先使用一对空的花括号定义一个字典，再分行添加各个键-值对。例如，下例演示了如何以这种方式创建字典alien_0：

```
alien_0 = {}

alien_0['color'] = 'green'
alien_0['points'] = 5
```

```
print(alien_0)
```

这里首先定义了空字典alien_0，再在其中添加颜色和点数，得到前述示例一直在使用的字典：

```
{'color': 'green', 'points': 5}
```

使用字典来存储用户提供的数据或在编写能自动生成大量键-值对的代码时，通常都需要先定义一个空字典。

6.2.4　修改字典中的值

要修改字典中的值，可依次指定字典名、用方括号括起的键以及与该键相关联的新值。例如，假设随着游戏的进行，需要将一个外星人从绿色改为黄色：

```
alien_0 = {'color': 'green'}
print("The alien is " + alien_0['color'] + ".")

alien_0['color'] = 'yellow'
print("The alien is now " + alien_0['color'] + ".")
```

我们首先定义了一个表示外星人alien_0的字典，其中只包含这个外星人的颜色。接下来，我们将与键'color'相关联的值改为'yellow'。输出表明，这个外星人确实从绿色变成了黄色：

```
The alien is green.
The alien is now yellow.
```

来看一个更有趣的例子：对一个能够以不同速度移动的外星人的位置进行跟踪。为此，我们将存储该外星人的当前速度，并据此确定该外星人将向右移动多远：

```
alien_0 = {'x_position': 0, 'y_position': 25, 'speed': 'medium'}
print("Original x-position: " + str(alien_0['x_position']))

# 向右移动外星人
# 据外星人当前速度决定将其移动多远
❶ if alien_0['speed'] == 'slow':
    x_increment = 1
elif alien_0['speed'] == 'medium':
    x_increment = 2
else:
    # 这个外星人的速度一定很快
    x_increment = 3

# 新位置等于老位置加上增量
❷ alien_0['x_position'] = alien_0['x_position'] + x_increment
```

```
print("New x-position: " + str(alien_0['x_position']))
```

我们首先定义了一个外星人，其中包含初始的*x*坐标和*y*坐标，还有速度'medium'。出于简化考虑，我们省略了颜色和点数，但即便包含这些键–值对，这个示例的工作原理也不会有任何变化。我们还打印了x_position的初始值，旨在让用户知道这个外星人向右移动了多远。

在❶处，使用了一个if-elif-else结构来确定外星人应向右移动多远，并将这个值存储在变量x_increment中。如果外星人的速度为'slow'，它将向右移动一个单位；如果速度为'medium'，将向右移动两个单位；如果为'fast'，将向右移动三个单位。确定移动量后，将其与x_position的当前值相加（见❷），再将结果关联到字典中的键x_position。

由于这是一个速度中等的外星人，因此其位置将向右移动两个单位：

```
Original x-position: 0
New x-position: 2
```

这种技术很棒：通过修改外星人字典中的值，可改变外星人的行为。例如，要将这个速度中等的外星人变成速度很快的外星人，可添加如下代码行：

```
alien_0['speed'] = 'fast'
```

这样，再次运行这些代码时，其中的if-elif-else结构将把一个更大的值赋给变量x_increment。

6.2.5　删除键–值对

对于字典中不再需要的信息，可使用del语句将相应的键–值对彻底删除。使用del语句时，必须指定字典名和要删除的键。

例如，下面的代码从字典alien_0中删除键'points'及其值：

```
alien_0 = {'color': 'green', 'points': 5}
print(alien_0)

❶ del alien_0['points']
print(alien_0)
```

❶处的代码行让Python将键'points'从字典alien_0中删除，同时删除与这个键相关联的值。输出表明，键'points'及其值5已从字典中删除，但其他键–值对未受影响：

```
{'color': 'green', 'points': 5}
{'color': 'green'}
```

注意　删除的键–值对永远消失了。

6.2.6　由类似对象组成的字典

在前面的示例中，字典存储的是一个对象（游戏中的一个外星人）的多种信息，但你也可以使用字典来存储众多对象的同一种信息。例如，假设你要调查很多人，询问他们最喜欢的编程语言，可使用一个字典来存储这种简单调查的结果，如下所示：

```
favorite_languages = {
    'jen': 'python',
    'sarah': 'c',
    'edward': 'ruby',
    'phil': 'python',
    }
```

正如你看到的，我们将一个较大的字典放在了多行中。其中每个键都是一个被调查者的名字，而每个值都是被调查者喜欢的语言。确定需要使用多行来定义字典时，在输入左花括号后按回车键，再在下一行缩进四个空格，指定第一个键-值对，并在它后面加上一个逗号。此后你再次按回车键时，文本编辑器将自动缩进后续键-值对，且缩进量与第一个键-值对相同。

定义好字典后，在最后一个键-值对的下一行添加一个右花括号，并缩进四个空格，使其与字典中的键对齐。另外一种不错的做法是在最后一个键-值对后面也加上逗号，为以后在下一行添加键-值对做好准备。

注意　对于较长的列表和字典，大多数编辑器都有以类似方式设置其格式的功能。对于较长的字典，还有其他一些可行的格式设置方式，因此在你的编辑器或其他源代码中，你可能会看到稍微不同的格式设置方式。

给定被调查者的名字，可使用这个字典轻松地获悉他喜欢的语言：

favorite_languages.py

```
favorite_languages = {
    'jen': 'python',
    'sarah': 'c',
    'edward': 'ruby',
    'phil': 'python',
    }

❶ print("Sarah's favorite language is " +
❷     favorite_languages['sarah'].title() +
❸     ".")
```

为获悉Sarah喜欢的语言，我们使用如下代码：

```
favorite_languages['sarah']
```

在print语句中，我们使用了这种语法（见❷）；输出指出了Sarah喜欢的语言：

```
Sarah's favorite language is C.
```

这个示例还演示了如何将较长的print语句分成多行。单词print比大多数字典名都短，因此让输出的第一部分紧跟在左括号后面是合理的（见❶）。请选择在合适的地方拆分要打印的内容，并在第一行末尾（见❷）加上一个拼接运算符（+）。按回车键进入print语句的后续各行，并使用Tab键将它们对齐并缩进一级。指定要打印的所有内容后，在print语句的最后一行末尾加上右括号（见❸）。

动手试一试

6-1 人：使用一个字典来存储一个熟人的信息，包括名、姓、年龄和居住的城市。该字典应包含键 first_name、last_name、age 和 city。将存储在该字典中的每项信息都打印出来。

6-2 喜欢的数字：使用一个字典来存储一些人喜欢的数字。请想出 5 个人的名字，并将这些名字用作字典中的键；想出每个人喜欢的一个数字，并将这些数字作为值存储在字典中。打印每个人的名字和喜欢的数字。为让这个程序更有趣，通过询问朋友确保数据是真实的。

6-3 词汇表：Python 字典可用于模拟现实生活中的字典，但为避免混淆，我们将后者称为词汇表。

- ❏ 想出你在前面学过的 5 个编程词汇，将它们用作词汇表中的键，并将它们的含义作为值存储在词汇表中。
- ❏ 以整洁的方式打印每个词汇及其含义。为此，你可以先打印词汇，在它后面加上一个冒号，再打印词汇的含义；也可在一行打印词汇，再使用换行符（\n）插入一个空行，然后在下一行以缩进的方式打印词汇的含义。

6.3 遍历字典

一个Python字典可能只包含几个键-值对，也可能包含数百万个键-值对。鉴于字典可能包含大量的数据，Python支持对字典遍历。字典可用于以各种方式存储信息，因此有多种遍历字典的方式：可遍历字典的所有键-值对、键或值。

6.3.1 遍历所有的键-值对

探索各种遍历方法前，先来看一个新字典，它用于存储有关网站用户的信息。下面的字典存储一名用户的用户名、名和姓：

```
user_0 = {
    'username': 'efermi',
    'first': 'enrico',
    'last': 'fermi',
    }
```

利用本章前面介绍过的知识，可访问user_0的任何一项信息，但如果要获悉该用户字典中的所有信息，该怎么办呢？可以使用一个for循环来遍历这个字典：

user.py

```
user_0 = {
    'username': 'efermi',
    'first': 'enrico',
    'last': 'fermi',
    }
❶ for key, value in user_0.items():
❷     print("\nKey: " + key)
❸     print("Value: " + value)
```

如❶所示，要编写用于遍历字典的for循环，可声明两个变量，用于存储键-值对中的键和值。对于这两个变量，可使用任何名称。下面的代码使用了简单的变量名，这完全可行：

```
for k, v in user_0.items()
```

for语句的第二部分包含字典名和方法items()（见❶），它返回一个键-值对列表。接下来，for循环依次将每个键-值对存储到指定的两个变量中。在前面的示例中，我们使用这两个变量来打印每个键（见❷）及其相关联的值（见❸）。第一条print语句中的"\n"确保在输出每个键-值对前都插入一个空行：

```
Key: last
Value: fermi

Key: first
Value: enrico

Key: username
Value: efermi
```

注意，即便遍历字典时，键-值对的返回顺序也与存储顺序不同。Python不关心键-值对的存储顺序，而只跟踪键和值之间的关联关系。

在6.2.6节的示例favorite_languages.py中，字典存储的是不同人的同一种信息；对于类似这样的字典，遍历所有的键-值对很合适。如果遍历字典favorite_languages，将得到其中每个人的姓名和喜欢的编程语言。由于其中的键都是人名，而值都是语言，因此我们在循环中使用变量name和language，而不是key和value，这让人更容易明白循环的作用：

favorite_languages.py

```
favorite_languages = {
    'jen': 'python',
    'sarah': 'c',
    'edward': 'ruby',
    'phil': 'python',
    }
❶ for name, language in favorite_languages.items():
❷     print(name.title() + "'s favorite language is " +
        language.title() + ".")
```

❶处的代码让Python遍历字典中的每个键–值对，并将键存储在变量name中，而将值存储在变量language中。这些描述性名称能够让人非常轻松地明白print语句（见❷）是做什么的。

仅使用几行代码，我们就将全部调查结果显示出来了：

```
Jen's favorite language is Python.
Sarah's favorite language is C.
Phil's favorite language is Python.
Edward's favorite language is Ruby.
```

即便字典存储的是上千乃至上百万人的调查结果，这种循环也管用。

6.3.2　遍历字典中的所有键

在不需要使用字典中的值时，方法keys()很有用。下面来遍历字典favorite_languages，并将每个被调查者的名字都打印出来：

```
favorite_languages = {
    'jen': 'python',
    'sarah': 'c',
    'edward': 'ruby',
    'phil': 'python',
    }
❶ for name in favorite_languages.keys():
    print(name.title())
```

❶处的代码行让Python提取字典favorite_languages中的所有键，并依次将它们存储到变量name中。输出列出了每个被调查者的名字：

```
Jen
Sarah
Phil
Edward
```

遍历字典时，会默认遍历所有的键，因此，如果将上述代码中的for name in favorite_languages.keys():替换为for name in favorite_languages:，输出将不变。

如果显式地使用方法keys()可让代码更容易理解，你可以选择这样做，但如果你愿意，也可省略它。

在这种循环中，可使用当前键来访问与之相关联的值。下面来打印两条消息，指出两位朋友喜欢的语言。我们像前面一样遍历字典中的名字，但在名字为指定朋友的名字时，打印一条消息，指出其喜欢的语言：

```
favorite_languages = {
    'jen': 'python',
    'sarah': 'c',
    'edward': 'ruby',
    'phil': 'python',
    }
```

```
❶ friends = ['phil', 'sarah']
  for name in favorite_languages.keys():
      print(name.title())

❷     if name in friends:
          print(" Hi " + name.title() +
              ", I see your favorite language is " +
❸             favorite_languages[name].title() + "!")
```

在❶处，我们创建了一个列表，其中包含我们要通过打印消息，指出其喜欢的语言的朋友。在循环中，我们打印每个人的名字，并检查当前的名字是否在列表friends中（见❷）。如果在列表中，就打印一句特殊的问候语，其中包含这位朋友喜欢的语言。为访问喜欢的语言，我们使用了字典名，并将变量name的当前值作为键（见❸）。每个人的名字都会被打印，但只对朋友打印特殊消息：

```
Edward
Phil
  Hi Phil, I see your favorite language is Python!
Sarah
  Hi Sarah, I see your favorite language is C!
Jen
```

你还可以使用keys()确定某个人是否接受了调查。下面的代码确定Erin是否接受了调查：

```
favorite_languages = {
    'jen': 'python',
    'sarah': 'c',
    'edward': 'ruby',
    'phil': 'python',
    }
```

```
❶ if 'erin' not in favorite_languages.keys():
```

```
    print("Erin, please take our poll!")
```

方法keys()并非只能用于遍历；实际上，它返回一个列表，其中包含字典中的所有键，因此
❶处的代码行只是核实'erin'是否包含在这个列表中。由于她并不包含在这个列表中，因此打印
一条消息，邀请她参加调查：

```
Erin, please take our poll!
```

6.3.3 按顺序遍历字典中的所有键

字典总是明确地记录键和值之间的关联关系，但获取字典的元素时，获取顺序是不可预测的。
这不是问题，因为通常你想要的只是获取与键相关联的正确的值。

要以特定的顺序返回元素，一种办法是在for循环中对返回的键进行排序。为此，可使用函
数sorted()来获得按特定顺序排列的键列表的副本：

```
favorite_languages = {
    'jen': 'python',
    'sarah': 'c',
    'edward': 'ruby',
    'phil': 'python',
    }

for name in sorted(favorite_languages.keys()):
    print(name.title() + ", thank you for taking the poll.")
```

这条for语句类似于其他for语句，但对方法dictionary.keys()的结果调用了函数sorted()。
这让Python列出字典中的所有键，并在遍历前对这个列表进行排序。输出表明，按顺序显示了所
有被调查者的名字：

```
Edward, thank you for taking the poll.
Jen, thank you for taking the poll.
Phil, thank you for taking the poll.
Sarah, thank you for taking the poll.
```

6.3.4 遍历字典中的所有值

如果你感兴趣的主要是字典包含的值，可使用方法values()，它返回一个值列表，而不包含
任何键。例如，如果我们想获得一个这样的列表，即其中只包含被调查者选择的各种语言，而不
包含被调查者的名字，可以这样做：

```
favorite_languages = {
    'jen': 'python',
    'sarah': 'c',
    'edward': 'ruby',
    'phil': 'python',
```

```
        }
print("The following languages have been mentioned:")
for language in favorite_languages.values():
    print(language.title())
```

这条for语句提取字典中的每个值，并将它们依次存储到变量language中。通过打印这些值，就获得了一个列表，其中包含被调查者选择的各种语言：

```
The following languages have been mentioned:
Python
C
Python
Ruby
```

这种做法提取字典中所有的值，而没有考虑是否重复。涉及的值很少时，这也许不是问题，但如果被调查者很多，最终的列表可能包含大量的重复项。为剔除重复项，可使用集合（set）。集合类似于列表，但每个元素都必须是独一无二的：

```
favorite_languages = {
    'jen': 'python',
    'sarah': 'c',
    'edward': 'ruby',
    'phil': 'python',
    }

print("The following languages have been mentioned:")
❶ for language in set(favorite_languages.values()):
    print(language.title())
```

通过对包含重复元素的列表调用set()，可让Python找出列表中独一无二的元素，并使用这些元素来创建一个集合。在❶处，我们使用了set()来提取favorite_languages.values()中不同的语言。

结果是一个不重复的列表，其中列出了被调查者提及的所有语言：

```
The following languages have been mentioned:
Python
C
Ruby
```

随着你更深入地学习Python，经常会发现它内置的功能可帮助你以希望的方式处理数据。

动手试一试

6-4 词汇表 2：既然你知道了如何遍历字典，现在请整理你为完成练习 6-3 而编写的代码，将其中的一系列 print 语句替换为一个遍历字典中的键和值的循环。确定该循环正确无误后，再在词汇表中添加 5 个 Python 术语。当你再次运行这个程序时，这些新术语及其含义将自动包含在输出中。

6-5 河流：创建一个字典，在其中存储三条大河流及其流经的国家。其中一个键-值对可能是'nile': 'egypt'。

❑ 使用循环为每条河流打印一条消息，如 "The Nile runs through Egypt."。
❑ 使用循环将该字典中每条河流的名字都打印出来。
❑ 使用循环将该字典包含的每个国家的名字都打印出来。

6-6 调查：在 6.3.1 节编写的程序 favorite_languages.py 中执行以下操作。

❑ 创建一个应该会接受调查的人员名单，其中有些人已包含在字典中，而其他人未包含在字典中。
❑ 遍历这个人员名单，对于已参与调查的人，打印一条消息表示感谢。对于还未参与调查的人，打印一条消息邀请他参与调查。

6.4　嵌套

有时候，需要将一系列字典存储在列表中，或将列表作为值存储在字典中，这称为嵌套。你可以在列表中嵌套字典、在字典中嵌套列表甚至在字典中嵌套字典。正如下面的示例将演示的，嵌套是一项强大的功能。

6.4.1　字典列表

字典alien_0包含一个外星人的各种信息，但无法存储第二个外星人的信息，更别说屏幕上全部外星人的信息了。如何管理成群结队的外星人呢？一种办法是创建一个外星人列表，其中每个外星人都是一个字典，包含有关该外星人的各种信息。例如，下面的代码创建一个包含三个外星人的列表：

aliens.py

```
alien_0 = {'color': 'green', 'points': 5}
alien_1 = {'color': 'yellow', 'points': 10}
alien_2 = {'color': 'red', 'points': 15}

❶ aliens = [alien_0, alien_1, alien_2]

for alien in aliens:
    print(alien)
```

我们首先创建了三个字典，其中每个字典都表示一个外星人。在❶处，我们将这些字典都放到一个名为aliens的列表中。最后，我们遍历这个列表，并将每个外星人都打印出来：

```
{'color': 'green', 'points': 5}
{'color': 'yellow', 'points': 10}
{'color': 'red', 'points': 15}
```

更符合现实的情形是，外星人不止三个，且每个外星人都是使用代码自动生成的。在下面的
示例中，我们使用range()生成了30个外星人：

```
   # 创建一个用于存储外星人的空列表
   aliens = []

   # 创建30个绿色的外星人
❶ for alien_number in range(30):
❷     new_alien = {'color': 'green', 'points': 5, 'speed': 'slow'}
❸     aliens.append(new_alien)

   # 显示前五个外星人
❹ for alien in aliens[:5]:
       print(alien)
   print("...")

   # 显示创建了多少个外星人
❺ print("Total number of aliens: " + str(len(aliens)))
```

在这个示例中，首先创建了一个空列表，用于存储接下来将创建的所有外星人。在❶处，
range()返回一系列数字，其唯一的用途是告诉Python我们要重复这个循环多少次。每次执行这个
循环时，都创建一个外星人（见❷），并将其附加到列表aliens末尾（见❸）。在❹处，使用
一个切片来打印前五个外星人；在❺处，打印列表的长度，以证明确实创建了30个外星人：

```
{'speed': 'slow', 'color': 'green', 'points': 5}
{'speed': 'slow', 'color': 'green', 'points': 5}
{'speed': 'slow', 'color': 'green', 'points': 5}
{'speed': 'slow', 'color': 'green', 'points': 5}
{'speed': 'slow', 'color': 'green', 'points': 5}
...

Total number of aliens: 30
```

这些外星人都具有相同的特征，但在Python看来，每个外星人都是独立的，这让我们能够独
立地修改每个外星人。

在什么情况下需要处理成群结队的外星人呢？想象一下，可能随着游戏的进行，有些外星人
会变色且移动速度会加快。必要时，我们可以使用for循环和if语句来修改某些外星人的颜色。
例如，要将前三个外星人修改为黄色的、速度为中等且值10个点，可以这样做：

```
   # 创建一个用于存储外星人的空列表
   aliens = []

   # 创建30个绿色的外星人
   for alien_number in range (0,30):
```

```
    new_alien = {'color': 'green', 'points': 5, 'speed': 'slow'}
    aliens.append(new_alien)

for alien in aliens[0:3]:
    if alien['color'] == 'green':
        alien['color'] = 'yellow'
        alien['speed'] = 'medium'
        alien['points'] = 10

# 显示前五个外星人
for alien in aliens[0:5]:
    print(alien)
print("...")
```

鉴于我们要修改前三个外星人，需要遍历一个只包含这些外星人的切片。当前，所有外星人都是绿色的，但情况并非总是如此，因此我们编写了一条if语句来确保只修改绿色外星人。如果外星人是绿色的，我们就将其颜色改为'yellow'，将其速度改为'medium'，并将其点数改为10，如下面的输出所示：

```
{'speed': 'medium', 'color': 'yellow', 'points': 10}
{'speed': 'medium', 'color': 'yellow', 'points': 10}
{'speed': 'medium', 'color': 'yellow', 'points': 10}
{'speed': 'slow', 'color': 'green', 'points': 5}
{'speed': 'slow', 'color': 'green', 'points': 5}
...
```

你可以进一步扩展这个循环，在其中添加一个elif代码块，将黄色外星人改为移动速度快且值15个点的红色外星人，如下所示（这里只列出了循环，而没有列出整个程序）：

```
for alien in aliens[0:3]:
    if alien['color'] == 'green':
        alien['color'] = 'yellow'
        alien['speed'] = 'medium'
        alien['points'] = 10
    elif alien['color'] == 'yellow':
        alien['color'] = 'red'
        alien['speed'] = 'fast'
        alien['points'] = 15
```

经常需要在列表中包含大量的字典，而其中每个字典都包含特定对象的众多信息。例如，你可能需要为网站的每个用户创建一个字典（就像6.3.1节的user.py中那样），并将这些字典存储在一个名为users的列表中。在这个列表中，所有字典的结构都相同，因此你可以遍历这个列表，并以相同的方式处理其中的每个字典。

6.4.2 在字典中存储列表

有时候，需要将列表存储在字典中，而不是将字典存储在列表中。例如，你如何描述顾客点的比萨呢？如果使用列表，只能存储要添加的比萨配料；但如果使用字典，就不仅可在其中包含配料列表，还可包含其他有关比萨的描述。

　　在下面的示例中，存储了比萨的两方面信息：外皮类型和配料列表。其中的配料列表是一个与键'toppings'相关联的值。要访问该列表，我们使用字典名和键'toppings'，就像访问字典中的其他值一样。这将返回一个配料列表，而不是单个值：

pizza.py

```
   # 存储所点比萨的信息
❶ pizza = {
       'crust': 'thick',
       'toppings': ['mushrooms', 'extra cheese'],
       }

   # 概述所点的比萨
❷ print("You ordered a " + pizza['crust'] + "-crust pizza " +
       "with the following toppings:")

❸ for topping in pizza['toppings']:
       print("\t" + topping)
```

　　我们首先创建了一个字典，其中存储了有关顾客所点比萨的信息（见❶）。在这个字典中，一个键是'crust'，与之相关联的值是字符串'thick'；下一个键是'toppings'，与之相关联的值是一个列表，其中存储了顾客要求添加的所有配料。制作前我们概述了顾客所点的比萨（见❷）。为打印配料，我们编写了一个for循环（见❸）。为访问配料列表，我们使用了键'toppings'，这样Python将从字典中提取配料列表。

　　下面的输出概述了要制作的比萨：

```
You ordered a thick-crust pizza with the following toppings:
    mushrooms
    extra cheese
```

　　每当需要在字典中将一个键关联到多个值时，都可以在字典中嵌套一个列表。在本章前面有关喜欢的编程语言的示例中，如果将每个人的回答都存储在一个列表中，被调查者就可选择多种喜欢的语言。在这种情况下，当我们遍历字典时，与每个被调查者相关联的都是一个语言列表，而不是一种语言；因此，在遍历该字典的for循环中，我们需要再使用一个for循环来遍历与被调查者相关联的语言列表：

favorite_languages.py

```
❶ favorite_languages = {
       'jen': ['python', 'ruby'],
       'sarah': ['c'],
       'edward': ['ruby', 'go'],
       'phil': ['python', 'haskell'],
       }
```

```
❷ for name, languages in favorite_languages.items():
       print("\n" + name.title() + "'s favorite languages are:")
❸     for language in languages:
           print("\t" + language.title())
```

正如你看到的，现在与每个名字相关联的值都是一个列表（见❶）。请注意，有些人喜欢的语言只有一种，而有些人有多种。遍历字典时（见❷），我们使用了变量languages来依次存储字典中的每个值，因为我们知道这些值都是列表。在遍历字典的主循环中，我们又使用了一个for循环来遍历每个人喜欢的语言列表（见❸）。现在，每个人想列出多少种喜欢的语言都可以：

```
Jen's favorite languages are:
    Python
    Ruby

Sarah's favorite languages are:
    C

Phil's favorite languages are:
    Python
    Haskell

Edward's favorite languages are:
    Ruby
    Go
```

为进一步改进这个程序，可在遍历字典的for循环开头添加一条if语句，通过查看len(languages)的值来确定当前的被调查者喜欢的语言是否有多种。如果他喜欢的语言有多种，就像以前一样显示输出；如果只有一种，就相应修改输出的措辞，如显示Sarah's favorite language is C。

注意　列表和字典的嵌套层级不应太多。如果嵌套层级比前面的示例多得多，很可能有更简单的解决问题的方案。

6.4.3　在字典中存储字典

可在字典中嵌套字典，但这样做时，代码可能很快复杂起来。例如，如果有多个网站用户，每个都有独特的用户名，可在字典中将用户名作为键，然后将每位用户的信息存储在一个字典中，并将该字典作为与用户名相关联的值。在下面的程序中，对于每位用户，我们都存储了其三项信息：名、姓和居住地；为访问这些信息，我们遍历所有的用户名，并访问与每个用户名相关联的信息字典：

many_users.py

```
users = {
    'aeinstein': {
        'first': 'albert',
        'last': 'einstein',
        'location': 'princeton',
        },

    'mcurie': {
        'first': 'marie',
        'last': 'curie',
        'location': 'paris',
        },

    }

❶ for username, user_info in users.items():
❷     print("\nUsername: " + username)
❸     full_name = user_info['first'] + " " + user_info['last']
       location = user_info['location']

❹     print("\tFull name: " + full_name.title())
       print("\tLocation: " + location.title())
```

我们首先定义了一个名为users的字典，其中包含两个键：用户名'aeinstein'和'mcurie'；与每个键相关联的值都是一个字典，其中包含用户的名、姓和居住地。在❶处，我们遍历字典users，让Python依次将每个键存储在变量username中，并依次将与当前键相关联的字典存储在变量user_info中。在主循环内部的❷处，我们将用户名打印出来。

在❸处，我们开始访问内部的字典。变量user_info包含用户信息字典，而该字典包含三个键：'first'、'last'和'location'；对于每位用户，我们都使用这些键来生成整洁的姓名和居住地，然后打印有关用户的简要信息（见❹）：

```
Username: aeinstein
    Full name: Albert Einstein
    Location: Princeton

Username: mcurie
    Full name: Marie Curie
    Location: Paris
```

请注意，表示每位用户的字典的结构都相同。虽然Python并没有这样的要求，但这使得嵌套的字典处理起来更容易。倘若表示每位用户的字典都包含不同的键，for循环内部的代码将更复杂。

动手试一试

　　6-7 人：在为完成练习 6-1 而编写的程序中，再创建两个表示人的字典，然后将这三个字典都存储在一个名为 people 的列表中。遍历这个列表，将其中每个人的所有信息都打印出来。

　　6-8 宠物：创建多个字典，对于每个字典，都使用一个宠物的名称来给它命名；在每个字典中，包含宠物的类型及其主人的名字。将这些字典存储在一个名为 pets 的列表中，再遍历该列表，并将宠物的所有信息都打印出来。

　　6-9 喜欢的地方：创建一个名为 favorite_places 的字典。在这个字典中，将三个人的名字用作键；对于其中的每个人，都存储他喜欢的 1~3 个地方。为让这个练习更有趣些，可让一些朋友指出他们喜欢的几个地方。遍历这个字典，并将其中每个人的名字及其喜欢的地方打印出来。

　　6-10 喜欢的数字：修改为完成练习 6-2 而编写的程序，让每个人都可以有多个喜欢的数字，然后将每个人的名字及其喜欢的数字打印出来。

　　6-11 城市：创建一个名为 cities 的字典，其中将三个城市名用作键；对于每座城市，都创建一个字典，并在其中包含该城市所属的国家、人口约数以及一个有关该城市的事实。在表示每座城市的字典中，应包含 country、population 和 fact 等键。将每座城市的名字以及有关它们的信息都打印出来。

　　6-12 扩展：本章的示例足够复杂，可以以很多方式进行扩展了。请对本章的一个示例进行扩展：添加键和值、调整程序要解决的问题或改进输出的格式。

6.5　小结

　　在本章中，你学习了：如何定义字典，以及如何使用存储在字典中的信息；如何访问和修改字典中的元素，以及如何遍历字典中的所有信息；如何遍历字典中所有的键-值对、所有的键和所有的值；如何在列表中嵌套字典、在字典中嵌套列表以及在字典中嵌套字典。

　　在下一章中，你将学习while循环以及如何从用户那里获取输入。这是激动人心的一章，让你知道如何将程序变成交互性的——能够对用户输入作出响应。

用户输入和while循环

大多数程序都旨在解决最终用户的问题，为此通常需要从用户那里获取一些信息。例如，假设有人要判断自己是否到了投票的年龄，要编写回答这个问题的程序，就需要知道用户的年龄，这样才能给出答案。因此，这种程序需要让用户输入其年龄，再将其与投票年龄进行比较，以判断用户是否到了投票的年龄，再给出结果。

在本章中，你将学习如何接受用户输入，让程序能够对其进行处理。在程序需要一个名字时，你需要提示用户输入该名字；程序需要一个名单时，你需要提示用户输入一系列名字。为此，你需要使用函数input()。

你还将学习如何让程序不断地运行，让用户能够根据需要输入信息，并在程序中使用这些信息。为此，你需要使用while循环让程序不断地运行，直到指定的条件不满足为止。

通过获取用户输入并学会控制程序的运行时间，可编写出交互式程序。

7.1 函数 input()的工作原理

函数input()让程序暂停运行，等待用户输入一些文本。获取用户输入后，Python将其存储在一个变量中，以方便你使用。

例如，下面的程序让用户输入一些文本，再将这些文本呈现给用户：

parrot.py

```
message = input("Tell me something, and I will repeat it back to you: ")
print(message)
```

函数input()接受一个参数：即要向用户显示的提示或说明，让用户知道该如何做。在这个示例中，Python运行第1行代码时，用户将看到提示Tell me something, and I will repeat it back to you:。程序等待用户输入，并在用户按回车键后继续运行。输入存储在变量message中，接下来的print(message)将输入呈现给用户：

```
Tell me something, and I will repeat it back to you: Hello everyone!
Hello everyone!
```

注意 Sublime Text不能运行提示用户输入的程序。你可以使用Sublime Text来编写提示用户输入的程序，但必须从终端运行它们。详情请参阅1.4节。

7.1.1 编写清晰的程序

每当你使用函数input()时，都应指定清晰而易于明白的提示，准确地指出你希望用户提供什么样的信息——指出用户该输入任何信息的提示都行，如下所示：

greeter.py

```
name = input("Please enter your name: ")
print("Hello, " + name + "!")
```

通过在提示末尾（这里是冒号后面）包含一个空格，可将提示与用户输入分开，让用户清楚地知道其输入始于何处，如下所示：

```
Please enter your name: Eric
Hello, Eric!
```

有时候，提示可能超过一行，例如，你可能需要指出获取特定输入的原因。在这种情况下，可将提示存储在一个变量中，再将该变量传递给函数input()。这样，即便提示超过一行，input()语句也非常清晰。

greeter.py

```
prompt = "If you tell us who you are, we can personalize the messages you see."
prompt += "\nWhat is your first name? "

name = input(prompt)
print("\nHello, " + name + "!")
```

这个示例演示了一种创建多行字符串的方式。第1行将消息的前半部分存储在变量prompt中；在第2行中，运算符+=在存储在prompt中的字符串末尾附加一个字符串。

最终的提示横跨两行，并在问号后面包含一个空格，这也是出于清晰考虑：

```
If you tell us who you are, we can personalize the messages you see.
What is your first name? Eric

Hello, Eric!
```

7.1.2　使用 int() 来获取数值输入

使用函数input()时，Python将用户输入解读为字符串。请看下面让用户输入其年龄的解释器会话：

```
>>> age = input("How old are you? ")
How old are you? 21
>>> age
'21'
```

用户输入的是数字21，但我们请求Python提供变量age的值时，它返回的是'21'——用户输入的数值的字符串表示。我们怎么知道Python将输入解读成了字符串呢？因为这个数字用引号括起了。如果我们只想打印输入，这一点问题都没有；但如果你试图将输入作为数字使用，就会引发错误：

```
>>> age = input("How old are you? ")
How old are you? 21
❶ >>> age >= 18
Traceback (most recent call last):
  File "<stdin>", line 1, in <module>
❷ TypeError: unorderable types: str() >= int()
```

你试图将输入用于数值比较时（见❶），Python会引发错误，因为它无法将字符串和整数进行比较：不能将存储在age中的字符串'21'与数值18进行比较（见❷）。

为解决这个问题，可使用函数int()，它让Python将输入视为数值。函数int()将数字的字符串表示转换为数值表示，如下所示：

```
>>> age = input("How old are you? ")
How old are you? 21
❶ >>> age = int(age)
>>> age >= 18
True
```

在这个示例中，我们在提示时输入21后，Python将这个数字解读为字符串，但随后int()将这个字符串转换成了数值表示（见❶）。这样Python就能运行条件测试了：将变量age（它现在包含数值21）同18进行比较，看它是否大于或等于18。测试结果为True。

如何在实际程序中使用函数int()呢？请看下面的程序，它判断一个人是否满足坐过山车的身高要求：

rollercoaster.py

```
height = input("How tall are you, in inches? ")
height = int(height)

if height >= 36:
    print("\nYou're tall enough to ride!")
else:
```

```
print("\nYou'll be able to ride when you're a little older.")
```

在这个程序中，为何可以将height同36进行比较呢？因为在比较前，height = int(height)将输入转换成了数值表示。如果输入的数字大于或等于36，我们就告诉用户他满足身高条件：

```
How tall are you, in inches? 71

You're tall enough to ride!
```

将数值输入用于计算和比较前，务必将其转换为数值表示。

7.1.3　求模运算符

处理数值信息时，求模运算符（%）是一个很有用的工具，它将两个数相除并返回余数：

```
>>> 4 % 3
1
>>> 5 % 3
2
>>> 6 % 3
0
>>> 7 % 3
1
```

求模运算符不会指出一个数是另一个数的多少倍，而只指出余数是多少。

如果一个数可被另一个数整除，余数就为0，因此求模运算符将返回0。你可利用这一点来判断一个数是奇数还是偶数：

even_or_odd.py

```
number = input("Enter a number, and I'll tell you if it's even or odd: ")
number = int(number)

if number % 2 == 0:
    print("\nThe number " + str(number) + " is even.")
else:
    print("\nThe number " + str(number) + " is odd.")
```

偶数都能被2整除，因此对一个数（number）和2执行求模运算的结果为零，即number % 2 == 0，那么这个数就是偶数；否则就是奇数。

```
Enter a number, and I'll tell you if it's even or odd: 42

The number 42 is even.
```

7.1.4 在 Python 2.7 中获取输入

如果你使用的是Python 2.7，应使用函数raw_input()来提示用户输入。这个函数与Python 3中的input()一样，也将输入解读为字符串。

Python 2.7也包含函数input()，但它将用户输入解读为Python代码，并尝试运行它们。因此，最好的结果是出现错误，指出Python不明白输入的代码；而最糟的结果是，将运行你原本无意运行的代码。如果你使用的是Python 2.7，请使用raw_input()而不是input()来获取输入。

动手试一试

7-1 汽车租赁：编写一个程序，询问用户要租赁什么样的汽车，并打印一条消息，如 "Let me see if I can find you a Subaru"。

7-2 餐馆订位：编写一个程序，询问用户有多少人用餐。如果超过8人，就打印一条消息，指出没有空桌；否则指出有空桌。

7-3 10 的整数倍：让用户输入一个数字，并指出这个数字是否是 10 的整数倍。

7.2 while 循环简介

for循环用于针对集合中的每个元素的一个代码块，而while循环不断地运行，直到指定的条件不满足为止。

7.2.1 使用 while 循环

你可以使用while循环来数数，例如，下面的while循环从1数到5：

counting.py

```
current_number = 1
while current_number <= 5:
    print(current_number)
    current_number += 1
```

在第1行，我们将current_number设置为1，从而指定从1开始数。接下来的while循环被设置成这样：只要current_number小于或等于5，就接着运行这个循环。循环中的代码打印current_number的值，再使用代码current_number += 1（代码current_number = current_number + 1的简写）将其值加1。

只要满足条件current_number <= 5，Python就接着运行这个循环。由于1小于5，因此Python打印1，并将current_number加1，使其为2；由于2小于5，因此Python打印2，并将current_number加1，使其为3，以此类推。一旦current_number大于5，循环将停止，整个程序也将到此结束：

```
1
2
3
4
5
```

你每天使用的程序很可能就包含while循环。例如，游戏使用while循环，确保在玩家想玩时不断运行，并在玩家想退出时停止运行。如果程序在用户没有让它停止时停止运行，或者在用户要退出时还继续运行，那就太没有意思了；有鉴于此，while循环很有用。

7.2.2 让用户选择何时退出

可使用while循环让程序在用户愿意时不断地运行，如下面的程序parrot.py所示。我们在其中定义了一个退出值，只要用户输入的不是这个值，程序就接着运行：

parrot.py

```
❶ prompt = "\nTell me something, and I will repeat it back to you:"
  prompt += "\nEnter 'quit' to end the program. "
❷ message = ""
❸ while message != 'quit':
      message = input(prompt)
      print(message)
```

在❶处，我们定义了一条提示消息，告诉用户他有两个选择：要么输入一条消息，要么输入退出值（这里为'quit'）。接下来，我们创建了一个变量——message（见❷），用于存储用户输入的值。我们将变量message的初始值设置为空字符串""，让Python首次执行while代码行时有可供检查的东西。Python首次执行while语句时，需要将message的值与'quit'进行比较，但此时用户还没有输入。如果没有可供比较的东西，Python将无法继续运行程序。为解决这个问题，我们必须给变量message指定一个初始值。虽然这个初始值只是一个空字符串，但符合要求，让Python能够执行while循环所需的比较。只要message的值不是'quit'，这个循环（见❸）就会不断运行。

首次遇到这个循环时，message是一个空字符串，因此Python进入这个循环。执行到代码行message = input(prompt)时，Python显示提示消息，并等待用户输入。不管用户输入是什么，都将存储到变量message中并打印出来；接下来，Python重新检查while语句中的条件。只要用户输入的不是单词'quit'，Python就会再次显示提示消息并等待用户输入。等到用户终于输入'quit'后，Python停止执行while循环，而整个程序也到此结束：

```
Tell me something, and I will repeat it back to you:
Enter 'quit' to end the program. Hello everyone!
Hello everyone!

Tell me something, and I will repeat it back to you:
Enter 'quit' to end the program. Hello again.
```

```
Hello again.

Tell me something, and I will repeat it back to you:
Enter 'quit' to end the program. quit
quit
```

这个程序很好，唯一美中不足的是，它将单词'quit'也作为一条消息打印了出来。为修复这种问题，只需使用一个简单的 if 测试：

```
prompt = "\nTell me something, and I will repeat it back to you:"
prompt += "\nEnter 'quit' to end the program. "

message = ""
while message != 'quit':
    message = input(prompt)

    if message != 'quit':
        print(message)
```

现在，程序在显示消息前将做简单的检查，仅在消息不是退出值时才打印它：

```
Tell me something, and I will repeat it back to you:
Enter 'quit' to end the program. Hello everyone!
Hello everyone!

Tell me something, and I will repeat it back to you:
Enter 'quit' to end the program. Hello again.
Hello again.

Tell me something, and I will repeat it back to you:
Enter 'quit' to end the program. quit
```

7.2.3 使用标志

在前一个示例中，我们让程序在满足指定条件时就执行特定的任务。但在更复杂的程序中，很多不同的事件都会导致程序停止运行；在这种情况下，该怎么办呢？

例如，在游戏中，多种事件都可能导致游戏结束，如玩家一艘飞船都没有了或要保护的城市都被摧毁了。导致程序结束的事件有很多时，如果在一条 while 语句中检查所有这些条件，将既复杂又困难。

在要求很多条件都满足才继续运行的程序中，可定义一个变量，用于判断整个程序是否处于活动状态。这个变量被称为标志，充当了程序的交通信号灯。你可让程序在标志为 True 时继续运行，并在任何事件导致标志的值为 False 时让程序停止运行。这样，在 while 语句中就只需检查一个条件——标志的当前值是否为 True，并将所有测试（是否发生了应将标志设置为 False 的事件）都放在其他地方，从而让程序变得更为整洁。

下面来在前一节的程序parrot.py中添加一个标志。我们把这个标志命名为active（可给它指定任何名称），它将用于判断程序是否应继续运行：

```
prompt = "\nTell me something, and I will repeat it back to you:"
prompt += "\nEnter 'quit' to end the program. "
```

```
❶ active = True
❷ while active:
       message = input(prompt)

❸     if message == 'quit':
           active = False
❹     else:
           print(message)
```

我们将变量active设置成了True（见❶），让程序最初处于活动状态。这样做简化了while语句，因为不需要在其中做任何比较——相关的逻辑由程序的其他部分处理。只要变量active为True，循环就将继续运行（见❷）。

在while循环中，我们在用户输入后使用一条if语句来检查变量message的值。如果用户输入的是'quit'（见❸），我们就将变量active设置为False，这将导致while循环不再继续执行。如果用户输入的不是'quit'（见❹），我们就将输入作为一条消息打印出来。

这个程序的输出与前一个示例相同。在前一个示例中，我们将条件测试直接放在了while语句中，而在这个程序中，我们使用了一个标志来指出程序是否处于活动状态，这样如果要添加测试（如elif语句）以检查是否发生了其他导致active变为False的事件，将很容易。在复杂的程序中，如很多事件都会导致程序停止运行的游戏中，标志很有用：在其中的任何一个事件导致活动标志变成False时，主游戏循环将退出，此时可显示一条游戏结束消息，并让用户选择是否要重新玩。

7.2.4　使用 break 退出循环

要立即退出while循环，不再运行循环中余下的代码，也不管条件测试的结果如何，可使用break语句。break语句用于控制程序流程，可使用它来控制哪些代码行将执行，哪些代码行不执行，从而让程序按你的要求执行你要执行的代码。

例如，来看一个让用户指出他到过哪些地方的程序。在这个程序中，我们可以在用户输入'quit'后使用break语句立即退出while循环：

cities.py

```
prompt = "\nPlease enter the name of a city you have visited:"
prompt += "\n(Enter 'quit' when you are finished.) "
```

```
❶ while True:
       city = input(prompt)

       if city == 'quit':
           break
```

```
    else:
        print("I'd love to go to " + city.title() + "!")
```

以while True打头的循环（见❶）将不断运行，直到遇到break语句。这个程序中的循环不断输入用户到过的城市的名字，直到他输入'quit'为止。用户输入'quit'后，将执行break语句，导致Python退出循环：

```
Please enter the name of a city you have visited:
(Enter 'quit' when you are finished.) New York
I'd love to go to New York!

Please enter the name of a city you have visited:
(Enter 'quit' when you are finished.) San Francisco
I'd love to go to San Francisco!

Please enter the name of a city you have visited:
(Enter 'quit' when you are finished.) quit
```

注意　在任何Python循环中都可使用break语句。例如，可使用break语句来退出遍历列表或字典的for循环。

7.2.5　在循环中使用 continue

要返回到循环开头，并根据条件测试结果决定是否继续执行循环，可使用continue语句，它不像break语句那样不再执行余下的代码并退出整个循环。例如，来看一个从1数到10，但只打印其中奇数的循环：

counting.py

```
   current_number = 0
   while current_number < 10:
❶      current_number += 1
       if current_number % 2 == 0:
           continue

       print(current_number)
```

我们首先将current_number设置成了0，由于它小于10，Python进入while循环。进入循环后，我们以步长1的方式往上数（见❶），因此current_number为1。接下来，if语句检查current_number与2的求模运算结果。如果结果为0（意味着current_number可被2整除），就执行continue语句，让Python忽略余下的代码，并返回到循环的开头。如果当前的数字不能被2整除，就执行循环中余下的代码，Python将这个数字打印出来：

```
1
3
5
7
9
```

7.2.6　避免无限循环

　　每个while循环都必须有停止运行的途径，这样才不会没完没了地执行下去。例如，下面的循环从1数到5：

counting.py

```
x = 1
while x <= 5:
    print(x)
    x += 1
```

但如果你像下面这样不小心遗漏了代码行x += 1，这个循环将没完没了地运行：

```
# 这个循环将没完没了地运行！
x = 1
while x <= 5:
    print(x)
```

　　在这里，x的初始值为1，但根本不会变，因此条件测试x <= 5始终为True，导致while循环没完没了地打印1，如下所示：

```
1
1
1
1
--snip--
```

　　每个程序员都会偶尔因不小心而编写出无限循环，在循环的退出条件比较微妙时尤其如此。如果程序陷入无限循环，可按Ctrl + C，也可关闭显示程序输出的终端窗口。

　　要避免编写无限循环，务必对每个while循环进行测试，确保它按预期那样结束。如果你希望程序在用户输入特定值时结束，可运行程序并输入这样的值；如果在这种情况下程序没有结束，请检查程序处理这个值的方式，确认程序至少有一个这样的地方能让循环条件为False或让break语句得以执行。

注意　有些编辑器（如Sublime Text）内嵌了输出窗口，这可能导致难以结束无限循环，因此不得不关闭编辑器来结束无限循环。

动手试一试

7-4 比萨配料：编写一个循环，提示用户输入一系列的比萨配料，并在用户输入 'quit' 时结束循环。每当用户输入一种配料后，都打印一条消息，说我们会在比萨中添加这种配料。

7-5 电影票：有家电影院根据观众的年龄收取不同的票价：不到 3 岁的观众免费；3~12 岁的观众为 10 美元；超过 12 岁的观众为 15 美元。请编写一个循环，在其中询问用户的年龄，并指出其票价。

7-6 三个出口：以另一种方式完成练习 7-4 或练习 7-5，在程序中采取如下所有做法。
❑ 在 while 循环中使用条件测试来结束循环。
❑ 使用变量 active 来控制循环结束的时机。
❑ 使用 break 语句在用户输入 'quit' 时退出循环。

7-7 无限循环：编写一个没完没了的循环，并运行它（要结束该循环，可按 Ctrl +C，也可关闭显示输出的窗口）。

7.3　使用 while 循环来处理列表和字典

到目前为止，我们每次都只处理了一项用户信息：获取用户的输入，再将输入打印出来或作出应答；循环再次运行时，我们获悉另一个输入值并作出响应。然而，要记录大量的用户和信息，需要在while循环中使用列表和字典。

for循环是一种遍历列表的有效方式，但在for循环中不应修改列表，否则将导致Python难以跟踪其中的元素。要在遍历列表的同时对其进行修改，可使用while循环。通过将while循环同列表和字典结合起来使用，可收集、存储并组织大量输入，供以后查看和显示。

7.3.1　在列表之间移动元素

假设有一个列表，其中包含新注册但还未验证的网站用户；验证这些用户后，如何将他们移到另一个已验证用户列表中呢？一种办法是使用一个while循环，在验证用户的同时将其从未验证用户列表中提取出来，再将其加入到另一个已验证用户列表中。代码可能类似于下面这样：

confirmed_users.py

```
# 首先，创建一个待验证用户列表
#   和一个用于存储已验证用户的空列表
❶ unconfirmed_users = ['alice', 'brian', 'candace']
confirmed_users = []

# 验证每个用户，直到没有未验证用户为止
#   将每个经过验证的列表都移到已验证用户列表中
❷ while unconfirmed_users:
```

```
❸      current_user = unconfirmed_users.pop()

        print("Verifying user: " + current_user.title())
❹      confirmed_users.append(current_user)

# 显示所有已验证的用户
print("\nThe following users have been confirmed:")
for confirmed_user in confirmed_users:
    print(confirmed_user.title())
```

我们首先创建了一个未验证用户列表（见❶），其中包含用户 Alice、Brian 和 Candace，还创建了一个空列表，用于存储已验证的用户。❷处的 while 循环将不断地运行，直到列表 unconfirmed_users 变成空的。在这个循环中，❸处的函数 pop() 以每次一个的方式从列表 unconfirmed_users 末尾删除未验证的用户。由于 Candace 位于列表 unconfirmed_users 末尾，因此其名字将首先被删除、存储到变量 current_user 中并加入到列表 confirmed_users 中（见❹）。接下来是 Brian，然后是 Alice。

为模拟用户验证过程，我们打印一条验证消息并将用户加入到已验证用户列表中。未验证用户列表越来越短，而已验证用户列表越来越长。未验证用户列表为空后结束循环，再打印已验证用户列表：

```
Verifying user: Candace
Verifying user: Brian
Verifying user: Alice

The following users have been confirmed:
Candace
Brian
Alice
```

7.3.2　删除包含特定值的所有列表元素

在第 3 章中，我们使用函数 remove() 来删除列表中的特定值，这之所以可行，是因为要删除的值在列表中只出现了一次。如果要删除列表中所有包含特定值的元素，该怎么办呢？

假设你有一个宠物列表，其中包含多个值为 'cat' 的元素。要删除所有这些元素，可不断运行一个 while 循环，直到列表中不再包含值 'cat'，如下所示：

pets.py

```
pets = ['dog', 'cat', 'dog', 'goldfish', 'cat', 'rabbit', 'cat']
print(pets)

while 'cat' in pets:
    pets.remove('cat')

print(pets)
```

我们首先创建了一个列表，其中包含多个值为'cat'的元素。打印这个列表后，Python进入while循环，因为它发现'cat'在列表中至少出现了一次。进入这个循环后，Python删除第一个'cat'并返回到while代码行，然后发现'cat'还包含在列表中，因此再次进入循环。它不断删除'cat'，直到这个值不再包含在列表中，然后退出循环并再次打印列表：

```
['dog', 'cat', 'dog', 'goldfish', 'cat', 'rabbit', 'cat']
['dog', 'dog', 'goldfish', 'rabbit']
```

7.3.3   使用用户输入来填充字典

可使用while循环提示用户输入任意数量的信息。下面来创建一个调查程序，其中的循环每次执行时都提示输入被调查者的名字和回答。我们将收集的数据存储在一个字典中，以便将回答同被调查者关联起来：

mountain_poll.py

```
responses = {}

# 设置一个标志，指出调查是否继续
polling_active = True

while polling_active:
    # 提示输入被调查者的名字和回答
❶  name = input("\nWhat is your name? ")
    response = input("Which mountain would you like to climb someday? ")

    # 将答卷存储在字典中
❷  responses[name] = response

    # 看看是否还有人要参与调查
❸  repeat = input("Would you like to let another person respond? (yes/ no) ")
    if repeat == 'no':
        polling_active = False

# 调查结束，显示结果
print("\n--- Poll Results ---")
❹ for name, response in responses.items():
    print(name + " would like to climb " + response + ".")
```

这个程序首先定义了一个空字典（responses），并设置了一个标志（polling_active），用于指出调查是否继续。只要polling_active为True，Python就运行while循环中的代码。

在这个循环中，提示用户输入其用户名及其喜欢爬哪座山（见❶）。将这些信息存储在字典responses中（见❷），然后询问用户调查是否继续（见❸）。如果用户输入yes，程序将再次进入while循环；如果用户输入no，标志polling_active将被设置为False，而while循环将就此结束。最后一个代码块（见❹）显示调查结果。

如果你运行这个程序，并输入一些名字和回答，输出将类似于下面这样：

```
What is your name? Eric
Which mountain would you like to climb someday? Denali
Would you like to let another person respond? (yes/ no) yes

What is your name? Lynn
Which mountain would you like to climb someday? Devil's Thumb
Would you like to let another person respond? (yes/ no) no

--- Poll Results ---
Lynn would like to climb Devil's Thumb.
Eric would like to climb Denali.
```

7

动手试一试

7-8 熟食店：创建一个名为 sandwich_orders 的列表，在其中包含各种三明治的名字；再创建一个名为 finished_sandwiches 的空列表。遍历列表 sandwich_orders，对于其中的每种三明治，都打印一条消息，如 I made your tuna sandwich，并将其移到列表 finished_sandwiches。所有三明治都制作好后，打印一条消息，将这些三明治列出来。

7-9 五香烟熏牛肉（pastrami）卖完了：使用为完成练习 7-8 而创建的列表 sandwich_orders，并确保'pastrami'在其中至少出现了三次。在程序开头附近添加这样的代码：打印一条消息，指出熟食店的五香烟熏牛肉卖完了；再使用一个 while 循环将列表 sandwich_orders 中的'pastrami'都删除。确认最终的列表 finished_sandwiches 中不包含'pastrami'。

7-10 梦想的度假胜地：编写一个程序，调查用户梦想的度假胜地。使用类似于"If you could visit one place in the world, where would you go?"的提示，并编写一个打印调查结果的代码块。

7.4 小结

在本章中，你学习了：如何在程序中使用input()来让用户提供信息；如何处理文本和数字输入，以及如何使用while循环让程序按用户的要求不断地运行；多种控制while循环流程的方式：设置活动标志、使用break语句以及使用continue语句；如何使用while循环在列表之间移动元素，以及如何从列表中删除所有包含特定值的元素；如何结合使用while循环和字典。

在第8章中，你将学习函数。函数让你能够将程序分成多个很小的部分，其中每部分都负责完成一项具体任务。你可以根据需要调用同一个函数任意次，还可将函数存储在独立的文件中。使用函数可让你编写的代码效率更高，更容易维护和排除故障，还可在众多不同的程序中重用。

函　数

在本章中，你将学习编写**函数**。函数是带名字的代码块，用于完成具体的工作。

要执行函数定义的特定任务，可调用该函数。需要在程序中多次执行同一项任务时，你无需反复编写完成该任务的代码，而只需调用执行该任务的函数，让Python运行其中的代码。你将发现，通过使用函数，程序的编写、阅读、测试和修复都将更容易。

在本章中，你还会学习向函数传递信息的方式。你将学习如何编写主要任务是显示信息的函数，还有用于处理数据并返回一个或一组值的函数。最后，你将学习如何将函数存储在被称为**模块**的独立文件中，让主程序文件的组织更为有序。

8.1　定义函数

下面是一个打印问候语的简单函数，名为greet_user()：

greeter.py

```
❶ def greet_user():
❷     """显示简单的问候语"""
❸     print("Hello!")

❹ greet_user()
```

这个示例演示了最简单的函数结构。❶处的代码行使用关键字def来告诉Python你要定义一个函数。这是函数定义，向Python指出了函数名，还可能在括号内指出函数为完成其任务需要什么样的信息。在这里，函数名为greet_user()，它不需要任何信息就能完成其工作，因此括号是空的（即便如此，括号也必不可少）。最后，定义以冒号结尾。

紧跟在def greet_user():后面的所有缩进行构成了函数体。❷处的文本是被称为文档字符串（docstring）的注释，描述了函数是做什么的。文档字符串用三引号括起，Python使用它们来生成有关程序中函数的文档。

代码行print("Hello!")（见❸）是函数体内的唯一一行代码，greet_user()只做一项工作：打印Hello!。

要使用这个函数，可调用它。函数调用让Python执行函数的代码。要调用函数，可依次指定函数名以及用括号括起的必要信息，如❹处所示。由于这个函数不需要任何信息，因此调用它时只需输入greet_user()即可。和预期的一样，它打印Hello!：

```
Hello!
```

8.1.1　向函数传递信息

只需稍作修改，就可以让函数greet_user()不仅向用户显示Hello!，还将用户的名字用作抬头。为此，可在函数定义def greet_user()的括号内添加username。通过在这里添加username，就可让函数接受你给username指定的任何值。现在，这个函数要求你调用它时给username指定一个值。调用greet_user()时，可将一个名字传递给它，如下所示：

```
def greet_user(username):
    """显示简单的问候语"""
    print("Hello, " + username.title() + "!")

greet_user('jesse')
```

代码greet_user('jesse')调用函数greet_user()，并向它提供执行print语句所需的信息。这个函数接受你传递给它的名字，并向这个人发出问候：

```
Hello, Jesse!
```

同样，greet_user('sarah')调用函数greet_user()并向它传递'sarah'，打印Hello, Sarah!。你可以根据需要调用函数greet_user()任意次，调用时无论传入什么样的名字，都会生成相应的输出。

8.1.2　实参和形参

前面定义函数greet_user()时，要求给变量username指定一个值。调用这个函数并提供这种信息（人名）时，它将打印相应的问候语。

在函数greet_user()的定义中，变量username是一个形参——函数完成其工作所需的一项信息。在代码greet_user('jesse')中，值'jesse'是一个实参。实参是调用函数时传递给函数的信息。我们调用函数时，将要让函数使用的信息放在括号内。在greet_user('jesse')中，将实参'jesse'传递给了函数greet_user()，这个值被存储在形参username中。

注意   大家有时候会形参、实参不分，因此如果你看到有人将函数定义中的变量称为实参或将
函数调用中的变量称为形参，不要大惊小怪。

动手试一试

8-1 消息：编写一个名为 display_message() 的函数，它打印一个句子，指出你在本
章学的是什么。调用这个函数，确认显示的消息正确无误。

8-2 喜欢的图书：编写一个名为 favorite_book() 的函数，其中包含一个名为 title
的形参。这个函数打印一条消息，如 One of my favorite books is Alice in Wonderland。
调用这个函数，并将一本图书的名称作为实参传递给它。

8.2   传递实参

鉴于函数定义中可能包含多个形参，因此函数调用中也可能包含多个实参。向函数传递实参
的方式很多，可使用位置实参，这要求实参的顺序与形参的顺序相同；也可使用关键字实参，其
中每个实参都由变量名和值组成；还可使用列表和字典。下面来依次介绍这些方式。

8.2.1   位置实参

你调用函数时，Python 必须将函数调用中的每个实参都关联到函数定义中的一个形参。为此，
最简单的关联方式是基于实参的顺序。这种关联方式被称为位置实参。

为明白其中的工作原理，来看一个显示宠物信息的函数。这个函数指出一个宠物属于哪种动
物以及它叫什么名字，如下所示：

pets.py

```
❶ def describe_pet(animal_type, pet_name):
      """显示宠物的信息"""
      print("\nI have a " + animal_type + ".")
      print("My " + animal_type + "'s name is " + pet_name.title() + ".")

❷ describe_pet('hamster', 'harry')
```

这个函数的定义表明，它需要一种动物类型和一个名字（见❶）。调用 describe_pet() 时，需
要按顺序提供一种动物类型和一个名字。例如，在前面的函数调用中，实参 'hamster' 存储在形
参 animal_type 中，而实参 'harry' 存储在形参 pet_name 中（见❷）。在函数体内，使用了这两个形
参来显示宠物的信息。

输出描述了一只名为 Harry 的仓鼠：

```
I have a hamster.
My hamster's name is Harry.
```

1. 调用函数多次
你可以根据需要调用函数任意次。要再描述一个宠物，只需再次调用describe_pet()即可：

```
def describe_pet(animal_type, pet_name):
    """显示宠物的信息"""
    print("\nI have a " + animal_type + ".")
    print("My " + animal_type + "'s name is " + pet_name.title() + ".")

describe_pet('hamster', 'harry')
describe_pet('dog', 'willie')
```

第二次调用describe_pet()函数时，我们向它传递了实参'dog'和'willie'。与第一次调用时一样，Python将实参'dog'关联到形参animal_type，并将实参'willie'关联到形参pet_name。与前面一样，这个函数完成其任务，但打印的是一条名为Willie的小狗的信息。至此，我们有一只名为Harry的仓鼠，还有一条名为Willie的小狗：

```
I have a hamster.
My hamster's name is Harry.

I have a dog.
My dog's name is Willie.
```

调用函数多次是一种效率极高的工作方式。我们只需在函数中编写描述宠物的代码一次，然后每当需要描述新宠物时，都可调用这个函数，并向它提供新宠物的信息。即便描述宠物的代码增加到了10行，你依然只需使用一行调用函数的代码，就可描述一个新宠物。

在函数中，可根据需要使用任意数量的位置实参，Python将按顺序将函数调用中的实参关联到函数定义中相应的形参。

2. 位置实参的顺序很重要
使用位置实参来调用函数时，如果实参的顺序不正确，结果可能出乎意料：

```
def describe_pet(animal_type, pet_name):
    """显示宠物的信息"""
    print("\nI have a " + animal_type + ".")
    print("My " + animal_type + "'s name is " + pet_name.title() + ".")

describe_pet('harry', 'hamster')
```

在这个函数调用中，我们先指定名字，再指定动物类型。由于实参'harry'在前，这个值将存储到形参animal_type中；同理，'hamster'将存储到形参pet_name中。结果是我们得到了一个名为Hamster的harry：

```
I have a harry.
My harry's name is Hamster.
```

如果结果像上面一样搞笑，请确认函数调用中实参的顺序与函数定义中形参的顺序一致。

8.2.2 关键字实参

关键字实参是传递给函数的名称–值对。你直接在实参中将名称和值关联起来了，因此向函数传递实参时不会混淆（不会得到名为Hamster的harry这样的结果）。关键字实参让你无需考虑函数调用中的实参顺序，还清楚地指出了函数调用中各个值的用途。

下面来重新编写pets.py，在其中使用关键字实参来调用describe_pet()：

```
def describe_pet(animal_type, pet_name):
    """显示宠物的信息"""
    print("\nI have a " + animal_type + ".")
    print("My " + animal_type + "'s name is " + pet_name.title() + ".")

describe_pet(animal_type='hamster', pet_name='harry')
```

函数describe_pet()还是原来那样，但调用这个函数时，我们向Python明确地指出了各个实参对应的形参。看到这个函数调用时，Python知道应该将实参'hamster'和'harry'分别存储在形参animal_type和pet_name中。输出正确无误，它指出我们有一只名为Harry的仓鼠。

关键字实参的顺序无关紧要，因为Python知道各个值该存储到哪个形参中。下面两个函数调用是等效的：

```
describe_pet(animal_type='hamster', pet_name='harry')
describe_pet(pet_name='harry', animal_type='hamster')
```

注意   使用关键字实参时，务必准确地指定函数定义中的形参名。

8.2.3 默认值

编写函数时，可给每个形参指定默认值。在调用函数中给形参提供了实参时，Python将使用指定的实参值；否则，将使用形参的默认值。因此，给形参指定默认值后，可在函数调用中省略相应的实参。使用默认值可简化函数调用，还可清楚地指出函数的典型用法。

例如，如果你发现调用describe_pet()时，描述的大都是小狗，就可将形参animal_type的默认值设置为'dog'。这样，调用describe_pet()来描述小狗时，就可不提供这种信息：

```
def describe_pet(pet_name, animal_type='dog'):
    """显示宠物的信息"""
    print("\nI have a " + animal_type + ".")
    print("My " + animal_type + "'s name is " + pet_name.title() + ".")
```

```
describe_pet(pet_name='willie')
```

这里修改了函数describe_pet()的定义,在其中给形参animal_type指定了默认值'dog'。这样,调用这个函数时,如果没有给animal_type指定值,Python将把这个形参设置为'dog':

```
I have a dog.
My dog's name is Willie.
```

请注意,在这个函数的定义中,修改了形参的排列顺序。由于给animal_type指定了默认值,无需通过实参来指定动物类型,因此在函数调用中只包含一个实参——宠物的名字。然而,Python依然将这个实参视为位置实参,因此如果函数调用中只包含宠物的名字,这个实参将关联到函数定义中的第一个形参。这就是需要将pet_name放在形参列表开头的原因所在。

现在,使用这个函数的最简单的方式是,在函数调用中只提供小狗的名字:

```
describe_pet('willie')
```

这个函数调用的输出与前一个示例相同。只提供了一个实参——'willie',这个实参将关联到函数定义中的第一个形参——pet_name。由于没有给animal_type提供实参,因此Python使用其默认值'dog'。

如果要描述的动物不是小狗,可使用类似于下面的函数调用:

```
describe_pet(pet_name='harry', animal_type='hamster')
```

由于显式地给animal_type提供了实参,因此Python将忽略这个形参的默认值。

> **注意**　使用默认值时,在形参列表中必须先列出没有默认值的形参,再列出有默认值的形参。这让Python依然能够正确地解读位置实参。

8.2.4　等效的函数调用

鉴于可混合使用位置实参、关键字实参和默认值,通常有多种等效的函数调用方式。请看下面的函数describe_pets()的定义,其中给一个形参提供了默认值:

```
def describe_pet(pet_name, animal_type='dog'):
```

基于这种定义,在任何情况下都必须给pet_name提供实参;指定该实参时可以使用位置方式,也可以使用关键字方式。如果要描述的动物不是小狗,还必须在函数调用中给animal_type提供实参;同样,指定该实参时可以使用位置方式,也可以使用关键字方式。

下面对这个函数的所有调用都可行:

```
# 一条名为Willie的小狗
describe_pet('willie')
describe_pet(pet_name='willie')

# 一只名为Harry的仓鼠
describe_pet('harry', 'hamster')
describe_pet(pet_name='harry', animal_type='hamster')
describe_pet(animal_type='hamster', pet_name='harry')
```

这些函数调用的输出与前面的示例相同。

注意 使用哪种调用方式无关紧要，只要函数调用能生成你希望的输出就行。使用对你来说最容易理解的调用方式即可。

8.2.5 避免实参错误

等你开始使用函数后，如果遇到实参不匹配错误，不要大惊小怪。你提供的实参多于或少于函数完成其工作所需的信息时，将出现实参不匹配错误。例如，如果调用函数describe_pet()时没有指定任何实参，结果将如何呢？

```
def describe_pet(animal_type, pet_name):
    """显示宠物的信息"""
    print("\nI have a " + animal_type + ".")
    print("My " + animal_type + "'s name is " + pet_name.title() + ".")

describe_pet()
```

Python发现该函数调用缺少必要的信息，而traceback指出了这一点：

```
Traceback (most recent call last):
❶   File "pets.py", line 6, in <module>
❷     describe_pet()
❸ TypeError: describe_pet() missing 2 required positional arguments: 'animal_
    type' and 'pet_name'
```

在❶处，traceback指出了问题出在什么地方，让我们能够回过头去找出函数调用中的错误。在❷处，指出了导致问题的函数调用。在❸处，traceback指出该函数调用少两个实参，并指出了相应形参的名称。如果这个函数存储在一个独立的文件中，我们也许无需打开这个文件并查看函数的代码，就能重新正确地编写函数调用。

Python读取函数的代码，并指出我们需要为哪些形参提供实参，这提供了极大的帮助。这也是应该给变量和函数指定描述性名称的另一个原因；如果你这样做了，那么无论对于你，还是可能使用你编写的代码的其他任何人来说，Python提供的错误消息都将更有帮助。

如果提供的实参太多，将出现类似的traceback，帮助你确保函数调用和函数定义匹配。

动手试一试

8-3 T 恤：编写一个名为 make_shirt() 的函数，它接受一个尺码以及要印到 T 恤上的字样。这个函数应打印一个句子，概要地说明 T 恤的尺码和字样。

使用位置实参调用这个函数来制作一件 T 恤；再使用关键字实参来调用这个函数。

8-4 大号 T 恤：修改函数 make_shirt()，使其在默认情况下制作一件印有字样"I love Python"的大号 T 恤。调用这个函数来制作如下 T 恤：一件印有默认字样的大号 T 恤、一件印有默认字样的中号 T 恤和一件印有其他字样的 T 恤（尺码无关紧要）。

8-5 城市：编写一个名为 describe_city() 的函数，它接受一座城市的名字以及该城市所属的国家。这个函数应打印一个简单的句子，如 Reykjavik is in Iceland。给用于存储国家的形参指定默认值。为三座不同的城市调用这个函数，且其中至少有一座城市不属于默认国家。

8.3　返回值

函数并非总是直接显示输出，相反，它可以处理一些数据，并返回一个或一组值。函数返回的值被称为**返回值**。在函数中，可使用return语句将值返回到调用函数的代码行。返回值让你能够将程序的大部分繁重工作移到函数中去完成，从而简化主程序。

8.3.1　返回简单值

下面来看一个函数，它接受名和姓并返回整洁的姓名：

formatted_name.py

```
❶ def get_formatted_name(first_name, last_name):
       """返回整洁的姓名"""
❷     full_name = first_name + ' ' + last_name
❸     return full_name.title()

❹ musician = get_formatted_name('jimi', 'hendrix')
   print(musician)
```

函数get_formatted_name()的定义通过形参接受名和姓（见❶）。它将姓和名合而为一，在它们之间加上一个空格，并将结果存储在变量full_name中（见❷）。然后，将full_name的值转换为首字母大写格式，并将结果返回到函数调用行（见❸）。

调用返回值的函数时，需要提供一个变量，用于存储返回的值。在这里，将返回值存储在了变量musician中（见❹）。输出为整洁的姓名：

```
Jimi Hendrix
```

我们原本只需编写下面的代码就可输出整洁的姓名，相比于此，前面做的工作好像太多了：

```
print("Jimi Hendrix")
```

但在需要分别存储大量名和姓的大型程序中，像get_formatted_name()这样的函数非常有用。你分别存储名和姓，每当需要显示姓名时都调用这个函数。

8.3.2　让实参变成可选的

有时候，需要让实参变成可选的，这样使用函数的人就只需在必要时才提供额外的信息。可使用默认值来让实参变成可选的。

例如，假设我们要扩展函数get_formatted_name()，使其还处理中间名。为此，可将其修改成类似于下面这样：

```
def get_formatted_name(first_name, middle_name, last_name):
    """返回整洁的姓名"""
    full_name = first_name + ' ' + middle_name + ' ' + last_name
    return full_name.title()

musician = get_formatted_name('john', 'lee', 'hooker')
print(musician)
```

只要同时提供名、中间名和姓，这个函数就能正确地运行。它根据这三部分创建一个字符串，在适当的地方加上空格，并将结果转换为首字母大写格式：

```
John Lee Hooker
```

然而，并非所有的人都有中间名，但如果你调用这个函数时只提供了名和姓，它将不能正确地运行。为让中间名变成可选的，可给实参middle_name指定一个默认值——空字符串，并在用户没有提供中间名时不使用这个实参。为让get_formatted_name()在没有提供中间名时依然可行，可给实参middle_name指定一个默认值——空字符串，并将其移到形参列表的末尾：

```
❶ def get_formatted_name(first_name, last_name, middle_name=''):
       """返回整洁的姓名"""
❷     if middle_name:
           full_name = first_name + ' ' + middle_name + ' ' + last_name
❸     else:
           full_name = first_name + ' ' + last_name
       return full_name.title()

   musician = get_formatted_name('jimi', 'hendrix')
   print(musician)

❹ musician = get_formatted_name('john', 'hooker', 'lee')
   print(musician)
```

在这个示例中，姓名是根据三个可能提供的部分创建的。由于人都有名和姓，因此在函数定义中首先列出了这两个形参。中间名是可选的，因此在函数定义中最后列出该形参，并将其默认值设置为空字符串（见❶）。

在函数体中，我们检查是否提供了中间名。Python将非空字符串解读为True，因此如果函数调用中提供了中间名，if middle_name将为True（见❷）。如果提供了中间名，就将名、中间名和姓合并为姓名，然后将其修改为首字母大写格式，并返回到函数调用行。在函数调用行，将返回的值存储在变量musician中；然后将这个变量的值打印出来。如果没有提供中间名，middle_name将为空字符串，导致if测试未通过，进而执行else代码块（见❸）：只使用名和姓来生成姓名，并将设置好格式的姓名返回给函数调用行。在函数调用行，将返回的值存储在变量musician中；然后将这个变量的值打印出来。

调用这个函数时，如果只想指定名和姓，调用起来将非常简单。如果还要指定中间名，就必须确保它是最后一个实参，这样Python才能正确地将位置实参关联到形参（见❹）。

这个修改后的版本适用于只有名和姓的人，也适用于还有中间名的人：

```
Jimi Hendrix
John Lee Hooker
```

可选值让函数能够处理各种不同情形的同时，确保函数调用尽可能简单。

8.3.3　返回字典

函数可返回任何类型的值，包括列表和字典等较复杂的数据结构。例如，下面的函数接受姓名的组成部分，并返回一个表示人的字典：

person.py

```
   def build_person(first_name, last_name):
       """返回一个字典，其中包含有关一个人的信息"""
❶     person = {'first': first_name, 'last': last_name}
❷     return person

   musician = build_person('jimi', 'hendrix')
❸ print(musician)
```

函数build_person()接受名和姓，并将这些值封装到字典中（见❶）。存储first_name的值时，使用的键为'first'，而存储last_name的值时，使用的键为'last'。最后，返回表示人的整个字典（见❷）。在❸处，打印这个返回的值，此时原来的两项文本信息存储在一个字典中：

```
{'first': 'jimi', 'last': 'hendrix'}
```

这个函数接受简单的文本信息，将其放在一个更合适的数据结构中，让你不仅能打印这些信息，还能以其他方式处理它们。当前，字符串'jimi'和'hendrix'被标记为名和姓。你可以轻松地扩展这个函数，使其接受可选值，如中间名、年龄、职业或你要存储的其他任何信息。例如，下面的修改让你还能存储年龄：

```
def build_person(first_name, last_name, age=''):
    """返回一个字典，其中包含有关一个人的信息"""
    person = {'first': first_name, 'last': last_name}
    if age:
        person['age'] = age
    return person

musician = build_person('jimi', 'hendrix', age=27)
print(musician)
```

在函数定义中，我们新增了一个可选形参age，并将其默认值设置为空字符串。如果函数调用中包含这个形参的值，这个值将存储到字典中。在任何情况下，这个函数都会存储人的姓名，但可对其进行修改，使其也存储有关人的其他信息。

8.3.4   结合使用函数和 while 循环

可将函数同本书前面介绍的任何Python结构结合起来使用。例如，下面将结合使用函数get_formatted_name()和while循环，以更正规的方式问候用户。下面尝试使用名和姓跟用户打招呼：

greeter.py

```
def get_formatted_name(first_name, last_name):
    """返回整洁的姓名"""
    full_name = first_name + ' ' + last_name
    return full_name.title()

# 这是一个无限循环！
while True:
❶    print("\nPlease tell me your name:")
    f_name = input("First name: ")
    l_name = input("Last name: ")

    formatted_name = get_formatted_name(f_name, l_name)
    print("\nHello, " + formatted_name + "!")
```

在这个示例中，我们使用的是get_formatted_name()的简单版本，不涉及中间名。其中的while循环让用户输入姓名：依次提示用户输入名和姓（见❶）。

但这个while循环存在一个问题：没有定义退出条件。请用户提供一系列输入时，该在什么地方提供退出条件呢？我们要让用户能够尽可能容易地退出，因此每次提示用户输入时，都应提供退出途径。每次提示用户输入时，都使用break语句提供了退出循环的简单途径：

```
def get_formatted_name(first_name, last_name):
    """返回整洁的姓名"""
    full_name = first_name + ' ' + last_name
```

```
    return full_name.title()

while True:
    print("\nPlease tell me your name:")
    print("(enter 'q' at any time to quit)")

    f_name = input("First name: ")
    if f_name == 'q':
        break

    l_name = input("Last name: ")
    if l_name == 'q':
        break

    formatted_name = get_formatted_name(f_name, l_name)
    print("\nHello, " + formatted_name + "!")
```

我们添加了一条消息来告诉用户如何退出，然后在每次提示用户输入时，都检查他输入的是否是退出值，如果是，就退出循环。现在，这个程序将不断地问候，直到用户输入的姓或名为'q'为止：

```
Please tell me your name:
(enter 'q' at any time to quit)
First name: eric
Last name: matthes

Hello, Eric Matthes!

Please tell me your name:
(enter 'q' at any time to quit)
First name: q
```

动手试一试

8-6 城市名：编写一个名为 city_country() 的函数，它接受城市的名称及其所属的国家。这个函数应返回一个格式类似于下面这样的字符串：

```
"Santiago, Chile"
```

至少使用三个城市–国家对调用这个函数，并打印它返回的值。

8-7 专辑：编写一个名为 make_album() 的函数，它创建一个描述音乐专辑的字典。这个函数应接受歌手的名字和专辑名，并返回一个包含这两项信息的字典。使用这个函数创建三个表示不同专辑的字典，并打印每个返回的值，以核实字典正确地存储了专辑的信息。

给函数 make_album() 添加一个可选形参，以便能够存储专辑包含的歌曲数。如果调用这个函数时指定了歌曲数，就将这个值添加到表示专辑的字典中。调用这个函数，并至少在一次调用中指定专辑包含的歌曲数。

8-8 用户的专辑：在为完成练习 8-7 编写的程序中，编写一个 while 循环，让用户输入一个专辑的歌手和名称。获取这些信息后，使用它们来调用函数 make_album()，并将创建的字典打印出来。在这个 while 循环中，务必要提供退出途径。

8.4 传递列表

你经常会发现，向函数传递列表很有用，这种列表包含的可能是名字、数字或更复杂的对象（如字典）。将列表传递给函数后，函数就能直接访问其内容。下面使用函数来提高处理列表的效率。

假设有一个用户列表，我们要问候其中的每位用户。下面的示例将一个名字列表传递给一个名为greet_users()的函数，这个函数问候列表中的每个人：

greet_users.py

```
def greet_users(names):
    """向列表中的每位用户都发出简单的问候"""
    for name in names:
        msg = "Hello, " + name.title() + "!"
        print(msg)

❶ usernames = ['hannah', 'ty', 'margot']
greet_users(usernames)
```

我们将greet_users()定义成接受一个名字列表，并将其存储在形参names中。这个函数遍历收到的列表，并对其中的每位用户都打印一条问候语。在❶处，我们定义了一个用户列表——usernames，然后调用greet_users()，并将这个列表传递给它：

```
Hello, Hannah!
Hello, Ty!
Hello, Margot!
```

输出完全符合预期，每位用户都看到了一条个性化的问候语。每当你要问候一组用户时，都可调用这个函数。

8.4.1 在函数中修改列表

将列表传递给函数后，函数就可对其进行修改。在函数中对这个列表所做的任何修改都是永久性的，这让你能够高效地处理大量的数据。

来看一家为用户提交的设计制作3D打印模型的公司。需要打印的设计存储在一个列表中，打印后移到另一个列表中。下面是在不使用函数的情况下模拟这个过程的代码：

printing_models.py

```
# 首先创建一个列表，其中包含一些要打印的设计
unprinted_designs = ['iphone case', 'robot pendant', 'dodecahedron']
completed_models = []

# 模拟打印每个设计，直到没有未打印的设计为止
#  打印每个设计后，都将其移到列表completed_models中
while unprinted_designs:
    current_design = unprinted_designs.pop()

    #模拟根据设计制作3D打印模型的过程
    print("Printing model: " + current_design)
    completed_models.append(current_design)

# 显示打印好的所有模型
print("\nThe following models have been printed:")
for completed_model in completed_models:
    print(completed_model)
```

这个程序首先创建一个需要打印的设计列表，还创建一个名为completed_models的空列表，每个设计打印都将移到这个列表中。只要列表unprinted_designs中还有设计，while循环就模拟打印设计的过程：从该列表末尾删除一个设计，将其存储到变量current_design中，并显示一条消息，指出正在打印当前的设计，再将该设计加入到列表completed_models中。循环结束后，显示已打印的所有设计：

```
Printing model: dodecahedron
Printing model: robot pendant
Printing model: iphone case

The following models have been printed:
dodecahedron
robot pendant
iphone case
```

为重新组织这些代码，我们可编写两个函数，每个都做一件具体的工作。大部分代码都与原来相同，只是效率更高。第一个函数将负责处理打印设计的工作，而第二个将概述打印了哪些设计：

```
❶ def print_models(unprinted_designs, completed_models):
      """
      模拟打印每个设计，直到没有未打印的设计为止
      打印每个设计后，都将其移到列表completed_models中
      """
      while unprinted_designs:
          current_design = unprinted_designs.pop()

          # 模拟根据设计制作3D打印模型的过程
          print("Printing model: " + current_design)
          completed_models.append(current_design)
```

```
❷ def show_completed_models(completed_models):
      """显示打印好的所有模型"""
      print("\nThe following models have been printed:")
      for completed_model in completed_models:
          print(completed_model)

  unprinted_designs = ['iphone case', 'robot pendant', 'dodecahedron']
  completed_models = []

  print_models(unprinted_designs, completed_models)
  show_completed_models(completed_models)
```

在❶处，我们定义了函数print_models()，它包含两个形参：一个需要打印的设计列表和一个打印好的模型列表。给定这两个列表，这个函数模拟打印每个设计的过程：将设计逐个地从未打印的设计列表中取出，并加入到打印好的模型列表中。在❷处，我们定义了函数show_completed_models()，它包含一个形参：打印好的模型列表。给定这个列表，函数show_completed_models()显示打印出来的每个模型的名称。

这个程序的输出与未使用函数的版本相同，但组织更为有序。完成大部分工作的代码都移到了两个函数中，让主程序更容易理解。只要看看主程序，你就知道这个程序的功能容易看清得多：

```
  unprinted_designs = ['iphone case', 'robot pendant', 'dodecahedron']
  completed_models = []

  print_models(unprinted_designs, completed_models)
  show_completed_models(completed_models)
```

我们创建了一个未打印的设计列表，还创建了一个空列表，用于存储打印好的模型。接下来，由于我们已经定义了两个函数，因此只需调用它们并传入正确的实参即可。我们调用print_models()并向它传递两个列表；像预期的一样，print_models()模拟打印设计的过程。接下来，我们调用show_completed_models()，并将打印好的模型列表传递给它，让其能够指出打印了哪些模型。描述性的函数名让别人阅读这些代码时也能明白，虽然其中没有任何注释。

相比于没有使用函数的版本，这个程序更容易扩展和维护。如果以后需要打印其他设计，只需再次调用print_models()即可。如果我们发现需要对打印代码进行修改，只需修改这些代码一次，就能影响所有调用该函数的地方；与必须分别修改程序的多个地方相比，这种修改的效率更高。

这个程序还演示了这样一种理念，即每个函数都应只负责一项具体的工作。第一个函数打印每个设计，而第二个显示打印好的模型；这优于使用一个函数来完成两项工作。编写函数时，如果你发现它执行的任务太多，请尝试将这些代码划分到两个函数中。别忘了，总是可以在一个函数中调用另一个函数，这有助于将复杂的任务划分成一系列的步骤。

8.4.2 禁止函数修改列表

有时候，需要禁止函数修改列表。例如，假设像前一个示例那样，你有一个未打印的设计列表，并编写了一个将这些设计移到打印好的模型列表中的函数。你可能会做出这样的决定：即便打印所有设计后，也要保留原来的未打印的设计列表，以供备案。但由于你将所有的设计都移出了unprinted_designs，这个列表变成了空的，原来的列表没有了。为解决这个问题，可向函数传递列表的副本而不是原件；这样函数所做的任何修改都只影响副本，而丝毫不影响原件。

要将列表的副本传递给函数，可以像下面这样做：

function_name(*list_name*[:])

切片表示法[:]创建列表的副本。在print_models.py中，如果不想清空未打印的设计列表，可像下面这样调用print_models()：

print_models(unprinted_designs[:], completed_models)

这样函数print_models()依然能够完成其工作，因为它获得了所有未打印的设计的名称，但它使用的是列表unprinted_designs的副本，而不是列表unprinted_designs本身。像以前一样，列表completed_models也将包含打印好的模型的名称，但函数所做的修改不会影响到列表unprinted_designs。

虽然向函数传递列表的副本可保留原始列表的内容，但除非有充分的理由需要传递副本，否则还是应该将原始列表传递给函数，因为让函数使用现成列表可避免花时间和内存创建副本，从而提高效率，在处理大型列表时尤其如此。

动手试一试

8-9 魔术师：创建一个包含魔术师名字的列表，并将其传递给一个名为show_magicians()的函数，这个函数打印列表中每个魔术师的名字。

8-10 了不起的魔术师：在你为完成练习 8-9 而编写的程序中，编写一个名为make_great()的函数，对魔术师列表进行修改，在每个魔术师的名字中都加入字样"the Great"。调用函数 show_magicians()，确认魔术师列表确实变了。

8-11 不变的魔术师：修改你为完成练习 8-10 而编写的程序，在调用函数make_great()时，向它传递魔术师列表的副本。由于不想修改原始列表，请返回修改后的列表，并将其存储到另一个列表中。分别使用这两个列表来调用 show_magicians()，确认一个列表包含的是原来的魔术师名字，而另一个列表包含的是添加了字样"the Great"的魔术师名字。

8.5　传递任意数量的实参

有时候，你预先不知道函数需要接受多少个实参，好在Python允许函数从调用语句中收集任意数量的实参。

例如，来看一个制作比萨的函数，它需要接受很多配料，但你无法预先确定顾客要多少种配料。下面的函数只有一个形参*toppings，但不管调用语句提供了多少实参，这个形参都将它们统统收入囊中：

pizza.py

```
def make_pizza(*toppings):
    """打印顾客点的所有配料"""
    print(toppings)

make_pizza('pepperoni')
make_pizza('mushrooms', 'green peppers', 'extra cheese')
```

形参名*toppings中的星号让Python创建一个名为toppings的空元组，并将收到的所有值都封装到这个元组中。函数体内的print语句通过生成输出来证明Python能够处理使用一个值调用函数的情形，也能处理使用三个值来调用函数的情形。它以类似的方式处理不同的调用，注意，Python将实参封装到一个元组中，即便函数只收到一个值也如此：

```
('pepperoni',)
('mushrooms', 'green peppers', 'extra cheese')
```

现在，我们可以将这条print语句替换为一个循环，对配料列表进行遍历，并对顾客点的比萨进行描述：

```
def make_pizza(*toppings):
    """概述要制作的比萨"""
    print("\nMaking a pizza with the following toppings:")
    for topping in toppings:
        print("- " + topping)

make_pizza('pepperoni')
make_pizza('mushrooms', 'green peppers', 'extra cheese')
```

不管收到的是一个值还是三个值，这个函数都能妥善地处理：

```
Making a pizza with the following toppings:
- pepperoni

Making a pizza with the following toppings:
- mushrooms
- green peppers
- extra cheese
```

不管函数收到的实参是多少个，这种语法都管用。

8.5.1　结合使用位置实参和任意数量实参

如果要让函数接受不同类型的实参，必须在函数定义中将接纳任意数量实参的形参放在最后。Python先匹配位置实参和关键字实参，再将余下的实参都收集到最后一个形参中。

例如，如果前面的函数还需要一个表示比萨尺寸的实参，必须将该形参放在形参*toppings的前面：

```
def make_pizza(size, *toppings):
    """概述要制作的比萨"""
    print("\nMaking a " + str(size) +
        "-inch pizza with the following toppings:")
    for topping in toppings:
        print("- " + topping)

make_pizza(16, 'pepperoni')
make_pizza(12, 'mushrooms', 'green peppers', 'extra cheese')
```

基于上述函数定义，Python将收到的第一个值存储在形参size中，并将其他的所有值都存储在元组toppings中。在函数调用中，首先指定表示比萨尺寸的实参，然后根据需要指定任意数量的配料。

现在，每个比萨都有了尺寸和一系列配料，这些信息按正确的顺序打印出来了——首先是尺寸，然后是配料：

```
Making a 16-inch pizza with the following toppings:
- pepperoni

Making a 12-inch pizza with the following toppings:
- mushrooms
- green peppers
- extra cheese
```

8.5.2　使用任意数量的关键字实参

有时候，需要接受任意数量的实参，但预先不知道传递给函数的会是什么样的信息。在这种情况下，可将函数编写成能够接受任意数量的键-值对——调用语句提供了多少就接受多少。一个这样的示例是创建用户简介：你知道你将收到有关用户的信息，但不确定会是什么样的信息。在下面的示例中，函数build_profile()接受名和姓，同时还接受任意数量的关键字实参：

user_profile.py

```
  def build_profile(first, last, **user_info):
      """创建一个字典，其中包含我们知道的有关用户的一切"""
      profile = {}
❶     profile['first_name'] = first
      profile['last_name'] = last
❷     for key, value in user_info.items():
```

```
        profile[key] = value
    return profile

user_profile = build_profile('albert', 'einstein',
                             location='princeton',
                             field='physics')
print(user_profile)
```

函数build_profile()的定义要求提供名和姓，同时允许用户根据需要提供任意数量的名称–值对。形参**user_info中的两个星号让Python创建一个名为user_info的空字典，并将收到的所有名称–值对都封装到这个字典中。在这个函数中，可以像访问其他字典那样访问user_info中的名称–值对。

在build_profile()的函数体内，我们创建了一个名为profile的空字典，用于存储用户简介。在❶处，我们将名和姓加入到这个字典中，因为我们总是会从用户那里收到这两项信息。在❷处，我们遍历字典user_info中的键–值对，并将每个键–值对都加入到字典profile中。最后，我们将字典profile返回给函数调用行。

我们调用build_profile()，向它传递名（'albert'）、姓（'einstein'）和两个键–值对（location='princeton'和field='physics'），并将返回的profile存储在变量user_profile中，再打印这个变量：

```
{'first_name': 'albert', 'last_name': 'einstein',
'location': 'princeton', 'field': 'physics'}
```

在这里，返回的字典包含用户的名和姓，还有求学的地方和所学专业。调用这个函数时，不管额外提供了多少个键–值对，它都能正确地处理。

编写函数时，你可以以各种方式混合使用位置实参、关键字实参和任意数量的实参。知道这些实参类型大有裨益，因为阅读别人编写的代码时经常会见到它们。要正确地使用这些类型的实参并知道它们的使用时机，需要经过一定的练习。就目前而言，牢记使用最简单的方法来完成任务就好了。你继续往下阅读，就会知道在各种情况下哪种方法的效率是最高的。

动手试一试

8-12 三明治：编写一个函数，它接受顾客要在三明治中添加的一系列食材。这个函数只有一个形参（它收集函数调用中提供的所有食材），并打印一条消息，对顾客点的三明治进行概述。调用这个函数三次，每次都提供不同数量的实参。

8-13 用户简介：复制前面的程序 user_profile.py，在其中调用 build_profile() 来创建有关你的简介；调用这个函数时，指定你的名和姓，以及三个描述你的键–值对。

8-14 汽车：编写一个函数，将一辆汽车的信息存储在一个字典中。这个函数总是接受制造商和型号，还接受任意数量的关键字实参。这样调用这个函数：提供必不可少的信息，以及两个名称–值对，如颜色和选装配件。这个函数必须能够像下面这样进行调用：

```
car = make_car('subaru', 'outback', color='blue', tow_package=True)
```

打印返回的字典，确认正确地处理了所有的信息。

8.6　将函数存储在模块中

函数的优点之一是，使用它们可将代码块与主程序分离。通过给函数指定描述性名称，可让主程序容易理解得多。你还可以更进一步，将函数存储在被称为模块的独立文件中，再将模块导入到主程序中。import语句允许在当前运行的程序文件中使用模块中的代码。

通过将函数存储在独立的文件中，可隐藏程序代码的细节，将重点放在程序的高层逻辑上。这还能让你在众多不同的程序中重用函数。将函数存储在独立文件中后，可与其他程序员共享这些文件而不是整个程序。知道如何导入函数还能让你使用其他程序员编写的函数库。

导入模块的方法有多种，下面对每种都作简要的介绍。

8.6.1　导入整个模块

要让函数是可导入的，得先创建模块。模块是扩展名为.py的文件，包含要导入到程序中的代码。下面来创建一个包含函数make_pizza()的模块。为此，我们将文件pizza.py中除函数make_pizza()之外的其他代码都删除：

pizza.py

```
def make_pizza(size, *toppings):
    """概述要制作的比萨"""
    print("\nMaking a " + str(size) +
        "-inch pizza with the following toppings:")
    for topping in toppings:
        print("- " + topping)
```

接下来，我们在pizza.py所在的目录中创建另一个名为making_pizzas.py的文件，这个文件导入刚创建的模块，再调用make_pizza()两次：

making_pizzas.py

```
import pizza

❶ pizza.make_pizza(16, 'pepperoni')
pizza.make_pizza(12, 'mushrooms', 'green peppers', 'extra cheese')
```

Python读取这个文件时，代码行import pizza让Python打开文件pizza.py，并将其中的所有函数都复制到这个程序中。你看不到复制的代码，因为这个程序运行时，Python在幕后复制这些代码。你只需知道，在making_pizzas.py中，可以使用pizza.py中定义的所有函数。

要调用被导入的模块中的函数，可指定导入的模块的名称pizza和函数名make_pizza()，并用句点分隔它们（见❶）。这些代码的输出与没有导入模块的原始程序相同：

```
Making a 16-inch pizza with the following toppings:
- pepperoni

Making a 12-inch pizza with the following toppings:
- mushrooms
- green peppers
- extra cheese
```

这就是一种导入方法：只需编写一条import语句并在其中指定模块名，就可在程序中使用该模块中的所有函数。如果你使用这种import语句导入了名为module_name.py的整个模块，就可使用下面的语法来使用其中任何一个函数：

```
module_name.function_name()
```

8.6.2　导入特定的函数

你还可以导入模块中的特定函数，这种导入方法的语法如下：

```
from module_name import function_name
```

通过用逗号分隔函数名，可根据需要从模块中导入任意数量的函数：

```
from module_name import function_0, function_1, function_2
```

对于前面的making_pizzas.py示例，如果只想导入要使用的函数，代码将类似于下面这样：

```
from pizza import make_pizza

make_pizza(16, 'pepperoni')
make_pizza(12, 'mushrooms', 'green peppers', 'extra cheese')
```

若使用这种语法，调用函数时就无需使用句点。由于我们在import语句中显式地导入了函数make_pizza()，因此调用它时只需指定其名称。

8.6.3　使用 as 给函数指定别名

如果要导入的函数的名称可能与程序中现有的名称冲突，或者函数的名称太长，可指定简短而独一无二的别名——函数的另一个名称，类似于外号。要给函数指定这种特殊外号，需要在导入它时这样做。

下面给函数make_pizza()指定了别名mp()。这是在import语句中使用make_pizza as mp实现的，关键字as将函数重命名为你提供的别名：

```
from pizza import make_pizza as mp

mp(16, 'pepperoni')
mp(12, 'mushrooms', 'green peppers', 'extra cheese')
```

上面的import语句将函数make_pizza()重命名为mp()；在这个程序中，每当需要调用make_pizza()时，都可简写成mp()，而Python将运行make_pizza()中的代码，这可避免与这个程序可能包含的函数make_pizza()混淆。

指定别名的通用语法如下：

```
from module_name import function_name as fn
```

8.6.4 使用 as 给模块指定别名

你还可以给模块指定别名。通过给模块指定简短的别名（如给模块pizza指定别名p），让你能够更轻松地调用模块中的函数。相比于pizza.make_pizza()，p.make_pizza()更为简洁：

```
import pizza as p

p.make_pizza(16, 'pepperoni')
p.make_pizza(12, 'mushrooms', 'green peppers', 'extra cheese')
```

上述import语句给模块pizza指定了别名p，但该模块中所有函数的名称都没变。调用函数make_pizza()时，可编写代码p.make_pizza()而不是pizza.make_pizza()，这样不仅能使代码更简洁，还可以让你不再关注模块名，而专注于描述性的函数名。这些函数名明确地指出了函数的功能，对理解代码而言，它们比模块名更重要。

给模块指定别名的通用语法如下：

```
import module_name as mn
```

8.6.5 导入模块中的所有函数

使用星号（*）运算符可让Python导入模块中的所有函数：

```
from pizza import *

make_pizza(16, 'pepperoni')
make_pizza(12, 'mushrooms', 'green peppers', 'extra cheese')
```

import语句中的星号让Python将模块pizza中的每个函数都复制到这个程序文件中。由于导入了每个函数，可通过名称来调用每个函数，而无需使用句点表示法。然而，使用并非自己编写的大型模块时，最好不要采用这种导入方法：如果模块中有函数的名称与你的项目中使用的名称相同，可能导致意想不到的结果：Python可能遇到多个名称相同的函数或变量，进而覆盖函数，而不是分别导入所有的函数。

最佳的做法是，要么只导入你需要使用的函数，要么导入整个模块并使用句点表示法。这能让代码更清晰，更容易阅读和理解。这里之所以介绍这种导入方法，只是想让你在阅读别人编写的代码时，如果遇到类似于下面的import语句，能够理解它们：

```
from module_name import *
```

8.7　函数编写指南

编写函数时，需要牢记几个细节。应给函数指定描述性名称，且只在其中使用小写字母和下划线。描述性名称可帮助你和别人明白代码想要做什么。给模块命名时也应遵循上述约定。

每个函数都应包含简要地阐述其功能的注释，该注释应紧跟在函数定义后面，并采用文档字符串格式。文档良好的函数让其他程序员只需阅读文档字符串中的描述就能够使用它：他们完全可以相信代码如描述的那样运行；只要知道函数的名称、需要的实参以及返回值的类型，就能在自己的程序中使用它。

给形参指定默认值时，等号两边不要有空格：

```
def function_name(parameter_0, parameter_1='default value')
```

对于函数调用中的关键字实参，也应遵循这种约定：

```
function_name(value_0, parameter_1='value')
```

PEP 8（https://www.python.org/dev/peps/pep-0008/）建议代码行的长度不要超过79字符，这样只要编辑器窗口适中，就能看到整行代码。如果形参很多，导致函数定义的长度超过了79字符，可在函数定义中输入左括号后按回车键，并在下一行按两次Tab键，从而将形参列表和只缩进一层的函数体区分开来。

大多数编辑器都会自动对齐后续参数列表行，使其缩进程度与你给第一个参数列表行指定的缩进程度相同：

```
def function_name(
        parameter_0, parameter_1, parameter_2,
        parameter_3, parameter_4, parameter_5):
    function body...
```

如果程序或模块包含多个函数，可使用两个空行将相邻的函数分开，这样将更容易知道前一个函数在什么地方结束，下一个函数从什么地方开始。

所有的import语句都应放在文件开头，唯一例外的情形是，在文件开头使用了注释来描述整个程序。

动手试一试

8-15 打印模型：将示例 print_models.py 中的函数放在另一个名为 printing_
functions.py 的文件中；在 print_models.py 的开头编写一条 import 语句，并修改这个文
件以使用导入的函数。

8-16 导入：选择一个你编写的且只包含一个函数的程序，并将这个函数放在另一
个文件中。在主程序文件中，使用下述各种方法导入这个函数，再调用它：

```
import module_name
from module_name import function_name
from module_name import function_name as fn
import module_name as mn
from module_name import *
```

8-17 函数编写指南：选择你在本章中编写的三个程序，确保它们遵循了本节介绍
的函数编写指南。

8.8　小结

在本章中，你学习了：如何编写函数，以及如何传递实参，让函数能够访问完成其工作所需
的信息；如何使用位置实参和关键字实参，以及如何接受任意数量的实参；显示输出的函数和返
回值的函数；如何将函数同列表、字典、if语句和while循环结合起来使用。你还知道了如何将
函数存储在被称为模块的独立文件中，让程序文件更简单、更易于理解。最后，你学习了函数编
写指南，遵循这些指南可让程序始终结构良好，并对你和其他人来说易于阅读。

让
你

需
块

列

函数
并测
满满

它们

类

面向对象编程是最有效的软件编写方法之一。在面向对象编程中，你编写表示现实世界中的事物和情景的类，并基于这些类来创建对象。编写类时，你定义一大类对象都有的通用行为。基于类创建**对象**时，每个对象都自动具备这种通用行为，然后可根据需要赋予每个对象独特的个性。使用面向对象编程可模拟现实情景，其逼真程度达到了令你惊讶的地步。

根据类来创建对象被称为**实例化**，这让你能够使用类的实例。在本章中，你将编写一些类并创建其实例。你将指定可在实例中存储什么信息，定义可对这些实例执行哪些操作。你还将编写一些类来扩展既有类的功能，让相似的类能够高效地共享代码。你将把自己编写的类存储在模块中，并在自己的程序文件中导入其他程序员编写的类。

理解面向对象编程有助于你像程序员那样看世界，还可以帮助你真正明白自己编写的代码：不仅是各行代码的作用，还有代码背后更宏大的概念。了解类背后的概念可培养逻辑思维，让你能够通过编写程序来解决遇到的几乎任何问题。

随着面临的挑战日益严峻，类还能让你以及与你合作的其他程序员的生活更轻松。如果你与其他程序员基于同样的逻辑来编写代码，你们就能明白对方所做的工作；你编写的程序将能被众多合作者所理解，每个人都能事半功倍。

9.1 创建和使用类

使用类几乎可以模拟任何东西。下面来编写一个表示小狗的简单类Dog——它表示的不是特定的小狗，而是任何小狗。对于大多数宠物狗，我们都知道些什么呢？它们都有名字和年龄；我们还知道，大多数小狗还会蹲下和打滚。由于大多数小狗都具备上述两项信息（名字和年龄）和两种行为（蹲下和打滚），我们的Dog类将包含它们。这个类让Python知道如何创建表示小狗的对象。编写这个类后，我们将使用它来创建表示特定小狗的实例。

9.1.1　创建 Dog 类

根据Dog类创建的每个实例都将存储名字和年龄。我们赋予了每条小狗蹲下（sit()）和打滚（roll_over()）的能力：

dog.py

```
❶ class Dog():
❷     """一次模拟小狗的简单尝试"""

❸     def __init__(self, name, age):
           """初始化属性name和age"""
❹         self.name = name
           self.age = age

❺     def sit(self):
           """模拟小狗被命令时蹲下"""
           print(self.name.title() + " is now sitting.")

       def roll_over(self):
           """模拟小狗被命令时打滚"""
           print(self.name.title() + " rolled over!")
```

这里需要注意的地方很多，但你也不用担心，本章充斥着这样的结构，你有大把的机会熟悉它。在❶处，我们定义了一个名为Dog的类。根据约定，在Python中，首字母大写的名称指的是类。这个类定义中的括号是空的，因为我们要从空白创建这个类。在❷处，我们编写了一个文档字符串，对这个类的功能作了描述。

1. 方法__init__()

类中的函数称为方法；你前面学到的有关函数的一切都适用于方法，就目前而言，唯一重要的差别是调用方法的方式。❸处的方法__init__()是一个特殊的方法，每当你根据Dog类创建新实例时，Python都会自动运行它。在这个方法的名称中，开头和末尾各有两个下划线，这是一种约定，旨在避免Python默认方法与普通方法发生名称冲突。

我们将方法__init__()定义成了包含三个形参：self、name和age。在这个方法的定义中，形参self必不可少，还必须位于其他形参的前面。为何必须在方法定义中包含形参self呢？因为Python调用这个__init__()方法来创建Dog实例时，将自动传入实参self。每个与类相关联的方法调用都自动传递实参self，它是一个指向实例本身的引用，让实例能够访问类中的属性和方法。我们创建Dog实例时，Python将调用Dog类的方法__init__()。我们将通过实参向Dog()传递名字和年龄；self会自动传递，因此我们不需要传递它。每当我们根据Dog类创建实例时，都只需给最后两个形参（name和age）提供值。

❹处定义的两个变量都有前缀self。以self为前缀的变量都可供类中的所有方法使用，我们还可以通过类的任何实例来访问这些变量。self.name = name获取存储在形参name中的值，并将其存储到变量name中，然后该变量被关联到当前创建的实例。self.age = age的作用与此类似。

像这样可通过实例访问的变量称为属性。

Dog类还定义了另外两个方法：sit()和roll_over()（见❺）。由于这些方法不需要额外的信息，如名字或年龄，因此它们只有一个形参self。我们后面将创建的实例能够访问这些方法，换句话说，它们都会蹲下和打滚。当前，sit()和roll_over()所做的有限，它们只是打印一条消息，指出小狗正蹲下或打滚。但可以扩展这些方法以模拟实际情况：如果这个类包含在一个计算机游戏中，这些方法将包含创建小狗蹲下和打滚动画效果的代码。如果这个类是用于控制机器狗的，这些方法将引导机器狗做出蹲下和打滚的动作。

2. 在Python 2.7中创建类

在Python 2.7中创建类时，需要做细微的修改——在括号内包含单词object：

```
class ClassName(object):
    --snip--
```

这让Python 2.7类的行为更像Python 3类，从而简化了你的工作。

在Python 2.7中定义Dog类时，代码类似于下面这样：

```
class Dog(object):
    --snip--
```

9.1.2   根据类创建实例

可将类视为有关如何创建实例的说明。Dog类是一系列说明，让Python知道如何创建表示特定小狗的实例。

下面来创建一个表示特定小狗的实例：

```
class Dog():
    --snip--

❶ my_dog = Dog('willie', 6)

❷ print("My dog's name is " + my_dog.name.title() + ".")
❸ print("My dog is " + str(my_dog.age) + " years old.")
```

这里使用的是前一个示例中编写的Dog类。在❶处，我们让Python创建一条名字为'willie'、年龄为6的小狗。遇到这行代码时，Python使用实参'willie'和6调用Dog类中的方法__init__()。方法__init__()创建一个表示特定小狗的示例，并使用我们提供的值来设置属性name和age。方法__init__()并未显式地包含return语句，但Python自动返回一个表示这条小狗的实例。我们将这个实例存储在变量my_dog中。在这里，命名约定很有用：我们通常可以认为首字母大写的名称（如Dog）指的是类，而小写的名称（如my_dog）指的是根据类创建的实例。

1. 访问属性

要访问实例的属性，可使用句点表示法。在❷处，我们编写了如下代码来访问my_dog的属性

name的值：

```
my_dog.name
```

句点表示法在Python中很常用，这种语法演示了Python如何获悉属性的值。在这里，Python先找到实例my_dog，再查找与这个实例相关联的属性name。在Dog类中引用这个属性时，使用的是self.name。在❸处，我们使用同样的方法来获取属性age的值。在前面的第1条print语句中，my_dog.name.title()将my_dog的属性name的值'willie'改为首字母大写的；在第2条print语句中，str(my_dog.age)将my_dog的属性age的值6转换为字符串。

输出是有关my_dog的摘要：

```
My dog's name is Willie.
My dog is 6 years old.
```

2. 调用方法

根据Dog类创建实例后，就可以使用句点表示法来调用Dog类中定义的任何方法。下面来让小狗蹲下和打滚：

```
class Dog():
    --snip--

my_dog = Dog('willie', 6)
my_dog.sit()
my_dog.roll_over()
```

要调用方法，可指定实例的名称（这里是my_dog）和要调用的方法，并用句点分隔它们。遇到代码my_dog.sit()时，Python在类Dog中查找方法sit()并运行其代码。Python以同样的方式解读代码my_dog.roll_over()。

Willie按我们的命令做了：

```
Willie is now sitting.
Willie rolled over!
```

这种语法很有用。如果给属性和方法指定了合适的描述性名称，如name、age、sit()和roll_over()，即便是从未见过的代码块，我们也能够轻松地推断出它是做什么的。

3. 创建多个实例

可按需求根据类创建任意数量的实例。下面再创建一个名为your_dog的实例：

```
class Dog():
    --snip--

my_dog = Dog('willie', 6)
your_dog = Dog('lucy', 3)

print("My dog's name is " + my_dog.name.title() + ".")
print("My dog is " + str(my_dog.age) + " years old.")
```

```
my_dog.sit()

print("\nYour dog's name is " + your_dog.name.title() + ".")
print("Your dog is " + str(your_dog.age) + " years old.")
your_dog.sit()
```

在这个实例中，我们创建了两条小狗，它们分别名为Willie和Lucy。每条小狗都是一个独立的实例，有自己的一组属性，能够执行相同的操作：

```
My dog's name is Willie.
My dog is 6 years old.
Willie is now sitting.

Your dog's name is Lucy.
Your dog is 3 years old.
Lucy is now sitting.
```

就算我们给第二条小狗指定同样的名字和年龄，Python依然会根据Dog类创建另一个实例。你可按需求根据一个类创建任意数量的实例，条件是将每个实例都存储在不同的变量中，或占用列表或字典的不同位置。

动手试一试

9-1 餐馆：创建一个名为 Restaurant 的类，其方法 __init__()设置两个属性：restaurant_name 和 cuisine_type。创建一个名为 describe_restaurant()的方法和一个名为 open_restaurant()的方法，其中前者打印前述两项信息，而后者打印一条消息，指出餐馆正在营业。

根据这个类创建一个名为 restaurant 的实例，分别打印其两个属性，再调用前述两个方法。

9-2 三家餐馆：根据你为完成练习 9-1 而编写的类创建三个实例，并对每个实例调用方法 describe_restaurant()。

9-3 用户：创建一个名为 User 的类，其中包含属性 first_name 和 last_name，还有用户简介通常会存储的其他几个属性。在类 User 中定义一个名为 describe_user()的方法，它打印用户信息摘要；再定义一个名为 greet_user()的方法，它向用户发出个性化的问候。

创建多个表示不同用户的实例，并对每个实例都调用上述两个方法。

9.2 使用类和实例

你可以使用类来模拟现实世界中的很多情景。类编写好后，你的大部分时间都将花在使用根据类创建的实例上。你需要执行的一个重要任务是修改实例的属性。你可以直接修改实例的属性，也可以编写方法以特定的方式进行修改。

9.2.1　Car 类

下面来编写一个表示汽车的类，它存储了有关汽车的信息，还有一个汇总这些信息的方法：

car.py

```
class Car():
    """一次模拟汽车的简单尝试"""

❶   def __init__(self, make, model, year):
        """初始化描述汽车的属性"""
        self.make = make
        self.model = model
        self.year = year

❷   def get_descriptive_name(self):
        """返回整洁的描述性信息"""
        long_name = str(self.year) + ' ' + self.make + ' ' + self.model
        return long_name.title()

❸ my_new_car = Car('audi', 'a4', 2016)
  print(my_new_car.get_descriptive_name())
```

在❶处，我们定义了方法__init__()。与前面的Dog类中一样，这个方法的第一个形参为self；我们还在这个方法中包含了另外三个形参：make、model和year。方法__init__()接受这些形参的值，并将它们存储在根据这个类创建的实例的属性中。创建新的Car实例时，我们需要指定其制造商、型号和生产年份。

在❷处，我们定义了一个名为get_descriptive_name()的方法，它使用属性year、make和model创建一个对汽车进行描述的字符串，让我们无需分别打印每个属性的值。为在这个方法中访问属性的值，我们使用了self.make、self.model和self.year。在❸处，我们根据Car类创建了一个实例，并将其存储到变量my_new_car中。接下来，我们调用方法get_descriptive_name()，指出我们拥有的是一辆什么样的汽车：

```
2016 Audi A4
```

为让这个类更有趣，下面给它添加一个随时间变化的属性，它存储汽车的总里程。

9.2.2　给属性指定默认值

类中的每个属性都必须有初始值，哪怕这个值是0或空字符串。在有些情况下，如设置默认值时，在方法__init__()内指定这种初始值是可行的；如果你对某个属性这样做了，就无需包含为它提供初始值的形参。

下面来添加一个名为odometer_reading的属性，其初始值总是为0。我们还添加了一个名为read_odometer()的方法，用于读取汽车的里程表：

```
class Car():

    def __init__(self, make, model, year):
        """初始化描述汽车的属性"""
        self.make = make
        self.model = model
        self.year = year
❶       self.odometer_reading = 0

    def get_descriptive_name(self):
        --snip--

❷   def read_odometer(self):
        """打印一条指出汽车里程的消息"""
        print("This car has " + str(self.odometer_reading) + " miles on it.")

my_new_car = Car('audi', 'a4', 2016)
print(my_new_car.get_descriptive_name())
my_new_car.read_odometer()
```

现在，当Python调用方法__init__()来创建新实例时，将像前一个示例一样以属性的方式存储制造商、型号和生产年份。接下来，Python将创建一个名为odometer_reading的属性，并将其初始值设置为0（见❶）。在❷处，我们还定义了一个名为read_odometer()的方法，它让你能够轻松地获悉汽车的里程。

一开始汽车的里程为0：

```
2016 Audi A4
This car has 0 miles on it.
```

出售时里程表读数为0的汽车并不多，因此我们需要一个修改该属性的值的途径。

9.2.3 修改属性的值

可以以三种不同的方式修改属性的值：直接通过实例进行修改；通过方法进行设置；通过方法进行递增（增加特定的值）。下面依次介绍这些方法。

1. 直接修改属性的值

要修改属性的值，最简单的方式是通过实例直接访问它。下面的代码直接将里程表读数设置为23：

```
class Car():
    --snip--

my_new_car = Car('audi', 'a4', 2016)
print(my_new_car.get_descriptive_name())
```

```
❶ my_new_car.odometer_reading = 23
   my_new_car.read_odometer()
```

在❶处，我们使用句点表示法来直接访问并设置汽车的属性odometer_reading。这行代码让Python在实例my_new_car中找到属性odometer_reading，并将该属性的值设置为23：

```
2016 Audi A4
This car has 23 miles on it.
```

有时候需要像这样直接访问属性，但其他时候需要编写对属性进行更新的方法。

2. 通过方法修改属性的值

如果有替你更新属性的方法，将大有裨益。这样，你就无需直接访问属性，而可将值传递给一个方法，由它在内部进行更新。

下面的示例演示了一个名为update_odometer()的方法：

```
   class Car():
       --snip--

❶     def update_odometer(self, mileage):
           """将里程表读数设置为指定的值"""
           self.odometer_reading = mileage

   my_new_car = Car('audi', 'a4', 2016)
   print(my_new_car.get_descriptive_name())

❷ my_new_car.update_odometer(23)
   my_new_car.read_odometer()
```

对Car类所做的唯一修改是在❶处添加了方法update_odometer()。这个方法接受一个里程值，并将其存储到self.odometer_reading中。在❷处，我们调用了update_odometer()，并向它提供了实参23（该实参对应于方法定义中的形参mileage）。它将里程表读数设置为23；而方法read_odometer()打印该读数：

```
2016 Audi A4
This car has 23 miles on it.
```

可对方法update_odometer()进行扩展，使其在修改里程表读数时做些额外的工作。下面来添加一些逻辑，禁止任何人将里程表读数往回调：

```
   class Car():
       --snip--

       def update_odometer(self, mileage):
           """
           将里程表读数设置为指定的值
           禁止将里程表读数往回调
           """
```

```
❶      if mileage >= self.odometer_reading:
           self.odometer_reading = mileage
       else:
❷          print("You can't roll back an odometer!")
```

现在，update_odometer()在修改属性前检查指定的读数是否合理。如果新指定的里程（mileage）大于或等于原来的里程（self.odometer_reading），就将里程表读数改为新指定的里程（见❶）；否则就发出警告，指出不能将里程表往回拨（见❷）。

3. 通过方法对属性的值进行递增

有时候需要将属性值递增特定的量，而不是将其设置为全新的值。假设我们购买了一辆二手车，且从购买到登记期间增加了100英里的里程，下面的方法让我们能够传递这个增量，并相应地增加里程表读数：

```
class Car():
    --snip--

    def update_odometer(self, mileage):
        --snip--

❶   def increment_odometer(self, miles):
        """将里程表读数增加指定的量"""
        self.odometer_reading += miles

❷ my_used_car = Car('subaru', 'outback', 2013)
  print(my_used_car.get_descriptive_name())

❸ my_used_car.update_odometer(23500)
  my_used_car.read_odometer()

❹ my_used_car.increment_odometer(100)
  my_used_car.read_odometer()
```

在❶处，新增的方法increment_odometer()接受一个单位为英里的数字，并将其加入到self.odometer_reading中。在❷处，我们创建了一辆二手车——my_used_car。在❸处，我们调用方法update_odometer()并传入23500，将这辆二手车的里程表读数设置为23 500。在❹处，我们调用increment_odometer()并传入100，以增加从购买到登记期间行驶的100英里：

```
2013 Subaru Outback
This car has 23500 miles on it.
This car has 23600 miles on it.
```

你可以轻松地修改这个方法，以禁止增量为负值，从而防止有人利用它来回拨里程表。

注意 你可以使用类似于上面的方法来控制用户修改属性值（如里程表读数）的方式，但能够访问程序的人都可以通过直接访问属性来将里程表修改为任何值。要确保安全，除了进行类似于前面的基本检查外，还需特别注意细节。

动手试一试

9-4 就餐人数：在为完成练习 9-1 而编写的程序中，添加一个名为 number_served 的属性，并将其默认值设置为 0。根据这个类创建一个名为 restaurant 的实例；打印有多少人在这家餐馆就餐过，然后修改这个值并再次打印它。

添加一个名为 set_number_served() 的方法，它让你能够设置就餐人数。调用这个方法并向它传递一个值，然后再次打印这个值。

添加一个名为 increment_number_served() 的方法，它让你能够将就餐人数递增。调用这个方法并向它传递一个这样的值：你认为这家餐馆每天可能接待的就餐人数。

9-5 尝试登录次数：在为完成练习 9-3 而编写的 User 类中，添加一个名为 login_attempts 的属性。编写一个名为 increment_login_attempts() 的方法，它将属性 login_attempts 的值加 1。再编写一个名为 reset_login_attempts() 的方法，它将属性 login_attempts 的值重置为 0。

根据 User 类创建一个实例，再调用方法 increment_login_attempts() 多次。打印属性 login_attempts 的值，确认它被正确地递增；然后，调用方法 reset_login_attempts()，并再次打印属性 login_attempts 的值，确认它被重置为 0。

9.3 继承

编写类时，并非总是要从空白开始。如果你要编写的类是另一个现成类的特殊版本，可使用继承。一个类继承另一个类时，它将自动获得另一个类的所有属性和方法；原有的类称为父类，而新类称为子类。子类继承了其父类的所有属性和方法，同时还可以定义自己的属性和方法。

9.3.1 子类的方法 __init__()

创建子类的实例时，Python首先需要完成的任务是给父类的所有属性赋值。为此，子类的方法 __init__() 需要父类施以援手。

例如，下面来模拟电动汽车。电动汽车是一种特殊的汽车，因此我们可以在前面创建的Car类的基础上创建新类ElectricCar，这样我们就只需为电动汽车特有的属性和行为编写代码。

下面来创建一个简单的ElectricCar类版本，它具备Car类的所有功能：

electric_car.py

```
❶ class Car():
      """一次模拟汽车的简单尝试"""

      def __init__(self, make, model, year):
          self.make = make
          self.model = model
```

```
        self.year = year
        self.odometer_reading = 0

    def get_descriptive_name(self):
        long_name = str(self.year) + ' ' + self.make + ' ' + self.model
        return long_name.title()

    def read_odometer(self):
        print("This car has " + str(self.odometer_reading) + " miles on it.")

    def update_odometer(self, mileage):
        if mileage >= self.odometer_reading:
            self.odometer_reading = mileage
        else:
            print("You can't roll back an odometer!")

    def increment_odometer(self, miles):
        self.odometer_reading += miles
```
❷ `class ElectricCar(Car):`
```
    """电动汽车的独特之处"""
```
❸   `def __init__(self, make, model, year):`
```
        """初始化父类的属性"""
```
❹   `super().__init__(make, model, year)`

❺ `my_tesla = ElectricCar('tesla', 'model s', 2016)`
```
print(my_tesla.get_descriptive_name())
```

　　首先是Car类的代码（见❶）。创建子类时，父类必须包含在当前文件中，且位于子类前面。在❷处，我们定义了子类ElectricCar。定义子类时，必须在括号内指定父类的名称。方法__init__()接受创建Car实例所需的信息（见❸）。

　　❹处的super()是一个特殊函数，帮助Python将父类和子类关联起来。这行代码让Python调用ElectricCar的父类的方法__init__()，让ElectricCar实例包含父类的所有属性。父类也称为超类（superclass），名称super因此而得名。

　　为测试继承是否能够正确地发挥作用，我们尝试创建一辆电动汽车，但提供的信息与创建普通汽车时相同。在❺处，我们创建ElectricCar类的一个实例，并将其存储在变量my_tesla中。这行代码调用ElectricCar类中定义的方法__init__()，后者让Python调用父类Car中定义的方法__init__()。我们提供了实参'tesla'、'model s'和2016。

　　除方法__init__()外，电动汽车没有其他特有的属性和方法。当前，我们只想确认电动汽车具备普通汽车的行为：

```
2016 Tesla Model S
```

ElectricCar实例的行为与Car实例一样，现在可以开始定义电动汽车特有的属性和方法了。

9.3.2 Python 2.7 中的继承

在Python 2.7中，继承语法稍有不同，ElectricCar类的定义类似于下面这样：

```
class Car(object):
    def __init__(self, make, model, year):
        --snip--

class ElectricCar(Car):
    def __init__(self, make, model, year):
        super(ElectricCar, self).__init__(make, model, year)
        --snip--
```

函数super()需要两个实参：子类名和对象self。为帮助Python将父类和子类关联起来，这些实参必不可少。另外，在Python 2.7中使用继承时，务必在定义父类时在括号内指定object。

9.3.3 给子类定义属性和方法

让一个类继承另一个类后，可添加区分子类和父类所需的新属性和方法。

下面来添加一个电动汽车特有的属性（电瓶），以及一个描述该属性的方法。我们将存储电瓶容量，并编写一个打印电瓶描述的方法：

```
class Car():
    --snip--

class ElectricCar(Car):
    """Represent aspects of a car, specific to electric vehicles."""

    def __init__(self, make, model, year):
        """
        电动汽车的独特之处
        初始化父类的属性，再初始化电动汽车特有的属性
        """
        super().__init__(make, model, year)
❶       self.battery_size = 70

❷   def describe_battery(self):
        """打印一条描述电瓶容量的消息"""
        print("This car has a " + str(self.battery_size) + "-kWh battery.")

my_tesla = ElectricCar('tesla', 'model s', 2016)
print(my_tesla.get_descriptive_name())
my_tesla.describe_battery()
```

在❶处，我们添加了新属性self.battery_size，并设置其初始值（如70）。根据ElectricCar类创建的所有实例都将包含这个属性，但所有Car实例都不包含它。在❷处，我们还添加了一个名为describe_battery()的方法，它打印有关电瓶的信息。我们调用这个方法时，将看到一条电动汽车特有的描述：

```
2016 Tesla Model S
This car has a 70-kWh battery.
```

对于ElectricCar类的特殊化程度没有任何限制。模拟电动汽车时，你可以根据所需的准确程度添加任意数量的属性和方法。如果一个属性或方法是任何汽车都有的，而不是电动汽车特有的，就应将其加入到Car类而不是ElectricCar类中。这样，使用Car类的人将获得相应的功能，而ElectricCar类只包含处理电动汽车特有属性和行为的代码。

9.3.4　重写父类的方法

对于父类的方法，只要它不符合子类模拟的实物的行为，都可对其进行重写。为此，可在子类中定义一个这样的方法，即它与要重写的父类方法同名。这样，Python将不会考虑这个父类方法，而只关注你在子类中定义的相应方法。

假设Car类有一个名为fill_gas_tank()的方法，它对全电动汽车来说毫无意义，因此你可能想重写它。下面演示了一种重写方式：

```
def ElectricCar(Car):
    --snip--

    def fill_gas_tank():
        """电动汽车没有油箱"""
        print("This car doesn't need a gas tank!")
```

现在，如果有人对电动汽车调用方法fill_gas_tank()，Python将忽略Car类中的方法fill_gas_tank()，转而运行上述代码。使用继承时，可让子类保留从父类那里继承而来的精华，并剔除不需要的糟粕。

9.3.5　将实例用作属性

使用代码模拟实物时，你可能会发现自己给类添加的细节越来越多：属性和方法清单以及文件都越来越长。在这种情况下，可能需要将类的一部分作为一个独立的类提取出来。你可以将大型类拆分成多个协同工作的小类。

例如，不断给ElectricCar类添加细节时，我们可能会发现其中包含很多专门针对汽车电瓶的属性和方法。在这种情况下，我们可将这些属性和方法提取出来，放到另一个名为Battery的类中，并将一个Battery实例用作ElectricCar类的一个属性：

```
class Car():
    --snip--

❶ class Battery():
    """一次模拟电动汽车电瓶的简单尝试"""

❷     def __init__(self, battery_size=70):
```

```
              """初始化电瓶的属性"""
              self.battery_size = battery_size

❸     def describe_battery(self):
              """打印一条描述电瓶容量的消息"""
              print("This car has a " + str(self.battery_size) + "-kWh battery.")


class ElectricCar(Car):
    """电动汽车的独特之处"""

    def __init__(self, make, model, year):
        """
        初始化父类的属性，再初始化电动汽车特有的属性
        """
        super().__init__(make, model, year)
❹       self.battery = Battery()


my_tesla = ElectricCar('tesla', 'model s', 2016)

print(my_tesla.get_descriptive_name())
my_tesla.battery.describe_battery()
```

在❶处，我们定义了一个名为Battery的新类，它没有继承任何类。❷处的方法__init__()除self外，还有另一个形参battery_size。这个形参是可选的：如果没有给它提供值，电瓶容量将被设置为70。方法describe_battery()也移到了这个类中（见❸）。

在ElectricCar类中，我们添加了一个名为self.battery的属性（见❹）。这行代码让Python创建一个新的Battery实例（由于没有指定尺寸，因此为默认值70），并将该实例存储在属性self.battery中。每当方法__init__()被调用时，都将执行该操作；因此现在每个ElectricCar实例都包含一个自动创建的Battery实例。

我们创建一辆电动汽车，并将其存储在变量my_tesla中。要描述电瓶时，需要使用电动汽车的属性battery：

```
my_tesla.battery.describe_battery()
```

这行代码让Python在实例my_tesla中查找属性battery，并对存储在该属性中的Battery实例调用方法describe_battery()。

输出与我们前面看到的相同：

```
2016 Tesla Model S
This car has a 70-kWh battery.
```

这看似做了很多额外的工作，但现在我们想多详细地描述电瓶都可以，且不会导致ElectricCar类混乱不堪。下面再给Battery类添加一个方法，它根据电瓶容量报告汽车的续航里程：

```
class Car():
    --snip--

class Battery():
    --snip--

❶      def get_range(self):
            """打印一条消息，指出电瓶的续航里程"""
            if self.battery_size == 70:
                range = 240
            elif self.battery_size == 85:
                range = 270

            message = "This car can go approximately " + str(range)
            message += " miles on a full charge."
            print(message)

class ElectricCar(Car):
    --snip--

my_tesla = ElectricCar('tesla', 'model s', 2016)
print(my_tesla.get_descriptive_name())
my_tesla.battery.describe_battery()
❷ my_tesla.battery.get_range()
```

❶处新增的方法get_range()做了一些简单的分析：如果电瓶的容量为70kWh，它就将续航里程设置为240英里；如果容量为85kWh，就将续航里程设置为270英里，然后报告这个值。为使用这个方法，我们也通过汽车的属性battery来调用它（见❷）。

输出指出了汽车的续航里程（这取决于电瓶的容量）：

```
2016 Tesla Model S
This car has a 70-kWh battery.
This car can go approximately 240 miles on a full charge.
```

9.3.6 模拟实物

模拟较复杂的物件（如电动汽车）时，需要解决一些有趣的问题。续航里程是电瓶的属性还是汽车的属性呢？如果我们只需描述一辆汽车，那么将方法get_range()放在Battery类中也许是合适的；但如果要描述一家汽车制造商的整个产品线，也许应该将方法get_range()移到ElectricCar类中。在这种情况下，get_range()依然根据电瓶容量来确定续航里程，但报告的是一款汽车的续航里程。我们也可以这样做：将方法get_range()还留在Battery类中，但向它传递一个参数，如car_model；在这种情况下，方法get_range()将根据电瓶容量和汽车型号报告续航里程。

这让你进入了程序员的另一个境界：解决上述问题时，你从较高的逻辑层面（而不是语法层面）考虑；你考虑的不是Python，而是如何使用代码来表示实物。到达这种境界后，你经常会发现，现实世界的建模方法并没有对错之分。有些方法的效率更高，但要找出效率最高的表示法，需要经过一定的实践。只要代码像你希望的那样运行，就说明你做得很好！即便你发现自己不得不多次尝试使用不同的方法来重写类，也不必气馁；要编写出高效、准确的代码，都得经过这样的过程。

动手试一试

　　9-6 冰淇淋小店：冰淇淋小店是一种特殊的餐馆。编写一个名为 IceCreamStand 的类，让它继承你为完成练习 9-1 或练习 9-4 而编写的 Restaurant 类。这两个版本的 Restaurant 类都可以，挑选你更喜欢的那个即可。添加一个名为 flavors 的属性，用于存储一个由各种口味的冰淇淋组成的列表。编写一个显示这些冰淇淋的方法。创建一个 IceCreamStand 实例，并调用这个方法。

　　9-7 管理员：管理员是一种特殊的用户。编写一个名为 Admin 的类，让它继承你为完成练习 9-3 或练习 9-5 而编写的 User 类。添加一个名为 privileges 的属性，用于存储一个由字符串（如"can add post"、"can delete post"、"can ban user"等）组成的列表。编写一个名为 show_privileges() 的方法，它显示管理员的权限。创建一个 Admin 实例，并调用这个方法。

　　9-8 权限：编写一个名为 Privileges 的类，它只有一个属性——privileges，其中存储了练习 9-7 所说的字符串列表。将方法 show_privileges() 移到这个类中。在 Admin 类中，将一个 Privileges 实例用作其属性。创建一个 Admin 实例，并使用方法 show_privileges() 来显示其权限。

　　9-9 电瓶升级：在本节最后一个 electric_car.py 版本中，给 Battery 类添加一个名为 upgrade_battery() 的方法。这个方法检查电瓶容量，如果它不是 85，就将它设置为 85。创建一辆电瓶容量为默认值的电动汽车，调用方法 get_range()，然后对电瓶进行升级，并再次调用 get_range()。你会看到这辆汽车的续航里程增加了。

9.4　导入类

　　随着你不断地给类添加功能，文件可能变得很长，即便你妥善地使用了继承亦如此。为遵循 Python 的总体理念，应让文件尽可能整洁。为在这方面提供帮助，Python 允许你将类存储在模块中，然后在主程序中导入所需的模块。

9.4.1　导入单个类

　　下面来创建一个只包含 Car 类的模块。这让我们面临一个微妙的命名问题：在本章中，已经有一个名为 car.py 的文件，但这个模块也应命名为 car.py，因为它包含表示汽车的代码。我们将这样解决这个命名问题：将 Car 类存储在一个名为 car.py 的模块中，该模块将覆盖前面使用的文件

car.py。从现在开始，使用该模块的程序都必须使用更具体的文件名，如my_car.py。下面是模块car.py，其中只包含Car类的代码：

car.py

```
❶ """一个可用于表示汽车的类"""

class Car():
    """一次模拟汽车的简单尝试"""

    def __init__(self, make, model, year):
        """初始化描述汽车的属性"""
        self.make = make
        self.model = model
        self.year = year
        self.odometer_reading = 0

    def get_descriptive_name(self):
        """返回整洁的描述性名称"""
        long_name = str(self.year) + ' ' + self.make + ' ' + self.model
        return long_name.title()

    def read_odometer(self):
        """打印一条消息，指出汽车的里程"""
        print("This car has " + str(self.odometer_reading) + " miles on it.")

    def update_odometer(self, mileage):
        """
        将里程表读数设置为指定的值
        拒绝将里程表往回拨
        """
        if mileage >= self.odometer_reading:
            self.odometer_reading = mileage
        else:
            print("You can't roll back an odometer!")

    def increment_odometer(self, miles):
        """将里程表读数增加指定的量"""
        self.odometer_reading += miles
```

在❶处，我们包含了一个模块级文档字符串，对该模块的内容做了简要的描述。你应为自己创建的每个模块都编写文档字符串。

下面来创建另一个文件——my_car.py，在其中导入Car类并创建其实例：

my_car.py

```
❶ from car import Car

my_new_car = Car('audi', 'a4', 2016)
print(my_new_car.get_descriptive_name())

my_new_car.odometer_reading = 23
```

```
my_new_car.read_odometer()
```

❶处的import语句让Python打开模块car，并导入其中的Car类。这样我们就可以使用Car类了，就像它是在这个文件中定义的一样。输出与我们在前面看到的一样：

```
2016 Audi A4
This car has 23 miles on it.
```

导入类是一种有效的编程方式。如果在这个程序中包含了整个Car类，它该有多长呀！通过将这个类移到一个模块中，并导入该模块，你依然可以使用其所有功能，但主程序文件变得整洁而易于阅读了。这还能让你将大部分逻辑存储在独立的文件中；确定类像你希望的那样工作后，你就可以不管这些文件，而专注于主程序的高级逻辑了。

9.4.2　在一个模块中存储多个类

虽然同一个模块中的类之间应存在某种相关性，但可根据需要在一个模块中存储任意数量的类。类Battery和ElectricCar都可帮助模拟汽车，因此下面将它们都加入模块car.py中：

car.py

```
"""一组用于表示燃油汽车和电动汽车的类"""

class Car():
    --snip--

class Battery():
    """一次模拟电动汽车电瓶的简单尝试"""

    def __init__(self, battery_size=70):
        """初始化电瓶的属性"""
        self.battery_size = battery_size

    def describe_battery(self):
        """打印一条描述电瓶容量的消息"""
        print("This car has a " + str(self.battery_size) + "-kWh battery.")

    def get_range(self):
        """打印一条描述电瓶续航里程的消息"""
        if self.battery_size == 70:
            range = 240
        elif self.battery_size == 85:
            range = 270

        message = "This car can go approximately " + str(range)
        message += " miles on a full charge."
        print(message)

class ElectricCar(Car):
    """模拟电动汽车的独特之处"""
```

```
def __init__(self, make, model, year):
    """
    初始化父类的属性，再初始化电动汽车特有的属性
    """
    super().__init__(make, model, year)
    self.battery = Battery()
```

现在，可以新建一个名为my_electric_car.py的文件，导入ElectricCar类，并创建一辆电动汽车了：

my_electric_car.py

```
from car import ElectricCar

my_tesla = ElectricCar('tesla', 'model s', 2016)

print(my_tesla.get_descriptive_name())
my_tesla.battery.describe_battery()
my_tesla.battery.get_range()
```

输出与我们前面看到的相同，但大部分逻辑都隐藏在一个模块中：

```
2016 Tesla Model S
This car has a 70-kWh battery.
This car can go approximately 240 miles on a full charge.
```

9.4.3 从一个模块中导入多个类

可根据需要在程序文件中导入任意数量的类。如果我们要在同一个程序中创建普通汽车和电动汽车，就需要将Car和ElectricCar类都导入：

my_cars.py

```
❶ from car import Car, ElectricCar

❷ my_beetle = Car('volkswagen', 'beetle', 2016)
  print(my_beetle.get_descriptive_name())

❸ my_tesla = ElectricCar('tesla', 'roadster', 2016)
  print(my_tesla.get_descriptive_name())
```

在❶处从一个模块中导入多个类时，用逗号分隔了各个类。导入必要的类后，就可根据需要创建每个类的任意数量的实例。

在这个示例中，我们在❷处创建了一辆大众甲壳虫普通汽车，并在❸处创建了一辆特斯拉Roadster电动汽车：

```
2016 Volkswagen Beetle
2016 Tesla Roadster
```

9.4.4　导入整个模块

你还可以导入整个模块，再使用句点表示法访问需要的类。这种导入方法很简单，代码也易于阅读。由于创建类实例的代码都包含模块名，因此不会与当前文件使用的任何名称发生冲突。

下面的代码导入整个car模块，并创建一辆普通汽车和一辆电动汽车：

my_cars.py

```
❶ import car

❷ my_beetle = car.Car('volkswagen', 'beetle', 2016)
  print(my_beetle.get_descriptive_name())

❸ my_tesla = car.ElectricCar('tesla', 'roadster', 2016)
  print(my_tesla.get_descriptive_name())
```

在❶处，我们导入了整个car模块。接下来，我们使用语法*module_name.class_name*访问需要的类。像前面一样，我们在❷处创建了一辆大众甲壳虫汽车，并在❸处创建了一辆特斯拉Roadster汽车。

9.4.5　导入模块中的所有类

要导入模块中的每个类，可使用下面的语法：

```
from module_name import *
```

不推荐使用这种导入方式，其原因有二。首先，如果只要看一下文件开头的import语句，就能清楚地知道程序使用了哪些类，将大有裨益；但这种导入方式没有明确地指出你使用了模块中的哪些类。这种导入方式还可能引发名称方面的困惑。如果你不小心导入了一个与程序文件中其他东西同名的类，将引发难以诊断的错误。这里之所以介绍这种导入方式，是因为虽然不推荐使用这种方式，但你可能会在别人编写的代码中见到它。

需要从一个模块中导入很多类时，最好导入整个模块，并使用*module_name.class_name*语法来访问类。这样做时，虽然文件开头并没有列出用到的所有类，但你清楚地知道在程序的哪些地方使用了导入的模块；你还避免了导入模块中的每个类可能引发的名称冲突。

9.4.6　在一个模块中导入另一个模块

有时候，需要将类分散到多个模块中，以免模块太大，或在同一个模块中存储不相关的类。将类存储在多个模块中时，你可能会发现一个模块中的类依赖于另一个模块中的类。在这种情况下，可在前一个模块中导入必要的类。

例如，下面将Car类存储在一个模块中，并将ElectricCar和Battery类存储在另一个模块中。我们将第二个模块命名为electric_car.py（这将覆盖前面创建的文件electric_car.py），并将

Battery和ElectricCar类复制到这个模块中：

electric_car.py

```
"""一组可用于表示电动汽车的类"""

❶ from car import Car

class Battery():
    --snip--

class ElectricCar(Car):
    --snip--
```

ElectricCar类需要访问其父类Car，因此在❶处，我们直接将Car类导入该模块中。如果我们忘记了这行代码，Python将在我们试图创建ElectricCar实例时引发错误。我们还需要更新模块car，使其包含Car类：

car.py

```
"""一个可用于表示汽车的类"""

class Car():
    --snip--
```

现在可以分别从每个模块中导入类，以根据需要创建任何类型的汽车了：

my_cars.py

```
❶ from car import Car
from electric_car import ElectricCar

my_beetle = Car('volkswagen', 'beetle', 2016)
print(my_beetle.get_descriptive_name())

my_tesla = ElectricCar('tesla', 'roadster', 2016)
print(my_tesla.get_descriptive_name())
```

在❶处，我们从模块car中导入了Car类，并从模块electric_car中导入ElectricCar类。接下来，我们创建了一辆普通汽车和一辆电动汽车。这两种汽车都得以正确地创建：

```
2016 Volkswagen Beetle
2016 Tesla Roadster
```

9.4.7　自定义工作流程

正如你看到的，在组织大型项目的代码方面，Python提供了很多选项。熟悉所有这些选项很重要，这样你才能确定哪种项目组织方式是最佳的，并能理解别人开发的项目。

一开始应让代码结构尽可能简单。先尽可能在一个文件中完成所有的工作，确定一切都能正确运行后，再将类移到独立的模块中。如果你喜欢模块和文件的交互方式，可在项目开始时就尝试将类存储到模块中。先找出让你能够编写出可行代码的方式，再尝试让代码更为组织有序。

动手试一试

9-10 导入 Restaurant 类：将最新的 Restaurant 类存储在一个模块中。在另一个文件中，导入 Restaurant 类，创建一个 Restaurant 实例，并调用 Restaurant 的一个方法，以确认 import 语句正确无误。

9-11 导入 Admin 类：以为完成练习 9-8 而做的工作为基础，将 User、Privileges 和 Admin 类存储在一个模块中，再创建一个文件，在其中创建一个 Admin 实例并对其调用方法 show_privileges()，以确认一切都能正确地运行。

9-12 多个模块：将 User 类存储在一个模块中，并将 Privileges 和 Admin 类存储在另一个模块中。再创建一个文件，在其中创建一个 Admin 实例，并对其调用方法 show_privileges()，以确认一切都依然能够正确地运行。

9.5 Python 标准库

Python标准库是一组模块，安装的Python都包含它。你现在对类的工作原理已有大致的了解，可以开始使用其他程序员编写好的模块了。可使用标准库中的任何函数和类，为此只需在程序开头包含一条简单的import语句。下面来看模块collections中的一个类——OrderedDict。

字典让你能够将信息关联起来，但它们不记录你添加键-值对的顺序。要创建字典并记录其中的键-值对的添加顺序，可使用模块collections中的OrderedDict类。OrderedDict实例的行为几乎与字典相同，区别只在于记录了键-值对的添加顺序。

我们再来看一看第6章的favorite_languages.py示例，但这次将记录被调查者参与调查的顺序：

favorite_languages.py

```
❶ from collections import OrderedDict

❷ favorite_languages = OrderedDict()

❸ favorite_languages['jen'] = 'python'
   favorite_languages['sarah'] = 'c'
   favorite_languages['edward'] = 'ruby'
   favorite_languages['phil'] = 'python'

❹ for name, language in favorite_languages.items():
       print(name.title() + "'s favorite language is " +
           language.title() + ".")
```

我们首先从模块collections中导入了OrderedDict类(见❶)。在❷处，我们创建了OrderedDict类的一个实例，并将其存储到favorite_languages中。请注意，这里没有使用花括号，而是调用OrderedDict()来创建一个空的有序字典，并将其存储在favorite_languages中。接下来，我们以每次一对的方式添加名字-语言对 (见❸)。在❹处，我们遍历favorite_languages，但知道将以添加的顺序获取调查结果：

```
Jen's favorite language is Python.
Sarah's favorite language is C.
Edward's favorite language is Ruby.
Phil's favorite language is Python.
```

这是一个很不错的类，它兼具列表和字典的主要优点(在将信息关联起来的同时保留原来的顺序)。等你开始对关心的现实情形建模时，可能会发现有序字典正好能够满足需求。随着你对标准库的了解越来越深入，将熟悉大量可帮助你处理常见情形的模块。

注意　你还可以从其他地方下载外部模块。本书第二部分的每个项目都需要使用外部模块，届时你将看到很多这样的示例。

动手试一试

9-13 使用 OrderedDict：在练习 6-4 中，你使用了一个标准字典来表示词汇表。请使用 OrderedDict 类来重写这个程序，并确认输出的顺序与你在字典中添加键-值对的顺序一致。

9-14 骰子：模块 random 包含以各种方式生成随机数的函数，其中的 randint()返回一个位于指定范围内的整数，例如，下面的代码返回一个 1~6 内的整数：

```
from random import randint
x = randint(1, 6)
```

请创建一个 Die 类，它包含一个名为 sides 的属性，该属性的默认值为 6。编写一个名为 roll_die()的方法，它打印位于 1 和骰子面数之间的随机数。创建一个 6 面的骰子，再掷 10 次。

创建一个 10 面的骰子和一个 20 面的骰子，并将它们都掷 10 次。

9-15 Python Module of the Week：要了解 Python 标准库，一个很不错的资源是网站 Python Module of the Week。请访问 http://pymotw.com/并查看其中的目录，在其中找一个你感兴趣的模块进行探索，或阅读模块 collections 和 random 的文档。

9.6 类编码风格

你必须熟悉有些与类相关的编码风格问题，在你编写的程序较复杂时尤其如此。

类名应采用驼峰命名法，即将类名中的每个单词的首字母都大写，而不使用下划线。实例名和模块名都采用小写格式，并在单词之间加上下划线。

对于每个类，都应紧跟在类定义后面包含一个文档字符串。这种文档字符串简要地描述类的功能，并遵循编写函数的文档字符串时采用的格式约定。每个模块也都应包含一个文档字符串，对其中的类可用于做什么进行描述。

可使用空行来组织代码，但不要滥用。在类中，可使用一个空行来分隔方法；而在模块中，可使用两个空行来分隔类。

需要同时导入标准库中的模块和你编写的模块时，先编写导入标准库模块的import语句，再添加一个空行，然后编写导入你自己编写的模块的import语句。在包含多条import语句的程序中，这种做法让人更容易明白程序使用的各个模块都来自何方。

9.7 小结

在本章中，你学习了：如何编写类；如何使用属性在类中存储信息，以及如何编写方法，以让类具备所需的行为；如何编写方法__init__()，以便根据类创建包含所需属性的实例。你见识了如何修改实例的属性——包括直接修改以及通过方法进行修改。你还了解了：使用继承可简化相关类的创建工作；将一个类的实例用作另一个类的属性可让类更简洁。

你了解到，通过将类存储在模块中，并在需要使用这些类的文件中导入它们，可让项目组织有序。你学习了Python标准库，并见识了一个使用模块collections中的OrderedDict类的示例。最后，你学习了编写类时应遵循的Python约定。

在第10章中，你将学习如何使用文件，这让你能够保存你在程序中所做的工作，以及你让用户做的工作。你还将学习异常，这是一种特殊的Python类，用于帮助你在发生错误时采取相应的措施。

文件和异常

至此，你掌握了编写组织有序而易于使用的程序所需的基本技能，该考虑让程序目标更明确、用途更大了。在本章中，你将学习处理文件，让程序能够快速地分析大量的数据；你将学习错误处理，避免程序在面对意外情形时崩溃；你将学习**异常**，它们是Python创建的特殊对象，用于管理程序运行时出现的错误；你还将学习模块json，它让你能够保存用户数据，以免在程序停止运行后丢失。

学习处理文件和保存数据可让你的程序使用起来更容易：用户将能够选择输入什么样的数据，以及在什么时候输入；用户使用你的程序做一些工作后，可将程序关闭，以后再接着往下做。学习处理异常可帮助你应对文件不存在的情形，以及处理其他可能导致程序崩溃的问题。这让你的程序在面对错误的数据时更健壮——不管这些错误数据源自无意的错误，还是源自破坏程序的恶意企图。你在本章学习的技能可提高程序的适用性、可用性和稳定性。

10.1 从文件中读取数据

文本文件可存储的数据量多得难以置信：天气数据、交通数据、社会经济数据、文学作品等。每当需要分析或修改存储在文件中的信息时，读取文件都很有用，对数据分析应用程序来说尤其如此。例如，你可以编写一个这样的程序：读取一个文本文件的内容，重新设置这些数据的格式并将其写入文件，让浏览器能够显示这些内容。

要使用文本文件中的信息，首先需要将信息读取到内存中。为此，你可以一次性读取文件的全部内容，也可以以每次一行的方式逐步读取。

10.1.1 读取整个文件

要读取文件，需要一个包含几行文本的文件。下面首先来创建一个文件，它包含精确到小数点后30位的圆周率值，且在小数点后每10位处都换行：

pi_digits.txt

```
3.1415926535
  8979323846
  2643383279
```

要动手尝试后续示例，可在编辑器中输入这些数据行，再将文件保存为pi_digits.txt，也可从本书的配套网站（https://www.nostarch.com/pythoncrashcourse/）下载该文件。然后，将该文件保存到本章程序所在的目录中。

下面的程序打开并读取这个文件，再将其内容显示到屏幕上：

file_reader.py

```python
with open('pi_digits.txt') as file_object:
    contents = file_object.read()
    print(contents)
```

在这个程序中，第1行代码做了大量的工作。我们先来看看函数open()。要以任何方式使用文件——哪怕仅仅是打印其内容，都得先打开文件，这样才能访问它。函数open()接受一个参数：要打开的文件的名称。Python在当前执行的文件所在的目录中查找指定的文件。在这个示例中，当前运行的是file_reader.py，因此Python在file_reader.py所在的目录中查找pi_digits.txt。函数open()返回一个表示文件的对象。在这里，open('pi_digits.txt')返回一个表示文件pi_digits.txt的对象；Python将这个对象存储在我们将在后面使用的变量中。

关键字with在不再需要访问文件后将其关闭。在这个程序中，注意到我们调用了open()，但没有调用close()；你也可以调用open()和close()来打开和关闭文件，但这样做时，如果程序存在bug，导致close()语句未执行，文件将不会关闭。这看似微不足道，但未妥善地关闭文件可能会导致数据丢失或受损。如果在程序中过早地调用close()，你会发现需要使用文件时它已关闭（无法访问），这会导致更多的错误。并非在任何情况下都能轻松确定关闭文件的恰当时机，但通过使用前面所示的结构，可让Python去确定：你只管打开文件，并在需要时使用它，Python自会在合适的时候自动将其关闭。

有了表示pi_digits.txt的文件对象后，我们使用方法read()（前述程序的第2行）读取这个文件的全部内容，并将其作为一个长长的字符串存储在变量contents中。这样，通过打印contents的值，就可将这个文本文件的全部内容显示出来：

```
3.1415926535
  8979323846
  2643383279

```

为何会多出这个空行呢？因为read()到达文件末尾时返回一个空字符串，而将这个空字符串显示出来时就是一个空行。要删除末尾的空行，可在print语句中使用rstrip()：

10

```
with open('pi_digits.txt') as file_object:
    contents = file_object.read()
    print(contents.rstrip())
```

本书前面说过，Python方法rstrip()删除（剥除）字符串末尾的空白。现在，输出与原始文件的内容完全相同：

```
3.1415926535
  8979323846
  2643383279
```

10.1.2　文件路径

当你将类似pi_digits.txt这样的简单文件名传递给函数open()时，Python将在当前执行的文件（即.py程序文件）所在的目录中查找文件。

根据你组织文件的方式，有时可能要打开不在程序文件所属目录中的文件。例如，你可能将程序文件存储在了文件夹python_work中，而在文件夹python_work中，有一个名为text_files的文件夹，用于存储程序文件操作的文本文件。虽然文件夹text_files包含在文件夹python_work中，但仅向open()传递位于该文件夹中的文件的名称也不可行，因为Python只在文件夹python_work中查找，而不会在其子文件夹text_files中查找。要让Python打开不与程序文件位于同一个目录中的文件，需要提供文件路径，它让Python到系统的特定位置去查找。

由于文件夹text_files位于文件夹python_work中，因此可使用相对文件路径来打开该文件夹中的文件。相对文件路径让Python到指定的位置去查找，而该位置是相对于当前运行的程序所在目录的。在Linux和OS X中，你可以这样编写代码：

```
with open('text_files/filename.txt') as file_object:
```

这行代码让Python到文件夹python_work下的文件夹text_files中去查找指定的.txt文件。在Windows系统中，在文件路径中使用反斜杠（\）而不是斜杠（/）：

```
with open('text_files\filename.txt') as file_object:
```

你还可以将文件在计算机中的准确位置告诉Python，这样就不用关心当前运行的程序存储在什么地方了。这称为绝对文件路径。在相对路径行不通时，可使用绝对路径。例如，如果text_files并不在文件夹python_work中，而在文件夹other_files中，则向open()传递路径'text_files/filename.txt'行不通，因为Python只在文件夹python_work中查找该位置。为明确地指出你希望Python到哪里去查找，你需要提供完整的路径。

绝对路径通常比相对路径更长，因此将其存储在一个变量中，再将该变量传递给open()会有所帮助。在Linux和OS X中，绝对路径类似于下面这样：

```
file_path = '/home/ehmatthes/other_files/text_files/filename.txt'
with open(file_path) as file_object:
```

而在Windows系统中，它们类似于下面这样：

```
file_path = 'C:\Users\ehmatthes\other_files\text_files\filename.txt'
with open(file_path) as file_object:
```

通过使用绝对路径，可读取系统任何地方的文件。就目前而言，最简单的做法是，要么将数据文件存储在程序文件所在的目录，要么将其存储在程序文件所在目录下的一个文件夹（如text_files）中。

注意　Windows系统有时能够正确地解读文件路径中的斜杠。如果你使用的是Windows系统，且结果不符合预期，请确保在文件路径中使用的是反斜杠。另外，由于反斜杠在Python中被视为转义标记，为在Windows中确保万无一失，应以原始字符串的方式指定路径，即在开头的单引号前加上r。

10.1.3　逐行读取

读取文件时，常常需要检查其中的每一行：你可能要在文件中查找特定的信息，或者要以某种方式修改文件中的文本。例如，你可能要遍历一个包含天气数据的文件，并使用天气描述中包含字样sunny的行。在新闻报道中，你可能会查找包含标签<headline>的行，并按特定的格式设置它。

要以每次一行的方式检查文件，可对文件对象使用for循环：

file_reader.py

```
❶ filename = 'pi_digits.txt'

❷ with open(filename) as file_object:
❸     for line in file_object:
          print(line)
```

在❶处，我们将要读取的文件的名称存储在变量filename中，这是使用文件时一种常见的做法。由于变量filename表示的并非实际文件——它只是一个让Python知道到哪里去查找文件的字符串，因此可轻松地将'pi_digits.txt'替换为你要使用的另一个文件的名称。调用open()后，将一个表示文件及其内容的对象存储到了变量file_object中（见❷）。这里也使用了关键字with，让Python负责妥善地打开和关闭文件。为查看文件的内容，我们通过对文件对象执行循环来遍历文件中的每一行（见❸）。

我们打印每一行时，发现空白行更多了：

```
3.1415926535

8979323846
```

```
2643383279
```

为何会出现这些空白行呢？因为在这个文件中，每行的末尾都有一个看不见的换行符，而
print语句也会加上一个换行符，因此每行末尾都有两个换行符：一个来自文件，另一个来自print
语句。要消除这些多余的空白行，可在print语句中使用rstrip()：

```
filename = 'pi_digits.txt'

with open(filename) as file_object:
    for line in file_object:
        print(line.rstrip())
```

现在，输出又与文件内容完全相同了：

```
3.1415926535
  8979323846
  2643383279
```

10.1.4   创建一个包含文件各行内容的列表

使用关键字with时，open()返回的文件对象只在with代码块内可用。如果要在with代码块外
访问文件的内容，可在with代码块内将文件的各行存储在一个列表中，并在with代码块外使用该
列表：你可以立即处理文件的各个部分，也可推迟到程序后面再处理。

下面的示例在with代码块中将文件pi_digits.txt的各行存储在一个列表中，再在with代码块外
打印它们：

```
filename = 'pi_digits.txt'

with open(filename) as file_object:
❶    lines = file_object.readlines()

❷ for line in lines:
    print(line.rstrip())
```

❶处的方法readlines()从文件中读取每一行，并将其存储在一个列表中；接下来，该列表被
存储到变量lines中；在with代码块外，我们依然可以使用这个变量。在❷处，我们使用一个简单
的for循环来打印lines中的各行。由于列表lines的每个元素都对应于文件中的一行，因此输出
与文件内容完全一致。

10.1.5   使用文件的内容

将文件读取到内存中后，就可以以任何方式使用这些数据了。下面以简单的方式使用圆周率
的值。首先，我们将创建一个字符串，它包含文件中存储的所有数字，且没有任何空格：

pi_string.py

```
filename = 'pi_digits.txt'

with open(filename) as file_object:
    lines = file_object.readlines()

❶ pi_string = ''
❷ for line in lines:
    pi_string += line.rstrip()

❸ print(pi_string)
print(len(pi_string))
```

就像前一个示例一样，我们首先打开文件，并将其中的所有行都存储在一个列表中。在❶处，我们创建了一个变量——pi_string，用于存储圆周率的值。接下来，我们使用一个循环将各行都加入pi_string，并删除每行末尾的换行符（见❷）。在❸处，我们打印这个字符串及其长度：

```
3.1415926535  8979323846  2643383279
36
```

在变量pi_string存储的字符串中，包含原来位于每行左边的空格，为删除这些空格，可使用strip()而不是rstrip()：


```
filename = 'pi_30_digits.txt'

with open(filename) as file_object:
    lines = file_object.readlines()

pi_string = ''
for line in lines:
    pi_string += line.strip()

print(pi_string)
print(len(pi_string))
```

这样，我们就获得了一个这样的字符串：它包含精确到30位小数的圆周率值。这个字符串长32字符，因为它还包含整数部分的3和小数点：

```
3.141592653589793238462643383279
32
```

注意 读取文本文件时，Python将其中的所有文本都解读为字符串。如果你读取的是数字，并要将其作为数值使用，就必须使用函数int()将其转换为整数，或使用函数float()将其转换为浮点数。

10.1.6   包含一百万位的大型文件

前面我们分析的都是一个只有三行的文本文件，但这些代码示例也可处理大得多的文件。如果我们有一个文本文件，其中包含精确到小数点后1 000 000位而不是30位的圆周率值，也可创建一个包含所有这些数字的字符串。为此，我们无需对前面的程序做任何修改，只需将这个文件传递给它即可。在这里，我们只打印到小数点后50位，以免终端为显示全部1 000 000位而不断地翻滚：

pi_string.py

```
filename = 'pi_million_digits.txt'

with open(filename) as file_object:
    lines = file_object.readlines()

pi_string = ''
for line in lines:
    pi_string += line.strip()

print(pi_string[:52] + "...")
print(len(pi_string))
```

输出表明，我们创建的字符串确实包含精确到小数点后1 000 000位的圆周率值：

```
3.14159265358979323846264338327950288419716939937510...
1000002
```

对于你可处理的数据量，Python没有任何限制；只要系统的内存足够多，你想处理多少数据都可以。

注意   要运行这个程序（以及后面的众多示例），你需要从https://www.nostarch.com/pythoncra-shcourse/下载相关的资源。

10.1.7   圆周率值中包含你的生日吗

我一直想知道自己的生日是否包含在圆周率值中。下面来扩展刚才编写的程序，以确定某个人的生日是否包含在圆周率值的前1 000 000位中。为此，可将生日表示为一个由数字组成的字符串，再检查这个字符串是否包含在pi_string中：

```
filename = 'pi_million_digits.txt'

with open(filename) as file_object:
    lines = file_object.readlines()
```

```
pi_string = ''
for line in lines:
    pi_string += line.strip()
```

❶ `birthday = input("Enter your birthday, in the form mmddyy: ")`
❷ `if birthday in pi_string:`
    `print("Your birthday appears in the first million digits of pi!")`
`else:`
    `print("Your birthday does not appear in the first million digits of pi.")`

在❶处，我们提示用户输入其生日，在接下来的❷处，我们检查这个字符串是否包含在pi_string中。运行一下这个程序：

```
Enter your birthdate, in the form mmddyy: 120372
Your birthday appears in the first million digits of pi!
```

我的生日确实出现在了圆周率值中！读取文件的内容后，就可以以你能想到的任何方式对其进行分析。

动手试一试

10-1 Python 学习笔记：在文本编辑器中新建一个文件，写几句话来总结一下你至此学到的 Python 知识，其中每一行都以 "In Python you can" 打头。将这个文件命名为 learning_python.txt，并将其存储到为完成本章练习而编写的程序所在的目录中。编写一个程序，它读取这个文件，并将你所写的内容打印三次：第一次打印时读取整个文件；第二次打印时遍历文件对象；第三次打印时将各行存储在一个列表中，再在 with 代码块外打印它们。

10-2 C 语言学习笔记：可使用方法 replace() 将字符串中的特定单词都替换为另一个单词。下面是一个简单的示例，演示了如何将句子中的'dog'替换为'cat'：

```
>>> message = "I really like dogs."
>>> message.replace('dog', 'cat')
'I really like cats.'
```

读取你刚创建的文件 learning_python.txt 中的每一行，将其中的 Python 都替换为另一门语言的名称，如 C。将修改后的各行都打印到屏幕上。

10.2 写入文件

保存数据的最简单的方式之一是将其写入到文件中。通过将输出写入文件，即便关闭包含程序输出的终端窗口，这些输出也依然存在：你可以在程序结束运行后查看这些输出，可与别人分享输出文件，还可编写程序来将这些输出读取到内存中并进行处理。

10.2.1   写入空文件

要将文本写入文件，你在调用open()时需要提供另一个实参，告诉Python你要写入打开的文件。为明白其中的工作原理，我们来将一条简单的消息存储到文件中，而不是将其打印到屏幕上：

write_message.py

```
filename = 'programming.txt'

❶ with open(filename, 'w') as file_object:
❷     file_object.write("I love programming.")
```

在这个示例中，调用open()时提供了两个实参（见❶）。第一个实参也是要打开的文件的名称；第二个实参（'w'）告诉Python，我们要以写入模式打开这个文件。打开文件时，可指定读取模式（'r'）、写入模式（'w'）、附加模式（'a'）或让你能够读取和写入文件的模式（'r+'）。如果你省略了模式实参，Python将以默认的只读模式打开文件。

如果你要写入的文件不存在，函数open()将自动创建它。然而，以写入（'w'）模式打开文件时千万要小心，因为如果指定的文件已经存在，Python将在返回文件对象前清空该文件。

在❷处，我们使用文件对象的方法write()将一个字符串写入文件。这个程序没有终端输出，但如果你打开文件programming.txt，将看到其中包含如下一行内容：

programming.txt

```
I love programming.
```

相比于你的计算机中的其他文件，这个文件没有什么不同。你可以打开它、在其中输入新文本、复制其内容、将内容粘贴到其中等。

> **注意**　Python只能将字符串写入文本文件。要将数值数据存储到文本文件中，必须先使用函数str()将其转换为字符串格式。

10.2.2   写入多行

函数write()不会在你写入的文本末尾添加换行符，因此如果你写入多行时没有指定换行符，文件看起来可能不是你希望的那样：

```
filename = 'programming.txt'

with open(filename, 'w') as file_object:
    file_object.write("I love programming.")
    file_object.write("I love creating new games.")
```

如果你打开programming.txt，将发现两行内容挤在一起：

```
I love programming.I love creating new games.
```

要让每个字符串都单独占一行，需要在write()语句中包含换行符：

```
filename = 'programming.txt'

with open(filename, 'w') as file_object:
    file_object.write("I love programming.\n")
    file_object.write("I love creating new games.\n")
```

现在，输出出现在不同行中：

```
I love programming.
I love creating new games.
```

像显示到终端的输出一样，还可以使用空格、制表符和空行来设置这些输出的格式。

10.2.3 附加到文件

如果你要给文件添加内容，而不是覆盖原有的内容，可以附加模式打开文件。你以附加模式打开文件时，Python不会在返回文件对象前清空文件，而你写入到文件的行都将添加到文件末尾。如果指定的文件不存在，Python将为你创建一个空文件。

下面来修改write_message.py，在既有文件programming.txt中再添加一些你酷爱编程的原因：

write_message.py

```
filename = 'programming.txt'

❶ with open(filename, 'a') as file_object:
❷     file_object.write("I also love finding meaning in large datasets.\n")
       file_object.write("I love creating apps that can run in a browser.\n")
```

在❶处，我们打开文件时指定了实参'a'，以便将内容附加到文件末尾，而不是覆盖文件原来的内容。在❷处，我们又写入了两行，它们被添加到文件programming.txt末尾：

programming.txt

```
I love programming.
I love creating new games.
I also love finding meaning in large datasets.
I love creating apps that can run in a browser.
```

最终的结果是，文件原来的内容还在，它们后面是我们刚添加的内容。

动手试一试

10-3 访客：编写一个程序，提示用户输入其名字；用户作出响应后，将其名字写入到文件 guest.txt 中。

10-4 访客名单：编写一个 while 循环，提示用户输入其名字。用户输入其名字后，在屏幕上打印一句问候语，并将一条访问记录添加到文件 guest_book.txt 中。确保这个文件中的每条记录都独占一行。

10-5 关于编程的调查：编写一个 while 循环，询问用户为何喜欢编程。每当用户输入一个原因后，都将其添加到一个存储所有原因的文件中。

10.3　异常

Python使用被称为异常的特殊对象来管理程序执行期间发生的错误。每当发生让Python不知所措的错误时，它都会创建一个异常对象。如果你编写了处理该异常的代码，程序将继续运行；如果你未对异常进行处理，程序将停止，并显示一个traceback，其中包含有关异常的报告。

异常是使用try-except代码块处理的。try-except代码块让Python执行指定的操作，同时告诉Python发生异常时怎么办。使用了try-except代码块时，即便出现异常，程序也将继续运行：显示你编写的友好的错误消息，而不是令用户迷惑的traceback。

10.3.1　处理 ZeroDivisionError 异常

下面来看一种导致Python引发异常的简单错误。你可能知道不能将一个数字除以0，但我们还是让Python这样做吧：

division.py

```
print(5/0)
```

显然，Python无法这样做，因此你将看到一个traceback：

```
Traceback (most recent call last):
  File "division.py", line 1, in <module>
    print(5/0)
❶ ZeroDivisionError: division by zero
```

在上述traceback中，❶处指出的错误ZeroDivisionError是一个异常对象。Python无法按你的要求做时，就会创建这种对象。在这种情况下，Python将停止运行程序，并指出引发了哪种异常，而我们可根据这些信息对程序进行修改。下面我们将告诉Python，发生这种错误时怎么办；这样，如果再次发生这样的错误，我们就有备无患了。

10.3.2　使用 `try-except` 代码块

当你认为可能发生了错误时，可编写一个try-except代码块来处理可能引发的异常。你让Python尝试运行一些代码，并告诉它如果这些代码引发了指定的异常，该怎么办。

处理ZeroDivisionError异常的try-except代码块类似于下面这样：

```
try:
    print(5/0)
except ZeroDivisionError:
    print("You can't divide by zero!")
```

我们将导致错误的代码行print(5/0)放在了一个try代码块中。如果try代码块中的代码运行起来没有问题，Python将跳过except代码块；如果try代码块中的代码导致了错误，Python将查找这样的except代码块，并运行其中的代码，即其中指定的错误与引发的错误相同。

在这个示例中，try代码块中的代码引发了ZeroDivisionError异常，因此Python指出了该如何解决问题的except代码块，并运行其中的代码。这样，用户看到的是一条友好的错误消息，而不是traceback：

```
You can't divide by zero!
```

如果try-except代码块后面还有其他代码，程序将接着运行，因为已经告诉了Python如何处理这种错误。下面来看一个捕获错误后程序将继续运行的示例。

10.3.3　使用异常避免崩溃

发生错误时，如果程序还有工作没有完成，妥善地处理错误就尤其重要。这种情况经常会出现在要求用户提供输入的程序中；如果程序能够妥善地处理无效输入，就能再提示用户提供有效输入，而不至于崩溃。

下面来创建一个只执行除法运算的简单计算器：

division.py

```
print("Give me two numbers, and I'll divide them.")
print("Enter 'q' to quit.")

while True:
❶    first_number = input("\nFirst number: ")
    if first_number == 'q':
        break
❷    second_number = input("Second number: ")
    if second_number == 'q':
        break
❸    answer = int(first_number) / int(second_number)
    print(answer)
```

在❶处，这个程序提示用户输入一个数字，并将其存储到变量first_number中；如果用户输入的不是表示退出的q，就再提示用户输入一个数字，并将其存储到变量second_number中（见❷）。接下来，我们计算这两个数字的商（即answer，见❸）。这个程序没有采取任何处理错误的措施，因此让它执行除数为0的除法运算时，它将崩溃：

```
Give me two numbers, and I'll divide them.
Enter 'q' to quit.

First number: 5
Second number: 0
Traceback (most recent call last):
  File "division.py", line 9, in <module>
    answer = int(first_number) / int(second_number)
ZeroDivisionError: division by zero
```

程序崩溃可不好，但让用户看到traceback也不是好主意。不懂技术的用户会被它们搞糊涂，而且如果用户怀有恶意，他会通过traceback获悉你不希望他知道的信息。例如，他将知道你的程序文件的名称，还将看到部分不能正确运行的代码。有时候，训练有素的攻击者可根据这些信息判断出可对你的代码发起什么样的攻击。

10.3.4　else 代码块

通过将可能引发错误的代码放在try-except代码块中，可提高这个程序抵御错误的能力。错误是执行除法运算的代码行导致的，因此我们需要将它放到try-except代码块中。这个示例还包含一个else代码块；依赖于try代码块成功执行的代码都应放到else代码块中：

```
print("Give me two numbers, and I'll divide them.")
print("Enter 'q' to quit.")

while True:
    first_number = input("\nFirst number: ")
    if first_number == 'q':
        break
    second_number = input("Second number: ")
❶   try:
        answer = int(first_number) / int(second_number)
❷   except ZeroDivisionError:
        print("You can't divide by 0!")
❸   else:
        print(answer)
```

我们让Python尝试执行try代码块中的除法运算（见❶），这个代码块只包含可能导致错误的代码。依赖于try代码块成功执行的代码都放在else代码块中；在这个示例中，如果除法运算成功，我们就使用else代码块来打印结果（见❸）。

except代码块告诉Python，出现ZeroDivisionError异常时该怎么办（见❷）。如果try代码块因除零错误而失败，我们就打印一条友好的消息，告诉用户如何避免这种错误。程序将继续运行，用户根本看不到traceback：

```
Give me two numbers, and I'll divide them.
Enter 'q' to quit.

First number: 5
Second number: 0
You can't divide by 0!

First number: 5
Second number: 2
2.5

First number: q
```

try-except-else代码块的工作原理大致如下：Python尝试执行try代码块中的代码；只有可能引发异常的代码才需要放在try语句中。有时候，有一些仅在try代码块成功执行时才需要运行的代码；这些代码应放在else代码块中。except代码块告诉Python，如果它尝试运行try代码块中的代码时引发了指定的异常，该怎么办。

通过预测可能发生错误的代码，可编写健壮的程序，它们即便面临无效数据或缺少资源，也能继续运行，从而能够抵御无意的用户错误和恶意的攻击。

10.3.5 处理 FileNotFoundError 异常

使用文件时，一种常见的问题是找不到文件：你要查找的文件可能在其他地方、文件名可能不正确或者这个文件根本就不存在。对于所有这些情形，都可使用try-except代码块以直观的方式进行处理。

我们来尝试读取一个不存在的文件。下面的程序尝试读取文件alice.txt的内容，但我没有将这个文件存储在alice.py所在的目录中：

alice.py

```
filename = 'alice.txt'

with open(filename) as f_obj:
    contents = f_obj.read()
```

Python无法读取不存在的文件，因此它引发一个异常：

```
Traceback (most recent call last):
  File "alice.py", line 3, in <module>
    with open(filename) as f_obj:
FileNotFoundError: [Errno 2] No such file or directory: 'alice.txt'
```

在上述traceback中，最后一行报告了FileNotFoundError异常，这是Python找不到要打开的文件时创建的异常。在这个示例中，这个错误是函数open()导致的，因此要处理这个错误，必须将try语句放在包含open()的代码行之前：

```
filename = 'alice.txt'

try:
    with open(filename) as f_obj:
        contents = f_obj.read()
except FileNotFoundError:
    msg = "Sorry, the file " + filename + " does not exist."
    print(msg)
```

在这个示例中，try代码块引发FileNotFoundError异常，因此Python找出与该错误匹配的except代码块，并运行其中的代码。最终的结果是显示一条友好的错误消息，而不是traceback：

```
Sorry, the file alice.txt does not exist.
```

如果文件不存在，这个程序什么都不做，因此错误处理代码的意义不大。下面来扩展这个示例，看看在你使用多个文件时，异常处理可提供什么样的帮助。

10.3.6 分析文本

你可以分析包含整本书的文本文件。很多经典文学作品都是以简单文本文件的方式提供的，因为它们不受版权限制。本节使用的文本来自项目Gutenberg（http://gutenberg.org/），这个项目提供了一系列不受版权限制的文学作品，如果你要在编程项目中使用文学文本，这是一个很不错的资源。

下面来提取童话*Alice in Wonderland*的文本，并尝试计算它包含多少个单词。我们将使用方法split()，它根据一个字符串创建一个单词列表。下面是对只包含童话名"Alice in Wonderland"的字符串调用方法split()的结果：

```
>>> title = "Alice in Wonderland"
>>> title.split()
['Alice', 'in', 'Wonderland']
```

方法split()以空格为分隔符将字符串分拆成多个部分，并将这些部分都存储到一个列表中。结果是一个包含字符串中所有单词的列表，虽然有些单词可能包含标点。为计算*Alice in Wonderland*包含多少个单词，我们将对整篇小说调用split()，再计算得到的列表包含多少个元素，从而确定整篇童话大致包含多少个单词：

```
filename = 'alice.txt'

try:
    with open(filename) as f_obj:
        contents = f_obj.read()
except FileNotFoundError:
```

```
       msg = "Sorry, the file " + filename + " does not exist."
       print(msg)
   else:
       # 计算文件大致包含多少个单词
❶      words = contents.split()
❷      num_words = len(words)
❸      print("The file " + filename + " has about " + str(num_words) + " words.")
```

我们把文件alice.txt移到了正确的目录中，让try代码块能够成功地执行。在❶处，我们对变量contents（它现在是一个长长的字符串，包含童话*Alice in Wonderland*的全部文本）调用方法split()，以生成一个列表，其中包含这部童话中的所有单词。当我们使用len()来确定这个列表的长度时，就知道了原始字符串大致包含多少个单词（见❷）。在❸处，我们打印一条消息，指出文件包含多少个单词。这些代码都放在else代码块中，因为仅当try代码块成功执行时才执行它们。输出指出了文件alice.txt包含多少个单词：

```
The file alice.txt has about 29461 words.
```

这个数字有点大，因为这里使用的文本文件包含出版商提供的额外信息，但与童话*Alice in Wonderland*的长度相当一致。

10.3.7 使用多个文件

下面多分析几本书。这样做之前，我们先将这个程序的大部分代码移到一个名为count_words()的函数中，这样对多本书进行分析时将更容易：

word_count.py

```
def count_words(filename):
❶     """计算一个文件大致包含多少个单词"""
      try:
          with open(filename) as f_obj:
              contents = f_obj.read()
      except FileNotFoundError:
          msg = "Sorry, the file " + filename + " does not exist."
          print(msg)
      else:
          # 计算文件大致包含多少个单词
          words = contents.split()
          num_words = len(words)
          print("The file " + filename + " has about " + str(num_words) +
              " words.")

filename = 'alice.txt'
count_words(filename)
```

这些代码大都与原来一样，我们只是将它们移到了函数count_words()中，并增加了缩进量。修改程序的同时更新注释是个不错的习惯，因此我们将注释改成了文档字符串，并稍微调整了一下措辞（见❶）。

　　现在可以编写一个简单的循环，计算要分析的任何文本包含多少个单词了。为此，我们将要分析的文件的名称存储在一个列表中，然后对列表中的每个文件都调用count_words()。我们将尝试计算*Alice in Wonderland*、*Siddhartha*、*Moby Dick*和*Little Women*分别包含多少个单词，它们都不受版权限制。我故意没有将siddhartha.txt放到word_count.py所在的目录中，让你能够看到这个程序在文件不存在时处理得有多出色：

```
def count_words(filename):
    --snip--

filenames = ['alice.txt', 'siddhartha.txt', 'moby_dick.txt', 'little_women.txt']
for filename in filenames:
    count_words(filename)
```

文件siddhartha.txt不存在，但这丝毫不影响这个程序处理其他文件：

```
The file alice.txt has about 29461 words.
Sorry, the file siddhartha.txt does not exist.
The file moby_dick.txt has about 215136 words.
The file little_women.txt has about 189079 words.
```

　　在这个示例中，使用try-except代码块提供了两个重要的优点：避免让用户看到traceback；让程序能够继续分析能够找到的其他文件。如果不捕获因找不到siddhartha.txt而引发的FileNotFoundError异常，用户将看到完整的traceback，而程序将在尝试分析*Siddhartha*后停止运行——根本不分析*Moby Dick*和*Little Women*。

10.3.8　失败时一声不吭

　　在前一个示例中，我们告诉用户有一个文件找不到。但并非每次捕获到异常时都需要告诉用户，有时候你希望程序在发生异常时一声不吭，就像什么都没有发生一样继续运行。要让程序在失败时一声不吭，可像通常那样编写try代码块，但在except代码块中明确地告诉Python什么都不要做。Python有一个pass语句，可在代码块中使用它来让Python什么都不要做：

```
def count_words(filename):
    """计算一个文件大致包含多少个单词"""
    try:
        --snip--
    except FileNotFoundError:
❶        pass
    else:
        --snip--

filenames = ['alice.txt', 'siddhartha.txt', 'moby_dick.txt', 'little_women.txt']
for filename in filenames:
    count_words(filename)
```

相比于前一个程序，这个程序唯一不同的地方是❶处的pass语句。现在，出现FileNotFoundError异常时，将执行except代码块中的代码，但什么都不会发生。这种错误发生时，不会出现traceback，也没有任何输出。用户将看到存在的每个文件包含多少个单词，但没有任何迹象表明有一个文件未找到：

```
The file alice.txt has about 29461 words.
The file moby_dick.txt has about 215136 words.
The file little_women.txt has about 189079 words.
```

pass语句还充当了占位符，它提醒你在程序的某个地方什么都没有做，并且以后也许要在这里做些什么。例如，在这个程序中，我们可能决定将找不到的文件的名称写入到文件missing_files.txt中。用户看不到这个文件，但我们可以读取这个文件，进而处理所有文件找不到的问题。

10.3.9　决定报告哪些错误

在什么情况下该向用户报告错误？在什么情况下又应该在失败时一声不吭呢？如果用户知道要分析哪些文件，他们可能希望在有文件没有分析时出现一条消息，将其中的原因告诉他们。如果用户只想看到结果，而并不知道要分析哪些文件，可能就无需在有些文件不存在时告知他们。向用户显示他不想看到的信息可能会降低程序的可用性。Python的错误处理结构让你能够细致地控制与用户分享错误信息的程度，要分享多少信息由你决定。

编写得很好且经过详尽测试的代码不容易出现内部错误，如语法或逻辑错误，但只要程序依赖于外部因素，如用户输入、存在指定的文件、有网络链接，就有可能出现异常。凭借经验可判断该在程序的什么地方包含异常处理块，以及出现错误时该向用户提供多少相关的信息。

10

动手试一试

10-6 加法运算：提示用户提供数值输入时，常出现的一个问题是，用户提供的是文本而不是数字。在这种情况下，当你尝试将输入转换为整数时，将引发 TypeError 异常。编写一个程序，提示用户输入两个数字，再将它们相加并打印结果。在用户输入的任何一个值不是数字时都捕获 TypeError 异常，并打印一条友好的错误消息。对你编写的程序进行测试：先输入两个数字，再输入一些文本而不是数字。

10-7 加法计算器：将你为完成练习 10-6 而编写的代码放在一个 while 循环中，让用户犯错（输入的是文本而不是数字）后能够继续输入数字。

10-8 猫和狗：创建两个文件 cats.txt 和 dogs.txt，在第一个文件中至少存储三只猫的名字，在第二个文件中至少存储三条狗的名字。编写一个程序，尝试读取这些文件，并将其内容打印到屏幕上。将这些代码放在一个 try-except 代码块中，以便在文件不存在时捕获 FileNotFound 错误，并打印一条友好的消息。将其中一个文件移到另一个地方，并确认 except 代码块中的代码将正确地执行。

　　10-9 沉默的猫和狗：修改你在练习 10-8 中编写的 except 代码块，让程序在文件不存在时一言不发。

　　10-10 常见单词：访问项目 Gutenberg（http://gutenberg.org/），并找一些你想分析的图书。下载这些作品的文本文件或将浏览器中的原始文本复制到文本文件中。

　　你可以使用方法 count() 来确定特定的单词或短语在字符串中出现了多少次。例如，下面的代码计算'row'在一个字符串中出现了多少次：

```
>>> line = "Row, row, row your boat"
>>> line.count('row')
2
>>> line.lower().count('row')
3
```

　　请注意，通过使用 lower() 将字符串转换为小写，可捕捉要查找的单词出现的所有次数，而不管其大小写格式如何。

　　编写一个程序，它读取你在项目 Gutenberg 中获取的文件，并计算单词'the'在每个文件中分别出现了多少次。

10.4　存储数据

　　很多程序都要求用户输入某种信息，如让用户存储游戏首选项或提供要可视化的数据。不管专注的是什么，程序都把用户提供的信息存储在列表和字典等数据结构中。用户关闭程序时，你几乎总是要保存他们提供的信息；一种简单的方式是使用模块 json 来存储数据。

　　模块 json 让你能够将简单的 Python 数据结构转储到文件中，并在程序再次运行时加载该文件中的数据。你还可以使用 json 在 Python 程序之间分享数据。更重要的是，JSON 数据格式并非 Python 专用的，这让你能够将以 JSON 格式存储的数据与使用其他编程语言的人分享。这是一种轻便格式，很有用，也易于学习。

　　注意　JSON（JavaScript Object Notation）格式最初是为 JavaScript 开发的，但随后成了一种常见格式，被包括 Python 在内的众多语言采用。

10.4.1　使用 json.dump() 和 json.load()

　　我们来编写一个存储一组数字的简短程序，再编写一个将这些数字读取到内存中的程序。第一个程序将使用 json.dump() 来存储这组数字，而第二个程序将使用 json.load()。

　　函数 json.dump() 接受两个实参：要存储的数据以及可用于存储数据的文件对象。下面演示了如何使用json.dump()来存储数字列表：

number_writer.py

```
import json

numbers = [2, 3, 5, 7, 11, 13]
```
❶ `filename = 'numbers.json'`
❷ `with open(filename, 'w') as f_obj:`
❸ `    json.dump(numbers, f_obj)`

我们先导入模块json，再创建一个数字列表。在❶处，我们指定了要将该数字列表存储到其中的文件的名称。通常使用文件扩展名.json来指出文件存储的数据为JSON格式。接下来，我们以写入模式打开这个文件，让json能够将数据写入其中（见❷）。在❸处，我们使用函数json.dump()将数字列表存储到文件numbers.json中。

这个程序没有输出，但我们可以打开文件numbers.json，看看其内容。数据的存储格式与Python中一样：

```
[2, 3, 5, 7, 11, 13]
```

下面再编写一个程序，使用json.load()将这个列表读取到内存中：

number_reader.py

```
import json
```
❶ `filename = 'numbers.json'`
❷ `with open(filename) as f_obj:`
❸ `    numbers = json.load(f_obj)`

```
print(numbers)
```

在❶处，我们确保读取的是前面写入的文件。这次我们以读取方式打开这个文件，因为Python只需读取这个文件（见❷）。在❸处，我们使用函数json.load()加载存储在numbers.json中的信息，并将其存储到变量numbers中。最后，我们打印恢复的数字列表，看看它是否与number_writer.py中创建的数字列表相同：

```
[2, 3, 5, 7, 11, 13]
```

这是一种在程序之间共享数据的简单方式。

10.4.2 保存和读取用户生成的数据

对于用户生成的数据，使用json保存它们大有裨益，因为如果不以某种方式进行存储，等程序停止运行时用户的信息将丢失。下面来看一个这样的例子：用户首次运行程序时被提示输入自己的名字，这样再次运行程序时就记住他了。

我们先来存储用户的名字：

remember_me.py

```
import json

❶ username = input("What is your name? ")

filename = 'username.json'
with open(filename, 'w') as f_obj:
❷     json.dump(username, f_obj)
❸     print("We'll remember you when you come back, " + username + "!")
```

在❶处，我们提示输入用户名，并将其存储在一个变量中。接下来，我们调用json.dump()，并将用户名和一个文件对象传递给它，从而将用户名存储到文件中（见❷）。然后，我们打印一条消息，指出我们存储了他输入的信息（见❸）：

```
What is your name? Eric
We'll remember you when you come back, Eric!
```

现在再编写一个程序，向其名字被存储的用户发出问候：

greet_user.py

```
import json

filename = 'username.json'

with open(filename) as f_obj:
❶     username = json.load(f_obj)
❷     print("Welcome back, " + username + "!")
```

在❶处，我们使用json.load()将存储在username.json中的信息读取到变量username中。恢复用户名后，我们就可以欢迎用户回来了（见❷）：

```
Welcome back, Eric!
```

我们需要将这两个程序合并到一个程序（remember_me.py）中。这个程序运行时，我们将尝试从文件username.json中获取用户名，因此我们首先编写一个尝试恢复用户名的try代码块。如果这个文件不存在，我们就在except代码块中提示用户输入用户名，并将其存储在username.json中，以便程序再次运行时能够获取它：

remember_me.py

```
import json

# 如果以前存储了用户名，就加载它
```

```
    #  否则，就提示用户输入用户名并存储它
    filename = 'username.json'
    try:
❶      with open(filename) as f_obj:
❷          username = json.load(f_obj)
❸  except FileNotFoundError:
❹      username = input("What is your name? ")
❺      with open(filename, 'w') as f_obj:
            json.dump(username, f_obj)
            print("We'll remember you when you come back, " + username + "!")
    else:
        print("Welcome back, " + username + "!")
```

这里没有任何新代码，只是将前两个示例的代码合并到了一个程序中。在❶处，我们尝试打开文件username.json。如果这个文件存在，就将其中的用户名读取到内存中（见❷），再执行else代码块，即打印一条欢迎用户回来的消息。用户首次运行这个程序时，文件username.json不存在，将引发FileNotFoundError异常（见❸），因此Python将执行except代码块：提示用户输入其用户名（见❹），再使用json.dump()存储该用户名，并打印一句问候语（见❺）。

无论执行的是except代码块还是else代码块，都将显示用户名和合适的问候语。如果这个程序是首次运行，输出将如下：

```
What is your name? Eric
We'll remember you when you come back, Eric!
```

否则，输出将如下：

```
Welcome back, Eric!
```

这是程序之前至少运行了一次时的输出。

10.4.3　重构

你经常会遇到这样的情况：代码能够正确地运行，但可做进一步的改进——将代码划分为一系列完成具体工作的函数。这样的过程被称为重构。重构让代码更清晰、更易于理解、更容易扩展。

要重构remember_me.py，可将其大部分逻辑放到一个或多个函数中。remember_me.py的重点是问候用户，因此我们将其所有代码都放到一个名为greet_user()的函数中：

remember_me.py

```
import json

def greet_user():
❶      """问候用户，并指出其名字"""
        filename = 'username.json'
        try:
```

```
        with open(filename) as f_obj:
            username = json.load(f_obj)
    except FileNotFoundError:
        username = input("What is your name? ")
        with open(filename, 'w') as f_obj:
            json.dump(username, f_obj)
            print("We'll remember you when you come back, " + username + "!")
    else:
        print("Welcome back, " + username + "!")

greet_user()
```

考虑到现在使用了一个函数，我们删除了注释，转而使用一个文档字符串来指出程序是做什么的（见❶）。这个程序更清晰些，但函数greet_user()所做的不仅仅是问候用户，还在存储了用户名时获取它，而在没有存储用户名时提示用户输入一个。

下面来重构greet_user()，让它不执行这么多任务。为此，我们首先将获取存储的用户名的代码移到另一个函数中：

```
import json

  def get_stored_username():
❶     """如果存储了用户名，就获取它"""
      filename = 'username.json'
      try:
          with open(filename) as f_obj:
              username = json.load(f_obj)
      except FileNotFoundError:
❷         return None
      else:
          return username

  def greet_user():
      """问候用户，并指出其名字"""
      username = get_stored_username()
❸     if username:
          print("Welcome back, " + username + "!")
      else:
          username = input("What is your name? ")
          filename = 'username.json'
          with open(filename, 'w') as f_obj:
              json.dump(username, f_obj)
              print("We'll remember you when you come back, " + username + "!")

greet_user()
```

新增的函数get_stored_username()目标明确，❶处的文档字符串指出了这一点。如果存储了用户名，这个函数就获取并返回它；如果文件username.json不存在，这个函数就返回None（见❷）。这是一种不错的做法：函数要么返回预期的值，要么返回None；这让我们能够使用函数的返回值做简单测试。在❸处，如果成功地获取了用户名，就打印一条欢迎用户回来的消息，否则就提示用户输入用户名。

　　我们还需将greet_user()中的另一个代码块提取出来：将没有存储用户名时提示用户输入的代码放在一个独立的函数中：

```
import json

def get_stored_username():
    """如果存储了用户名，就获取它"""
    --snip--

def get_new_username():
    """提示用户输入用户名"""
    username = input("What is your name? ")
    filename = 'username.json'
    with open(filename, 'w') as f_obj:
        json.dump(username, f_obj)
    return username

def greet_user():
    """问候用户，并指出其名字"""
    username = get_stored_username()
    if username:
        print("Welcome back, " + username + "!")
    else:
        username = get_new_username()
        print("We'll remember you when you come back, " + username + "!")

greet_user()
```

　　在remember_me.py的这个最终版本中，每个函数都执行单一而清晰的任务。我们调用greet_user()，它打印一条合适的消息：要么欢迎老用户回来，要么问候新用户。为此，它首先调用get_stored_username()，这个函数只负责获取存储的用户名（如果存储了的话），再在必要时调用get_new_username()，这个函数只负责获取并存储新用户的用户名。要编写出清晰而易于维护和扩展的代码，这种划分工作必不可少。

动手试一试

　　10-11 喜欢的数字：编写一个程序，提示用户输入他喜欢的数字，并使用json.dump()将这个数字存储到文件中。再编写一个程序，从文件中读取这个值，并打印消息"I know your favorite number! It's _____."。

　　10-12 记住喜欢的数字：将练习10-11中的两个程序合而为一。如果存储了用户喜欢的数字，就向用户显示它，否则提示用户输入他喜欢的数字并将其存储到文件中。运行这个程序两次，看看它是否像预期的那样工作。

　　10-13 验证用户：最后一个remember_me.py版本假设用户要么已输入其用户名，要么是首次运行该程序。我们应修改这个程序，以应对这样的情形：当前和最后一次运行该程序的用户并非同一个人。

为此，在 greet_user() 中打印欢迎用户回来的消息前，先询问他用户名是否是对的。如果不对，就调用 get_new_username() 让用户输入正确的用户名。

10.5 小结

在本章中，你学习了：如何使用文件；如何一次性读取整个文件，以及如何以每次一行的方式读取文件的内容；如何写入文件，以及如何将文本附加到文件末尾；什么是异常以及如何处理程序可能引发的异常；如何存储Python数据结构，以保存用户提供的信息，避免用户每次运行程序时都需要重新提供。

在第11章中，你将学习高效的代码测试方式，这可帮助你确定代码正确无误，以及发现扩展现有程序时可能引入的bug。

测试代码

　　编写函数或类时，还可为其编写测试。通过测试，可确定代码面对各种输入都能够按要求的那样工作。测试让你信心满满，深信即便有更多的人使用你的程序，它也能正确地工作。在程序中添加新代码时，你也可以对其进行测试，确认它们不会破坏程序既有的行为。程序员都会犯错，因此每个程序员都必须经常测试其代码，在用户发现问题前找出它们。

　　在本章中，你将学习如何使用Python模块unittest中的工具来测试代码。你将学习编写测试用例，核实一系列输入都将得到预期的输出。你将看到测试通过了是什么样子，测试未通过又是什么样子，还将知道测试未通过如何有助于改进代码。你将学习如何测试函数和类，并将知道该为项目编写多少个测试。

11.1　测试函数

要学习测试，得有要测试的代码。下面是一个简单的函数，它接受名和姓并返回整洁的姓名：

name_function.py

```
def get_formatted_name(first, last):
    """Generate a neatly formatted full name."""
    full_name = first + ' ' + last
    return full_name.title()
```

函数get_formatted_name()将名和姓合并成姓名，在名和姓之间加上一个空格，并将它们的首字母都大写，再返回结果。为核实get_formatted_name()像期望的那样工作，我们来编写一个使用这个函数的程序。程序names.py让用户输入名和姓，并显示整洁的全名：

names.py

```
from name_function import get_formatted_name
```

```
print("Enter 'q' at any time to quit.")
while True:
    first = input("\nPlease give me a first name: ")
    if first == 'q':
        break
    last = input("Please give me a last name: ")
    if last == 'q':
        break

    formatted_name = get_formatted_name(first, last)
    print("\tNeatly formatted name: " + formatted_name + '.')
```

这个程序从name_function.py中导入get_formatted_name()。用户可输入一系列的名和姓，并看到格式整洁的全名：

```
Enter 'q' at any time to quit.

Please give me a first name: janis
Please give me a last name: joplin
        Neatly formatted name: Janis Joplin.

Please give me a first name: bob
Please give me a last name: dylan
        Neatly formatted name: Bob Dylan.

Please give me a first name: q
```

从上述输出可知，合并得到的姓名正确无误。现在假设我们要修改get_formatted_name()，使其还能够处理中间名。这样做时，我们要确保不破坏这个函数处理只有名和姓的姓名的方式。为此，我们可以在每次修改get_formatted_name()后都进行测试：运行程序names.py，并输入像Janis Joplin这样的姓名，但这太烦琐了。所幸Python提供了一种自动测试函数输出的高效方式。倘若我们对get_formatted_name()进行自动测试，就能始终信心满满，确信给这个函数提供我们测试过的姓名时，它都能正确地工作。

11.1.1　单元测试和测试用例

Python标准库中的模块unittest提供了代码测试工具。单元测试用于核实函数的某个方面没有问题；测试用例是一组单元测试，这些单元测试一起核实函数在各种情形下的行为都符合要求。良好的测试用例考虑到了函数可能收到的各种输入，包含针对所有这些情形的测试。全覆盖式测试用例包含一整套单元测试，涵盖了各种可能的函数使用方式。对于大型项目，要实现全覆盖可能很难。通常，最初只要针对代码的重要行为编写测试即可，等项目被广泛使用时再考虑全覆盖。

11.1.2　可通过的测试

创建测试用例的语法需要一段时间才能习惯，但测试用例创建后，再添加针对函数的单元测试就很简单了。要为函数编写测试用例，可先导入模块unittest以及要测试的函数，再创建一个继承unittest.TestCase的类，并编写一系列方法对函数行为的不同方面进行测试。

下面是一个只包含一个方法的测试用例，它检查函数get_formatted_name()在给定名和姓时能否正确地工作：

test_name_ function.py

```
import unittest
from name_function import get_formatted_name

❶ class NamesTestCase(unittest.TestCase):
    """测试name_function.py"""

    def test_first_last_name(self):
        """能够正确地处理像Janis Joplin这样的姓名吗？"""
❷      formatted_name = get_formatted_name('janis', 'joplin')
❸      self.assertEqual(formatted_name, 'Janis Joplin')

unittest.main()
```

首先，我们导入了模块unittest和要测试的函数get_formatted_name()。在❶处，我们创建了一个名为NamesTestCase的类，用于包含一系列针对get_formatted_name()的单元测试。你可随便给这个类命名，但最好让它看起来与要测试的函数相关，并包含字样Test。这个类必须继承unittest.TestCase类，这样Python才知道如何运行你编写的测试。

NamesTestCase只包含一个方法，用于测试get_formatted_name()的一个方面。我们将这个方法命名为test_first_last_name()，因为我们要核实的是只有名和姓的姓名能否被正确地格式化。我们运行test_name_function.py时，所有以test_打头的方法都将自动运行。在这个方法中，我们调用了要测试的函数，并存储了要测试的返回值。在这个示例中，我们使用实参'janis'和'joplin'调用get_formatted_name()，并将结果存储到变量formatted_name中（见❷）。

在❸处，我们使用了unittest类最有用的功能之一：一个断言方法。断言方法用来核实得到的结果是否与期望的结果一致。在这里，我们知道get_formatted_name()应返回这样的姓名，即名和姓的首字母为大写，且它们之间有一个空格，因此我们期望formatted_name的值为Janis Joplin。为检查是否确实如此，我们调用unittest的方法assertEqual()，并向它传递formatted_name和'Janis Joplin'。代码行self.assertEqual(formatted_name, 'Janis Joplin')的意思是说："将formatted_name的值同字符串'Janis Joplin'进行比较，如果它们相等，就万事大吉，如果它们不相等，跟我说一声！"

代码行unittest.main()让Python运行这个文件中的测试。运行test_name_function.py时，得到的输出如下：

```
.
----------------------------------------------------------------------
Ran 1 test in 0.000s

OK
```

第1行的句点表明有一个测试通过了。接下来的一行指出Python运行了一个测试，消耗的时间不到0.001秒。最后的OK表明该测试用例中的所有单元测试都通过了。

上述输出表明，给定包含名和姓的姓名时，函数get_formatted_name()总是能正确地处理。修改get_formatted_name()后，可再次运行这个测试用例。如果它通过了，我们就知道在给定Janis Joplin这样的姓名时，这个函数依然能够正确地处理。

11.1.3 不能通过的测试

测试未通过时结果是什么样的呢？我们来修改get_formatted_name()，使其能够处理中间名，但这样做时，故意让这个函数无法正确地处理像Janis Joplin这样只有名和姓的姓名。

下面是函数get_formatted_name()的新版本，它要求通过一个实参指定中间名：

name_function.py

```
def get_formatted_name(first, middle, last):
    """生成整洁的姓名"""
    full_name = first + ' ' + middle + ' ' + last
    return full_name.title()
```

这个版本应该能够正确地处理包含中间名的姓名，但对其进行测试时，我们发现它再也不能正确地处理只有名和姓的姓名。这次运行程序test_name_function.py时，输出如下：

```
❶ E
   ======================================================================
❷ ERROR: test_first_last_name (__main__.NamesTestCase)
   ----------------------------------------------------------------------
❸ Traceback (most recent call last):
     File "test_name_function.py", line 8, in test_first_last_name
       formatted_name = get_formatted_name('janis', 'joplin')
   TypeError: get_formatted_name() missing 1 required positional argument: 'last'

   ----------------------------------------------------------------------
❹ Ran 1 test in 0.000s

❺ FAILED (errors=1)
```

其中包含的信息很多，因为测试未通过时，需要让你知道的事情可能有很多。第1行输出只有一个字母E（见❶），它指出测试用例中有一个单元测试导致了错误。接下来，我们看到NamesTestCase中的test_first_last_name()导致了错误（见❷）。测试用例包含众多单元测试时，知道哪个测试未通过至关重要。在❸处，我们看到了一个标准的traceback，它指出函数调用get_formatted_name('janis', 'joplin')有问题，因为它缺少一个必不可少的位置实参。

我们还看到运行了一个单元测试（见❹）。最后，还看到了一条消息，它指出整个测试用例都未通过，因为运行该测试用例时发生了一个错误（见❺）。这条消息位于输出末尾，让你一眼就能看到——你可不希望为获悉有多少测试未通过而翻阅长长的输出。

11.1.4 测试未通过时怎么办

测试未通过时怎么办呢？如果你检查的条件没错，测试通过了意味着函数的行为是对的，而测试未通过意味着你编写的新代码有错。因此，测试未通过时，不要修改测试，而应修复导致测试不能通过的代码：检查刚对函数所做的修改，找出导致函数行为不符合预期的修改。

在这个示例中，get_formatted_name()以前只需要两个实参——名和姓，但现在它要求提供名、中间名和姓。新增的中间名参数是必不可少的，这导致get_formatted_name()的行为不符合预期。就这里而言，最佳的选择是让中间名变为可选的。这样做后，使用类似于Janis Joplin的姓名进行测试时，测试就会通过了，同时这个函数还能接受中间名。下面来修改get_formatted_name()，将中间名设置为可选的，然后再次运行这个测试用例。如果通过了，我们接着确认这个函数能够妥善地处理中间名。

要将中间名设置为可选的，可在函数定义中将形参middle移到形参列表末尾，并将其默认值指定为一个空字符串。我们还要添加一个if测试，以便根据是否提供了中间名相应地创建姓名：

name_function.py

```
def get_formatted_name(first, last, middle=''):
    """生成整洁的姓名"""
    if middle:
        full_name = first + ' ' + middle + ' ' + last
    else:
        full_name = first + ' ' + last
    return full_name.title()
```

在get_formatted_name()的这个新版本中，中间名是可选的。如果向这个函数传递了中间名（if middle:），姓名将包含名、中间名和姓，否则姓名将只包含名和姓。现在，对于两种不同的姓名，这个函数都应该能够正确地处理。为确定这个函数依然能够正确地处理像Janis Joplin这样的姓名，我们再次运行test_name_function.py：

```
.
----------------------------------------------------------------------
Ran 1 test in 0.000s

OK
```

现在，测试用例通过了。太好了，这意味着这个函数又能正确地处理像Janis Joplin这样的姓名了，而且我们无需手工测试这个函数。这个函数很容易就修复了，因为未通过的测试让我们得知新代码破坏了函数原来的行为。

11.1.5 添加新测试

确定get_formatted_name()又能正确地处理简单的姓名后，我们再编写一个测试，用于测试包含中间名的姓名。为此，我们在NamesTestCase类中再添加一个方法：

```
import unittest
from name_function import get_formatted_name

class NamesTestCase(unittest.TestCase):
    """测试name_function.py """

    def test_first_last_name(self):
        """能够正确地处理像Janis Joplin这样的姓名吗? """
        formatted_name = get_formatted_name('janis', 'joplin')
        self.assertEqual(formatted_name, 'Janis Joplin')

    def test_first_last_middle_name(self):
        """能够正确地处理像Wolfgang Amadeus Mozart这样的姓名吗? """
❶       formatted_name = get_formatted_name(
            'wolfgang', 'mozart', 'amadeus')
        self.assertEqual(formatted_name, 'Wolfgang Amadeus Mozart')

unittest.main()
```

我们将这个方法命名为test_first_last_middle_name()。方法名必须以test_打头,这样它才会在我们运行test_name_function.py时自动运行。这个方法名清楚地指出了它测试的是get_formatted_name()的哪个行为,这样,如果该测试未通过,我们就会马上知道受影响的是哪种类型的姓名。在TestCase类中使用很长的方法名是可以的;这些方法的名称必须是描述性的,这才能让你明白测试未通过时的输出;这些方法由Python自动调用,你根本不用编写调用它们的代码。

为测试函数get_formatted_name(),我们使用名、姓和中间名调用它(见❶),再使用assertEqual()检查返回的姓名是否与预期的姓名(名、中间名和姓)一致。我们再次运行test_name_function.py时,两个测试都通过了:

```
..
----------------------------------------------------------------------
Ran 2 tests in 0.000s

OK
```

太好了!现在我们知道,这个函数又能正确地处理像Janis Joplin这样的姓名了,我们还深信它也能够正确地处理像Wolfgang Amadeus Mozart这样的姓名。

动手试一试

11-1 城市和国家:编写一个函数,它接受两个形参:一个城市名和一个国家名。这个函数返回一个格式为 City, Country 的字符串,如 Santiago, Chile。将这个函数存储在一个名为 city_functions.py 的模块中。

创建一个名为 test_cities.py 的程序,对刚编写的函数进行测试(别忘了,你需要导入模块 unittest 以及要测试的函数)。编写一个名为 test_city_country() 的方法,核实使用类似于'santiago'和'chile'这样的值来调用前述函数时，得到的字符串是正确的。运行 test_cities.py，确认测试 test_city_country()通过了。

11-2 人口数量：修改前面的函数，使其包含第三个必不可少的形参 population，并返回一个格式为 City, Country - population xxx 的字符串，如 Santiago, Chile - population 5000000。运行 test_cities.py，确认测试 test_city_country()未通过。

修改上述函数，将形参 population 设置为可选的。再次运行 test_cities.py，确认测试 test_city_country()又通过了。

再编写一个名为 test_city_country_population()的测试，核实可以使用类似于'santiago'、'chile'和'population=5000000'这样的值来调用这个函数。再次运行 test_cities.py，确认测试 test_city_country_population()通过了。

11.2 测试类

在本章前半部分，你编写了针对单个函数的测试，下面来编写针对类的测试。很多程序中都会用到类，因此能够证明你的类能够正确地工作会大有裨益。如果针对类的测试通过了，你就能确信对类所做的改进没有意外地破坏其原有的行为。

11.2.1 各种断言方法

Python在unittest.TestCase类中提供了很多断言方法。前面说过，断言方法检查你认为应该满足的条件是否确实满足。如果该条件确实满足，你对程序行为的假设就得到了确认，你就可以确信其中没有错误。如果你认为应该满足的条件实际上并不满足，Python将引发异常。

表11-1描述了6个常用的断言方法。使用这些方法可核实返回的值等于或不等于预期的值、返回的值为True或False、返回的值在列表中或不在列表中。你只能在继承unittest.TestCase的类中使用这些方法，下面来看看如何在测试类时使用其中的一个。

表11-1 unittest Module中的断言方法

方　法	用　途
assertEqual(a, b)	核实a == b
assertNotEqual(a, b)	核实a != b
assertTrue(x)	核实x为True
assertFalse(x)	核实x为False
assertIn(*item*, *list*)	核实*item*在*list*中
assertNotIn(*item*, *list*)	核实*item*不在*list*中

11.2.2   一个要测试的类

类的测试与函数的测试相似——你所做的大部分工作都是测试类中方法的行为, 但存在一些不同之处, 下面来编写一个类进行测试。来看一个帮助管理匿名调查的类:

survey.py

```
class AnonymousSurvey():
    """收集匿名调查问卷的答案"""

❶   def __init__(self, question):
        """存储一个问题, 并为存储答案做准备"""
        self.question = question
        self.responses = []

❷   def show_question(self):
        """显示调查问卷"""
        print(self.question)

❸   def store_response(self, new_response):
        """存储单份调查答卷"""
        self.responses.append(new_response)

❹   def show_results(self):
        """显示收集到的所有答卷"""
        print("Survey results:")
        for response in self.responses:
            print('- ' + response)
```

这个类首先存储了一个你指定的调查问题 (见❶), 并创建了一个空列表, 用于存储答案。这个类包含打印调查问题的方法 (见❷)、在答案列表中添加新答案的方法 (见❸) 以及将存储在列表中的答案都打印出来的方法 (见❹)。要创建这个类的实例, 只需提供一个问题即可。有了表示调查的实例后, 就可使用show_question()来显示其中的问题, 可使用store_response()来存储答案, 并使用show_results()来显示调查结果。

为证明AnonymousSurvey类能够正确地工作, 我们来编写一个使用它的程序:

language_survey.py

```
from survey import AnonymousSurvey

#定义一个问题, 并创建一个表示调查的AnonymousSurvey对象
question = "What language did you first learn to speak?"
my_survey = AnonymousSurvey(question)

#显示问题并存储答案
my_survey.show_question()
print("Enter 'q' at any time to quit.\n")
while True:
    response = input("Language: ")
    if response == 'q':
```

```
        break
    my_survey.store_response(response)

# 显示调查结果
print("\nThank you to everyone who participated in the survey!")
my_survey.show_results()
```

这个程序定义了一个问题（"What language did you first learn to speak?"），并使用这个问题创建了一个AnonymousSurvey对象。接下来，这个程序调用show_question()来显示问题，并提示用户输入答案。收到每个答案的同时将其存储起来。用户输入所有答案（输入q要求退出）后，调用show_results()来打印调查结果：

```
What language did you first learn to speak?
Enter 'q' at any time to quit.

Language: English
Language: Spanish
Language: English
Language: Mandarin
Language: q

Thank you to everyone who participated in the survey!
Survey results:
- English
- Spanish
- English
- Mandarin
```

11

AnonymousSurvey类可用于进行简单的匿名调查。假设我们将它放在了模块survey中，并想进行改进：让每位用户都可输入多个答案；编写一个方法，它只列出不同的答案，并指出每个答案出现了多少次；再编写一个类，用于管理非匿名调查。

进行上述修改存在风险，可能会影响AnonymousSurvey类的当前行为。例如，允许每位用户输入多个答案时，可能不小心修改了处理单个答案的方式。要确认在开发这个模块时没有破坏既有行为，可以编写针对这个类的测试。

11.2.3 测试 AnonymousSurvey 类

下面来编写一个测试，对AnonymousSurvey类的行为的一个方面进行验证：如果用户面对调查问题时只提供了一个答案，这个答案也能被妥善地存储。为此，我们将在这个答案被存储后，使用方法assertIn()来核实它包含在答案列表中：

test_survey.py

```
import unittest
from survey import AnonymousSurvey
```

❶ `class TestAnonmyousSurvey(unittest.TestCase):`

```
              """针对AnonymousSurvey类的测试"""

❷       def test_store_single_response(self):
              """测试单个答案会被妥善地存储"""
              question = "What language did you first learn to speak?"
❸             my_survey = AnonymousSurvey(question)
              my_survey.store_response('English')

❹             self.assertIn('English', my_survey.responses)

    unittest.main()
```

我们首先导入了模块unittest以及要测试的类AnonymousSurvey。我们将测试用例命名为
TestAnonymousSurvey，它也继承了unittest.TestCase（见❶）。第一个测试方法验证调查问题的
单个答案被存储后，会包含在调查结果列表中。对于这个方法，一个不错的描述性名称是
test_store_single_response()（见❷）。如果这个测试未通过，我们就能通过输出中的方法名得
知，在存储单个调查答案方面存在问题。

要测试类的行为，需要创建其实例。在❸处，我们使用问题"What language did you first learn
to speak?"创建了一个名为my_survey的实例，然后使用方法store_response()存储了单个答案
English。接下来，我们检查English是否包含在列表my_survey.responses中，以核实这个答案是
否被妥善地存储了（见❹）。

当我们运行test_survey.py时，测试通过了：

```
.
----------------------------------------------------------------------
Ran 1 test in 0.001s

OK
```

这很好，但只能收集一个答案的调查用途不大。下面来核实用户提供三个答案时，它们也将
被妥善地存储。为此，我们在TestAnonymousSurvey中再添加一个方法：

```
import unittest
from survey import AnonymousSurvey

class TestAnonymousSurvey(unittest.TestCase):
    """针对AnonymousSurvey类的测试"""

    def test_store_single_response(self):
        """测试单个答案会被妥善地存储"""
        --snip--

    def test_store_three_responses(self):
        """测试三个答案会被妥善地存储"""
        question = "What language did you first learn to speak?"
        my_survey = AnonymousSurvey(question)
❶       responses = ['English', 'Spanish', 'Mandarin']
        for response in responses:
```

```
                my_survey.store_response(response)
❷           for response in responses:
                self.assertIn(response, my_survey.responses)
unittest.main()
```

我们将这个方法命名为test_store_three_responses()，并像test_store_single_response()一样，在其中创建一个调查对象。我们定义了一个包含三个不同答案的列表（见❶），再对其中每个答案都调用store_response()。存储这些答案后，我们使用一个循环来确认每个答案都包含在my_survey.responses中（见❷）。

我们再次运行test_survey.py时，两个测试（针对单个答案的测试和针对三个答案的测试）都通过了：

```
..
----------------------------------------------------------------------
Ran 2 tests in 0.000s

OK
```

前述做法的效果很好，但这些测试有些重复的地方。下面使用unittest的另一项功能来提高它们的效率。

11.2.4 方法 setUp()

在前面的test_survey.py中，我们在每个测试方法中都创建了一个AnonymousSurvey实例，并在每个方法中都创建了答案。unittest.TestCase类包含方法setUp()，让我们只需创建这些对象一次，并在每个测试方法中使用它们。如果你在TestCase类中包含了方法setUp()，Python将先运行它，再运行各个以test_打头的方法。这样，在你编写的每个测试方法中都可使用在方法setUp()中创建的对象了。

下面使用setUp()来创建一个调查对象和一组答案，供方法test_store_single_response()和test_store_three_responses()使用：

```
import unittest
from survey import AnonymousSurvey

class TestAnonymousSurvey(unittest.TestCase):
    """针对AnonymousSurvey类的测试"""

    def setUp(self):
        """
        创建一个调查对象和一组答案，供使用的测试方法使用
        """
        question = "What language did you first learn to speak?"
❶       self.my_survey = AnonymousSurvey(question)
❷       self.responses = ['English', 'Spanish', 'Mandarin']
```

```
def test_store_single_response(self):
    """测试单个答案会被妥善地存储"""
    self.my_survey.store_response(self.responses[0])
    self.assertIn(self.responses[0], self.my_survey.responses)

def test_store_three_responses(self):
    """测试三个答案会被妥善地存储"""
    for response in self.responses:
        self.my_survey.store_response(response)
    for response in self.responses:
        self.assertIn(response, self.my_survey.responses)

unittest.main()
```

　　方法setUp()做了两件事情：创建一个调查对象（见❶）；创建一个答案列表（见❷）。存储这两样东西的变量名包含前缀self（即存储在属性中），因此可在这个类的任何地方使用。这让两个测试方法都更简单，因为它们都不用创建调查对象和答案。方法test_store_single_response()核实 self.responses 中的第一个答案——self.responses[0]——被妥善地存储，而方法test_store_three_response()核实self.responses中的全部三个答案都被妥善地存储。

　　再次运行test_survey.py时，这两个测试也都通过了。如果要扩展AnonymousSurvey，使其允许每位用户输入多个答案，这些测试将很有用。修改代码以接受多个答案后，可运行这些测试，确认存储单个答案或一系列答案的行为未受影响。

　　测试自己编写的类时，方法setUp()让测试方法编写起来更容易：可在setUp()方法中创建一系列实例并设置它们的属性，再在测试方法中直接使用这些实例。相比于在每个测试方法中都创建实例并设置其属性，这要容易得多。

注意　运行测试用例时，每完成一个单元测试，Python都打印一个字符：测试通过时打印一个句点；测试引发错误时打印一个E；测试导致断言失败时打印一个F。这就是你运行测试用例时，在输出的第一行中看到的句点和字符数量各不相同的原因。如果测试用例包含很多单元测试，需要运行很长时间，就可通过观察这些结果来获悉有多少个测试通过了。

动手试一试

　　11-3 雇员：编写一个名为 Employee 的类，其方法 __init__()接受名、姓和年薪，并将它们都存储在属性中。编写一个名为 give_raise()的方法，它默认将年薪增加 5000 美元，但也能够接受其他的年薪增加量。

　　为 Employee 编写一个测试用例，其中包含两个测试方法：test_give_default_raise()和 test_give_custom_raise()。使用方法 setUp()，以免在每个测试方法中都创建新的雇员实例。运行这个测试用例，确认两个测试都通过了。

11.3　小结

　　在本章中，你学习了：如何使用模块unittest中的工具来为函数和类编写测试；如何编写继承unittest.TestCase的类，以及如何编写测试方法，以核实函数和类的行为符合预期；如何使用方法setUp()来根据类高效地创建实例并设置其属性，以便在类的所有测试方法中都可使用它们。

　　测试是很多初学者都不熟悉的主题。作为初学者，并非必须为你尝试的所有项目编写测试；但参与工作量较大的项目时，你应对自己编写的函数和类的重要行为进行测试。这样你就能够更加确定自己所做的工作不会破坏项目的其他部分，你就能够随心所欲地改进既有代码了。如果不小心破坏了原来的功能，你马上就会知道，从而能够轻松地修复问题。相比于等到不满意的用户报告bug后再采取措施，在测试未通过时采取措施要容易得多。

　　如果你在项目中包含了初步测试，其他程序员将更敬佩你，他们将能够更得心应手地尝试使用你编写的代码，也更愿意与你合作开发项目。如果你要跟其他程序员开发的项目共享代码，就必须证明你编写的代码通过了既有测试，通常还需要为你添加的新行为编写测试。

　　请通过多开展测试来熟悉代码测试过程。对于自己编写的函数和类，请编写针对其重要行为的测试，但在项目早期，不要试图去编写全覆盖的测试用例，除非有充分的理由这样做。

11

Part 2

项　目

祝贺你！你现在已对 Python 有了足够的认识，可以开始开发有意思的交互式项目了。通过动手开发项目，可学到新技能，并更深入地理解第一部分介绍的概念。

第二部分包含三个不同类型的项目，你可以选择完成其中的任何项目或全部项目，完成这些项目的顺序无关紧要。下面简要地描述每个项目，帮助你决定首先去完成哪个项目。

外星人入侵：使用 Python 开发游戏

在项目"外星人入侵"（第 12~14 章）中，你将使用 Pygame 包来开发一款 2D 游戏，它在玩家每消灭一群向下移动的外星人后，都将玩家提高一个等级；而等级越高，游戏的节奏越快，难度越大。完成这个项目后，你将获得自己动手使用 Pygame 开发 2D 游戏所需的技能。

数据可视化

"数据可视化"项目始于第 15 章，在这一章中，你将学习如何使用 matplotlib 和 Pygal 来生成数据，以及根据这些数据创建实用而漂亮的图表。第 16 章介绍如何从网上获取数据，并将它们提供给可视化包以创建天气图和世界人口地图。最后，第 17 章介绍如何编写自动下载数据并对其进行可视化的程序。学习可视化让你可以探索数据挖掘领域，这是当前在全球都非常吃香的技能。

Web 应用程序

在"Web 应用程序"项目（第 18~20 章）中，你将使用 Django 包来创建一个简单的 Web 应用程序，它让用户能够记录任意多个一直在学习的主题。用户将通过指定用户名和密码来创建账户，输入主题，并编写条目来记录学习的内容。你还将学习如何部署应用程序，让世界上的任何人都能够访问它。

完成这个项目后，你将能够自己动手创建简单的 Web 应用程序，并能够深入学习其他有关如何使用 Django 开发应用程序的资料。

项目1　外星人入侵

武装飞船

我们来开发一个游戏吧！我们将使用Pygame，这是一组功能强大而有趣的模块，可用于管理图形、动画乃至声音，让你能够更轻松地开发复杂的游戏。通过使用Pygame来处理在屏幕上绘制图像等任务，你不用考虑众多烦琐而艰难的编码工作，而是将重点放在程序的高级逻辑上。

在本章中，你将安装Pygame，再创建一艘能够根据用户输入而左右移动和射击的飞船。在接下来的两章中，你将创建一群作为射杀目标的外星人，并做其他的改进，如限制可供玩家使用的飞船数以及添加记分牌。

从本章开始，你还将学习管理包含多个文件的项目。我们将重构很多代码，以提高代码的效率，并管理文件的内容，以确保项目组织有序。

创建游戏是趣学语言的理想方式。看别人玩你编写的游戏让你很有满足感，而编写简单的游戏有助于你明白专业级游戏是怎么编写出来的。在阅读本章的过程中，请动手输入并运行代码，以明白各个代码块对整个游戏所做的贡献，并尝试不同的值和设置，这样你将对如何改进游戏的交互性有更深入的认识。

注意　游戏《外星人入侵》将包含很多不同的文件，因此请在你的系统中新建一个文件夹，并将其命名为alien_invasion。请务必将这个项目的所有文件都存储到这个文件夹中，这样相关的import语句才能正确地工作。

12.1　规划项目

开发大型项目时，做好规划后再动手编写项目很重要。规划可确保你不偏离轨道，从而提高项目成功的可能性。

下面来编写有关游戏《外星人入侵》的描述，其中虽然没有涵盖这款游戏的所有细节，但能让你清楚地知道该如何动手开发它。

在游戏《外星人入侵》中，玩家控制着一艘最初出现在屏幕底部中央的飞船。玩家可以使用箭头键左右移动飞船，还可使用空格键进行射击。游戏开始时，一群外星人出现在天空中，他们在屏幕中向下移动。玩家的任务是射杀这些外星人。玩家将所有外星人都消灭干净后，将出现一群新的外星人，他们移动的速度更快。只要有外星人撞到了玩家的飞船或到达了屏幕底部，玩家就损失一艘飞船。玩家损失三艘飞船后，游戏结束。

在第一个开发阶段，我们将创建一艘可左右移动的飞船，这艘飞船在用户按空格键时能够开火。设置好这种行为后，我们就能够将注意力转向外星人，并提高这款游戏的可玩性。

12.2 安装 Pygame

开始编码前，先来安装Pygame。下面介绍如何在Linux、OS X和Microsoft Windows中安装Pygame。

如果你使用的是Linux系统和Python 3，或者是OS X系统，就需要使用pip来安装Pygame。pip是一个负责为你下载并安装Python包的程序。接下来的几小节介绍如何使用pip来安装Python包。

如果你使用的是Linux系统和Python 2.7，或者是Windows，就无需使用pip来安装Pygame；在这种情况下，请直接跳到12.2.2节或12.2.4节。

注意　接下来的部分包含在各种系统上安装pip的说明，因为数据可视化项目和Web应用程序项目都需要pip。这些说明也可在https://www.nostarch.com/pythoncrashcourse/在线资源中找到。如果安装时遇到麻烦，看看在线说明是否管用。

12.2.1 使用 pip 安装 Python 包

大多数较新的Python版本都自带pip，因此首先可检查系统是否已经安装了pip。在Python 3中，pip有时被称为pip3。

1. 在Linux和OS X系统中检查是否安装了pip

打开一个终端窗口，并执行如下命令：

```
$ pip --version
```
❶ `pip 7.0.3 from /usr/local/lib/python3.5/dist-packages (python 3.5)`
```
$
```

如果你的系统只安装了一个版本的Python，并看到了类似于上面的输出，请跳到12.2.2节或12.2.3节。如果出现了错误消息，请尝试将pip替换为pip3。如果这两个版本都没有安装到你的系统中，请跳到"安装pip"。

如果你的系统安装了多个版本的Python，请核实pip关联到了你使用的Python版本，如python

3.5（见❶）。如果pip关联到了正确的Python版本，请跳到12.2.2节或12.2.3节。如果pip没有关联到正确的Python版本，请尝试将pip替换为pip3。如果执行这两个命令时，输出都表明没有关联到正确的Python版本，请跳到"安装pip"。

2. 在Windows系统中检查是否安装了pip

打开一个终端窗口，并执行如下命令：

```
$ python -m pip --version
❶ pip 7.0.3 from C:\Python35\lib\site-packages (python 3.5)
$
```

如果你的系统只安装了一个版本的Python，并看到了类似于上面的输出，请跳到12.2.4节。如果出现了错误消息，请尝试将pip替换为pip3。如果执行这两个命令时都出现错误消息，请跳到"安装pip"。

如果你的系统安装了多个版本的Python，请核实pip关联到了你使用的Python版本，如python 3.5（见❶）。如果pip关联到了正确的Python版本，请跳到12.2.4节。如果pip没有关联到正确的Python版本，请尝试将pip替换为pip3。如果执行这两个命令时都出现错误消息，请跳到"安装pip"。

3. 安装pip

要安装pip，请访问https://bootstrap.pypa.io/get-pip.py。如果出现对话框，请选择保存文件；如果get-pip.py的代码出现在浏览器中，请将这些代码复制并粘贴到文本编辑器中，再将文件保存为get-pip.py。将get-pip.py保存到计算机中后，你需要以管理员身份运行它，因为pip将在你的系统中安装新包。

注意　如果你找不到get-pip.py，请访问https://pip.pypa.io/，单击左边面板中的Installation，再单击中间窗口中的链接get-pip.py。

---

4. 在Linux和OS X系统中安装pip

使用下面的命令以管理员身份运行get-pip.py：

```
$ sudo python get-pip.py
```

注意　如果你启动终端会话时使用的是命令python3，那么在这里应使用命令sudo python3 get-pip.py。

这个程序运行后，使用命令pip --version（或pip3 --version）确认正确地安装了pip。

5. 在Windows系统中安装pip

使用下面的命令运行get-pip.py：

```
$ python get-pip.py
```

如果你在终端中运行Python时使用的是另一个命令，也请使用这个命令来运行get-pip.py。例如，你可能需要使用命令python3 get-pip.py或C:\Python35\python get-pip.py。

这个程序运行后，执行命令python -m pip --version以确认成功地安装了pip。

12.2.2 在 Linux 系统中安装 Pygame

如果你使用的是Python 2.7，请使用包管理器来安装Pygame。为此，打开一个终端窗口，并执行下面的命令，这将下载Pygame，并将其安装到你的系统中：

```
$ sudo apt-get install python-pygame
```

执行如下命令，在终端会话中检查安装情况：

```
$ python
>>> import pygame
>>>
```

如果没有任何输出，就说明Python导入了Pygame，你可以跳到12.3节。

如果你使用的是Python 3，就需要执行两个步骤：安装Pygame依赖的库；下载并安装Pygame。

执行下面的命令来安装Pygame依赖的库（如果你开始终端会话时使用的是命令python3.5，请将python3-dev替换为python3.5-dev）：

```
$ sudo apt-get install python3-dev mercurial
$ sudo apt-get install libsdl-image1.2-dev libsdl2-dev libsdl-ttf2.0-dev
```

这将安装运行《外星人入侵》时需要的库。如果你要启用Pygame的一些高级功能，如添加声音的功能，可安装下面这些额外的库：

```
$ sudo apt-get install libsdl-mixer1.2-dev libportmidi-dev
$ sudo apt-get install libswscale-dev libsmpeg-dev libavformat-dev libavcodec-dev
$ sudo apt-get install python-numpy
```

接下来，执行下面的命令来安装Pygame（如有必要，将pip替换为pip3）：

```
$ pip install --user hg+http://bitbucket.org/pygame/pygame
```

告知你Pygame找到了哪些库后，输出将暂停一段时间。请按回车键，即便有一些库没有找到。你将看到一条消息，说明成功地安装了Pygame。

要确认安装成功，请启动一个Python终端会话，并尝试执行下面的命令来导入Pygame：

```
$ python3
>>> import pygame
>>>
```

如果导入成功，请跳到12.3节。

12.2.3　在 OS X 系统中安装 Pygame

要安装Pygame依赖的有些包，需要Homebrew。如果你没有安装Homebrew，请参阅附录A的说明。

为安装Pygame依赖的库，请执行下面的命令：

```
$ brew install hg sdl sdl_image sdl_ttf
```

这将安装运行游戏《外星人入侵》所需的库。每安装一个库后，输出都会向上滚动。

如果你还想启用较高级的功能，如在游戏中包含声音，可安装下面两个额外的库：

```
$ brew install sdl_mixer portmidi
```

使用下面的命令来安装Pygame（如果你运行的是Python 2.7，请将pip3替换为pip）：

```
$ pip3 install --user hg+http://bitbucket.org/pygame/pygame
```

启动一个Python终端会话，并导入Pygame以检查安装是否成功（如果你运行的是Python 2.7，请将python3替换为python）：

```
$ python3
>>> import pygame
>>>
```

如果导入成功，请跳到12.3节。

12.2.4　在 Windows 系统中安装 Pygame

Pygame项目托管在代码分享网站Bitbucket中。要在Windows系统中安装Pygame，请访问 https://bitbucket.org/pygame/pygame/downloads/，查找与你运行的Python版本匹配的Windows安装程序。如果在Bitbucket上找不到合适的安装程序，请去http://www.lfd.uci.edu/~gohlke/pythonlibs/#pygame看看。

下载合适的文件后，如果它是.exe文件，就运行它。

如果该文件的扩展名为.whl，就将它复制到你的项目文件夹中。再打开一个命令窗口，切换到该文件所在的文件夹，并使用pip来运行它：

```
> python -m pip install --user pygame-1.9.2a0-cp35-none-win32.whl
```

12.3　开始游戏项目

现在来开始开发游戏《外星人入侵》。首先创建一个空的Pygame窗口，供后面用来绘制游戏元素，如飞船和外星人。我们还将让这个游戏响应用户输入、设置背景色以及加载飞船图像。

12.3.1 创建 Pygame 窗口以及响应用户输入

首先，我们创建一个空的Pygame窗口。使用Pygame编写的游戏的基本结构如下：

alien_invasion.py

```
import sys

import pygame

def run_game():
    # 初始化游戏并创建一个屏幕对象
❶    pygame.init()
❷    screen = pygame.display.set_mode((1200, 800))
    pygame.display.set_caption("Alien Invasion")

    # 开始游戏的主循环
❸    while True:

        # 监视键盘和鼠标事件
❹        for event in pygame.event.get():
❺            if event.type == pygame.QUIT:
                sys.exit()

        # 让最近绘制的屏幕可见
❻        pygame.display.flip()

run_game()
```

首先，我们导入了模块sys和pygame。模块pygame包含开发游戏所需的功能。玩家退出时，我们将使用模块sys来退出游戏。

游戏《外星人入侵》的开头是函数run_game()。❶处的代码行pygame.init()初始化背景设置，让Pygame能够正确地工作。在❷处，我们调用pygame.display.set_mode()来创建一个名为screen的显示窗口，这个游戏的所有图形元素都将在其中绘制。实参(1200, 800)是一个元组，指定了游戏窗口的尺寸。通过将这些尺寸值传递给pygame.display.set_mode()，我们创建了一个宽1200像素、高800像素的游戏窗口（你可以根据自己的显示器尺寸调整这些值）。

对象screen是一个surface。在Pygame中，surface是屏幕的一部分，用于显示游戏元素。在这个游戏中，每个元素（如外星人或飞船）都是一个surface。display.set_mode()返回的surface表示整个游戏窗口。我们激活游戏的动画循环后，每经过一次循环都将自动重绘这个surface。

这个游戏由一个while循环（见❸）控制，其中包含一个事件循环以及管理屏幕更新的代码。事件是用户玩游戏时执行的操作，如按键或移动鼠标。为让程序响应事件，我们编写一个事件循环，以侦听事件，并根据发生的事件执行相应的任务。❹处的for循环就是一个事件循环。

为访问Pygame检测到的事件，我们使用方法pygame.event.get()。所有键盘和鼠标事件都将促使for循环运行。在这个循环中，我们将编写一系列的if语句来检测并响应特定的事件。例如，玩家单击游戏窗口的关闭按钮时，将检测到pygame.QUIT事件，而我们调用sys.exit()来退出游戏

（见❺）。

❻处调用了pygame.display.flip()，命令Pygame让最近绘制的屏幕可见。在这里，它在每次执行while循环时都绘制一个空屏幕，并擦去旧屏幕，使得只有新屏幕可见。在我们移动游戏元素时，pygame.display.flip()将不断更新屏幕，以显示元素的新位置，并在原来的位置隐藏元素，从而营造平滑移动的效果。

在这个基本的游戏结构中，最后一行调用run_game()，这将初始化游戏并开始主循环。

如果此时运行这些代码，你将看到一个空的Pygame窗口。

12.3.2 设置背景色

Pygame默认创建一个黑色屏幕，这太乏味了。下面来将背景设置为另一种颜色：

alien_invasion.py

```
--snip--
def run_game():
    --snip--
    pygame.display.set_caption("Alien Invasion")

    # 设置背景色
❶   bg_color = (230, 230, 230)

    # 开始游戏主循环.
    while True:

        # 监听键盘和鼠标事件
        --snip--

        # 每次循环时都重绘屏幕
❷       screen.fill(bg_color)

        # 让最近绘制的屏幕可见
        pygame.display.flip()

run_game()
```

首先，我们创建了一种背景色，并将其存储在bg_color中（见❶）。该颜色只需指定一次，因此我们在进入主while循环前定义它。

在Pygame中，颜色是以RGB值指定的。这种颜色由红色、绿色和蓝色值组成，其中每个值的可能取值范围都为0~255。颜色值(255, 0, 0)表示红色，(0, 255, 0)表示绿色，而(0, 0, 255)表示蓝色。通过组合不同的RGB值，可创建1600万种颜色。在颜色值(230, 230, 230)中，红色、蓝色和绿色量相同，它将背景设置为一种浅灰色。

在❷处，我们调用方法screen.fill()，用背景色填充屏幕；这个方法只接受一个实参：一种颜色。

12.3.3   创建设置类

每次给游戏添加新功能时，通常也将引入一些新设置。下面来编写一个名为settings的模块，其中包含一个名为Settings的类，用于将所有设置存储在一个地方，以免在代码中到处添加设置。这样，我们就能传递一个设置对象，而不是众多不同的设置。另外，这让函数调用更简单，且在项目增大时修改游戏的外观更容易：要修改游戏，只需修改settings.py中的一些值，而无需查找散布在文件中的不同设置。

下面是最初的Settings类：

settings.py

```python
class Settings():
    """存储《外星人入侵》的所有设置的类"""

    def __init__(self):
        """初始化游戏的设置"""
        # 屏幕设置
        self.screen_width = 1200
        self.screen_height = 800
        self.bg_color = (230, 230, 230)
```

为创建Settings实例并使用它来访问设置，将alien_invasion.py修改成下面这样：

alien_invasion.py

```python
--snip--
import pygame

from settings import Settings

def run_game():
    # 初始化pygame、设置和屏幕对象
    pygame.init()
❶   ai_settings = Settings()
❷   screen = pygame.display.set_mode(
        (ai_settings.screen_width, ai_settings.screen_height))
    pygame.display.set_caption("Alien Invasion")

    # 开始游戏主循环
    while True:
        --snip--
        # 每次循环时都重绘屏幕
❸       screen.fill(ai_settings.bg_color)

        # 让最近绘制的屏幕可见
        pygame.display.flip()

run_game()
```

在主程序文件中，我们导入Settings类，调用pygame.init()，再创建一个Settings实例，并将其存储在变量ai_settings中（见❶）。创建屏幕时（见❷），使用了ai_settings的属性screen_width和screen_height；接下来填充屏幕时，也使用了ai_settings来访问背景色（见❸）。

12.4　添加飞船图像

下面将飞船加入到游戏中。为了在屏幕上绘制玩家的飞船，我们将加载一幅图像，再使用Pygame方法blit()绘制它。

为游戏选择素材时，务必要注意许可。最安全、最不费钱的方式是使用http://pixabay.com/等网站提供的图形，这些图形无需许可，你可以对其进行修改。

在游戏中几乎可以使用任何类型的图像文件，但使用位图（.bmp）文件最为简单，因为Pygame默认加载位图。虽然可配置Pygame以使用其他文件类型，但有些文件类型要求你在计算机上安装相应的图像库。大多数图像都为.jpg、.png或.gif格式，但可使用Photoshop、GIMP和Paint等工具将其转换为位图。

选择图像时，要特别注意其背景色。请尽可能选择背景透明的图像，这样可使用图像编辑器将其背景设置为任何颜色。图像的背景色与游戏的背景色相同时，游戏看起来最漂亮；你也可以将游戏的背景色设置成与图像的背景色相同。

就游戏《外星人入侵》而言，你可以使用文件ship.bmp（如图12-1所示），这个文件可在本书的配套资源（https://www.nostarch.com/pythoncrashcourse/）中找到。这个文件的背景色与这个项目使用的设置相同。请在主项目文件夹（alien_invasion）中新建一个文件夹，将其命名为images，并将文件ship.bmp保存到这个文件夹中。

12

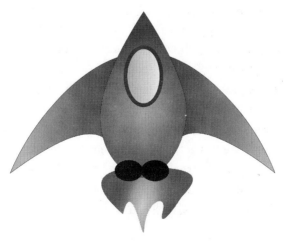

图12-1　游戏《外星人入侵》中的飞船

12.4.1   创建 Ship 类

选择用于表示飞船的图像后,需要将其显示到屏幕上。我们将创建一个名为ship的模块,其中包含Ship类,它负责管理飞船的大部分行为。

ship.py

```
import pygame

class Ship():

    def __init__(self, screen):
        """初始化飞船并设置其初始位置"""
        self.screen = screen

        # 加载飞船图像并获取其外接矩形
❶       self.image = pygame.image.load('images/ship.bmp')
❷       self.rect = self.image.get_rect()
❸       self.screen_rect = screen.get_rect()

        # 将每艘新飞船放在屏幕底部中央
❹       self.rect.centerx = self.screen_rect.centerx
        self.rect.bottom = self.screen_rect.bottom

❺   def blitme(self):
        """在指定位置绘制飞船"""
        self.screen.blit(self.image, self.rect)
```

首先,我们导入了模块pygame。Ship的方法__init__()接受两个参数:引用self和screen,其中后者指定了要将飞船绘制到什么地方。为加载图像,我们调用了pygame.image.load()(见❶)。这个函数返回一个表示飞船的surface,而我们将这个surface存储到了self.image中。

加载图像后,我们使用get_rect()获取相应surface的属性rect(见❷)。Pygame的效率之所以如此高,一个原因是它让你能够像处理矩形(rect对象)一样处理游戏元素,即便它们的形状并非矩形。像处理矩形一样处理游戏元素之所以高效,是因为矩形是简单的几何形状。这种做法的效果通常很好,游戏玩家几乎注意不到我们处理的不是游戏元素的实际形状。

处理rect对象时,可使用矩形四角和中心的x和y坐标。可通过设置这些值来指定矩形的位置。

要将游戏元素居中,可设置相应rect对象的属性center、centerx或centery。要让游戏元素与屏幕边缘对齐,可使用属性top、bottom、left或right;要调整游戏元素的水平或垂直位置,可使用属性x和y,它们分别是相应矩形左上角的x和y坐标。这些属性让你无需去做游戏开发人员原本需要手工完成的计算,你经常会用到这些属性。

注意   在Pygame中,原点(0, 0)位于屏幕左上角,向右下方移动时,坐标值将增大。在1200×800的屏幕上,原点位于左上角,而右下角的坐标为(1200, 800)。

我们将把飞船放在屏幕底部中央。为此，首先将表示屏幕的矩形存储在self.screen_rect中（见❸），再将self.rect.centerx（飞船中心的x坐标）设置为表示屏幕的矩形的属性centerx（见❹），并将self.rect.bottom（飞船下边缘的y坐标）设置为表示屏幕的矩形的属性bottom。Pygame将使用这些rect属性来放置飞船图像，使其与屏幕下边缘对齐并水平居中。

在❺处，我们定义了方法blitme()，它根据self.rect指定的位置将图像绘制到屏幕上。

12.4.2　在屏幕上绘制飞船

下面来更新alien_invasion.py，使其创建一艘飞船，并调用其方法blitme()：

alien_invasion.py

```
--snip--
from settings import Settings
from ship import Ship

def run_game():
    --snip--
    pygame.display.set_caption("Alien Invasion")

    # 创建一艘飞船
❶   ship = Ship(screen)

    # 开始游戏主循环
    while True:
        --snip--
        # 每次循环时都重绘屏幕
        screen.fill(ai_settings.bg_color)
❷       ship.blitme()

        # 让最近绘制的屏幕可见
        pygame.display.flip()

run_game()
```

我们导入Ship类，并在创建屏幕后创建一个名为ship的Ship实例。必须在主while循环前面创建该实例（见❶），以免每次循环时都创建一艘飞船。填充背景后，我们调用ship.blitme()将飞船绘制到屏幕上，确保它出现在背景前面（见❷）。

现在如果运行alien_invasion.py，将看到飞船位于空游戏屏幕底部中央，如图12-2所示。

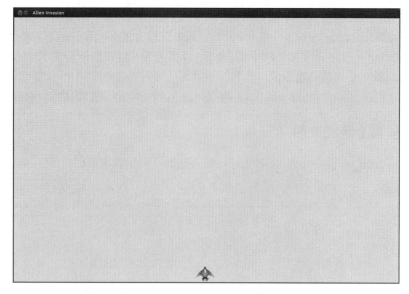

图12-2   游戏《外星人入侵》屏幕底部中央有一艘飞船

12.5   重构：模块 game_functions

在大型项目中，经常需要在添加新代码前重构既有代码。重构旨在简化既有代码的结构，使其更容易扩展。在本节中，我们将创建一个名为game_functions的新模块，它将存储大量让游戏《外星人入侵》运行的函数。通过创建模块game_functions，可避免alien_invasion.py太长，并使其逻辑更容易理解。

12.5.1   函数 check_events()

我们将首先把管理事件的代码移到一个名为check_events()的函数中，以简化run_game()并隔离事件管理循环。通过隔离事件循环，可将事件管理与游戏的其他方面（如更新屏幕）分离。

将check_events()放在一个名为game_functions的模块中：

game_functions.py

```python
import sys

import pygame

def check_events():
    """响应按键和鼠标事件"""
    for event in pygame.event.get():
        if event.type == pygame.QUIT:
            sys.exit()
```

这个模块中导入了事件检查循环要使用的sys和pygame。当前，函数check_events()不需要任何形参，其函数体复制了alien_invasion.py的事件循环。

下面来修改alien_invasion.py，使其导入模块game_functions，并将事件循环替换为对函数check_events()的调用：

alien_invasion.py

```
import pygame

from settings import Settings
from ship import Ship
import game_functions as gf

def run_game():
    --snip--
    # 开始游戏主循环
    while True:
        gf.check_events()

        # 让最近绘制的屏幕可见
        --snip--
```

在主程序文件中，不再需要直接导入sys，因为当前只在模块game_functions中使用了它。出于简化的目的，我们给导入的模块game_functions指定了别名gf。

12.5.2 函数 update_screen()

为进一步简化run_game()，下面将更新屏幕的代码移到一个名为update_screen()的函数中，并将这个函数放在模块game_functions.py中：

game_functions.py

```
--snip--

def check_events():
    --snip--

def update_screen(ai_settings, screen, ship):
    """更新屏幕上的图像，并切换到新屏幕"""
    # 每次循环时都重绘屏幕
    screen.fill(ai_settings.bg_color)
    ship.blitme()

    # 让最近绘制的屏幕可见
    pygame.display.flip()
```

新函数update_screen()包含三个形参：ai_settings、screen和ship。现在需要将alien_invasion.py的while循环中更新屏幕的代码替换为对函数update_screen()的调用：

alien_invasion.py

```
--snip--
    # 开始游戏主循环
    while True:
        gf.check_events()
        gf.update_screen(ai_settings, screen, ship)

run_game()
```

这两个函数让while循环更简单，并让后续开发更容易：在模块game_functions而不是run_game()中完成大部分工作。

鉴于我们一开始只想使用一个文件，因此没有立刻引入模块game_functions。这让你能够了解实际的开发过程：一开始将代码编写得尽可能简单，并在项目越来越复杂时进行重构。

对代码进行重构使其更容易扩展后，可以开始处理游戏的动态方面了！

动手试一试

12-1 蓝色天空：创建一个背景为蓝色的 Pygame 窗口。

12-2 游戏角色：找一幅你喜欢的游戏角色位图图像或将一幅图像转换为位图。创建一个类，将该角色绘制到屏幕中央，并将该图像的背景色设置为屏幕背景色，或将屏幕背景色设置为该图像的背景色。

12.6　驾驶飞船

下面来让玩家能够左右移动飞船。为此，我们将编写代码，在用户按左或右箭头键时作出响应。我们将首先专注于向右移动，再使用同样的原理来控制向左移动。通过这样做，你将学会如何控制屏幕图像的移动。

12.6.1　响应按键

每当用户按键时，都将在Pygame中注册一个事件。事件都是通过方法pygame.event.get()获取的，因此在函数check_events()中，我们需要指定要检查哪些类型的事件。每次按键都被注册为一个KEYDOWN事件。

检测到KEYDOWN事件时，我们需要检查按下的是否是特定的键。例如，如果按下的是右箭头键，我们就增大飞船的rect.centerx值，将飞船向右移动：

game_functions.py

```
def check_events(ship):
    """响应按键和鼠标事件"""
```

```
        for event in pygame.event.get():
            if event.type == pygame.QUIT:
                sys.exit()

❶          elif event.type == pygame.KEYDOWN:
❷              if event.key == pygame.K_RIGHT:
                    #向右移动飞船
❸                  ship.rect.centerx += 1
```

我们在函数check_events()中包含形参ship，因为玩家按右箭头键时，需要将飞船向右移动。在函数check_events()内部，我们在事件循环中添加了一个elif代码块，以便在Pygame 检测到KEYDOWN事件时作出响应（见❶）。我们读取属性event.key，以检查按下的是否是右箭头键（pygame.K_RIGHT）（见❷）。如果按下的是右箭头键，就将ship.rect.centerx的值加1，从而将飞船向右移动（见❸）。

在alien_invasion.py中，我们需要更新调用的check_events()代码，将ship作为实参传递给它：

alien_invasion.py

```
# 开始游戏主循环
while True:
    gf.check_events(ship)
    gf.update_screen(ai_settings, screen, ship)
```

如果现在运行alien_invasion.py，则每按右箭头键一次，飞船都将向右移动1像素。这是一个开端，但并非控制飞船的高效方式。下面来改进控制方式，允许持续移动。

12.6.2　允许不断移动

玩家按住右箭头键不放时，我们希望飞船不断地向右移动，直到玩家松开为止。我们将让游戏检测pygame.KEYUP事件，以便玩家松开右箭头键时我们能够知道这一点；然后，我们将结合使用KEYDOWN和KEYUP事件，以及一个名为moving_right的标志来实现持续移动。

飞船不动时，标志moving_right将为False。玩家按下右箭头键时，我们将这个标志设置为True；而玩家松开时，我们将这个标志重新设置为False。

飞船的属性都由Ship类控制，因此我们将给这个类添加一个名为moving_right的属性和一个名为update()的方法。方法update()检查标志moving_right的状态，如果这个标志为True，就调整飞船的位置。每当需要调整飞船的位置时，我们都调用这个方法。

下面是对Ship类所做的修改：

ship.py

```
class Ship():

    def __init__(self, screen):
        --snip--
        # 将每艘新飞船放在屏幕底部中央
```

```
        self.rect.centerx = self.screen_rect.centerx
        self.rect.bottom = self.screen_rect.bottom

        # 移动标志
❶      self.moving_right = False

❷  def update(self):
        """根据移动标志调整飞船的位置"""
        if self.moving_right:
            self.rect.centerx += 1

    def blitme(self):
        --snip--
```

在方法__init__()中,我们添加了属性self.moving_right,并将其初始值设置为False(见❶)。接下来,我们添加了方法update(),它在前述标志为True时向右移动飞船(见❷)。

下面来修改check_events(),使其在玩家按下右箭头键时将moving_right设置为True,并在玩家松开时将moving_right设置为False:

game_functions.py

```
def check_events(ship):
    """响应按键和鼠标事件"""
    for event in pygame.event.get():
        --snip--
        elif event.type == pygame.KEYDOWN:
            if event.key == pygame.K_RIGHT:
❶              ship.moving_right = True

❷      elif event.type == pygame.KEYUP:
            if event.key == pygame.K_RIGHT:
                ship.moving_right = False
```

在❶处,我们修改了游戏在玩家按下右箭头键时响应的方式:不直接调整飞船的位置,而只是将moving_right设置为True。在❷处,我们添加了一个新的elif代码块,用于响应KEYUP事件:玩家松开右箭头键(K_RIGHT)时,我们将moving_right设置为False。

最后,我们需要修改alien_invasion.py中的while循环,以便每次执行循环时都调用飞船的方法update():

alien_invasion.py

```
# 开始游戏主循环
while True:
    gf.check_events(ship)
    ship.update()
    gf.update_screen(ai_settings, screen, ship)
```

飞船的位置将在检测到键盘事件后(但在更新屏幕前)更新。这样,玩家输入时,飞船的位置将更新,从而确保使用更新后的位置将飞船绘制到屏幕上。

如果你现在运行alien_invasion.py并按住右箭头键,飞船将不断地向右移动,直到你松开为止。

12.6.3　左右移动

飞船能够不断地向右移动后,添加向左移动的逻辑很容易。我们将再次修改Ship类和函数check_events()。下面显示了对Ship类的方法__init__()和update()所做的相关修改:

ship.py

```
def __init__(self, screen):
    --snip--
    # 移动标志
    self.moving_right = False
    self.moving_left = False

def update(self):
    """根据移动标志调整飞船的位置"""
    if self.moving_right:
        self.rect.centerx += 1
    if self.moving_left:
        self.rect.centerx -= 1
```

在方法__init__()中,我们添加了标志self.moving_left;在方法update()中,我们添加了一个if代码块而不是elif代码块,这样如果玩家同时按下了左右箭头键,将先增大飞船的rect.centerx值,再降低这个值,即飞船的位置保持不变。如果使用一个elif代码块来处理向左移动的情况,右箭头键将始终处于优先地位。从向左移动切换到向右移动时,玩家可能同时按住左右箭头键,在这种情况下,前面的做法让移动更准确。

我们还需对check_events()作两方面的调整:

game_functions.py

```
def check_events(ship):
    """响应按键和鼠标事件"""
    for event in pygame.event.get():
        --snip--
        elif event.type == pygame.KEYDOWN:
            if event.key == pygame.K_RIGHT:
                ship.moving_right = True
            elif event.key == pygame.K_LEFT:
                ship.moving_left = True

        elif event.type == pygame.KEYUP:
            if event.key == pygame.K_RIGHT:
                ship.moving_right = False
            elif event.key == pygame.K_LEFT:
                ship.moving_left = False
```

如果因玩家按下K_LEFT键而触发了KEYDOWN事件,我们就将moving_left设置为True;如果因玩家松开K_LEFT而触发了KEYUP事件,我们就将moving_left设置为False。这里之所以可以使用

elif代码块，是因为每个事件都只与一个键相关联；如果玩家同时按下了左右箭头键，将检测到两个不同的事件。

如果此时运行alien_invasion.py，将能够不断地左右移动飞船；如果你同时按左右箭头键，飞船将纹丝不动。

下面来进一步优化飞船的移动方式：调整飞船的速度；限制飞船的移动距离，以免它移到屏幕外面去。

12.6.4   调整飞船的速度

当前，每次执行while循环时，飞船最多移动1像素，但我们可以在Settings类中添加属性ship_speed_factor，用于控制飞船的速度。我们将根据这个属性决定飞船在每次循环时最多移动多少距离。下面演示了如何在settings.py中添加这个新属性：

settings.py

```
class Settings():
    """一个存储游戏《外星人入侵》的所有设置的类"""

    def __init__(self):
        --snip--

        # 飞船的设置
        self.ship_speed_factor = 1.5
```

我们将ship_speed_factor的初始值设置成了1.5。需要移动飞船时，我们将移动1.5像素而不是1像素。

通过将速度设置指定为小数值，可在后面加快游戏的节奏时更细致地控制飞船的速度。然而，rect的centerx等属性只能存储整数值，因此我们需要对Ship类做些修改：

ship.py

```
class Ship():

❶   def __init__(self, ai_settings, screen):
        """初始化飞船并设置其初始位置"""
        self.screen = screen
❷       self.ai_settings = ai_settings
        --snip--

        # 将每艘新飞船放在屏幕底部中央
        --snip--

        # 在飞船的属性center中存储小数值
❸       self.center = float(self.rect.centerx)

        # 移动标志
```

```
            self.moving_right = False
            self.moving_left = False

    def update(self):
        """根据移动标志调整飞船的位置"""
        # 更新飞船的center值，而不是rect
        if self.moving_right:
❹           self.center += self.ai_settings.ship_speed_factor
        if self.moving_left:
            self.center -= self.ai_settings.ship_speed_factor

        # 根据self.center更新rect对象
❺       self.rect.centerx = self.center

    def blitme(self):
        --snip--
```

在❶处，我们在__init__()的形参列表中添加了ai_settings，让飞船能够获取其速度设置。接下来，我们将形参ai_settings的值存储在一个属性中，以便能够在update()中使用它（见❷）。鉴于现在调整飞船的位置时，将增加或减去一个单位为像素的小数值，因此需要将位置存储在一个能够存储小数值的变量中。可以使用小数来设置rect的属性，但rect将只存储这个值的整数部分。为准确地存储飞船的位置，我们定义了一个可存储小数值的新属性self.center（见❸）。我们使用函数float()将self.rect.centerx的值转换为小数，并将结果存储到self.center中。

现在在update()中调整飞船的位置时，将self.center的值增加或减去ai_settings.ship_speed_factor的值（见❹）。更新self.center后，我们再根据它来更新控制飞船位置的self.rect.centerx（见❺）。self.rect.centerx将只存储self.center的整数部分，但对显示飞船而言，这问题不大。

在alien_invasion.py中创建Ship实例时，需要传入实参ai_settings：

alien_invasion.py

```
--snip--
def run_game():
    --snip--
    # 创建飞船
    ship = Ship(ai_settings, screen)
    --snip--
```

现在，只要ship_speed_factor的值大于1，飞船的移动速度就会比以前更快。这有助于让飞船的反应速度足够快，能够将外星人射下来，还让我们能够随着游戏的进行加快游戏的节奏。

12.6.5　限制飞船的活动范围

当前，如果玩家按住箭头键的时间足够长，飞船将移到屏幕外面，消失得无影无踪。下面来修复这种问题，让飞船到达屏幕边缘后停止移动。为此，我们将修改Ship类的方法update()：

ship.py

```
    def update(self):
        """根据移动标志调整飞船的位置"""
        # 更新飞船的center值，而不是rect
❶      if self.moving_right and self.rect.right < self.screen_rect.right:
            self.center += self.ai_settings.ship_speed_factor
❷      if self.moving_left and self.rect.left > 0:
            self.center -= self.ai_settings.ship_speed_factor

        # 根据self.center更新rect对象
        self.rect.centerx = self.center
```

上述代码在修改self.center的值之前检查飞船的位置。self.rect.right返回飞船外接矩形的右边缘的x坐标，如果这个值小于self.screen_rect.right的值，就说明飞船未触及屏幕右边缘（见❶）。左边缘的情况与此类似：如果rect的左边缘的x坐标大于零，就说明飞船未触及屏幕左边缘（见❷）。这确保仅当飞船在屏幕内时，才调整self.center的值。

如果此时运行alien_invasion.py，飞船将在触及屏幕左边缘或右边缘后停止移动。

12.6.6   重构 check_events()

随着游戏开发的进行，函数check_events()将越来越长，我们将其部分代码放在两个函数中：一个处理KEYDOWN事件，另一个处理KEYUP事件：

game_functions.py

```
def check_keydown_events(event, ship):
    """响应按键"""
    if event.key == pygame.K_RIGHT:
        ship.moving_right = True
    elif event.key == pygame.K_LEFT:
        ship.moving_left = True

def check_keyup_events(event, ship):
    """响应松开"""
    if event.key == pygame.K_RIGHT:
        ship.moving_right = False
    elif event.key == pygame.K_LEFT:
        ship.moving_left = False

def check_events(ship):
    """响应按键和鼠标事件"""
    for event in pygame.event.get():
        if event.type == pygame.QUIT:
            sys.exit()
        elif event.type == pygame.KEYDOWN:
            check_keydown_events(event, ship)
        elif event.type == pygame.KEYUP:
            check_keyup_events(event, ship)
```

我们创建了两个新函数：check_keydown_events()和check_keyup_events()，它们都包含形参event和ship。这两个函数的代码是从check_events()中复制而来的，因此我们将函数check_events中相应的代码替换成了对这两个函数的调用。现在，函数check_events()更简单，代码结构更清晰。这样，在其中响应其他玩家输入时将更容易。

12.7　简单回顾

下一节将添加射击功能，这需要新增一个名为bullet.py的文件，并对一些既有文件进行修改。当前，我们有四个文件，其中包含很多类、函数和方法。添加其他功能之前，为让你清楚这个项目的组织结构，先来回顾一下这些文件。

12.7.1　alien_invasion.py

主文件alien_invasion.py创建一系列整个游戏都要用到的对象：存储在ai_settings中的设置、存储在screen中的主显示surface以及一个飞船实例。文件alien_invasion.py还包含游戏的主循环，这是一个调用check_events()、ship.update()和update_screen()的while循环。

要玩游戏《外星人入侵》，只需运行文件alien_invasion.py。其他文件（settings.py、game_functions.py、ship.py）包含的代码被直接或间接地导入到这个文件中。

12.7.2　settings.py

文件settings.py包含Settings类，这个类只包含方法__init__()，它初始化控制游戏外观和飞船速度的属性。

12.7.3　game_functions.py

文件game_functions.py包含一系列函数，游戏的大部分工作都是由它们完成的。函数check_events()检测相关的事件，如按键和松开，并使用辅助函数check_keydown_events()和check_keyup_events()来处理这些事件。就目前而言，这些函数管理飞船的移动。模块game_functions还包含函数update_screen()，它用于在每次执行主循环时都重绘屏幕。

12.7.4　ship.py

文件ship.py包含Ship类，这个类包含方法__init__()、管理飞船位置的方法update()以及在屏幕上绘制飞船的方法blitme()。表示飞船的图像存储在文件夹images下的文件ship.bmp中。

动手试一试

12-3 火箭：编写一个游戏，开始时屏幕中央有一个火箭，而玩家可使用四个方向键上下左右移动火箭。请务必确保火箭不会移到屏幕外面。

> **12-4 按键**：创建一个程序，显示一个空屏幕。在事件循环中，每当检测到 pygame.KEYDOWN 事件时都打印属性 event.key。运行这个程序，并按各种键，看看 Pygame 如何响应。

12.8   射击

下面来添加射击功能。我们将编写玩家按空格键时发射子弹（小矩形）的代码。子弹将在屏幕中向上穿行，抵达屏幕上边缘后消失。

12.8.1   添加子弹设置

首先，更新settings.py，在其方法__init__()末尾存储新类Bullet所需的值：

settings.py

```
def __init__(self):
    --snip--
    # 子弹设置
    self.bullet_speed_factor = 1
    self.bullet_width = 3
    self.bullet_height = 15
    self.bullet_color = 60, 60, 60
```

这些设置创建宽3像素、高15像素的深灰色子弹。子弹的速度比飞船稍低。

12.8.2   创建 Bullet 类

下面来创建存储Bullet类的文件bullet.py，其前半部分如下：

bullet.py

```
import pygame
from pygame.sprite import Sprite

class Bullet(Sprite):
    """一个对飞船发射的子弹进行管理的类"""

    def __init__(self, ai_settings, screen, ship):
        """在飞船所处的位置创建一个子弹对象"""
        super(Bullet, self).__init__()
        self.screen = screen

        # 在(0,0)处创建一个表示子弹的矩形，再设置正确的位置
❶       self.rect = pygame.Rect(0, 0, ai_settings.bullet_width,
            ai_settings.bullet_height)
❷       self.rect.centerx = ship.rect.centerx
❸       self.rect.top = ship.rect.top
```

```
    #存储用小数表示的子弹位置
❹   self.y = float(self.rect.y)

❺   self.color = ai_settings.bullet_color
    self.speed_factor = ai_settings.bullet_speed_factor
```

Bullet类继承了我们从模块pygame.sprite中导入的Sprite类。通过使用精灵，可将游戏中相关的元素编组，进而同时操作编组中的所有元素。为创建子弹实例，需要向__init__()传递ai_settings、screen和ship实例，还调用了super()来继承Sprite。

注意　代码super(Bullet, self).__init__()使用了Python 2.7语法。这种语法也适用于Python 3，但你也可以将这行代码简写为super().__init__()。

在❶处，我们创建了子弹的属性rect。子弹并非基于图像的，因此我们必须使用pygame.Rect()类从空白开始创建一个矩形。创建这个类的实例时，必须提供矩形左上角的x坐标和y坐标，还有矩形的宽度和高度。我们在(0, 0)处创建这个矩形，但接下来的两行代码将其移到了正确的位置，因为子弹的初始位置取决于飞船当前的位置。子弹的宽度和高度是从ai_settings中获取的。

在❷处，我们将子弹的centerx设置为飞船的rect.centerx。子弹应从飞船顶部射出，因此我们将表示子弹的rect的top属性设置为飞船的rect的top属性，让子弹看起来像是从飞船中射出的（见❸）。

我们将子弹的y坐标存储为小数值，以便能够微调子弹的速度（见❹）。在❺处，我们将子弹的颜色和速度设置分别存储到self.color和self.speed_factor中。

下面是bullet.py的第二部分——方法update()和draw_bullet()：

bullet.py

```
    def update(self):
        """向上移动子弹"""
        #更新表示子弹位置的小数值
❶       self.y -= self.speed_factor
        #更新表示子弹的rect的位置
❷       self.rect.y = self.y

    def draw_bullet(self):
        """在屏幕上绘制子弹"""
❸       pygame.draw.rect(self.screen, self.color, self.rect)
```

方法update()管理子弹的位置。发射出去后，子弹在屏幕中向上移动，这意味着y坐标将不断减小，因此为更新子弹的位置，我们从self.y中减去self.speed_factor的值（见❶）。接下来，我们将self.rect.y设置为self.y的值（见❷）。属性speed_factor让我们能够随着游戏的进行或根据需要提高子弹的速度，以调整游戏的行为。子弹发射后，其x坐标始终不变，因此子弹将沿直线垂直地往上穿行。

需要绘制子弹时，我们调用draw_bullet()。函数draw.rect()使用存储在self.color中的颜色填充表示子弹的rect占据的屏幕部分（见❸）。

12.8.3　将子弹存储到编组中

定义Bullet类和必要的设置后，就可以编写代码了，在玩家每次按空格键时都射出一发子弹。首先，我们将在alien_invasion.py中创建一个编组（group），用于存储所有有效的子弹，以便能够管理发射出去的所有子弹。这个编组将是pygame.sprite.Group类的一个实例；pygame.sprite.Group类类似于列表，但提供了有助于开发游戏的额外功能。在主循环中，我们将使用这个编组在屏幕上绘制子弹，以及更新每颗子弹的位置：

alien_invasion.py

```
import pygame
from pygame.sprite import Group
--snip--

def run_game():
    --snip--
    # 创建一艘飞船
    ship = Ship(ai_settings, screen)
    # 创建一个用于存储子弹的编组
❶    bullets = Group()

    # 开始游戏主循环
    while True:
        gf.check_events(ai_settings, screen, ship, bullets)
        ship.update()
❷        bullets.update()
        gf.update_screen(ai_settings, screen, ship, bullets)

run_game()
```

我们导入了pygame.sprite中的Group类。在❶处，我们创建了一个Group实例，并将其命名为bullets。这个编组是在while循环外面创建的，这样就无需每次运行该循环时都创建一个新的子弹编组。

注意　如果在循环内部创建这样的编组，游戏运行时将创建数千个子弹编组，导致游戏慢得像蜗牛。如果游戏停滞不前，请仔细查看主while循环中发生的情况。

我们将bullets传递给了check_events()和update_screen()。在check_events()中，需要在玩家按空格键时处理bullets；而在update_screen()中，需要更新要绘制到屏幕上的bullets。

当你对编组调用update()时，编组将自动对其中的每个精灵调用update()，因此代码行bullets.update()将为编组bullets中的每颗子弹调用bullet.update()。

12.8.4 开火

在game_functions.py中，我们需要修改check_keydown_events()，以便在玩家按空格键时发射一颗子弹。我们无需修改check_keyup_events()，因为玩家松开空格键时什么都不会发生。我们还需修改update_screen()，确保在调用flip()前在屏幕上重绘每颗子弹。下面是对game_functions.py所做的相关修改：

game_functions.py

```
--snip--
from bullet import Bullet

❶ def check_keydown_events(event, ai_settings, screen, ship, bullets):
       --snip--
❷     elif event.key == pygame.K_SPACE:
           # 创建一颗子弹，并将其加入到编组bullets中
           new_bullet = Bullet(ai_settings, screen, ship)
           bullets.add(new_bullet)
       --snip--

❸ def check_events(ai_settings, screen, ship, bullets):
       """响应按键和鼠标事件"""
       for event in pygame.event.get():
           --snip--
           elif event.type == pygame.KEYDOWN:
               check_keydown_events(event, ai_settings, screen, ship, bullets)
           --snip--

❹ def update_screen(ai_settings, screen, ship, bullets):
       --snip--
       # 在飞船和外星人后面重绘所有子弹
❺     for bullet in bullets.sprites():
           bullet.draw_bullet()
       ship.blitme()
       --snip--
```

编组bulltes传递给了check_keydown_events()（见❶）。玩家按空格键时，创建一颗新子弹（一个名为new_bullet的Bullet实例），并使用方法add()将其加入到编组bullets中（见❷）；代码bullets.add(new_bullet)将新子弹存储到编组bullets中。

在check_events()的定义中，我们需要添加形参bullets（见❸）；调用check_keydown_events()时，我们也需要将bullets作为实参传递给它。

在❹处，我们给在屏幕上绘制子弹的update_screen()添加了形参bullets。方法bullets.sprites()返回一个列表，其中包含编组bullets中的所有精灵。为在屏幕上绘制发射的所有子弹，我们遍历编组bullets中的精灵，并对每个精灵都调用draw_bullet()（见❺）。

如果此时运行alien_invasion.py，将能够左右移动飞船，并发射任意数量的子弹。子弹在屏幕上向上穿行，抵达屏幕顶部后消失，如图12-3所示。可在settings.py中修改子弹的尺寸、颜色和速度。

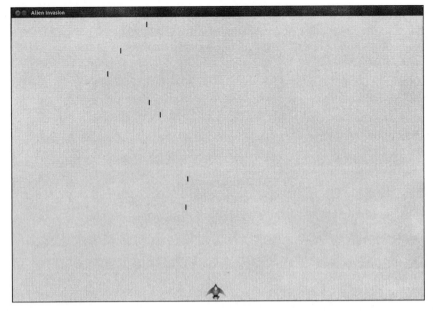

图12-3　飞船发射一系列子弹后的《外星人入侵》游戏

12.8.5　删除已消失的子弹

当前，子弹抵达屏幕顶端后消失，这仅仅是因为Pygame无法在屏幕外面绘制它们。这些子弹实际上依然存在，它们的*y*坐标为负数，且越来越小。这是个问题，因为它们将继续消耗内存和处理能力。

我们需要将这些已消失的子弹删除，否则游戏所做的无谓工作将越来越多，进而变得越来越慢。为此，我们需要检测这样的条件，即表示子弹的rect的bottom属性为零，它表明子弹已穿过屏幕顶端：

alien_invasion.py

```
   # 开始游戏主循环
   while True:
       gf.check_events(ai_settings, screen, ship, bullets)
       ship.update()
       bullets.update()

       # 删除已消失的子弹
❶     for bullet in bullets.copy():
❷         if bullet.rect.bottom <= 0:
❸             bullets.remove(bullet)
❹     print(len(bullets))

       gf.update_screen(ai_settings, screen, ship, bullets)
```

在for循环中，不应从列表或编组中删除条目，因此必须遍历编组的副本。我们使用了方法copy()来设置for循环（见❶），这让我们能够在循环中修改bullets。我们检查每颗子弹，看看它是否已从屏幕顶端消失（见❷）。如果是这样，就将其从bullets中删除（见❸）。在❹处，我们使用了一条print语句，以显示当前还有多少颗子弹，从而核实已消失的子弹确实删除了。

如果这些代码没有问题，我们发射子弹后查看终端窗口时，将发现随着子弹一颗颗地在屏幕顶端消失，子弹数将逐渐降为零。运行这个游戏并确认子弹已被删除后，将这条print语句删除。如果你留下这条语句，游戏的速度将大大降低，因为将输出写入到终端而花费的时间比将图形绘制到游戏窗口花费的时间还多。

12.8.6　限制子弹数量

很多射击游戏都对可同时出现在屏幕上的子弹数量进行限制，以鼓励玩家有目标地射击。下面在游戏《外星人入侵》中作这样的限制。

首先，在settings.py中存储所允许的最大子弹数：

settings.py

```
# 子弹设置
self.bullet_width = 3
self.bullet_height = 15
self.bullet_color = 60, 60, 60
self.bullets_allowed = 3
```

这将未消失的子弹数限制为3颗。在game_functions.py的check_keydown_events()中，我们在创建新子弹前检查未消失的子弹数是否小于该设置：

game_functions.py

```
def check_keydown_events(event, ai_settings, screen, ship, bullets):
    --snip--
    elif event.key == pygame.K_SPACE:
        # 创建新子弹并将其加入到编组bullets中
        if len(bullets) < ai_settings.bullets_allowed:
            new_bullet = Bullet(ai_settings, screen, ship)
            bullets.add(new_bullet)
```

玩家按空格键时，我们检查bullets的长度。如果len(bullets)小于3，我们就创建一个新子弹；但如果已有3颗未消失的子弹，则玩家按空格键时什么都不会发生。如果你现在运行这个游戏，屏幕上最多只能有3颗子弹。

12.8.7　创建函数 update_bullets()

编写并检查子弹管理代码后，可将其移到模块game_functions中，以让主程序文件alien_invasion.py尽可能简单。我们创建一个名为update_bullets()的新函数，并将其添加到

game_functions.py的末尾：

game_functions.py

```
def update_bullets(bullets):
    """更新子弹的位置，并删除已消失的子弹"""
    # 更新子弹的位置
    bullets.update()

    # 删除已消失的子弹
    for bullet in bullets.copy():
        if bullet.rect.bottom <= 0:
            bullets.remove(bullet)
```

update_bullets()的代码是从alien_invasion.py剪切并粘贴而来的，它只需要一个参数，即编组bullets。

alien_invasion.py中的while循环又变得很简单了：

alien_invasion.py

```
    # 开始游戏主循环
    while True:
❶      gf.check_events(ai_settings, screen, ship, bullets)
❷      ship.update()
❸      gf.update_bullets(bullets)
❹      gf.update_screen(ai_settings, screen, ship, bullets)
```

我们让主循环包含尽可能少的代码，这样只要看函数名就能迅速知道游戏中发生的情况。主循环检查玩家的输入（见❶），然后更新飞船的位置（见❷）和所有未消失的子弹的位置（见❸）。接下来，我们使用更新后的位置来绘制新屏幕（见❹）。

12.8.8 创建函数 fire_bullet()

下面将发射子弹的代码移到一个独立的函数中，这样，在check_keydown_events()中只需使用一行代码来发射子弹，让elif代码块变得非常简单：

game_functions.py

```
def check_keydown_events(event, ai_settings, screen, ship, bullets):
    """响应按键"""
    --snip--
    elif event.key == pygame.K_SPACE:
        fire_bullet(ai_settings, screen, ship, bullets)

def fire_bullet(ai_settings, screen, ship, bullets):
    """如果还没有到达限制，就发射一颗子弹"""
    #创建新子弹，并将其加入到编组bullets中
    if len(bullets) < ai_settings.bullets_allowed:
        new_bullet = Bullet(ai_settings, screen, ship)
        bullets.add(new_bullet)
```

函数fire_bullet()只包含玩家按空格键时用于发射子弹的代码；在check_keydown_events()中，我们在玩家按空格键时调用fire_bullet()。

请再次运行alien_invasion.py，确认发射子弹时依然没有错误。

动手试一试

12-5 侧面射击：编写一个游戏，将一艘飞船放在屏幕左边，并允许玩家上下移动飞船。在玩家按空格键时，让飞船发射一颗在屏幕中向右穿行的子弹，并在子弹离开屏幕而消失后将其删除。

12.9 小结

在本章中，你学习了：游戏开发计划的制定；使用Pygame编写的游戏的基本结构；如何设置背景色，以及如何将设置存储在可供游戏的各个部分访问的独立类中；如何在屏幕上绘制图像，以及如何让玩家控制游戏元素的移动；如何创建自动移动的元素，如在屏幕中向上飞驰的子弹，以及如何删除不再需要的对象；如何定期重构项目的代码，为后续开发提供便利。

在第13章中，我们将在游戏《外星人入侵》中添加外星人。在第13章结束时，你将能够击落外星人——但愿是在他们撞到飞船前！

12

外星人

在本章中，我们将在游戏《外星人入侵》中添加外星人。首先，我们在屏幕上边缘附近添加一个外星人，然后生成一群外星人。我们让这群外星人向两边和下面移动，并删除被子弹击中的外星人。最后，我们将显示玩家拥有的飞船数量，并在玩家的飞船用完后结束游戏。

通过阅读本章，你将更深入地了解Pygame和大型项目的管理。你还将学习如何检测游戏对象之间的碰撞，如子弹和外星人之间的碰撞。检测碰撞有助于你定义游戏元素之间的交互：可以将角色限定在迷宫墙壁之内或在两个角色之间传球。我们将时不时地查看游戏开发计划，以确保编程工作不偏离轨道。

着手编写在屏幕上添加一群外星人的代码前，先来回顾一下这个项目，并更新开发计划。

13.1　回顾项目

开发较大的项目时，进入每个开发阶段前回顾一下开发计划，搞清楚接下来要通过编写代码来完成哪些任务都是不错的主意。本章涉及以下内容。

❑ 研究既有代码，确定实现新功能前是否要进行重构。

❑ 在屏幕左上角添加一个外星人，并指定合适的边距。

❑ 根据第一个外星人的边距和屏幕尺寸计算屏幕上可容纳多少个外星人。我们将编写一个循环来创建一系列外星人，这些外星人填满了屏幕的上半部分。

❑ 让外星人群向两边和下方移动，直到外星人被全部击落，有外星人撞到飞船，或有外星人抵达屏幕底端。如果整群外星人都被击落，我们将再创建一群外星人。如果有外星人撞到了飞船或抵达屏幕底端，我们将销毁飞船并再创建一群外星人。

❑ 限制玩家可用的飞船数量，配给的飞船用完后，游戏结束。

我们将在实现功能的同时完善这个计划，但就目前而言，该计划已足够详尽。

在给项目添加新功能前，还应审核既有代码。每进入一个新阶段，通常项目都会更复杂，因此最好对混乱或低效的代码进行清理。

我们在开发的同时一直不断地重构，因此当前需要做的清理工作不多，但每次为测试新功能而运行这个游戏时，都必须使用鼠标来关闭它，这太讨厌了。下面来添加一个结束游戏的快捷键Q：

game_functions.py

```
def check_keydown_events(event, ai_settings, screen, ship, bullets):
    --snip--
    elif event.key == pygame.K_q:
        sys.exit()
```

在check_keydown_events()中，我们添加了一个代码块，以便在玩家按Q时结束游戏。这样的修改很安全，因为Q键离箭头键和空格键很远，玩家不小心按Q键而导致游戏结束的可能性不大。现在测试时可按Q关闭游戏，而无需使用鼠标来关闭窗口了。

13.2　创建第一个外星人

在屏幕上放置外星人与放置飞船类似。每个外星人的行为都由Alien类控制，我们将像创建Ship类那样创建这个类。出于简化考虑，我们也使用位图来表示外星人。你可以自己寻找表示外星人的图像，也可使用图13-1所示的图像，可在本书配套资源（https://www.nostarch.com/pythoncrashcourse/）中找到。这幅图像的背景为灰色，与屏幕背景色一致。请务必将你选择的图像文件保存到文件夹images中。

图13-1　用来创建外星人群的外星人图像

13.2.1　创建 Alien 类

下面来编写Alien类：

alien.py

```
import pygame
from pygame.sprite import Sprite
```

13

```
class Alien(Sprite):
    """表示单个外星人的类"""

    def __init__(self, ai_settings, screen):
        """初始化外星人并设置其起始位置"""
        super(Alien, self).__init__()
        self.screen = screen
        self.ai_settings = ai_settings

        # 加载外星人图像，并设置其rect属性
        self.image = pygame.image.load('images/alien.bmp')
        self.rect = self.image.get_rect()

        # 每个外星人最初都在屏幕左上角附近
        self.rect.x = self.rect.width
        self.rect.y = self.rect.height

        # 存储外星人的准确位置
        self.x = float(self.rect.x)

    def blitme(self):
        """在指定位置绘制外星人"""
        self.screen.blit(self.image, self.rect)
```

❶

除位置不同外，这个类的大部分代码都与Ship类相似。每个外星人最初都位于屏幕左上角附近，我们将每个外星人的左边距都设置为外星人的宽度，并将上边距设置为外星人的高度（见❶）。

13.2.2　创建 Alien 实例

下面在alien_invasion.py中创建一个Alien实例：

alien_invasion.py

```
--snip--
from ship import Ship
from alien import Alien
import game_functions as gf

def run_game():
    --snip--
    # 创建一个外星人
    alien = Alien(ai_settings, screen)

    # 开始游戏主循环
    while True:
        gf.check_events(ai_settings, screen, ship, bullets)
        ship.update()
        gf.update_bullets(bullets)
        gf.update_screen(ai_settings, screen, ship, alien, bullets)

run_game()
```

在这里，我们导入了新创建的Alien类，并在进入主while循环前创建了一个Alien实例。我们没有修改外星人的位置，因此该while循环没有任何新东西，但我们修改了对update_screen()的调用，传递了一个外星人实例。

13.2.3 让外星人出现在屏幕上

为让外星人出现在屏幕上，我们在update_screen()中调用其方法blitme()：

game_functions.py

```
def update_screen(ai_settings, screen, ship, alien, bullets):
    --snip--

    # 在飞船和外星人后面重绘所有的子弹
    for bullet in bullets:
        bullet.draw_bullet()
    ship.blitme()
    alien.blitme()

    # 让最近绘制的屏幕可见
    pygame.display.flip()
```

我们先绘制飞船和子弹，再绘制外星人，让外星人在屏幕上位于最前面。图13-2显示了屏幕上的第一个外星人。

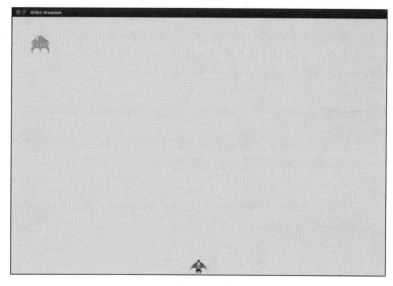

图13-2　第一个外星人现身

第一个外星人正确地现身后，下面来编写绘制一群外星人的代码。

13.3   创建一群外星人

要绘制一群外星人，需要确定一行能容纳多少个外星人以及要绘制多少行外星人。我们将首先计算外星人之间的水平间距，并创建一行外星人，再确定可用的垂直空间，并创建整群外星人。

13.3.1   确定一行可容纳多少个外星人

为确定一行可容纳多少个外星人，我们来看看可用的水平空间有多大。屏幕宽度存储在 ai_settings.screen_width 中，但需要在屏幕两边都留下一定的边距，把它设置为外星人的宽度。由于有两个边距，因此可用于放置外星人的水平空间为屏幕宽度减去外星人宽度的两倍：

```
available_space_x = ai_settings.screen_width - (2 * alien_width)
```

我们还需要在外星人之间留出一定的空间，即外星人宽度。因此，显示一个外星人所需的水平空间为外星人宽度的两倍：一个宽度用于放置外星人，另一个宽度为外星人右边的空白区域。为确定一行可容纳多少个外星人，我们将可用空间除以外星人宽度的两倍：

```
number_aliens_x = available_space_x / (2 * alien_width)
```

我们将在创建外星人群时使用这些公式。

注意   令人欣慰的是，在程序中执行计算时，一开始你无需确定公式是正确的，而可以尝试直接运行程序，看看结果是否符合预期。即便是在最糟糕的情况下，也只是屏幕上显示的外星人太多或太少。你可以根据在屏幕上看到的情况调整计算公式。

13.3.2   创建多行外星人

为创建一行外星人，首先在 alien_invasion.py 中创建一个名为 aliens 的空编组，用于存储全部外星人，再调用 game_functions.py 中创建外星人群的函数：

alien_invasion.py

```
import pygame
from pygame.sprite import Group
from settings import Settings
from ship import Ship
import game_functions as gf

def run_game():
    --snip--
    # 创建一艘飞船、一个子弹编组和一个外星人编组
    ship = Ship(ai_settings, screen)
    bullets = Group()
```

```
❶       aliens = Group()

        # 创建外星人群
❷       gf.create_fleet(ai_settings, screen, aliens)

        # 开始游戏主循环
        while True:
            --snip--
❸           gf.update_screen(ai_settings, screen, ship, aliens, bullets)

run_game()
```

由于我们不再在alien_invasion.py中直接创建外星人，因此无需在这个文件中导入Alien类。

❶处创建了一个空编组，用于存储所有的外星人。接下来，调用稍后将编写的函数create_fleet()（见❷），并将ai_settings、对象screen和空编组aliens传递给它。然后，修改对update_screen()的调用，让它能够访问外星人编组（见❸）。

我们还需要修改update_screen()：

game_functions.py

```
def update_screen(ai_settings, screen, ship, aliens, bullets):
    --snip--
    ship.blitme()
    aliens.draw(screen)

    # 让最近绘制的屏幕可见
    pygame.display.flip()
```

对编组调用draw()时，Pygame自动绘制编组的每个元素，绘制位置由元素的属性rect决定。在这里，aliens.draw(screen)在屏幕上绘制编组中的每个外星人。

13.3.3　创建外星人群

现在可以创建外星人群了。下面是新函数create_fleet()，我们将它放在game_functions.py的末尾。我们还需要导入Alien类，因此务必在文件game_functions.py开头添加相应的import语句：

game_functions.py

```
--snip--
from bullet import Bullet
from alien import Alien
--snip--

def create_fleet(ai_settings, screen, aliens):
    """创建外星人群"""
    # 创建一个外星人，并计算一行可容纳多少个外星人
    # 外星人间距为外星人宽度
```

```
❶      alien = Alien(ai_settings, screen)
❷      alien_width = alien.rect.width
❸      available_space_x = ai_settings.screen_width - 2 * alien_width
❹      number_aliens_x = int(available_space_x / (2 * alien_width))

       # 创建第一行外星人
❺      for alien_number in range(number_aliens_x):
           # 创建一个外星人并将其加入当前行
❻          alien = Alien(ai_settings, screen)
           alien.x = alien_width + 2 * alien_width * alien_number
           alien.rect.x = alien.x
           aliens.add(alien)
```

这些代码大都在前面详细介绍过。为放置外星人，我们需要知道外星人的宽度和高度，因此在执行计算前，我们先创建一个外星人（见❶）。这个外星人不是外星人群的成员，因此没有将它加入到编组aliens中。在❷处，我们从外星人的rect属性中获取外星人宽度，并将这个值存储到alien_width中，以免反复访问属性rect。在❸处，我们计算可用于放置外星人的水平空间，以及其中可容纳多少个外星人。

相比于前面介绍的工作，这里唯一的不同是使用了int()来确保计算得到的外星人数量为整数（见❹），因为我们不希望某个外星人只显示一部分，而且函数range()也需要一个整数。函数int()将小数部分丢弃，相当于向下圆整（这大有裨益，因为我们宁愿每行都多出一点点空间，也不希望每行的外星人之间过于拥挤）。

接下来，我们编写了一个循环，它从零数到要创建的外星人数（见❺）。在这个循环的主体中，我们创建一个新的外星人，并通过设置x坐标将其加入当前行（见❻）。将每个外星人都往右推一个外星人的宽度。接下来，我们将外星人宽度乘以2，得到每个外星人占据的空间（其中包括其右边的空白区域），再据此计算当前外星人在当前行的位置。最后，我们将每个新创建的外星人都添加到编组aliens中。

如果你现在运行这个游戏，将看到第一行外星人，如图13-3所示。

图13-3　第一行外星人

这行外星人在屏幕上稍微偏向了左边，这实际上是有好处的，因为我们将让外星人群往右移，触及屏幕边缘后稍微往下移，然后往左移，以此类推。就像经典游戏《太空入侵者》，相比于只往下移，这种移动方式更有趣。我们将让外形人群不断这样移动，直到所有外星人都被击落或有外星人撞上飞船或抵达屏幕底端。

> **注意**　根据你选择的屏幕宽度，在你的系统中，第一行外星人的位置可能稍有不同。

13

13.3.4　重构 create_fleet()

倘若我们创建了外星人群，也许应该让create_fleet()保持原样，但鉴于创建外星人的工作还未完成，我们稍微清理一下这个函数。下面是create_fleet()和两个新函数，get_number_aliens_x()和create_alien()：

game_functions.py

```
❶ def get_number_aliens_x(ai_settings, alien_width):
      """计算每行可容纳多少个外星人"""
      available_space_x = ai_settings.screen_width - 2 * alien_width
      number_aliens_x = int(available_space_x / (2 * alien_width))
      return number_aliens_x

  def create_alien(ai_settings, screen, aliens, alien_number):
```

```
      """创建一个外星人并将其放在当前行"""
      alien = Alien(ai_settings, screen)
❷    alien_width = alien.rect.width
      alien.x = alien_width + 2 * alien_width * alien_number
      alien.rect.x = alien.x
      aliens.add(alien)

  def create_fleet(ai_settings, screen, aliens):
      """创建外星人群"""
      # 创建一个外星人，并计算每行可容纳多少个外星人
      alien = Alien(ai_settings, screen)
❸    number_aliens_x = get_number_aliens_x(ai_settings, alien.rect.width)

      # 创建第一行外星人
      for alien_number in range(number_aliens_x):
❹        create_alien(ai_settings, screen, aliens, alien_number)
```

函数get_number_aliens_x()的代码都来自create_fleet()，且未做任何修改（见❶）。函数
create_alien()的代码也都来自create_fleet()，且未做任何修改，只是使用刚创建的外星人来
获取外星人宽度（见❷）。在❸处，我们将计算可用水平空间的代码替换为对get_number_aliens_x()
的调用，并删除了引用alien_width的代码行，因为现在这是在create_alien()中处理的。在❹处，
我们调用create_alien()。通过这样的重构，添加新行进而创建整群外星人将更容易。

13.3.5　添加行

要创建外星人群，需要计算屏幕可容纳多少行，并对创建一行外星人的循环重复相应的次数。
为计算可容纳的行数，我们这样计算可用垂直空间：将屏幕高度减去第一行外星人的上边距（外
星人高度）、飞船的高度以及最初外星人群与飞船的距离（外星人高度的两倍）：

```
available_space_y = ai_settings.screen_height - 3 * alien_height - ship_height
```

这将在飞船上方留出一定的空白区域，给玩家留出射杀外星人的时间。

每行下方都要留出一定的空白区域，并将其设置为外星人的高度。为计算可容纳的行数，我
们将可用垂直空间除以外星人高度的两倍（同样，如果这样的计算不对，我们马上就能发现，继
而将间距调整为合理的值）。

```
number_rows = available_height_y / (2 * alien_height)
```

知道可容纳多少行后，便可重复执行创建一行外星人的代码：

game_functions.py

```
❶ def get_number_rows(ai_settings, ship_height, alien_height):
      """计算屏幕可容纳多少行外星人"""
❷    available_space_y = (ai_settings.screen_height -
                          (3 * alien_height) - ship_height)
      number_rows = int(available_space_y / (2 * alien_height))
```

```
        return number_rows

    def create_alien(ai_settings, screen, aliens, alien_number, row_number):
        --snip--
        alien.x = alien_width + 2 * alien_width * alien_number
        alien.rect.x = alien.x
❸       alien.rect.y = alien.rect.height + 2 * alien.rect.height * row_number
        aliens.add(alien)

    def create_fleet(ai_settings, screen, ship, aliens):
        --snip--
        number_aliens_x = get_number_aliens_x(ai_settings, alien.rect.width)
        number_rows = get_number_rows(ai_settings, ship.rect.height,
            alien.rect.height)

        # 创建外星人群
❹       for row_number in range(number_rows):
            for alien_number in range(number_aliens_x):
                create_alien(ai_settings, screen, aliens, alien_number,
                    row_number)
```

为计算屏幕可容纳多少行外星人，我们在函数get_number_rows()中实现了前面计算available_space_y和number_rows的公式（见❶），这个函数与get_number_aliens_x()类似。计算公式用括号括起来了，这样可将代码分成两行，以遵循每行不超过79字符的建议（见❷）。这里使用了int()，因为我们不想创建不完整的外星人行。

为创建多行，我们使用两个嵌套在一起的循环：一个外部循环和一个内部循环（见❹）。其中的内部循环创建一行外星人，而外部循环从零数到要创建的外星人行数。Python将重复执行创建单行外星人的代码，重复次数为number_rows。

为嵌套循环，我们编写了一个新的for循环，并缩进了要重复执行的代码。（在大多数文本编辑器中，缩进代码块和取消缩进都很容易，详情请参阅附录B。）我们调用create_alien()时，传递了一个表示行号的实参，将每行都沿屏幕依次向下放置。

create_alien()的定义需要一个用于存储行号的形参。在create_alien()中，我们修改外星人的y坐标（见❸），并在第一行外星人上方留出与外星人等高的空白区域。相邻外星人行的y坐标相差外星人高度的两倍，因此我们将外星人高度乘以2，再乘以行号。第一行的行号为0，因此第一行的垂直位置不变，而其他行都沿屏幕依次向下放置。

在create_fleet()的定义中，还新增了一个用于存储ship对象的形参，因此在alien_invasion.py中调用create_fleet()时，需要传递实参ship：

alien_invasion.py

```
# 创建外星人群
gf.create_fleet(ai_settings, screen, ship, aliens)
```

如果你现在运行这个游戏，将看到一群外星人，如图13-4所示。

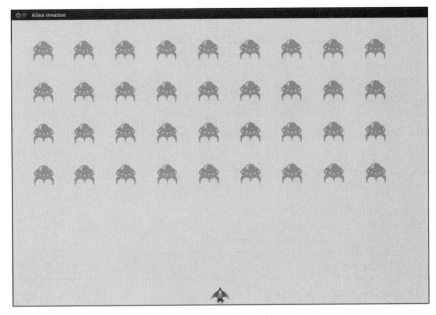

图13-4　整群外星人都现身了

在下一节，我们将让外星人群动起来！

动手试一试

13-1 星星：找一幅星星图像，并在屏幕上显示一系列整齐排列的星星。

13-2 更逼真的星星：为让星星的分布更逼真，可随机地放置星星。本书前面说过，可像下面这样来生成随机数：

```
from random import randint
random_number = randint(-10,10)
```

上述代码返回一个-10 和 10 之间的随机整数。在为完成练习 13-1 而编写的程序中，随机地调整每颗星星的位置。

13.4　让外星人群移动

下面来让外星人群在屏幕上向右移动，撞到屏幕边缘后下移一定的距离，再沿相反的方向移动。我们将不断地移动所有的外星人，直到所有外星人都被消灭，有外星人撞上飞船，或有外星人抵达屏幕底端。下面先来让外星人向右移动。

13.4.1　向右移动外星人

为移动外星人，我们将使用alien.py中的方法update()，且对外星人群中的每个外星人都调用它。首先，添加一个控制外星人速度的设置：

settings.py

```
def __init__(self):
    --snip--
    # 外星人设置
    self.alien_speed_factor = 1
```

然后，使用这个设置来实现update()：

alien.py

```
    def update(self):
        """向右移动外星人"""
❶      self.x += self.ai_settings.alien_speed_factor
❷      self.rect.x = self.x
```

每次更新外星人位置时，都将它向右移动，移动量为alien_speed_factor的值。我们使用属性self.x跟踪每个外星人的准确位置，这个属性可存储小数值（见❶）。然后，我们使用self.x的值来更新外星人的rect的位置（见❷）。

在主while循环中已调用了更新飞船和子弹的方法，但现在还需更新每个外星人的位置：

alien_invasion.py

```
# 开始游戏主循环
while True:
    gf.check_events(ai_settings, screen, ship, bullets)
    ship.update()
    gf.update_bullets(bullets)
    gf.update_aliens(aliens)
    gf.update_screen(ai_settings, screen, ship, aliens, bullets)
```

我们在更新子弹后再更新外星人的位置，因为稍后要检查是否有子弹撞到了外星人。最后，在文件game_functions.py末尾添加新函数update_aliens()：

game_functions.py

```
def update_aliens(aliens):
    """更新外星人群中所有外星人的位置"""
    aliens.update()
```

我们对编组aliens调用方法update()，这将自动对每个外星人调用方法update()。如果你现在运行这个游戏，会看到外星人群向右移，并逐渐在屏幕右边缘消失。

13

13.4.2　创建表示外星人移动方向的设置

下面来创建让外星人撞到屏幕右边缘后向下移动、再向左移动的设置。实现这种行为的代码如下：

settings.py

```
# 外星人设置
self.alien_speed_factor = 1
self.fleet_drop_speed = 10
# fleet_direction为1表示向右移，为-1表示向左移
self.fleet_direction = 1
```

设置fleet_drop_speed指定了有外星人撞到屏幕边缘时，外星人群向下移动的速度。将这个速度与水平速度分开是有好处的，这样你就可以分别调整这两种速度了。

要实现fleet_direction设置，可以将其设置为文本值，如'left'或'right'，但这样就必须编写if-elif语句来检查外星人群的移动方向。鉴于只有两个可能的方向，我们使用值1和-1来表示它们，并在外星人群改变方向时在这两个值之间切换。另外，鉴于向右移动时需要增大每个外星人的*x*坐标，而向左移动时需要减小每个外星人的*x*坐标，使用数字来表示方向更合理。

13.4.3　检查外星人是否撞到了屏幕边缘

现在需要编写一个方法来检查是否有外星人撞到了屏幕边缘，还需修改update()，以让每个外星人都沿正确的方向移动：

alien.py

```
    def check_edges(self):
        """如果外星人位于屏幕边缘，就返回True"""
        screen_rect = self.screen.get_rect()
❶      if self.rect.right >= screen_rect.right:
            return True
❷      elif self.rect.left <= 0:
            return True

    def update(self):
        """向左或向右移动外星人"""
❸      self.x += (self.ai_settings.alien_speed_factor *
                        self.ai_settings.fleet_direction)
        self.rect.x = self.x
```

我们可对任何外星人调用新方法check_edges()，看看它是否位于屏幕左边缘或右边缘。如果外星人的rect的right属性大于或等于屏幕的rect的right属性，就说明外星人位于屏幕右边缘（见❶）。如果外星人的rect的left属性小于或等于0，就说明外星人位于屏幕左边缘（见❷）。

我们修改了方法update()，将移动量设置为外星人速度和fleet_direction的乘积，让外星人

向左或向右移。如果fleet_direction为1，就将外星人当前的*x*坐标增大alien_speed_factor，从而将外星人向右移；如果fleet_direction为–1，就将外星人当前的*x*坐标减去alien_speed_factor，从而将外星人向左移。

13.4.4 向下移动外星人群并改变移动方向

有外星人到达屏幕边缘时，需要将整群外星人下移，并改变它们的移动方向。我们需要对game_functions.py做重大修改，因为我们要在这里检查是否有外星人到达了左边缘或右边缘。为此，我们编写函数check_fleet_edges()和change_fleet_direction()，并对update_aliens()进行修改：

game_functions.py

```
  def check_fleet_edges(ai_settings, aliens):
      """有外星人到达边缘时采取相应的措施"""
❶     for alien in aliens.sprites():
          if alien.check_edges():
              change_fleet_direction(ai_settings, aliens)
              break

  def change_fleet_direction(ai_settings, aliens):
      """将整群外星人下移，并改变它们的方向"""
      for alien in aliens.sprites():
❷         alien.rect.y += ai_settings.fleet_drop_speed
      ai_settings.fleet_direction *= -1

  def update_aliens(ai_settings, aliens):
      """
      检查是否有外星人位于屏幕边缘，并更新整群外星人的位置
      """
❸     check_fleet_edges(ai_settings, aliens)
      aliens.update()
```

在check_fleet_edges()中，我们遍历外星人群，并对其中的每个外星人调用check_edges()（见❶）。如果check_edges()返回True，我们就知道相应的外星人位于屏幕边缘，需要改变外星人群的方向，因此我们调用change_fleet_direction()并退出循环。在change_fleet_direction()中，我们遍历所有外星人，将每个外星人下移fleet_drop_speed设置的值（见❷）；然后，将fleet_direction的值修改为其当前值与–1的乘积。

我们修改了函数update_aliens()，在其中通过调用check_fleet_edges()来确定是否有外星人位于屏幕边缘。现在，函数update_aliens()包含形参ai_settings，因此我们调用它时指定了与ai_settings对应的实参：

alien_invasion.py

```
  # 开始游戏主循环
  while True:
      gf.check_events(ai_settings, screen, ship, bullets)
```

```
ship.update()
gf.update_bullets(bullets)
gf.update_aliens(ai_settings, aliens)
gf.update_screen(ai_settings, screen, ship, aliens, bullets)
```

如果你现在运行这个游戏，外星人群将在屏幕上来回移动，并在抵达屏幕边缘后向下移动。现在可以开始射杀外星人，检查是否有外星人撞到飞船，或抵达了屏幕底端。

动手试一试

13-3　雨滴：寻找一幅雨滴图像，并创建一系列整齐排列的雨滴。让这些雨滴往下落，直到到达屏幕底端后消失。

13-4　连绵细雨：修改为完成练习 13-3 而编写的代码，使得一行雨滴消失在屏幕底端后，屏幕顶端又出现一行新雨滴，并开始往下落。

13.5　射杀外星人

我们创建了飞船和外星人群，但子弹击中外星人时，将穿过外星人，因为我们还没有检查碰撞。在游戏编程中，碰撞指的是游戏元素重叠在一起。要让子弹能够击落外星人，我们将使用sprite.groupcollide()检测两个编组的成员之间的碰撞。

13.5.1　检测子弹与外星人的碰撞

子弹击中外星人时，我们要马上知道，以便碰撞发生后让外星人立即消失。为此，我们将在更新子弹的位置后立即检测碰撞。

方法sprite.groupcollide()将每颗子弹的rect同每个外星人的rect进行比较，并返回一个字典，其中包含发生了碰撞的子弹和外星人。在这个字典中，每个键都是一颗子弹，而相应的值都是被击中的外星人（第14章实现记分系统时，也会用到这个字典）。

在函数update_bullets()中，使用下面的代码来检查碰撞：

game_functions.py

```
def update_bullets(aliens, bullets):
    """更新子弹的位置，并删除已消失的子弹"""
    --snip--
    # 检查是否有子弹击中了外星人
    # 如果是这样，就删除相应的子弹和外星人
    collisions = pygame.sprite.groupcollide(bullets, aliens, True, True)
```

新增的这行代码遍历编组bullets中的每颗子弹，再遍历编组aliens中的每个外星人。每当有子弹和外星人的rect重叠时，groupcollide()就在它返回的字典中添加一个键–值对。两个实参

True告诉Pygame删除发生碰撞的子弹和外星人。（要模拟能够穿行到屏幕顶端的高能子弹——消灭它击中的每个外星人，可将第一个布尔实参设置为False，并让第二个布尔实参为True。这样被击中的外星人将消失，但所有的子弹都始终有效，直到抵达屏幕顶端后消失。）

我们调用update_bullets()时，传递了实参aliens：

alien_invasion.py

```
# 开始游戏主循环
while True:
    gf.check_events(ai_settings, screen, ship, bullets)
    ship.update()
    gf.update_bullets(aliens, bullets)
    gf.update_aliens(ai_settings, aliens)
    gf.update_screen(ai_settings, screen, ship, aliens, bullets)
```

如果你此时运行这个游戏，被击中的外星人将消失。如图13-5所示，其中有一部分外星人被击落。

图13-5 可以射杀外星人了

13.5.2 为测试创建大子弹

只需通过运行这个游戏就可以测试其很多功能，但有些功能在正常情况下测试起来比较烦琐。例如，要测试代码能否正确地处理外星人编组为空的情形，需要花很长时间将屏幕上的外星人都击落。

　　测试有些功能时，可以修改游戏的某些设置，以便专注于游戏的特定方面。例如，可以缩小屏幕以减少需要击落的外星人数量，也可以提高子弹的速度，以便能够在单位时间内发射大量子弹。

　　测试这个游戏时，我喜欢做的一项修改是增大子弹的尺寸，使其在击中外星人后依然有效，如图13-6所示。请尝试将bullet_width设置为300，看看将所有外星人都射杀有多快！

　　类似这样的修改可提高测试效率，还可能激发出如何赋予玩家更大威力的思想火花。（完成测试后，别忘了将设置恢复正常。）

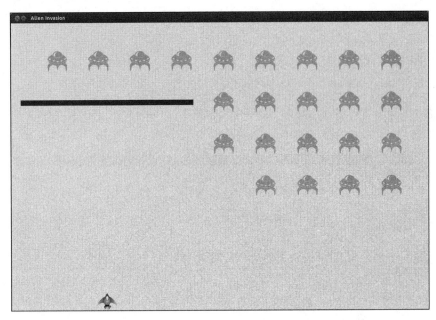

图13-6　威力更大的子弹让游戏的有些方法测试起来更容易

13.5.3　生成新的外星人群

　　这个游戏的一个重要特点是外星人无穷无尽，一个外星人群被消灭后，又会出现一群外星人。

　　要在外星人群被消灭后又显示一群外星人，首先需要检查编组aliens是否为空。如果为空，就调用create_fleet()。我们将在update_bullets()中执行这种检查，因为外星人都是在这里被消灭的：

game_functions.py

```
def update_bullets(ai_settings, screen, ship, aliens, bullets):
    --snip--
    # 检查是否有子弹击中了外星人
    # 如果是，就删除相应的子弹和外星人
    collisions = pygame.sprite.groupcollide(bullets, aliens, True, True)
❶   if len(aliens) == 0:
```

```
        # 删除现有的子弹并新建一群外星人
❷       bullets.empty()
        create_fleet(ai_settings, screen, ship, aliens)
```

在❶处，我们检查编组aliens是否为空。如果是，就使用方法empty()删除编组中余下的所有精灵，从而删除现有的所有子弹。我们还调用了create_fleet()，再次在屏幕上显示一群外星人。

现在，update_bullets()的定义包含额外的形参ai_settings、screen和ship，因此我们需要更新alien_invasion.py中对update_bullets()的调用：

alien_invasion.py

```
# 开始游戏主循环
while True:
    gf.check_events(ai_settings, screen, ship, bullets)
    ship.update()
    gf.update_bullets(ai_settings, screen, ship, aliens, bullets)
    gf.update_aliens(ai_settings, aliens)
    gf.update_screen(ai_settings, screen, ship, aliens, bullets)
```

现在，当前外星人群消灭干净后，将立刻出现一个新的外星人群。

13.5.4　提高子弹的速度

如果你现在尝试在这个游戏中射杀外星人，可能发现子弹的速度比以前慢，这是因为在每次循环中，Pygame需要做的工作更多了。为提高子弹的速度，可调整settings.py中bullet_speed_factor的值。例如，如果将这个值增大到3，子弹在屏幕上向上穿行的速度将变得相当快：

settings.py

```
# 子弹设置
self.bullet_speed_factor = 3
self.bullet_width = 3
--snip--
```

这项设置的最佳值取决于你的系统速度，请找出适合你的值吧。

13.5.5　重构 update_bullets()

下面来重构update_bullets()，使其不再完成那么多任务。我们将把处理子弹和外星人碰撞的代码移到一个独立的函数中：

game_functions.py

```
def update_bullets(ai_settings, screen, ship, aliens, bullets):
    --snip--
```

13

```
# 删除已消失的子弹
for bullet in bullets.copy():
    if bullet.rect.bottom <= 0:
        bullets.remove(bullet)

check_bullet_alien_collisions(ai_settings, screen, ship, aliens, bullets)

def check_bullet_alien_collisions(ai_settings, screen, ship, aliens, bullets):
    """响应子弹和外星人的碰撞"""
    # 删除发生碰撞的子弹和外星人
    collisions = pygame.sprite.groupcollide(bullets, aliens, True, True)

    if len(aliens) == 0:
        # 删除现有的所有子弹，并创建一个新的外星人群
        bullets.empty()
        create_fleet(ai_settings, screen, ship, aliens)
```

我们创建了一个新函数——check_bullet_alien_collisions()，以检测子弹和外星人之间的碰撞，以及在整群外星人都被消灭干净时采取相应的措施。这避免了update_bullets()太长，简化了后续的开发工作。

动手试一试

13-5 抓球：创建一个游戏，在屏幕底端放置一个玩家可左右移动的角色。让一个球出现在屏幕顶端，且水平位置是随机的，并让这个球以固定的速度往下落。如果角色与球发生碰撞（表示将球抓住了），就让球消失。每当角色抓住球或球因抵达屏幕底端而消失后，都创建一个新球。

13.6   结束游戏

如果玩家根本不会输，游戏还有什么趣味和挑战性可言？如果玩家没能在足够短的时间内将整群外星人都消灭干净，且有外星人撞到了飞船，飞船将被摧毁。与此同时，我们还限制了可供玩家使用的飞船数，而有外星人抵达屏幕底端时，飞船也将被摧毁。玩家用光了飞船后，游戏便结束。

13.6.1   检测外星人和飞船碰撞

我们首先检查外星人和飞船之间的碰撞，以便外星人撞上飞船时我们能够作出合适的响应。我们在更新每个外星人的位置后立即检测外星人和飞船之间的碰撞。

game_functions.py

```
def update_aliens(ai_settings, ship, aliens):
    """
```

```
    检查是否有外星人到达屏幕边缘
      然后更新所有外星人的位置
    """
    check_fleet_edges(ai_settings, aliens)
    aliens.update()

    # 检测外星人和飞船之间的碰撞
❶   if pygame.sprite.spritecollideany(ship, aliens):
❷       print("Ship hit!!!")
```

　　方法spritecollideany()接受两个实参：一个精灵和一个编组。它检查编组是否有成员与精灵发生了碰撞，并在找到与精灵发生了碰撞的成员后就停止遍历编组。在这里，它遍历编组aliens，并返回它找到的第一个与飞船发生了碰撞的外星人。

　　如果没有发生碰撞，spritecollideany()将返回None，因此❶处的if代码块不会执行。如果找到了与飞船发生碰撞的外星人，它就返回这个外星人，因此if代码块将执行：打印"Ship hit!!!"（见❷）。（有外星人撞到飞船时，需要执行的任务很多：需要删除余下的所有外星人和子弹，让飞船重新居中，以及创建一群新的外星人。编写完成这些任务的代码前，需要确定检测外星人和飞船碰撞的方法是否可行。而为确定这一点，最简单的方式是编写一条print语句。）

　　现在，我们需要将ship传递给update_aliens()：

alien_invasion.py

```
    # 开始游戏主循环
    while True:
        gf.check_events(ai_settings, screen, ship, bullets)
        ship.update()
        gf.update_bullets(ai_settings, screen, ship, aliens, bullets)
        gf.update_aliens(ai_settings, ship, aliens)
        gf.update_screen(ai_settings, screen, ship, aliens, bullets)
```

　　现在如果你运行这个游戏，则每当有外星人撞到飞船时，终端窗口都将显示"Ship hit!!!"。测试这项功能时，请将alien_drop_speed设置为较大的值，如50或100，这样外星人将更快地撞到飞船。

13.6.2　响应外星人和飞船碰撞

　　现在需要确定外星人与飞船发生碰撞时，该做些什么。我们不销毁ship实例并创建一个新的ship实例，而是通过跟踪游戏的统计信息来记录飞船被撞了多少次（跟踪统计信息还有助于记分）。

　　下面来编写一个用于跟踪游戏统计信息的新类——GameStats，并将其保存为文件game_stats.py：

game_stats.py

```
class GameStats():
```

13

```
    """跟踪游戏的统计信息"""

    def __init__(self, ai_settings):
        """初始化统计信息"""
        self.ai_settings = ai_settings
❶      self.reset_stats()

    def reset_stats(self):
        """初始化在游戏运行期间可能变化的统计信息"""
        self.ships_left = self.ai_settings.ship_limit
```

在这个游戏运行期间，我们只创建一个GameStats实例，但每当玩家开始新游戏时，需要重置一些统计信息。为此，我们在方法reset_stats()中初始化大部分统计信息，而不是在__init__()中直接初始化它们。我们在__init__()中调用这个方法，这样创建GameStats实例时将妥善地设置这些统计信息（见❶），同时在玩家开始新游戏时也能调用reset_stats()。

当前只有一项统计信息——ships_left，其值在游戏运行期间将不断变化。一开始玩家拥有的飞船数存储在settings.py的ship_limit中：

settings.py

```
        # 飞船设置
        self.ship_speed_factor = 1.5
        self.ship_limit = 3
```

我们还需对alien_invasion.py做些修改，以创建一个GameStats实例：

alien_invasion.py

```
--snip--
from settings import Settings
❶ from game_stats import GameStats
--snip--

def run_game():
    --snip--
    pygame.display.set_caption("Alien Invasion")

    # 创建一个用于存储游戏统计信息的实例
❷  stats = GameStats(ai_settings)
    --snip--
    # 开始游戏主循环
    while True:
        --snip--
        gf.update_bullets(ai_settings, screen, ship, aliens, bullets)
❸      gf.update_aliens(ai_settings, stats, screen, ship, aliens, bullets)
        --snip--
```

我们导入了新类GameStats（见❶），创建了一个名为stats的实例（见❷），再调用update_aliens()并添加了实参stats、screen和ship（见❸）。在有外星人撞到飞船时，我们将使用这些实参来跟踪玩家还有多少艘飞船，以及创建一群新的外星人。

　　有外星人撞到飞船时，我们将余下的飞船数减1，创建一群新的外星人，并将飞船重新放置到屏幕底端中央（我们还将让游戏暂停一段时间，让玩家在新外星人群出现前注意到发生了碰撞，并将重新创建外星人群）。

　　下面将实现这些功能的大部分代码放到函数ship_hit()中：

game_functions.py

```
  import sys
❶ from time import sleep

  import pygame
  --snip--

  def ship_hit(ai_settings, stats, screen, ship, aliens, bullets):
      """响应被外星人撞到的飞船"""
      # 将ships_left减1
❷     stats.ships_left -= 1

      # 清空外星人列表和子弹列表
❸     aliens.empty()
      bullets.empty()

      # 创建一群新的外星人，并将飞船放到屏幕底端中央
❹     create_fleet(ai_settings, screen, ship, aliens)
      ship.center_ship()

      # 暂停
❺     sleep(0.5)

❻ def update_aliens(ai_settings, stats, screen, ship, aliens, bullets):
      --snip--
      # 检测外星人和飞船碰撞
      if pygame.sprite.spritecollideany(ship, aliens):
          ship_hit(ai_settings, stats, screen, ship, aliens, bullets)
```

　　我们首先从模块time中导入了函数sleep()，以便使用它来让游戏暂停（见❶）。新函数ship_hit()在飞船被外星人撞到时作出响应。在这个函数内部，将余下的飞船数减1（见❷），然后清空编组aliens和bullets（见❸）。

　　接下来，我们创建一群新的外星人，并将飞船居中（见❹），稍后将在Ship类中添加方法center_ship()。最后，我们更新所有元素后（但在将修改显示到屏幕前）暂停，让玩家知道其飞船被撞到了（见❺）。屏幕将暂时停止变化，让玩家能够看到外星人撞到了飞船。函数sleep()执行完毕后，将接着执行函数update_screen()，将新的外星人群绘制到屏幕上。

　　我们还更新了update_aliens()的定义，使其包含形参stats、screen和bullets（见❻），让它能够在调用ship_hit()时传递这些值。

　　下面是新方法center_ship()，请将其添加到ship.py的末尾：

13

ship.py

```
def center_ship(self):
    """让飞船在屏幕上居中"""
    self.center = self.screen_rect.centerx
```

为让飞船居中，我们将飞船的属性center设置为屏幕中心的*x*坐标，而该坐标是通过属性screen_rect获得的。

注意　我们根本没有创建多艘飞船，在整个游戏运行期间，我们都只创建了一个飞船实例，并在该飞船被撞到时将其居中。统计信息ships_left让我们知道飞船是否用完。

请运行这个游戏，射杀几个外星人，并让一个外星人撞到飞船。游戏暂停后，将出现一群新的外星人，而飞船将在屏幕底端居中。

13.6.3　有外星人到达屏幕底端

如果有外星人到达屏幕底端，我们将像有外星人撞到飞船那样作出响应。请添加一个执行这项任务的新函数，并将其命名为update_aliens()：

game_functions.py

```
def check_aliens_bottom(ai_settings, stats, screen, ship, aliens, bullets):
    """检查是否有外星人到达了屏幕底端"""
    screen_rect = screen.get_rect()
    for alien in aliens.sprites():
❶       if alien.rect.bottom >= screen_rect.bottom:
            # 像飞船被撞到一样进行处理
            ship_hit(ai_settings, stats, screen, ship, aliens, bullets)
            break

def update_aliens(ai_settings, stats, screen, ship, aliens, bullets):
    --snip--
    # 检查是否有外星人到达屏幕底端
❷   check_aliens_bottom(ai_settings, stats, screen, ship, aliens, bullets)
```

函数check_aliens_bottom()检查是否有外星人到达了屏幕底端。到达屏幕底端后，外星人的属性rect.bottom的值大于或等于屏幕的属性rect.bottom的值（见❶）。如果有外星人到达屏幕底端，我们就调用ship_hit()；只要检测到一个外星人到达屏幕底端，就无需检查其他外星人，因此我们在调用ship_hit()后退出循环。

我们在更新所有外星人的位置并检测是否有外星人和飞船发生碰撞后调用check_aliens_bottom()（见❷）。现在，每当有外星人撞到飞船或抵达屏幕底端时，都将出现一群新的外星人。

13.6.4　游戏结束

现在这个游戏看起来更完整了，但它永远都不会结束，只是ships_left不断变成更小的负数。下面在GameStats中添加一个作为标志的属性game_active，以便在玩家的飞船用完后结束游戏：

game_stats.py

```
    def __init__(self, settings):
        --snip--
        # 游戏刚启动时处于活动状态
        self.game_active = True
```

现在在ship_hit()中添加代码，在玩家的飞船都用完后将game_active设置为False：

game_functions.py

```
def ship_hit(ai_settings, stats, screen, ship, aliens, bullets):
    """响应飞船被外星人撞到"""
    if stats.ships_left > 0:
        # 将ships_left减1
        stats.ships_left -= 1
        --snip--
        #暂停一会儿
        sleep(0.5)

    else:
        stats.game_active = False
```

ship_hit()的大部分代码都没变。我们将原来的所有代码都移到了一个if语句块中，这条if语句检查玩家是否至少还有一艘飞船。如果是这样，就创建一群新的外星人，暂停一会儿，再接着往下执行。如果玩家没有飞船了，就将game_active设置为False。

13.7　确定应运行游戏的哪些部分

在alien_invasion.py中，我们需要确定游戏的哪些部分在任何情况下都应运行，哪些部分仅在游戏处于活动状态时才运行：

alien_invasion.py

```
    # 开始游戏主循环
    while True:
        gf.check_events(ai_settings, screen, ship, bullets)

        if stats.game_active:
            ship.update()
            gf.update_bullets(ai_settings, screen, ship, aliens, bullets)
            gf.update_aliens(ai_settings, stats, screen, ship, aliens, bullets)

        gf.update_screen(ai_settings, screen, ship, aliens, bullets)
```

在主循环中，在任何情况下都需要调用check_events()，即便游戏处于非活动状态时亦如此。例如，我们需要知道玩家是否按了Q键以退出游戏，或单击关闭窗口的按钮。我们还需要不断更新屏幕，以便在等待玩家是否选择开始新游戏时能够修改屏幕。其他的函数仅在游戏处于活动状态时才需要调用，因为游戏处于非活动状态时，我们不用更新游戏元素的位置。

现在，你运行这个游戏时，它将在飞船用完后停止不动。

动手试一试

13-6 游戏结束：在为完成练习 13-5 而编写的代码中，跟踪玩家有多少次未将球接着。在未接着球的次数到达三次后，结束游戏。

13.8   小结

在本章中，你学习了：如何在游戏中添加大量相同的元素，如创建一群外星人；如何使用嵌套循环来创建元素网格，还通过调用每个元素的方法update()移动了大量的元素；如何控制对象在屏幕上移动的方向，以及如何响应事件，如有外星人到达屏幕边缘；如何检测和响应子弹和外星人碰撞以及外星人和飞船碰撞；如何在游戏中跟踪统计信息，以及如何使用标志game_active来判断游戏是否结束了。

在与这个项目相关的最后一章中，我们将添加一个Play按钮，让玩家能够开始游戏，以及游戏结束后再玩。每当玩家消灭一群外星人后，我们都将加快游戏的节奏，并添加一个记分系统，得到一个极具可玩性的游戏！

记　分

在本章中，我们将结束游戏《外星人入侵》的开发。我们将添加一个Play按钮，用于根据需要启动游戏以及在游戏结束后重启游戏。我们还将修改这个游戏，使其在玩家的等级提高时加快节奏，并实现一个记分系统。阅读本章后，你将掌握足够多的知识，能够开始编写随玩家等级提高而加大难度以及显示得分的游戏。

14.1　添加 Play 按钮

在本节中，我们将添加一个Play按钮，它在游戏开始前出现，并在游戏结束后再次出现，让玩家能够开始新游戏。

当前，这个游戏在玩家运行alien_invasion.py时就开始了。下面让游戏一开始处于非活动状态，并提示玩家单击Play按钮来开始游戏。为此，在game_stats.py中输入如下代码：

game_stats.py

```
    def __init__(self, ai_settings):
        """初始化统计信息"""
        self.ai_settings = ai_settings
        self.reset_stats()

        # 让游戏一开始处于非活动状态
        self.game_active = False

    def reset_stats(self):
        --snip--
```

现在游戏一开始将处于非活动状态，等我们创建Play按钮后，玩家才能开始游戏。

14.1.1   创建 Button 类

由于Pygame没有内置创建按钮的方法，我们创建一个Button类，用于创建带标签的实心矩形。你可以在游戏中使用这些代码来创建任何按钮。下面是Button类的第一部分，请将这个类保存为文件button.py：

button.py

```
import pygame.font

class Button():

❶    def __init__(self, ai_settings, screen, msg):
        """初始化按钮的属性"""
        self.screen = screen
        self.screen_rect = screen.get_rect()

        # 设置按钮的尺寸和其他属性
❷        self.width, self.height = 200, 50
        self.button_color = (0, 255, 0)
        self.text_color = (255, 255, 255)
❸        self.font = pygame.font.SysFont(None, 48)

        # 创建按钮的rect对象，并使其居中
❹        self.rect = pygame.Rect(0, 0, self.width, self.height)
        self.rect.center = self.screen_rect.center

        # 按钮的标签只需创建一次
❺        self.prep_msg(msg)
```

首先，我们导入了模块pygame.font，它让Pygame能够将文本渲染到屏幕上。方法__init__()接受参数self，对象ai_settings和screen，以及msg，其中msg是要在按钮中显示的文本（见❶）。我们设置按钮的尺寸（见❷），然后通过设置button_color让按钮的rect对象为亮绿色，并通过设置text_color让文本为白色。

在（见❸）处，我们指定使用什么字体来渲染文本。实参None让Pygame使用默认字体，而48指定了文本的字号。为让按钮在屏幕上居中，我们创建一个表示按钮的rect对象（见❹），并将其center属性设置为屏幕的center属性。

Pygame通过将你要显示的字符串渲染为图像来处理文本。在❺处，我们调用prep_msg()来处理这样的渲染。

prep_msg()的代码如下：

button.py

```
    def prep_msg(self, msg):
        """将msg渲染为图像，并使其在按钮上居中"""
❶        self.msg_image = self.font.render(msg, True, self.text_color,
            self.button_color)
```

```
❷        self.msg_image_rect = self.msg_image.get_rect()
         self.msg_image_rect.center = self.rect.center
```

方法prep_msg()接受实参self以及要渲染为图像的文本（msg）。调用font.render()将存储在msg中的文本转换为图像，然后将该图像存储在msg_image中（见❶）。方法font.render()还接受一个布尔实参，该实参指定开启还是关闭反锯齿功能（反锯齿让文本的边缘更平滑）。余下的两个实参分别是文本颜色和背景色。我们启用了反锯齿功能，并将文本的背景色设置为按钮的颜色（如果没有指定背景色，Pygame将以透明背景的方式渲染文本）。

在❷处，我们让文本图像在按钮上居中：根据文本图像创建一个rect，并将其center属性设置为按钮的center属性。

最后，我们创建方法draw_button()，通过调用它可将这个按钮显示到屏幕上：

button.py

```
def draw_button(self):
    # 绘制一个用颜色填充的按钮, 再绘制文本
    self.screen.fill(self.button_color, self.rect)
    self.screen.blit(self.msg_image, self.msg_image_rect)
```

我们调用screen.fill()来绘制表示按钮的矩形，再调用screen.blit()，并向它传递一幅图像以及与该图像相关联的rect对象，从而在屏幕上绘制文本图像。至此，Button类便创建好了。

14.1.2　在屏幕上绘制按钮

我们将使用Button类来创建一个Play按钮。鉴于只需要一个Play按钮，我们直接在alien_invasion.py中创建它，如下所示：

alien_invasion.py

```
--snip--
from game_stats import GameStats
from button import Button
--snip--

def run_game():
    --snip--
    pygame.display.set_caption("Alien Invasion")

    # 创建Play按钮
❶   play_button = Button(ai_settings, screen, "Play")
    --snip--

    # 开始游戏主循环
    while True:
        --snip--
❷       gf.update_screen(ai_settings, screen, stats, ship, aliens, bullets,
            play_button)
```

14

```
run_game()
```

我们导入Button类，并创建一个名为play_button的实例（见❶），然后我们将play_button传递给update_screen()，以便能够在屏幕更新时显示按钮（见❷）。

接下来，修改update_screen()，以便在游戏处于非活动状态时显示Play按钮：

game_functions.py

```
def update_screen(ai_settings, screen, stats, ship, aliens, bullets,
        play_button):
    """更新屏幕上的图像，并切换到新屏幕"""
    --snip--

    # 如果游戏处于非活动状态，就绘制Play按钮
    if not stats.game_active:
        play_button.draw_button()

    # 让最近绘制的屏幕可见
    pygame.display.flip()
```

为让Play按钮位于其他所有屏幕元素上面，我们在绘制其他所有游戏元素后再绘制这个按钮，然后切换到新屏幕。如果你现在运行这个游戏，将在屏幕中央看到一个Play按钮，如图14-1所示。

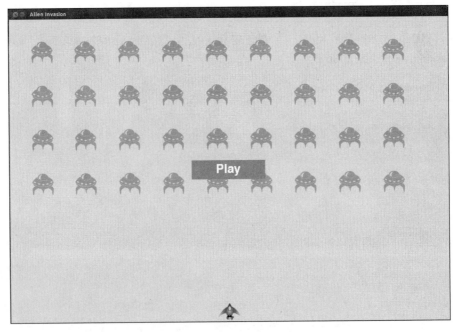

图14-1　游戏处于非活动状态时出现的Play按钮

14.1.3　开始游戏

为在玩家单击Play按钮时开始新游戏，需在game_functions.py中添加如下代码，以监视与这个按钮相关的鼠标事件：

game_functions.py

```
def check_events(ai_settings, screen, stats, play_button, ship, bullets):
    """响应按键和鼠标事件"""
    for event in pygame.event.get():
        if event.type == pygame.QUIT:
            --snip--
❶       elif event.type == pygame.MOUSEBUTTONDOWN:
❷           mouse_x, mouse_y = pygame.mouse.get_pos()
❸           check_play_button(stats, play_button, mouse_x, mouse_y)

def check_play_button(stats, play_button, mouse_x, mouse_y):
    """在玩家单击Play按钮时开始新游戏"""
❹   if play_button.rect.collidepoint(mouse_x, mouse_y):
        stats.game_active = True
```

我们修改了check_events()的定义，在其中添加了形参stats和play_button。我们将使用stats来访问标志game_active，并使用play_button来检查玩家是否单击了Play按钮。

无论玩家单击屏幕的什么地方，Pygame都将检测到一个MOUSEBUTTONDOWN事件（见❶），但我们只想让这个游戏在玩家用鼠标单击Play按钮时作出响应。为此，我们使用了pygame.mouse.get_pos()，它返回一个元组，其中包含玩家单击时鼠标的x和y坐标（见❷）。我们将这些值传递给函数check_play_button()（见❸），而这个函数使用collidepoint()检查鼠标单击位置是否在Play按钮的rect内（见❹）。如果是这样的，我们就将game_active设置为True，让游戏就此开始！

在alien_invasion.py中调用check_events()，需要传递另外两个实参——stats和play_button：

alien_invasion.py

```
# 开始游戏主循环
while True:
    gf.check_events(ai_settings, screen, stats, play_button, ship,
        bullets)
    --snip--
```

至此，你应该能够开始这个游戏了。游戏结束时，game_active应为False，并重新显示Play按钮。

14.1.4　重置游戏

前面编写的代码只处理了玩家第一次单击Play按钮的情况，而没有处理游戏结束的情况，因为没有重置导致游戏结束的条件。

为在玩家每次单击Play按钮时都重置游戏，需要重置统计信息、删除现有的外星人和子弹、创建一群新的外星人，并让飞船居中，如下所示：

game_functions.py

```
def check_play_button(ai_settings, screen, stats, play_button, ship, aliens,
        bullets, mouse_x, mouse_y):
    """在玩家单击Play按钮时开始新游戏"""
    if play_button.rect.collidepoint(mouse_x, mouse_y):
        # 重置游戏统计信息
❶       stats.reset_stats()
        stats.game_active = True

        # 清空外星人列表和子弹列表
❷       aliens.empty()
        bullets.empty()

        # 创建一群新的外星人，并让飞船居中
❸       create_fleet(ai_settings, screen, ship, aliens)
        ship.center_ship()
```

我们更新了check_play_button()的定义，使其能够访问ai_settings、stats、ship、aliens和bullets。为重置在游戏期间发生了变化的设置以及刷新游戏的视觉元素，它需要这些对象。

在❶处，我们重置了游戏统计信息，给玩家提供了三艘新飞船。接下来，我们将game_active设置为True（这样，这个函数的代码执行完毕后，游戏就会开始），清空编组aliens和bullets（见❷），创建一群新的外星人，并将飞船居中（见❸）。

check_events()的定义需要修改，调用check_play_button()的代码亦如此：

game_functions.py

```
def check_events(ai_settings, screen, stats, play_button, ship, aliens,
        bullets):
    """响应按键和鼠标事件"""
    for event in pygame.event.get():
        if event.type == pygame.QUIT:
            --snip--
        elif event.type == pygame.MOUSEBUTTONDOWN:
            mouse_x, mouse_y = pygame.mouse.get_pos()
❶           check_play_button(ai_settings, screen, stats, play_button, ship,
                aliens, bullets, mouse_x, mouse_y)
```

check_events()的定义需要形参aliens，以便将它传递给check_play_button()。接下来，我们修改了调用check_play_button()的代码，以将合适的实参传递给它（见❶）。

下面来修改alien_invasion.py中调用check_events()的代码，以将实参aliens传递给它：

alien_invasion.py

```
    # 开始游戏主循环
    while True:
```

```
gf.check_events(ai_settings, screen, stats, play_button, ship,
    aliens, bullets)
--snip--
```

现在，每当玩家单击Play按钮时，这个游戏都将正确地重置，让玩家想玩多少次就玩多少次！

14.1.5　将 Play 按钮切换到非活动状态

当前，Play按钮存在一个问题，那就是即便Play按钮不可见，玩家单击其原来所在的区域时，游戏依然会作出响应。游戏开始后，如果玩家不小心单击了Play按钮原来所处的区域，游戏将重新开始！

为修复这个问题，可让游戏仅在game_active为False时才开始：

game_functions.py

```
def check_play_button(ai_settings, screen, stats, play_button, ship, aliens,
        bullets, mouse_x, mouse_y):
    """玩家单击Play按钮时开始新游戏"""
❶   button_clicked = play_button.rect.collidepoint(mouse_x, mouse_y)
❷   if button_clicked and not stats.game_active:
        #重置游戏统计信息
        --snip--
```

标志button_clicked的值为True或False（见❶），仅当玩家单击了Play按钮且游戏当前处于非活动状态时，游戏才重新开始（见❷）。为测试这种行为，可开始新游戏，并不断地单击Play按钮原来所在的区域。如果一切都像预期的那样工作，单击Play按钮原来所处的区域应该没有任何影响。

14.1.6　隐藏光标

为让玩家能够开始游戏，我们要让光标可见，但游戏开始后，光标只会添乱。为修复这种问题，我们在游戏处于活动状态时让光标不可见：

game_functions.py

```
def check_play_button(ai_settings, screen, stats, play_button, ship, aliens,
        bullets, mouse_x, mouse_y):
    """在玩家单击Play按钮时开始新游戏"""
    button_clicked = play_button.rect.collidepoint(mouse_x, mouse_y)
    if button_clicked and not stats.game_active:
        # 隐藏光标
        pygame.mouse.set_visible(False)
        --snip--
```

通过向set_visible()传递False，让Pygame在光标位于游戏窗口内时将其隐藏起来。

游戏结束后，我们将重新显示光标，让玩家能够单击Play按钮来开始新游戏。相关的代码如下：

game_functions.py

```
def ship_hit(ai_settings, screen, stats, ship, aliens, bullets):
    """响应飞船被外星人撞到"""
    if stats.ships_left > 0:
        --snip--
    else:
        stats.game_active = False
        pygame.mouse.set_visible(True)
```

在ship_hit()中，我们在游戏进入非活动状态后，立即让光标可见。关注这样的细节让游戏显得更专业，也让玩家能够专注于玩游戏而不是费力搞明白用户界面。

动手试一试

14-1 按 P 开始新游戏：鉴于游戏《外星人入侵》使用键盘来控制飞船，最好让玩家也能够通过按键来开始游戏。请添加让玩家在按 P 时开始游戏的代码。也许这样做会有所帮助：将 check_play_button() 的一些代码提取出来，放到一个名为 start_game() 的函数中，并在 check_play_button() 和 check_keydown_events() 中调用这个函数。

14-2 射击练习：创建一个矩形，它在屏幕右边缘以固定的速度上下移动。然后，在屏幕左边缘创建一艘飞船，玩家可上下移动该飞船，并射击前述矩形目标。添加一个用于开始游戏的 Play 按钮，在玩家三次未击中目标时结束游戏，并重新显示 Play 按钮，让玩家能够通过单击该按钮来重新开始游戏。

14.2　提高等级

当前，将整群外星人都消灭干净后，玩家将提高一个等级，但游戏的难度并没有变。下面来增加一点趣味性：每当玩家将屏幕上的外星人都消灭干净后，加快游戏的节奏，让游戏玩起来更难。

14.2.1　修改速度设置

我们首先重新组织Settings类，将游戏设置划分成静态的和动态的两组。对于随着游戏进行而变化的设置，我们还确保它们在开始新游戏时被重置。settings.py的方法__init__()如下：

settings.py

```
def __init__(self):
    """初始化游戏的静态设置"""
    # 屏幕设置
    self.screen_width = 1200
    self.screen_height = 800
```

```
        self.bg_color = (230, 230, 230)

        # 飞船设置
        self.ship_limit = 3

        # 子弹设置
        self.bullet_width = 3
        self.bullet_height = 15
        self.bullet_color = 60, 60, 60
        self.bullets_allowed = 3

        # 外星人设置
        self.fleet_drop_speed = 10

        # 以什么样的速度加快游戏节奏
❶      self.speedup_scale = 1.1

❷      self.initialize_dynamic_settings()
```

我们依然在__init__()中初始化静态设置。在❶处，我们添加了设置speedup_scale，用于控制游戏节奏的加快速度：2表示玩家每提高一个等级，游戏的节奏就翻倍；1表示游戏节奏始终不变。将其设置为1.1能够将游戏节奏提高到够快，让游戏既有难度，又并非不可完成。最后，我们调用initialize_dynamic_settings()，以初始化随游戏进行而变化的属性（见❷）。

initialize_dynamic_settings()的代码如下：

settings.py

```
    def initialize_dynamic_settings(self):
        """初始化随游戏进行而变化的设置"""
        self.ship_speed_factor = 1.5
        self.bullet_speed_factor = 3
        self.alien_speed_factor = 1

        # fleet_direction为1表示向右；为-1表示向左
        self.fleet_direction = 1
```

这个方法设置了飞船、子弹和外星人的初始速度。随游戏的进行，我们将提高这些速度，而每当玩家开始新游戏时，都将重置这些速度。在这个方法中，我们还设置了fleet_direction，使得游戏刚开始时，外星人总是向右移动。每当玩家提高一个等级时，我们都使用increase_speed()来提高飞船、子弹和外星人的速度：

settings.py

```
    def increase_speed(self):
        """提高速度设置"""
        self.ship_speed_factor *= self.speedup_scale
        self.bullet_speed_factor *= self.speedup_scale
        self.alien_speed_factor *= self.speedup_scale
```

14

为提高这些游戏元素的速度，我们将每个速度设置都乘以speedup_scale的值。

在check_bullet_alien_collisions()中，我们在整群外星人都被消灭后调用increase_speed()来加快游戏的节奏，再创建一群新的外星人：

game_functions.py

```
def check_bullet_alien_collisions(ai_settings, screen, ship, aliens, bullets):
    --snip--
    if len(aliens) == 0:
        # 删除现有的子弹，加快游戏节奏，并创建一群新的外星人
        bullets.empty()
        ai_settings.increase_speed()
        create_fleet(ai_settings, screen, ship, aliens)
```

通过修改速度设置ship_speed_factor、alien_speed_factor和bullet_speed_factor的值，足以加快整个游戏的节奏！

14.2.2　重置速度

每当玩家开始新游戏时，我们都需要将发生了变化的设置重置为初始值，否则新游戏开始时，速度设置将是前一次游戏增加了的值：

game_functions.py

```
def check_play_button(ai_settings, screen, stats, play_button, ship, aliens,
        bullets, mouse_x, mouse_y):
    """在玩家单击Play按钮时开始新游戏"""
    button_clicked = play_button.rect.collidepoint(mouse_x, mouse_y)
    if button_clicked and not stats.game_active:
        # 重置游戏设置
        ai_settings.initialize_dynamic_settings()

        # 隐藏光标
        pygame.mouse.set_visible(False)
        --snip--
```

现在，游戏《外星人入侵》玩起来更有趣，也更有挑战性。每当玩家将屏幕上的外星人消灭干净后，游戏都将加快节奏，因此难度会更大些。如果游戏的难度提高得太快，可降低settings.speedup_scale的值；如果游戏的挑战性不足，可稍微提高这个设置的值。找出这个设置的最佳值，让难度的提高速度相对合理：一开始的几群外星人很容易消灭干净；接下来的几群消灭起来有一定难度，但也不是不可能；而要将更靠后的外星人群消灭干净几乎不可能。

动手试一试

14-3 有一定难度的射击练习：以你为完成练习 14-2 而做的工作为基础，让标靶的移动速度随游戏进行而加快，并在玩家单击 Play 按钮时将其重置为初始值。

14.3 记分

下面来实现一个记分系统，以实时地跟踪玩家的得分，并显示最高得分、当前等级和余下的飞船数。

得分是游戏的一项统计信息，因此我们在GameStats中添加一个score属性：

game_stats.py

```
class GameStats():
    --snip--
    def reset_stats(self):
        """初始化随游戏进行可能变化的统计信息"""
        self.ships_left = self.ai_settings.ship_limit
        self.score = 0
```

为在每次开始游戏时都重置得分，我们在reset_stats()而不是__init__()中初始化score。

14.3.1 显示得分

为在屏幕上显示得分，我们首先创建一个新类Scoreboard。就当前而言，这个类只显示当前得分，但后面我们也将使用它来显示最高得分、等级和余下的飞船数。下面是这个类的前半部分，它被保存为文件scoreboard.py：

scoreboard.py

```
import pygame.font

class Scoreboard():
    """显示得分信息的类"""

❶   def __init__(self, ai_settings, screen, stats):
        """初始化显示得分涉及的属性"""
        self.screen = screen
        self.screen_rect = screen.get_rect()
        self.ai_settings = ai_settings
        self.stats = stats

        # 显示得分信息时使用的字体设置
❷       self.text_color = (30, 30, 30)
❸       self.font = pygame.font.SysFont(None, 48)

        # 准备初始得分图像
❹       self.prep_score()
```

由于Scoreboard在屏幕上显示文本，因此我们首先导入模块pygame.font。接下来，我们在__init__()中包含形参ai_settings、screen和stats，让它能够报告我们跟踪的值（见❶）。然后，我们设置文本颜色（见❷）并实例化一个字体对象（见❸）。

为将要显示的文本转换为图像，我们调用了prep_score()（见❹），其定义如下：

scoreboard.py

```
        def prep_score(self):
            """将得分转换为一幅渲染的图像"""
❶          score_str = str(self.stats.score)
❷          self.score_image = self.font.render(score_str, True, self.text_color,
                self.ai_settings.bg_color)

            # 将得分放在屏幕右上角
❸          self.score_rect = self.score_image.get_rect()
❹          self.score_rect.right = self.screen_rect.right - 20
❺          self.score_rect.top = 20
```

在prep_score()中，我们首先将数字值stats.score转换为字符串（见❶），再将这个字符串传递给创建图像的render()（见❷）。为在屏幕上清晰地显示得分，我们向render()传递了屏幕背景色，以及文本颜色。

我们将得分放在屏幕右上角，并在得分增大导致这个数字更宽时让它向左延伸。为确保得分始终锚定在屏幕右边，我们创建了一个名为score_rect的rect（见❸），让其右边缘与屏幕右边缘相距20像素（见❹），并让其上边缘与屏幕上边缘也相距20像素（见❺）。

最后，我们创建方法show_score()，用于显示渲染好的得分图像：

scoreboard.py

```
        def show_score(self):
            """在屏幕上显示得分"""
            self.screen.blit(self.score_image, self.score_rect)
```

这个方法将得分图像显示到屏幕上，并将其放在score_rect指定的位置。

14.3.2　创建记分牌

为显示得分，我们在alien_invasion.py中创建一个Scoreboard实例：

alien_invasion.py

```
--snip--
from game_stats import GameStats
from scoreboard import Scoreboard
--snip--
def run_game():
    --snip--
    # 创建存储游戏统计信息的实例，并创建记分牌
    stats = GameStats(ai_settings)
❶  sb = Scoreboard(ai_settings, screen, stats)
    --snip--
    # 开始游戏主循环
    while True:
        --snip--
❷      gf.update_screen(ai_settings, screen, stats, sb, ship, aliens,
```

```
        bullets, play_button)
run_game()
```

我们导入新创建的类Scoreboard，并在创建实例stats后创建了一个名为sb的Scoreboard实例（见❶）。接下来，我们将sb传递给update_screen()，让它能够在屏幕上显示得分（见❷）。

为显示得分，将update_screen()修改成下面这样：

game_functions.py

```
def update_screen(ai_settings, screen, stats, sb, ship, aliens, bullets,
        play_button):
    --snip--
    # 显示得分
    sb.show_score()

    # 如果游戏处于非活动状态，就显示Play按钮
    if not stats.game_active:
        play_button.draw_button()

    # 让最近绘制的屏幕可见
    pygame.display.flip()
```

我们在update_screen()的形参列表中添加了sb，并在绘制Play按钮前调用show_score。

如果现在运行这个游戏，你将在屏幕右上角看到0（当前，我们只想在进一步开发记分系统前确认得分出现在正确的地方）。图14-2显示了游戏开始前的得分。

图14-2 得分出现在屏幕右上角

下面来指定每个外星人值多少点！

14.3.3　在外星人被消灭时更新得分

为在屏幕上实时地显示得分，每当有外星人被击中时，我们都更新stats.score的值，再调用prep_score()更新得分图像。但在此之前，我们需要指定玩家每击落一个外星人都将得到多少个点：

settings.py

```
def initialize_dynamic_settings(self):
    --snip--

    # 记分
    self.alien_points = 50
```

随着游戏的进行，我们将提高每个外星人值的点数。为确保每次开始新游戏时这个值都会被重置，我们在initialize_dynamic_settings()中设置它。

在check_bullet_alien_collisions()中，每当有外星人被击落时，都更新得分：

game_functions.py

```
def check_bullet_alien_collisions(ai_settings, screen, stats, sb, ship,
        aliens, bullets):
    """响应子弹和外星人发生碰撞"""
    # 删除发生碰撞的子弹和外星人
    collisions = pygame.sprite.groupcollide(bullets, aliens, True, True)

    if collisions:
❶        stats.score += ai_settings.alien_points
        sb.prep_score()
    --snip--
```

我们更新check_bullet_alien_collisions()的定义，在其中包含了形参stats和sb，让它能够更新得分和记分牌。有子弹撞到外星人时，Pygame返回一个字典（collisions）。我们检查这个字典是否存在，如果存在，就将得分加上一个外星人值的点数（见❶）。接下来，我们调用prep_score()来创建一幅显示最新得分的新图像。

我们需要修改update_bullets()，确保在函数之间传递合适的实参：

game_functions.py

```
def update_bullets(ai_settings, screen, stats, sb, ship, aliens, bullets):
    """更新子弹的位置，并删除已消失的子弹"""
    --snip--

    check_bullet_alien_collisions(ai_settings, screen, stats, sb, ship,
        aliens, bullets)
```

在update_bullets()的定义中，需要新增形参stats和sb，而调用check_bullet_alien_

collisions()时，也需要传递实参stats和sb。

我们还需要修改主while循环中调用update_bullets()的代码：

alien_invasion.py

```
# 开始游戏主循环
while True:
    gf.check_events(ai_settings, screen, stats, play_button, ship,
        aliens, bullets)
    if stats.game_active:
        ship.update()
        gf.update_bullets(ai_settings, screen, stats, sb, ship, aliens,
            bullets)
        --snip--
```

调用update_bullets()时，需要传递实参stats和sb。

如果你现在运行这个游戏，得分将不断增加！

14.3.4 将消灭的每个外星人的点数都计入得分

当前，我们的代码可能遗漏了一些被消灭的外星人。例如，如果在一次循环中有两颗子弹射中了外星人，或者因子弹更宽而同时击中了多个外星人，玩家将只能得到一个被消灭的外星人的点数。为修复这种问题，我们来调整检测子弹和外星人碰撞的方式。

在check_bullet_alien_collisions()中，与外星人碰撞的子弹都是字典collisions中的一个键；而与每颗子弹相关的值都是一个列表，其中包含该子弹撞到的外星人。我们遍历字典collisions，确保将消灭的每个外星人的点数都记入得分：

game_functions.py

```
def check_bullet_alien_collisions(ai_settings, screen, stats, sb, ship,
        aliens, bullets):
    --snip--
    if collisions:
❶       for aliens in collisions.values():
            stats.score += ai_settings.alien_points * len(aliens)
            sb.prep_score()
    --snip--
```

如果字典collisions存在，我们就遍历其中的所有值。别忘了，每个值都是一个列表，包含被同一颗子弹击中的所有外星人。对于每个列表，都将一个外星人的点数乘以其中包含的外星人数量，并将结果加入到当前得分中。为测试这一点，请将子弹宽度改为300像素，并核实你得到了更宽的子弹击中的每个外星人的点数，再将子弹宽度恢复到正常值。

14.3.5 提高点数

玩家每提高一个等级，游戏都变得更难，因此处于较高的等级时，外星人的点数应更高。为实现这种功能，我们添加一些代码，以在游戏节奏加快时提高点数：

settings.py

```
class Settings():
    """存储游戏《外星人入侵》的所有设置的类"""

    def __init__(self):
        --snip--
        # 加快游戏节奏的速度
        self.speedup_scale = 1.1
        # 外星人点数的提高速度
❶       self.score_scale = 1.5

        self.initialize_dynamic_settings()

    def increase_speed(self):
        """提高速度设置和外星人点数"""
        self.ship_speed_factor *= self.speedup_scale
        self.bullet_speed_factor *= self.speedup_scale
        self.alien_speed_factor *= self.speedup_scale

❷       self.alien_points = int(self.alien_points * self.score_scale)
```

我们定义了点数提高的速度，并称之为score_scale（见❶）。很小的节奏加快速度（1.1）让游戏很快就变得极具挑战性，但为让记分发生显著的变化，需要将点数的提高速度设置为更大的值（1.5）。现在，我们在加快游戏节奏的同时，提高了每个外星人的点数。为让点数为整数，我们使用了函数int()。

为显示外星人的点数，我们在Settings的方法increase_speed()中添加了一条print语句：

settings.py

```
    def increase_speed(self):
        --snip--
        self.alien_points = int(self.alien_points * self.score_scale)
        print(self.alien_points)
```

现在每当提高一个等级时，你都会在终端窗口看到新的点数值。

注意　确认点数在不断增加后，一定要删除这条print语句，否则它可能会影响游戏的性能以及分散玩家的注意力。

14.3.6　将得分圆整

大多数街机风格的射击游戏都将得分显示为10的整数倍，下面让我们的记分系统遵循这个原则。我们还将设置得分的格式，在大数字中添加用逗号表示的千位分隔符。我们在Scoreboard中执行这种修改：

scoreboard.py

```
    def prep_score(self):
        """将得分转换为渲染的图像"""
❶      rounded_score = int(round(self.stats.score, -1))
❷      score_str = "{:,}".format(rounded_score)
        self.score_image = self.font.render(score_str, True, self.text_color,
            self.ai_settings.bg_color)
        --snip--
```

函数round()通常让小数精确到小数点后多少位，其中小数位数是由第二个实参指定的。然而，如果将第二个实参指定为负数，round()将圆整到最近的10、100、1000等整数倍。❶处的代码让Python将stats.score的值圆整到最近的10的整数倍，并将结果存储到rounded_score中。

注意　在Python 2.7中，round()总是返回一个小数值，因此我们使用int()来确保报告的得分为整数。如果你使用的是Python 3，可省略对int()的调用。

---

❷处使用了一个字符串格式设置指令，它让Python将数值转换为字符串时在其中插入逗号，例如，输出1,000,000而不是1000000。如果你现在运行这个游戏，看到的将是10的整数倍的整洁得分，即便得分很高亦如此，如图14-3所示。

图14-3　得分为10的整数倍，并将逗号用作千分位分隔符

14.3.7　最高得分

每个玩家都想超过游戏的最高得分记录。下面来跟踪并显示最高得分，给玩家提供要超越的目标。我们将最高得分存储在GameStats中：

game_stats.py

```
def __init__(self, ai_settings):
    --snip--
    # 在任何情况下都不应重置最高得分
    self.high_score = 0
```

鉴于在任何情况下都不会重置最高得分，我们在__init__()中而不是reset_stats()中初始化high_score。

下面来修改Scoreboard以显示最高得分。先来修改方法__init__()：

scoreboard.py

```
    def __init__(self, ai_settings, screen, stats):
        --snip--
        # 准备包含最高得分和当前得分的图像
        self.prep_score()
❶       self.prep_high_score()
```

最高得分将与当前得分分开显示，因此我们需要编写一个新方法prep_high_score()，用于准备包含最高得分的图像（见❶）。

方法prep_high_score()的代码如下：

scoreboard.py

```
    def prep_high_score(self):
        """将最高得分转换为渲染的图像"""
❶       high_score = int(round(self.stats.high_score, -1))
❷       high_score_str = "{:,}".format(high_score)
❸       self.high_score_image = self.font.render(high_score_str, True,
            self.text_color, self.ai_settings.bg_color)

        #将最高得分放在屏幕顶部中央
        self.high_score_rect = self.high_score_image.get_rect()
❹       self.high_score_rect.centerx = self.screen_rect.centerx
❺       self.high_score_rect.top = self.score_rect.top
```

我们将最高得分圆整到最近的10的整数倍（见❶），并添加了用逗号表示的千分位分隔符（见❷）。然后，我们根据最高得分生成一幅图像（见❸），使其水平居中（见❹），并将其top属性设置为当前得分图像的top属性（见❺）。

现在，方法show_score()需要在屏幕右上角显示当前得分，并在屏幕顶部中央显示最高得分：

scoreboard.py

```
def show_score(self):
    """在屏幕上显示当前得分和最高得分"""
    self.screen.blit(self.score_image, self.score_rect)
    self.screen.blit(self.high_score_image, self.high_score_rect)
```

为检查是否诞生了新的最高得分，我们在game_functions.py中添加一个新函数check_high_score()：

game_functions.py

```
def check_high_score(stats, sb):
    """检查是否诞生了新的最高得分"""
❶   if stats.score > stats.high_score:
        stats.high_score = stats.score
        sb.prep_high_score()
```

函数check_high_score()包含两个形参：stats和sb。它使用stats来比较当前得分和最高得分，并在必要时使用sb来修改最高得分图像。在❶处，我们比较当前得分和最高得分，如果当前得分更高，就更新high_score的值，并调用prep_high_score()来更新包含最高得分的图像。

在check_bullet_alien_collisions()中，每当有外星人被消灭，都需要在更新得分后调用check_high_score()：

game_functions.py

```
def check_bullet_alien_collisions(ai_settings, screen, stats, sb, ship,
        aliens, bullets):
    --snip--
    if collisions:
        for aliens in collisions.values():
            stats.score += ai_settings.alien_points * len(aliens)
            sb.prep_score()
        check_high_score(stats, sb)
    --snip--
```

字典collisions存在时，我们根据消灭了多少外星人来更新得分，再调用check_high_score()。

第一次玩这款游戏时，当前得分就是最高得分，因此两个地方显示的都是当前得分。但再次开始这个游戏时，最高得分出现在中央，而当前得分出现在右边，如图14-4所示。

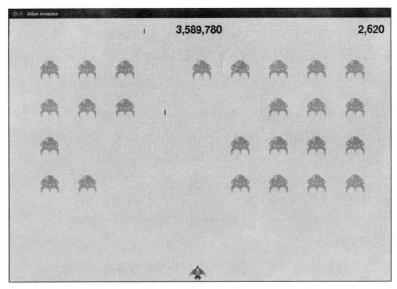

图14-4   最高得分显示在屏幕顶部中央

14.3.8   显示等级

为在游戏中显示玩家的等级，首先需要在GameStats中添加一个表示当前等级的属性。为确保每次开始新游戏时都重置等级，在reset_stats()中初始化它：

game_stats.py

```
def reset_stats(self):
    """初始化随游戏进行可能变化的统计信息"""
    self.ships_left = self.ai_settings.ship_limit
    self.score = 0
    self.level = 1
```

为让Scoreboard能够在当前得分下方显示当前等级，我们在__init__()中调用了一个新方法prep_level()：

scoreboard.py

```
def __init__(self, ai_settings, screen, stats):
    --snip--

    # 准备包含得分的初始图像
    self.prep_score()
    self.prep_high_score()
    self.prep_level()
```

prep_level()的代码如下：

scoreboard.py

```
      def prep_level(self):
          """将等级转换为渲染的图像"""
❶         self.level_image = self.font.render(str(self.stats.level), True,
              self.text_color, self.ai_settings.bg_color)

          # 将等级放在得分下方
          self.level_rect = self.level_image.get_rect()
❷         self.level_rect.right = self.score_rect.right
❸         self.level_rect.top = self.score_rect.bottom + 10
```

方法prep_level()根据存储在stats.level中的值创建一幅图像（见❶），并将其right属性设置为得分的right属性（见❷）。然后，将top属性设置为比得分图像的bottom属性大10像素，以便在得分和等级之间留出一定的空间（见❸）。

我们还需要更新show_score()：

scoreboard.py

```
      def show_score(self):
          """在屏幕上显示飞船和得分"""
          self.screen.blit(self.score_image, self.score_rect)
          self.screen.blit(self.high_score_image, self.high_score_rect)
          self.screen.blit(self.level_image, self.level_rect)
```

在这个方法中，添加了一行在屏幕上显示等级图像的代码。

我们在check_bullet_alien_collisions()中提高等级，并更新等级图像：

game_functions.py

```
def check_bullet_alien_collisions(ai_settings, screen, stats, sb, ship,
    aliens, bullets):
    --snip--
    if len(aliens) == 0:
        # 如果整群外星人都被消灭，就提高一个等级
        bullets.empty()
        ai_settings.increase_speed()

        # 提高等级
❶       stats.level += 1
❷       sb.prep_level()

        create_fleet(ai_settings, screen, ship, aliens)
```

如果整群外星人都被消灭，我们就将stats.level的值加1（见❶），并调用prep_level()，以确保正确地显示新等级（见❷）。

为确保开始新游戏时更新记分和等级图像，在按钮Play被单击时触发重置：

game_functions.py

```
def check_play_button(ai_settings, screen, stats, sb, play_button, ship,
```

14

```
        aliens, bullets, mouse_x, mouse_y):
    """在玩家单击Play按钮时开始新游戏"""
    button_clicked = play_button.rect.collidepoint(mouse_x, mouse_y)
    if button_clicked and not stats.game_active:
        --snip--

        # 重置游戏统计信息
        stats.reset_stats()
        stats.game_active = True

        # 重置记分牌图像
❶       sb.prep_score()
        sb.prep_high_score()
        sb.prep_level()

        # 清空外星人列表和子弹列表
        aliens.empty()
        bullets.empty()

        --snip--
```

check_play_button()的定义需要包含对象sb。为重置记分牌图像，我们在重置相关游戏设置后调用prep_score()、prep_high_score()和prep_level()（见❶）。

在check_events()中，现在需要向check_play_button()传递sb，让它能够访问记分牌对象：

game_functions.py

```
def check_events(ai_settings, screen, stats, sb, play_button, ship, aliens,
        bullets):
    """响应按键和鼠标事件"""
    for event in pygame.event.get():
        if event.type == pygame.QUIT:
            --snip--
        elif event.type == pygame.MOUSEBUTTONDOWN:
            mouse_x, mouse_y = pygame.mouse.get_pos()
❶           check_play_button(ai_settings, screen, stats, sb, play_button,
                ship, aliens, bullets, mouse_x, mouse_y)
```

check_events()的定义需要包含形参sb，这样调用check_play_button()时，才能将sb作为实参传递给它（见❶）。

最后，更新alien_invasion.py中调用check_events()的代码，也向它传递sb：

alien_invasion.py

```
    # 开始游戏主循环
    while True:
        gf.check_events(ai_settings, screen, stats, sb, play_button, ship,
            aliens, bullets)
        --snip--
```

现在你可以知道升到多少级了，如图14-5所示。

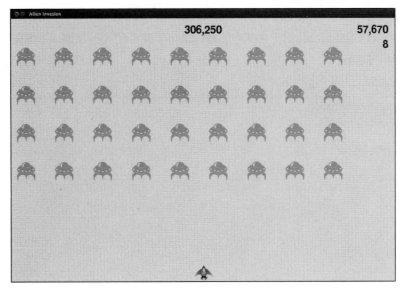

图14-5 当前等级显示在当前得分的正下方

注意 在一些经典游戏中，得分带标签，如Score、High Score和Level。我们没有显示这些标签，因为开始玩这款游戏后，每个数字的含义将一目了然。要包含这些标签，只需在Scoreboard中调用font.render()前，将它们添加到得分字符串中即可。

14.3.9　显示余下的飞船数

最后，我们来显示玩家还有多少艘飞船，但使用图形而不是数字。为此，我们在屏幕左上角绘制飞船图像来指出还余下多少艘飞船，就像众多经典的街机游戏那样。

首先，需要让Ship继承Sprite，以便能够创建飞船编组：

ship.py

```
import pygame
from pygame.sprite import Sprite

❶ class Ship(Sprite):

    def __init__(self, ai_settings, screen):
        """初始化飞船，并设置其起始位置"""
❷       super(Ship, self).__init__()
        --snip--
```

在这里，我们导入了Sprite，让Ship继承Sprite（见❶），并在__init__()的开头就调用了super()

（见❷）。

接下来，需要修改Scoreboard，在其中创建一个可供显示的飞船编组。下面是其中的import
语句和方法__init__()：

scoreboard.py

```
import pygame.font
from pygame.sprite import Group

from ship import Ship

class Scoreboard():
    """报告得分信息的类"""

    def __init__(self, ai_settings, screen, stats):
        --snip--
        self.prep_level()
        self.prep_ships()
        --snip--
```

鉴于要创建一个飞船编组，我们导入Group和Ship类。调用prep_level()后，我们调用了
prep_ships()。

prep_ships()的代码如下：

scoreboard.py

```
    def prep_ships(self):
        """显示还余下多少艘飞船"""
❶      self.ships = Group()
❷      for ship_number in range(self.stats.ships_left):
            ship = Ship(self.ai_settings, self.screen)
❸          ship.rect.x = 10 + ship_number * ship.rect.width
❹          ship.rect.y = 10
❺          self.ships.add(ship)
```

方法prep_ships()创建一个空编组self.ships，用于存储飞船实例（见❶）。为填充这个编组，
根据玩家还有多少艘飞船运行一个循环相应的次数（见❷）。在这个循环中，我们创建一艘新飞
船，并设置其x坐标，让整个飞船编组都位于屏幕左边，且每艘飞船的左边距都为10像素（见❸）。
我们还将y坐标设置为离屏幕上边缘10像素，让所有飞船都与得分图像对齐（见❹）。最后，我们
将每艘新飞船都添加到编组ships中（见❺）。

现在需要在屏幕上绘制飞船了：

scoreboard.py

```
    def show_score(self):
        --snip--
        self.screen.blit(self.level_image, self.level_rect)
        # 绘制飞船
        self.ships.draw(self.screen)
```

为在屏幕上显示飞船，我们对编组调用了draw()。Pygame将绘制每艘飞船。

为在游戏开始时让玩家知道他有多少艘飞船，我们在开始新游戏时调用prep_ships()。这是在game_functions.py的check_play_button()中进行的：

game_functions.py

```python
def check_play_button(ai_settings, screen, stats, sb, play_button, ship,
        aliens, bullets, mouse_x, mouse_y):
    """在玩家单击Play按钮时开始新游戏"""
    button_clicked = play_button.rect.collidepoint(mouse_x, mouse_y)
    if button_clicked and not stats.game_active:
        --snip--
        # 重置记分牌图像
        sb.prep_score()
        sb.prep_high_score()
        sb.prep_level()
        sb.prep_ships()
        --snip--
```

我们还在飞船被外星人撞到时调用prep_ships()，从而在玩家损失一艘飞船时更新飞船图像：

game_functions.py

```python
❶ def update_aliens(ai_settings, screen, stats, sb, ship, aliens, bullets):
    --snip--
    # 检测外星人和飞船之间的碰撞
    if pygame.sprite.spritecollideany(ship, aliens):
❷       ship_hit(ai_settings, screen, stats, sb, ship, aliens, bullets)

    # 检查是否有外星人抵达屏幕底端
❸   check_aliens_bottom(ai_settings, screen, stats, sb, ship, aliens, bullets)

❹ def ship_hit(ai_settings, screen, stats, sb, ship, aliens, bullets):
    """响应被外星人撞到的飞船"""
    if stats.ships_left > 0:
        # 将ships_left减1
        stats.ships_left -= 1

        # 更新记分牌
❺       sb.prep_ships()

        # 清空外星人列表和子弹列表
        --snip--
```

首先，我们在update_aliens()的定义中添加了形参sb（见❶）。然后，我们向ship_hit()（见❷）和check_aliens_bottom()（见❸）都传递了sb，让它们都能够访问记分牌对象。

接下来，我们更新了ship_hit()的定义，使其包含形参sb（见❹）。我们在将ships_left的值减1后调用了prep_ships()（见❺），这样每次损失了飞船时，显示的飞船数都是正确的。

在check_aliens_bottom()中需要调用ship_hit()，因此对这个函数进行更新：

14

game_functions.py

```
def check_aliens_bottom(ai_settings, screen, stats, sb, ship, aliens,
        bullets):
    """检查是否有外星人抵达屏幕底端"""
    screen_rect = screen.get_rect()
    for alien in aliens.sprites():
        if alien.rect.bottom >= screen_rect.bottom:
            # 像飞船被外星人撞到一样处理
            ship_hit(ai_settings, screen, stats, sb, ship, aliens, bullets)
            break
```

现在，check_aliens_bottom()包含形参sb，并在调用ship_hit()时传递了实参sb。

最后，在alien_invasion.py中修改调用update_aliens()的代码，向它传递实参sb：

alien_invasion.py

```
# 开始游戏主循环
while True:
    --snip--
    if stats.game_active:
        ship.update()
        gf.update_bullets(ai_settings, screen, stats, sb, ship, aliens,
            bullets)
        gf.update_aliens(ai_settings, screen, stats, sb, ship, aliens,
            bullets)
        --snip--
```

图14-6显示了完整的记分系统，它在屏幕左上角指出了还余下多少艘飞船。

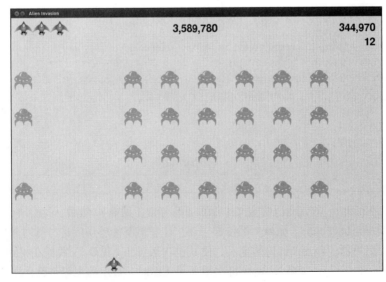

图14-6   游戏《外星人入侵》的完整记分系统

动手试一试

14-4 历史最高分：每当玩家关闭并重新开始游戏《外星人入侵》时，最高分都将被重置。请修复这个问题，调用 sys.exit() 前将最高分写入文件，并当在 GameStats 中初始化最高分时从文件中读取它。

14-5 重构：找出执行了多项任务的函数和方法，对它们进行重构，以让代码高效而有序。例如，对于 check_bullet_alien_collisions()，将其中在外星人群被消灭干净时开始新等级的代码移到一个名为 start_new_level() 的函数中；又比如，对于 Scoreboard 的方法 __init__()，将其中调用四个不同方法的代码移到一个名为 prep_images() 的方法中，以缩短方法 __init__()。如果你重构了 check_play_button()，方法 prep_images() 也可为 check_play_button() 或 start_game() 提供帮助。

注意 重构项目前，请阅读附录D，了解如果重构时引入了bug，如何将项目恢复到可正确运行的状态。

14-6 扩展游戏《外星人入侵》：想想如何扩展游戏《外星人入侵》。例如，可让外星人也能够向飞船射击，或者添加盾牌，让飞船躲到它后面，使得只有从两边射来的子弹才能摧毁飞船。另外，还可以使用像 pygame.mixer 这样的模块来添加音效，如爆炸声和射击声。

14.4 小结

在本章中，你学习了如何创建用于开始新游戏的Play按钮，如何检测鼠标事件，以及在游戏处于活动状态时如何隐藏光标。你可以利用学到的知识在游戏中创建其他按钮，如用于显示玩法说明的Help按钮。你还学习了如何随游戏的进行调整其节奏，如何实现记分系统，以及如何以文本和非文本方式显示信息。

项目2　数据可视化

生成数据

15

　　数据可视化指的是通过可视化表示来探索数据，它与**数据挖掘**紧密相关，而数据挖掘指的是使用代码来探索数据集的规律和关联。数据集可以是用一行代码就能表示的小型数字列表，也可以是数以吉字节的数据。

　　漂亮地呈现数据关乎的并非仅仅是漂亮的图片。以引人注目的简洁方式呈现数据，让观看者能够明白其含义，发现数据集中原本未意识到的规律和意义。

　　所幸即便没有超级计算机，也能够可视化复杂的数据。鉴于Python的高效性，使用它在笔记本电脑上就能快速地探索由数百万个数据点组成的数据集。数据点并非必须是数字，利用本书前半部分介绍的基本知识，也可以对非数字数据进行分析。

　　在基因研究、天气研究、政治经济分析等众多领域，大家都使用Python来完成数据密集型工作。数据科学家使用Python编写了一系列令人印象深刻的可视化和分析工具，其中很多也可供你使用。最流行的工具之一是matplotlib，它是一个数学绘图库，我们将使用它来制作简单的图表，如折线图和散点图。然后，我们将基于随机漫步概念生成一个更有趣的数据集——根据一系列随机决策生成的图表。

　　我们还将使用Pygal包，它专注于生成适合在数字设备上显示的图表。通过使用Pygal，可在用户与图表交互时突出元素以及调整其大小，还可轻松地调整整个图表的尺寸，使其适合在微型智能手表或巨型显示器上显示。我们将使用Pygal以各种方式探索掷骰子的结果。

15

15.1 安装 matplotlib

　　首先，需要安装matplotlib，我们将使用它来制作开始的几个图表。如果你还未使用过pip，请参阅12.2.1节。

15.1.1　在 Linux 系统中安装 matplotlib

如果你使用的是系统自带的Python版本，可使用系统的包管理器来安装matplotlib，为此只需执行一行命令：

```
$ sudo apt-get install python3-matplotlib
```

如果你使用的是Python 2.7，请执行如下命令：

```
$ sudo apt-get install python-matplotlib
```

如果你安装了较新的Python版本，就必须安装matplotlib依赖的一些库：

```
$ sudo apt-get install python3.5-dev python3.5-tk tk-dev
$ sudo apt-get install libfreetype6-dev g++
```

再使用pip来安装matplotlib：

```
$ pip install --user matplotlib
```

15.1.2　在 OS X 系统中安装 matplotlib

Apple的标准Python安装自带了matplotlib。要检查系统是否安装了matplotlib，可打开一个终端会话并尝试导入matplotlib。如果系统没有自带matplotlib，且你的Python是使用Homebrew安装的，则可以像下面这样安装matplotlib：

```
$ pip install --user matplotlib
```

> 注意　安装包时可能需要使用pip3，而不是pip。另外，如果这个命令不管用，你可能需要删除标志--user。

15.1.3　在 Windows 系统中安装 matplotlib

在Windows系统中，首先需要安装Visual Studio。为此，请访问https://dev.windows.com/，单击Downloads，再查找Visual Studio Community——一组免费的Windows开发工具。请下载并运行该安装程序。

接下来，需要下载matplotlib安装程序。为此，请访问https://pypi.python.org/pypi/matplotlib/，并查找与你使用的Python版本匹配的wheel文件（扩展名为.whl的文件）。例如，如果你使用的是32位的Python 3.5，则需要下载matplotlib-1.4.3-cp35-none-win32.whl。

> **注意** 如果找不到与你安装的 Python 版本匹配的文件，请去 http://www.lfd.uci.edu/-gohlke/ pythonlibs/#matplotlib 看看，这个网站发布安装程序的时间通常比 matplotlib 官网早些。

将这个 .whl 文件复制到你的项目文件夹，打开一个命令窗口，并切换到该项目文件夹，再使用 pip 来安装 matplotlib：

```
> cd python_work
python_work> python -m pip install --user matplotlib-1.4.3-cp35-none-win32.whl
```

15.1.4 测试 matplotlib

安装必要的包后，对安装进行测试。为此，首先使用命令 python 或 python3 启动一个终端会话，再尝试导入 matplotlib：

```
$ python3
>>> import matplotlib
>>>
```

如果没有出现任何错误消息，就说明你的系统安装了 matplotlib，可以接着阅读下一节。

> **注意** 如果你在安装过程中遇到了麻烦，请参阅附录 C。如果依然无济于事，请向他人寻求帮助。对于你遇到的问题，只要向经验丰富的 Python 程序员提供少量的信息，他们很可能很快就能帮你解决。

15.1.5 matplotlib 画廊

要查看使用 matplotlib 可制作的各种图表，请访问 http://matplotlib.org/ 的示例画廊。单击画廊中的图表，就可查看用于生成图表的代码。

15.2 绘制简单的折线图

下面来使用 matplotlib 绘制一个简单的折线图，再对其进行定制，以实现信息更丰富的数据可视化。我们将使用平方数序列 1、4、9、16 和 25 来绘制这个图表。

只需向 matplotlib 提供如下数字，matplotlib 就能完成其他的工作：

mpl_squares.py

```
import matplotlib.pyplot as plt

squares = [1, 4, 9, 16, 25]
```

```
plt.plot(squares)
plt.show()
```

我们首先导入了模块pyplot，并给它指定了别名plt，以免反复输入pyplot。在线示例大都这样做，因此这里也这样做。模块pyplot包含很多用于生成图表的函数。

我们创建了一个列表，在其中存储了前述平方数，再将这个列表传递给函数plot()，这个函数尝试根据这些数字绘制出有意义的图形。plt.show()打开matplotlib查看器，并显示绘制的图形，如图15-1所示。查看器让你能够缩放和导航图形，另外，单击磁盘图标可将图形保存起来。

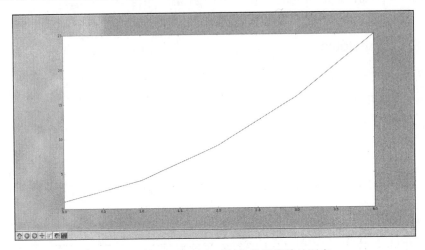

图15-1　使用matplotlib可制作的最简单的图表

15.2.1　修改标签文字和线条粗细

图15-1所示的图形表明数字是越来越大的，但标签文字太小，线条太细。所幸matplotlib让你能够调整可视化的各个方面。

下面通过一些定制来改善这个图形的可读性，如下所示：

mpl_squares.py

```
import matplotlib.pyplot as plt

squares = [1, 4, 9, 16, 25]
```
❶ `plt.plot(squares, linewidth=5)`
```

# 设置图表标题，并给坐标轴加上标签
```
❷ `plt.title("Square Numbers", fontsize=24)`
❸ `plt.xlabel("Value", fontsize=14)`
```
plt.ylabel("Square of Value", fontsize=14)

# 设置刻度标记的大小
```
❹ `plt.tick_params(axis='both', labelsize=14)`

```
plt.show()
```

参数linewidth（见❶）决定了plot()绘制的线条的粗细。函数title()（见❷）给图表指定标题。在上述代码中，出现了多次的参数fontsize指定了图表中文字的大小。

函数xlabel()和ylabel()让你能够为每条轴设置标题（见❸）；而函数tick_params()设置刻度的样式（见❹），其中指定的实参将影响x轴和y轴上的刻度（axis='both'），并将刻度标记的字号设置为14（labelsize=14）。

最终的图表阅读起来容易得多了，如图15-2所示：标签文字更大，线条也更粗。

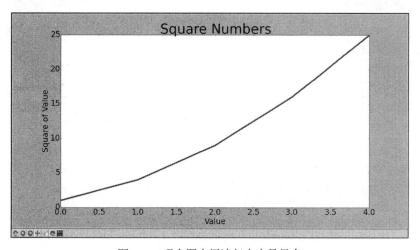

图15-2　现在图表阅读起来容易得多

15.2.2　校正图形

图形更容易阅读后，我们发现没有正确地绘制数据：折线图的终点指出4.0的平方为25！下面来修复这个问题。

当你向plot()提供一系列数字时，它假设第一个数据点对应的x坐标值为0，但我们的第一个点对应的x值为1。为改变这种默认行为，我们可以给plot()同时提供输入值和输出值：

mpl_squares.py

```
import matplotlib.pyplot as plt

input_values = [1, 2, 3, 4, 5]
squares = [1, 4, 9, 16, 25]
plt.plot(input_values, squares, linewidth=5)

# 设置图表标题并给坐标轴加上标签
--snip--
```

15

现在plot()将正确地绘制数据，因为我们同时提供了输入值和输出值，它无需对输出值的生成方式作出假设。最终的图形是正确的，如图15-3所示。

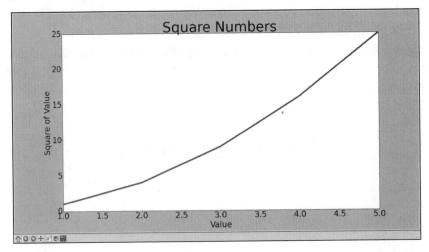

图15-3   根据数据正确地绘制了图形

使用plot()时可指定各种实参，还可使用众多函数对图形进行定制。本章后面处理更有趣的数据集时，将继续探索这些定制函数。

15.2.3   使用 scatter()绘制散点图并设置其样式

有时候，需要绘制散点图并设置各个数据点的样式。例如，你可能想以一种颜色显示较小的值，而用另一种颜色显示较大的值。绘制大型数据集时，你还可以对每个点都设置同样的样式，再使用不同的样式选项重新绘制某些点，以突出它们。

要绘制单个点，可使用函数scatter()，并向它传递一对*x*和*y*坐标，它将在指定位置绘制一个点：

scatter_squares.py

```
import matplotlib.pyplot as plt

plt.scatter(2, 4)
plt.show()
```

下面来设置输出的样式，使其更有趣：添加标题，给轴加上标签，并确保所有文本都大到能够看清：

```
import matplotlib.pyplot as plt

❶ plt.scatter(2, 4, s=200)
```

```
# 设置图表标题并给坐标轴加上标签
plt.title("Square Numbers", fontsize=24)
plt.xlabel("Value", fontsize=14)
plt.ylabel("Square of Value", fontsize=14)

# 设置刻度标记的大小
plt.tick_params(axis='both', which='major', labelsize=14)

plt.show()
```

在❶处，我们调用了scatter()，并使用实参s设置了绘制图形时使用的点的尺寸。如果此时运行scatter_squares.py，将在图表中央看到一个点，大致如图15-4所示。

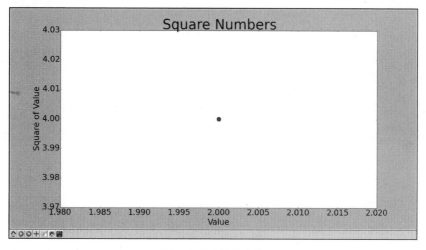

图15-4   绘制单个点

15.2.4   使用 scatter()绘制一系列点

要绘制一系列的点，可向scatter()传递两个分别包含*x*值和*y*值的列表，如下所示：

scatter_squares.py

```
import matplotlib.pyplot as plt

x_values = [1, 2, 3, 4, 5]
y_values = [1, 4, 9, 16, 25]

plt.scatter(x_values, y_values, s=100)

# 设置图表标题并给坐标轴指定标签
--snip--
```

15

列表x_values包含要计算其平方值的数字，而列表y_values包含前述每个数字的平方值。将这些列表传递给scatter()时，matplotlib依次从每个列表中读取一个值来绘制一个点。要绘制的点的坐标分别为 (1, 1)、(2, 4)、(3, 9)、(4, 16)和(5, 25)，最终的结果如图15-5所示。

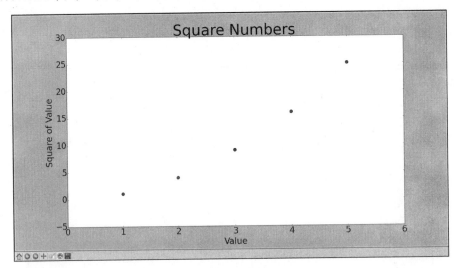

图15-5　由多个点组成的散点图

15.2.5　自动计算数据

手工计算列表要包含的值可能效率低下，需要绘制的点很多时尤其如此。可以不必手工计算包含点坐标的列表，而让Python循环来替我们完成这种计算。下面是绘制1000个点的代码：

scatter_squares.py

```
import matplotlib.pyplot as plt

❶ x_values = list(range(1, 1001))
  y_values = [x**2 for x in x_values]

❷ plt.scatter(x_values, y_values, s=40)

  # 设置图表标题并给坐标轴加上标签
  --snip--

  # 设置每个坐标轴的取值范围
❸ plt.axis([0, 1100, 0, 1100000])

  plt.show()
```

我们首先创建了一个包含x值的列表，其中包含数字1~1000（见❶）。接下来是一个生成y值的列表解析，它遍历x值（for x in x_values），计算其平方值（x**2），并将结果存储到列表y_values

中。然后，将输入列表和输出列表传递给scatter()（见❷）。

由于这个数据集较大，我们将点设置得较小，并使用函数axis()指定了每个坐标轴的取值范围（见❸）。函数axis()要求提供四个值：*x*和*y*坐标轴的最小值和最大值。在这里，我们将*x*坐标轴的取值范围设置为0~1100，并将*y*坐标轴的取值范围设置为0~1 100 000。结果如图15-6所示。

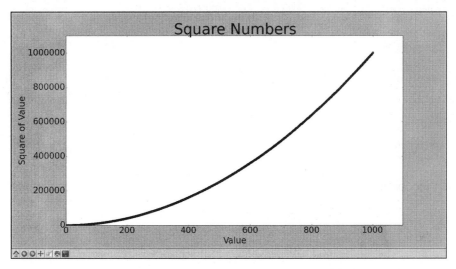

图15-6　Python绘制1000个点与绘制5个点一样容易

15.2.6　删除数据点的轮廓

matplotlib允许你给散点图中的各个点指定颜色。默认为蓝色点和黑色轮廓，在散点图包含的数据点不多时效果很好。但绘制很多点时，黑色轮廓可能会粘连在一起。要删除数据点的轮廓，可在调用scatter()时传递实参edgecolor='none'：

```
plt.scatter(x_values, y_values, edgecolor='none', s=40)
```

将相应调用修改为上述代码后，如果再运行scatter_squares.py，在图表中看到的将是蓝色实心点。

15.2.7　自定义颜色

要修改数据点的颜色，可向scatter()传递参数c，并将其设置为要使用的颜色的名称，如下所示：

```
plt.scatter(x_values, y_values, c='red', edgecolor='none', s=40)
```

你还可以使用RGB颜色模式自定义颜色。要指定自定义颜色，可传递参数c，并将其设置为一个元组，其中包含三个0~1之间的小数值，它们分别表示红色、绿色和蓝色分量。例如，下面的代码行创建一个由淡蓝色点组成的散点图：

```
plt.scatter(x_values, y_values, c=(0, 0, 0.8), edgecolor='none', s=40)
```

值越接近0，指定的颜色越深，值越接近1，指定的颜色越浅。

15.2.8　使用颜色映射

颜色映射（colormap）是一系列颜色，它们从起始颜色渐变到结束颜色。在可视化中，颜色映射用于突出数据的规律，例如，你可能用较浅的颜色来显示较小的值，并使用较深的颜色来显示较大的值。

模块pyplot内置了一组颜色映射。要使用这些颜色映射，你需要告诉pyplot该如何设置数据集中每个点的颜色。下面演示了如何根据每个点的y值来设置其颜色：

scatter_squares.py

```
import matplotlib.pyplot as plt

x_values = list(range(1, 1001))
y_values = [x**2 for x in x_values]

plt.scatter(x_values, y_values, c=y_values, cmap=plt.cm.Blues,
    edgecolor='none', s=40)

# 设置图表标题并给坐标轴加上标签
--snip--
```

我们将参数c设置成了一个y值列表，并使用参数cmap告诉pyplot使用哪个颜色映射。这些代码将y值较小的点显示为浅蓝色，并将y值较大的点显示为深蓝色，生成的图形如图15-7所示。

注意　要了解pyplot中所有的颜色映射，请访问http://matplotlib.org/，单击Examples，向下滚动到Color Examples，再单击colormaps_reference。

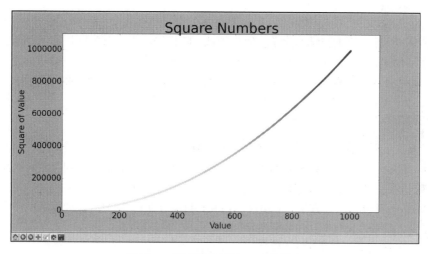

图15-7 使用颜色映射Blues的图表

15.2.9 自动保存图表

要让程序自动将图表保存到文件中，可将对plt.show()的调用替换为对plt.savefig()的调用：

```
plt.savefig('squares_plot.png', bbox_inches='tight')
```

第一个实参指定要以什么样的文件名保存图表，这个文件将存储到scatter_squares.py所在的目录中；第二个实参指定将图表多余的空白区域裁剪掉。如果要保留图表周围多余的空白区域，可省略这个实参。

动手试一试

15-1 立方：数字的三次方被称为其立方。请绘制一个图形，显示前 5 个整数的立方值，再绘制一个图形，显示前 5000 个整数的立方值。

15-2 彩色立方：给你前面绘制的立方图指定颜色映射。

15.3 随机漫步

在本节中，我们将使用Python来生成随机漫步数据，再使用matplotlib以引人瞩目的方式将这些数据呈现出来。随机漫步是这样行走得到的路径：每次行走都完全是随机的，没有明确的方向，结果是由一系列随机决策决定的。你可以这样认为，随机漫步就是蚂蚁在晕头转向的情况下，每次都沿随机的方向前行所经过的路径。

　　在自然界、物理学、生物学、化学和经济领域，随机漫步都有其实际用途。例如，漂浮在水滴上的花粉因不断受到水分子的挤压而在水面上移动。水滴中的分子运动是随机的，因此花粉在水面上的运动路径犹如随机漫步。我们稍后将编写的代码模拟了现实世界的很多情形。

15.3.1　创建 RandomWalk()类

　　为模拟随机漫步，我们将创建一个名为RandomWalk的类，它随机地选择前进方向。这个类需要三个属性，其中一个是存储随机漫步次数的变量，其他两个是列表，分别存储随机漫步经过的每个点的x和y坐标。

　　RandomWalk类只包含两个方法：__init__()和fill_walk()，其中后者计算随机漫步经过的所有点。下面先来看看__init__()，如下所示：

random_walk.py

```
❶ from random import choice

  class RandomWalk():
      """一个生成随机漫步数据的类"""

❷     def __init__(self, num_points=5000):
          """初始化随机漫步的属性"""
          self.num_points = num_points

          # 所有随机漫步都始于(0, 0)
❸         self.x_values = [0]
          self.y_values = [0]
```

　　为做出随机决策，我们将所有可能的选择都存储在一个列表中，并在每次做决策时都使用choice()来决定使用哪种选择（见❶）。接下来，我们将随机漫步包含的默认点数设置为5000，这大到足以生成有趣的模式，同时又足够小，可确保能够快速地模拟随机漫步（见❷）。然后，在❸处，我们创建了两个用于存储x和y值的列表，并让每次漫步都从点(0, 0)出发。

15.3.2　选择方向

　　我们将使用fill_walk()来生成漫步包含的点，并决定每次漫步的方向，如下所示。请将这个方法添加到random_walk.py中：

random_walk.py

```
  def fill_walk(self):
      """计算随机漫步包含的所有点"""

      # 不断漫步，直到列表达到指定的长度
❶     while len(self.x_values) < self.num_points:
```

```
                # 决定前进方向以及沿这个方向前进的距离
❷               x_direction = choice([1, -1])
                x_distance = choice([0, 1, 2, 3, 4])
❸               x_step = x_direction * x_distance

                y_direction = choice([1, -1])
                y_distance = choice([0, 1, 2, 3, 4])
❹               y_step = y_direction * y_distance

                # 拒绝原地踏步
❺               if x_step == 0 and y_step == 0:
                    continue

                # 计算下一个点的x和y值
❻               next_x = self.x_values[-1] + x_step
                next_y = self.y_values[-1] + y_step

                self.x_values.append(next_x)
                self.y_values.append(next_y)
```

在❶处，我们建立了一个循环，这个循环不断运行，直到漫步包含所需数量的点。这个方法的主要部分告诉Python如何模拟四种漫步决定：向右走还是向左走？沿指定的方向走多远？向上走还是向下走？沿选定的方向走多远？

我们使用choice([1, -1])给x_direction选择一个值，结果要么是表示向右走的1，要么是表示向左走的-1（见❷）。接下来，choice([0, 1, 2, 3, 4])随机地选择一个0~4之间的整数，告诉Python 沿指定的方向走多远（x_distance）。（通过包含0，我们不仅能够沿两个轴移动，还能够沿y轴移动。）

在❸和❹处，我们将移动方向乘以移动距离，以确定沿x和y轴移动的距离。如果x_step为正，将向右移动，为负将向左移动，而为零将垂直移动；如果y_step为正，就意味着向上移动，为负意味着向下移动，而为零意味着水平移动。如果x_step和y_step都为零，则意味着原地踏步，我们拒绝这样的情况，接着执行下一次循环（见❺）。

为获取漫步中下一个点的x值，我们将x_step与x_values中的最后一个值相加（见❻），对于y值也做相同的处理。获得下一个点的x值和y值后，我们将它们分别附加到列表x_values和y_values的末尾。

15.3.3　绘制随机漫步图

下面的代码将随机漫步的所有点都绘制出来：

rw_visual.py

```
import matplotlib.pyplot as plt

from random_walk import RandomWalk
```

```
   # 创建一个RandomWalk实例，并将其包含的点都绘制出来
❶  rw = RandomWalk()
   rw.fill_walk()
❷  plt.scatter(rw.x_values, rw.y_values, s=15)
   plt.show()
```

我们首先导入了模块pyplot和RandomWalk类，然后创建了一个RandomWalk实例，并将其存储到rw中（见❶），再调用fill_walk()。在❷处，我们将随机漫步包含的*x*和*y*值传递给scatter()，并选择了合适的点尺寸。图15-8显示了包含5000个点的随机漫步图（本节的示意图未包含matplotlib查看器部分，但你运行rw_visual.py时，依然会看到）。

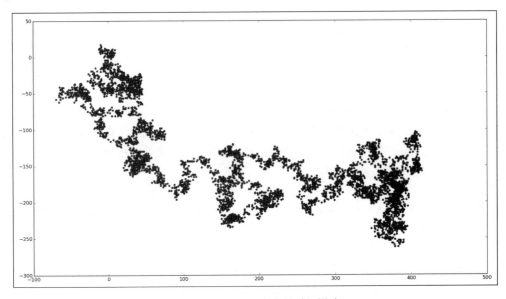

图15-8　包含5000个点的随机漫步

15.3.4　模拟多次随机漫步

每次随机漫步都不同，因此探索可能生成的各种模式很有趣。要在不多次运行程序的情况下使用前面的代码模拟多次随机漫步，一种办法是将这些代码放在一个while循环中，如下所示：

rw_visual.py

```
import matplotlib.pyplot as plt

from random_walk import RandomWalk

# 只要程序处于活动状态，就不断地模拟随机漫步
while True:
    # 创建一个RandomWalk实例，并将其包含的点都绘制出来
    rw = RandomWalk()
```

```
rw.fill_walk()
plt.scatter(rw.x_values, rw.y_values, s=15)
plt.show()

❶   keep_running = input("Make another walk? (y/n): ")
    if keep_running == 'n':
        break
```

这些代码模拟一次随机漫步，在matplotlib查看器中显示结果，再在不关闭查看器的情况下暂停。如果你关闭查看器，程序将询问你是否要再模拟一次随机漫步。如果你输入y，可模拟多次随机漫步：这些随机漫步都在起点附近进行，大多沿特定方向偏离起点，漫步点分布不均匀等。要结束程序，请输入n。

注意　如果你使用的是Python 2.7，别忘了将❶处的input()替换为raw_input()。

15.3.5　设置随机漫步图的样式

在本节中，我们将定制图表，以突出每次漫步的重要特征，并让分散注意力的元素不那么显眼。为此，我们确定要突出的元素，如漫步的起点、终点和经过的路径。接下来确定要使其不那么显眼的元素，如刻度标记和标签。最终的结果是简单的可视化表示，清楚地指出了每次漫步经过的路径。

15.3.6　给点着色

我们将使用颜色映射来指出漫步中各点的先后顺序，并删除每个点的黑色轮廓，让它们的颜色更明显。为根据漫步中各点的先后顺序进行着色，我们传递参数c，并将其设置为一个列表，其中包含各点的先后顺序。由于这些点是按顺序绘制的，因此给参数c指定的列表只需包含数字1~5000，如下所示：

rw_visual.py

```
--snip--
while True:
    # 创建一个RandomWalk实例，并将其包含的点都绘制出来
    rw = RandomWalk()
    rw.fill_walk()

❶   point_numbers = list(range(rw.num_points))
    plt.scatter(rw.x_values, rw.y_values, c=point_numbers, cmap=plt.cm.Blues,
        edgecolor='none', s=15)
    plt.show()

    keep_running = input("Make another walk? (y/n): ")
    --snip--
```

15

在❶处，我们使用了range()生成了一个数字列表，其中包含的数字个数与漫步包含的点数相同。接下来，我们将这个列表存储在point_numbers中，以便后面使用它来设置每个漫步点的颜色。我们将参数c设置为point_numbers，指定使用颜色映射Blues，并传递实参edgecolor=none以删除每个点周围的轮廓。最终的随机漫步图从浅蓝色渐变为深蓝色，如图15-9所示。

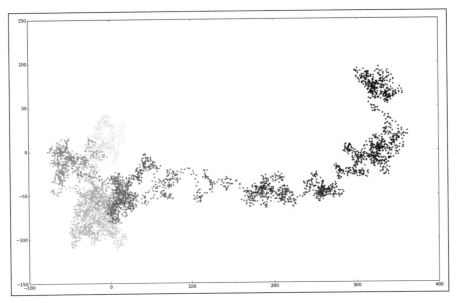

图15-9　使用颜色映射Blues着色的随机漫步图

15.3.7　重新绘制起点和终点

除了给随机漫步的各个点着色，以指出它们的先后顺序外，如果还能呈现随机漫步的起点和终点就更好了。为此，可在绘制随机漫步图后重新绘制起点和终点。我们让起点和终点变得更大，并显示为不同的颜色，以突出它们，如下所示：

rw_visual.py

```
--snip--
while True:
    --snip--
    plt.scatter(rw.x_values, rw.y_values, c=point_numbers, cmap=plt.cm.Blues,
        edgecolor='none', s=15)

    # 突出起点和终点
    plt.scatter(0, 0, c='green', edgecolors='none', s=100)
    plt.scatter(rw.x_values[-1], rw.y_values[-1], c='red', edgecolors='none',
        s=100)

    plt.show()
```

```
--snip--
```

　　为突出起点，我们使用绿色绘制点(0, 0)，并使其比其他点大（s=100）。为突出终点，我们在漫步包含的最后一个x和y值处绘制一个点，将其颜色设置为红色，并将尺寸设置为100。请务必将这些代码放在调用plt.show()的代码前面，确保在其他点的上面绘制起点和终点。

　　如果你现在运行这些代码，将能准确地知道每次随机漫步的起点和终点（如果起点和终点不明显，请调整它们的颜色和大小，直到明显为止）。

15.3.8　隐藏坐标轴

　　下面来隐藏这个图表中的坐标轴，以免我们注意的是坐标轴而不是随机漫步路径。要隐藏坐标轴，可使用如下代码：

rw_visual.py

```
--snip--
while True:
    --snip--
    plt.scatter(rw.x_values[-1], rw.y_values[-1], c='red', edgecolors='none',
        s=100)

    # 隐藏坐标轴
❶   plt.axes().get_xaxis().set_visible(False)
    plt.axes().get_yaxis().set_visible(False)

    plt.show()
    --snip--
```

　　为修改坐标轴，使用了函数plt.axes()（见❶）来将每条坐标轴的可见性都设置为False。随着你越来越多地进行数据可视化，经常会看到这种串接方法的方式。

　　如果你现在运行rw_visual.py，将看到一系列图形，但看不到坐标轴。

15.3.9　增加点数

　　下面来增加点数，以提供更多的数据。为此，我们在创建RandomWalk实例时增大num_points的值，并在绘图时调整每个点的大小，如下所示：

rw_visual.py

```
--snip--
while True:
    #创建一个RandomWalk实例，并将其包含的点都绘制出来
    rw = RandomWalk(50000)
    rw.fill_walk()

    # 绘制点并将图形显示出来
    point_numbers = list(range(rw.num_points))
```

15

```
plt.scatter(rw.x_values, rw.y_values, c=point_numbers, cmap=plt.cm.Blues,
    edgecolor='none', s=1)
--snip--
```

这个示例模拟了一次包含50 000个点的随机漫步（以模拟现实情况），并将每个点的大小都设置为1。最终的随机漫步图更纤细，犹如云朵，如图15-10所示。正如你看到的，我们使用简单的散点图制作出了一件艺术品！

请尝试修改上述代码，看看将漫步包含的点数增加到多少后，程序的运行速度变得极其缓慢或绘制出的图形变得很难看。

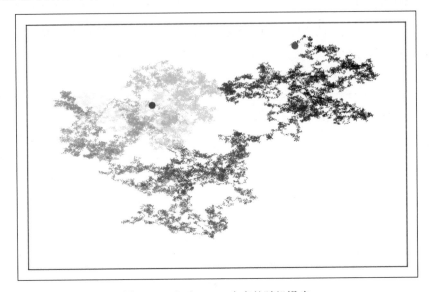

图15-10　包含50 000个点的随机漫步

15.3.10　调整尺寸以适合屏幕

图表适合屏幕大小时，更能有效地将数据中的规律呈现出来。为让绘图窗口更适合屏幕大小，可像下面这样调整matplotlib输出的尺寸：

rw_visual.py

```
--snip--
while True:
    # 创建一个RandomWalk实例，并将其包含的点都绘制出来
    rw = RandomWalk()
    rw.fill_walk()

    # 设置绘图窗口的尺寸
    plt.figure(figsize=(10, 6))
--snip--
```

　　函数figure()用于指定图表的宽度、高度、分辨率和背景色。你需要给形参figsize指定一个元组，向matplotlib指出绘图窗口的尺寸，单位为英寸。

　　Python假定屏幕分辨率为80像素/英寸，如果上述代码指定的图表尺寸不合适，可根据需要调整其中的数字。如果你知道自己的系统的分辨率，可使用形参dpi向figure()传递该分辨率，以有效地利用可用的屏幕空间，如下所示：

```
plt.figure(dpi=128, figsize=(10, 6))
```

动手试一试

　　15-3 分子运动：修改 rw_visual.py，将其中的 plt.scatter() 替换为 plt.plot()。为模拟花粉在水滴表面的运动路径，向 plt.plot() 传递 rw.x_values 和 rw.y_values，并指定实参值 linewidth。使用 5000 个点而不是 50 000 个点。

　　15-4 改进的随机漫步：在类 RandomWalk 中，x_step 和 y_step 是根据相同的条件生成的：从列表[1, -1]中随机地选择方向，并从列表[0, 1, 2, 3, 4]中随机地选择距离。请修改这些列表中的值，看看对随机漫步路径有何影响。尝试使用更长的距离选择列表，如0~8；或者将-1从 x 或 y 方向列表中删除。

　　15-5 重构：方法 fill_walk() 很长。请新建一个名为 get_step() 的方法，用于确定每次漫步的距离和方向，并计算这次漫步将如何移动。然后，在 fill_walk() 中调用 get_step() 两次：

```
x_step = self.get_step()
y_step = self.get_step()
```

　　通过这样的重构，可缩小 fill_walk() 的规模，让这个方法阅读和理解起来更容易。

15.4　使用 Pygal 模拟掷骰子

　　在本节中，我们将使用Python可视化包Pygal来生成可缩放的矢量图形文件。对于需要在尺寸不同的屏幕上显示的图表，这很有用，因为它们将自动缩放，以适合观看者的屏幕。如果你打算以在线方式使用图表，请考虑使用Pygal来生成它们，这样它们在任何设备上显示时都会很美观。

　　在这个项目中，我们将对掷骰子的结果进行分析。掷6面的常规骰子时，可能出现的结果为1~6点，且出现每种结果的可能性相同。然而，如果同时掷两个骰子，某些点数出现的可能性将比其他点数大。为确定哪些点数出现的可能性最大，我们将生成一个表示掷骰子结果的数据集，并根据结果绘制出一个图形。

　　在数学领域，常常利用掷骰子来解释各种数据分析，但它在赌场和其他博弈场景中也得到了实际应用，在游戏《大富翁》以及众多角色扮演游戏中亦如此。

15.4.1　安装 Pygal

请使用pip来安装Pygal（如果还未使用过pip，请参阅12.2.1节）。

在Linux和OS X系统中，应执行的命令类似于下面这样：

```
pip install --user pygal==1.7
```

在Windows系统中，命令类似于下面这样：

```
python -m pip install --user pygal==1.7
```

注意　你可能需要使用命令pip3而不是pip，如果这还是不管用，你可能需要删除标志--user。

15.4.2　Pygal 画廊

要了解使用Pygal可创建什么样的图表，请查看图表类型画廊：访问http://www.pygal.org/，单击Documentation，再单击Chart types。每个示例都包含源代码，让你知道这些图表是如何生成的。

15.4.3　创建 Die 类

下面的类模拟掷一个骰子：

die.py

```
from random import randint

class Die():
    """表示一个骰子的类"""

❶    def __init__(self, num_sides=6):
        """骰子默认为6面"""
        self.num_sides = num_sides

    def roll(self):
        """返回一个位于1和骰子面数之间的随机值"""
❷        return randint(1, self.num_sides)
```

方法__init__()接受一个可选参数。创建这个类的实例时，如果没有指定任何实参，面数默认为6；如果指定了实参，这个值将用于设置骰子的面数（见❶）。骰子是根据面数命名的，6面的骰子名为D6，8面的骰子名为D8，以此类推。

方法roll()使用函数randint()来返回一个1和面数之间的随机数（见❷）。这个函数可能返回起始值1、终止值num_sides或这两个值之间的任何整数。

15.4.4　掷骰子

使用这个类来创建图表前，先来掷D6骰子，将结果打印出来，并检查结果是否合理：

die_visual.py

```
from die import Die

# 创建一个D6
❶ die = Die()

# 掷几次骰子，并将结果存储在一个列表中
results = []
❷ for roll_num in range(100):
    result = die.roll()
    results.append(result)

print(results)
```

在❶处，我们创建了一个Die实例，其面数为默认值6。在❷处，我们掷骰子100次，并将每次的结果都存储在列表results中。下面是一个示例结果集：

```
[4, 6, 5, 6, 1, 5, 6, 3, 5, 3, 5, 3, 2, 2, 1, 3, 1, 5, 3, 6, 3, 6, 5, 4,
1, 1, 4, 2, 3, 6, 4, 2, 6, 4, 1, 3, 2, 5, 6, 3, 6, 2, 1, 1, 3, 4, 1, 4,
3, 5, 1, 4, 5, 5, 2, 3, 3, 1, 2, 3, 5, 6, 2, 5, 6, 1, 3, 2, 1, 1, 1, 6,
5, 5, 2, 2, 6, 4, 1, 4, 5, 1, 1, 1, 4, 5, 3, 3, 1, 3, 5, 4, 5, 6, 5, 4,
1, 5, 1, 2]
```

通过快速扫描这些结果可知，Die类看起来没有问题。我们见到了值1和6，这表明返回了最大和最小的可能值；我们没有见到0或7，这表明结果都在正确的范围内。我们还看到了1~6的所有数字，这表明所有可能的结果都出现了。

15.4.5　分析结果

为分析掷一个D6骰子的结果，我们计算每个点数出现的次数：

die_visual.py

```
--snip--
# 掷几次骰子，并将结果存储在一个列表中
results = []
❶ for roll_num in range(1000):
    result = die.roll()
    results.append(result)

# 分析结果
frequencies = []
```

```
❷ for value in range(1, die.num_sides+1):
❸     frequency = results.count(value)
❹     frequencies.append(frequency)

  print(frequencies)
```

由于我们将使用Pygal来进行分析，而不是将结果打印出来，因此可以将模拟掷骰子的次数增加到1000（见❶）。为分析结果，我们创建了空列表frequencies，用于存储每种点数出现的次数。在❷处，我们遍历可能的点数（这里为1~6），计算每种点数在results中出现了多少次（见❸），并将这个值附加到列表frequencies的末尾（见❹）。接下来，我们在可视化之前将这个列表打印出来：

```
[155, 167, 168, 170, 159, 181]
```

结果看起来是合理的：我们看到了6个值——掷D6骰子时可能出现的每个点数对应一个；我们还发现，没有任何点数出现的频率比其他点数高很多。下面来可视化这些结果。

15.4.6   绘制直方图

有了频率列表后，我们就可以绘制一个表示结果的直方图。直方图是一种条形图，指出了各种结果出现的频率。创建这种直方图的代码如下：

die_visual.py

```
import pygal
--snip--

# 分析结果
frequencies = []
for value in range(1, die.num_sides+1):
    frequency = results.count(value)
    frequencies.append(frequency)

# 对结果进行可视化
❶ hist = pygal.Bar()

  hist.title = "Results of rolling one D6 1000 times."
❷ hist.x_labels = ['1', '2', '3', '4', '5', '6']
  hist.x_title = "Result"
  hist.y_title = "Frequency of Result"

❸ hist.add('D6', frequencies)
  hist.render_to_file('die_visual.svg')
```

为创建条形图，我们创建了一个pygal.Bar()实例，并将其存储在hist中（见❶）。接下来，我们设置hist的属性title（用于标示直方图的字符串），将掷D6骰子的可能结果用作x轴的标签（见❷），并给每个轴都添加了标题。在❸处，我们使用add()将一系列值添加到图表中（向它传递要给添加的值指定的标签，还有一个列表，其中包含将出现在图表中的值）。最后，我们将这个图表渲染为一个SVG文件，这种文件的扩展名必须为.svg。

　　要查看生成的直方图，最简单的方式是使用Web浏览器。为此，在任何Web浏览器中新建一个标签页，再在其中打开文件die_visual.svg（它位于die_visual.py所在的文件夹中）。你将看到一个类似于图15-11所示的图表（为方便印刷，我稍微修改了这个图表；默认情况下，Pygal生成的图表的背景比你在图15-11中看到的要暗）。

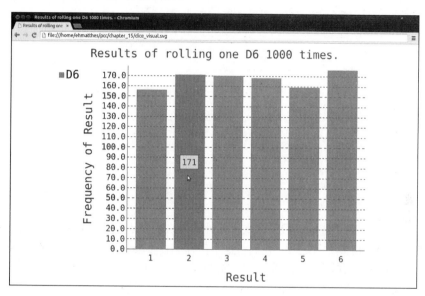

图15-11　使用Pygal创建的简单条形图

　　注意，Pygal让这个图表具有交互性：如果你将鼠标指向该图表中的任何条形，将看到与之相关联的数据。在同一个图表中绘制多个数据集时，这项功能显得特别有用。

15.4.7　同时掷两个骰子

　　同时掷两个骰子时，得到的点数更多，结果分布情况也不同。下面来修改前面的代码，创建两个D6骰子，以模拟同时掷两个骰子的情况。每次掷两个骰子时，我们都将两个骰子的点数相加，并将结果存储在results中。请复制die_visual.py并将其保存为dice_visual.py，再做如下修改：

dice_visual.py

```
import pygal

from die import Die

# 创建两个D6骰子
die_1 = Die()
die_2 = Die()
```

```
# 掷骰子多次，并将结果存储到一个列表中
results = []
for roll_num in range(1000):
❶    result = die_1.roll() + die_2.roll()
     results.append(result)

# 分析结果
frequencies = []
❷ max_result = die_1.num_sides + die_2.num_sides
❸ for value in range(2, max_result+1):
     frequency = results.count(value)
     frequencies.append(frequency)

# 可视化结果
hist = pygal.Bar()

❹ hist.title = "Results of rolling two D6 dice 1000 times."
   hist.x_labels = ['2', '3', '4', '5', '6', '7', '8', '9', '10', '11', '12']
   hist.x_title = "Result"
   hist.y_title = "Frequency of Result"

   hist.add('D6 + D6', frequencies)
   hist.render_to_file('dice_visual.svg')
```

　　创建两个Die实例后，我们掷骰子多次，并计算每次的总点数（见❶）。可能出现的最大点数12为两个骰子的最大可能点数之和，我们将这个值存储在了max_result中（见❷）。可能出现的最小总点数2为两个骰子的最小可能点数之和。分析结果时，我们计算2到max_result的各种点数出现的次数（见❸）。我们原本可以使用range(2, 13)，但这只适用于两个D6骰子。模拟现实世界的情形时，最好编写可轻松地模拟各种情形的代码。前面的代码让我们能够模拟掷任何两个骰子的情形，而不管这些骰子有多少面。

　　创建图表时，我们修改了标题、x轴标签和数据系列（见❹）。（如果列表x_labels比这里所示的长得多，那么编写一个循环来自动生成它将更合适。）

　　运行这些代码后，在浏览器中刷新显示图表的标签页，你将看到如图15-12所示的图表。

　　这个图表显示了掷两个D6骰子时得到的大致结果。正如你看到的，总点数为2或12的可能性最小，而总点数为7的可能性最大，这是因为在6种情况下得到的总点数都为7。这6种情况如下：1和6、2和5、3和4、4和3、5和2、6和1。

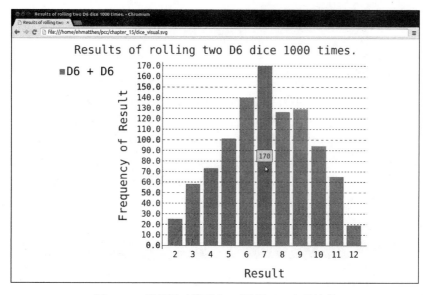

图15-12　模拟同时掷两个6面骰子1000次的结果

15.4.8　同时掷两个面数不同的骰子

下面来创建一个6面骰子和一个10面骰子，看看同时掷这两个骰子50 000次的结果如何：

different_dice.py

```
from die import Die

import pygal

# 创建一个D6和一个D10
die_1 = Die()
❶ die_2 = Die(10)

# 掷骰子多次，并将结果存储在一个列表中
results = []
for roll_num in range(50000):
    result = die_1.roll() + die_2.roll()
    results.append(result)

# 分析结果
--snip--

# 可视化结果
hist = pygal.Bar()

❷ hist.title = "Results of rolling a D6 and a D10 50,000 times."
hist.x_labels = ['2', '3', '4', '5', '6', '7', '8', '9', '10', '11', '12',
    '13', '14', '15', '16']
```

15

```
hist.x_title = "Result"
hist.y_title = "Frequency of Result"

hist.add('D6 + D10', frequencies)
hist.render_to_file('dice_visual.svg')
```

为创建D10骰子，我们在创建第二个Die实例时传递了实参10（见❶）。我们还修改了第一个循环，以模拟掷骰子50 000次而不是1000次。可能出现的最小总点数依然是2，但现在可能出现的最大总点数为16，因此我们相应地调整了标题、x轴标签和数据系列标签（见❷）。

图15-13显示了最终的图表。可能性最大的点数不是一个，而是5个，这是因为导致出现最小点数和最大点数的组合都只有一种（1和1以及6和10），但面数较小的骰子限制了得到中间点数的组合数：得到总点数7、8、9、10和11的组合数都是6种。因此，这些总点数是最常见的结果，它们出现的可能性相同。

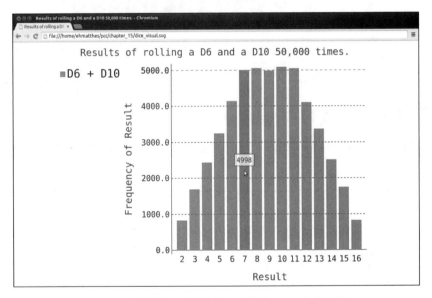

图15-13　同时掷6面骰子和10面骰子50 000次的结果

通过使用Pygal来模拟掷骰子的结果，能够非常自由地探索这种现象。只需几分钟，就可以掷各种骰子很多次。

动手试一试

15-6 自动生成标签：请修改 die.py 和 dice_visual.py，将用来设置 hist.x_labels 值的列表替换为一个自动生成这种列表的循环。如果你熟悉列表解析，可尝试将 die_visual.py 和 dice_visual.py 中的其他 for 循环也替换为列表解析。

15-7　两个 D8 骰子：请模拟同时掷两个 8 面骰子 1000 次的结果。逐渐增加掷骰子的次数，直到系统不堪重负为止。

15-8　同时掷三个骰子：如果你同时掷三个 D6 骰子，可能得到的最小点数为 3，而最大点数为 18。请通过可视化展示同时掷三个 D6 骰子的结果。

15-9　将点数相乘：同时掷两个骰子时，通常将它们的点数相加。请通过可视化展示将两个骰子的点数相乘的结果。

15-10　练习使用本章介绍的两个库：尝试使用 matplotlib 通过可视化来模拟掷骰子的情况，并尝试使用 Pygal 通过可视化来模拟随机漫步的情况。

15.5　小结

在本章中，你学习了：如何生成数据集以及如何对其进行可视化；如何使用matplotlib创建简单的图表，以及如何使用散点图来探索随机漫步过程；如何使用Pygal来创建直方图，以及如何使用直方图来探索同时掷两个面数不同的骰子的结果。

使用代码生成数据集是一种有趣而强大的方式，可用于模拟和探索现实世界的各种情形。完成后面的数据可视化项目时，请注意可使用代码模拟哪些情形。请研究新闻媒体中的可视化，看看其中是否有图表是以你在这些项目中学到的类似方式生成的。

在第16章中，我们将从网上下载数据，并继续使用matplotlib和Pygal来探索这些数据。

15

下载数据

在本章中，你将从网上下载数据，并对这些数据进行可视化。网上的数据多得难以置信，且大多未经过仔细检查。如果能够对这些数据进行分析，你就能发现别人没有发现的规律和关联。

我们将访问并可视化以两种常见格式存储的数据：CSV和JSON。我们将使用Python模块csv来处理以CSV（逗号分隔的值）格式存储的天气数据，找出两个不同地区在一段时间内的最高温度和最低温度。然后，我们将使用matplotlib根据下载的数据创建一个图表，展示两个不同地区的气温变化：阿拉斯加锡特卡和加利福尼亚死亡谷。

在本章的后面，我们将使用模块json来访问以JSON格式存储的人口数据，并使用Pygal绘制一幅按国别划分的人口地图。

阅读本章后，你将能够处理各种类型和格式的数据集，并对如何创建复杂的图表有更深入的认识。要处理各种真实世界的数据集，必须能够访问并可视化各种类型和格式的在线数据。

16.1　CSV 文件格式

要在文本文件中存储数据，最简单的方式是将数据作为一系列以逗号分隔的值（CSV）写入文件。这样的文件称为CSV文件。例如，下面是一行CSV格式的天气数据：

```
2014-1-5,61,44,26,18,7,-1,56,30,9,30.34,30.27,30.15,,,,10,4,,0.00,0,,195
```

这是阿拉斯加锡特卡2014年1月5日的天气数据，其中包含当天的最高气温和最低气温，还有众多其他数据。CSV文件对人来说阅读起来比较麻烦，但程序可轻松地提取并处理其中的值，这有助于加快数据分析过程。

我们将首先处理少量锡特卡的CSV格式的天气数据，这些数据可在本书的配套资源（https://www.nostarch.com/pythoncrashcourse/）中找到。请将文件sitka_weather_07-2014.csv复制到存储本章程序的文件夹中（下载本书的配套资源后，你就有了这个项目所需的所有文件）。

注意　这个项目使用的天气数据是从http://www.wunderground.com/history/下载而来的。

16.1.1　分析 CSV 文件头

　　csv模块包含在Python标准库中，可用于分析CSV文件中的数据行，让我们能够快速提取感兴趣的值。下面先来查看这个文件的第一行，其中包含一系列有关数据的描述：

highs_lows.py

```
import csv

filename = 'sitka_weather_07-2014.csv'
❶ with open(filename) as f:
❷     reader = csv.reader(f)
❸     header_row = next(reader)
       print(header_row)
```

　　导入模块csv后，我们将要使用的文件的名称存储在filename中。接下来，我们打开这个文件，并将结果文件对象存储在f中（见❶）。然后，我们调用csv.reader()，并将前面存储的文件对象作为实参传递给它，从而创建一个与该文件相关联的阅读器（reader）对象（见❷）。我们将这个阅读器对象存储在reader中。

　　模块csv包含函数next()，调用它并将阅读器对象传递给它时，它将返回文件中的下一行。在前面的代码中，我们只调用了next()一次，因此得到的是文件的第一行，其中包含文件头（见❸）。我们将返回的数据存储在header_row中。正如你看到的，header_row包含与天气相关的文件头，指出了每行都包含哪些数据：

```
['AKDT', 'Max TemperatureF', 'Mean TemperatureF', 'Min TemperatureF',
'Max Dew PointF', 'MeanDew PointF', 'Min DewpointF', 'Max Humidity',
' Mean Humidity', ' Min Humidity', ' Max Sea Level PressureIn',
' Mean Sea Level PressureIn', ' Min Sea Level PressureIn',
' Max VisibilityMiles', ' Mean VisibilityMiles', ' Min VisibilityMiles',
' Max Wind SpeedMPH', ' Mean Wind SpeedMPH', ' Max Gust SpeedMPH',
'PrecipitationIn', ' CloudCover', ' Events', ' WindDirDegrees']
```

　　reader处理文件中以逗号分隔的第一行数据，并将每项数据都作为一个元素存储在列表中。文件头AKDT表示阿拉斯加时间（Alaska Daylight Time），其位置表明每行的第一个值都是日期或时间。文件头Max TemperatureF指出每行的第二个值都是当天的最高华氏温度。可通过阅读其他的文件头来确定文件包含的信息类型。

16

注意　文件头的格式并非总是一致的，空格和单位可能出现在奇怪的地方。这在原始数据文件中很常见，但不会带来任何问题。

16.1.2   打印文件头及其位置

为让文件头数据更容易理解，将列表中的每个文件头及其位置打印出来：

highs_lows.py

```
--snip--
with open(filename) as f:
    reader = csv.reader(f)
    header_row = next(reader)

❶    for index, column_header in enumerate(header_row):
        print(index, column_header)
```

我们对列表调用了enumerate()（见❶）来获取每个元素的索引及其值。（请注意，我们删除了代码行print(header_row)，转而显示这个更详细的版本。）

输出如下，其中指出了每个文件头的索引：

```
0 AKDT
1 Max TemperatureF
2 Mean TemperatureF
3 Min TemperatureF
--snip--
20  CloudCover
21  Events
22  WindDirDegrees
```

从中可知，日期和最高气温分别存储在第0列和第1列。为研究这些数据，我们将处理 sitka_weather_07-2014.csv中的每行数据，并提取其中索引为0和1的值。

16.1.3   提取并读取数据

知道需要哪些列中的数据后，我们来读取一些数据。首先读取每天的最高气温：

highs_lows.py

```
import csv

# 从文件中获取最高气温
filename = 'sitka_weather_07-2014.csv'
with open(filename) as f:
    reader = csv.reader(f)
    header_row = next(reader)

❶    highs = []
❷    for row in reader:
❸        highs.append(row[1])

    print(highs)
```

我们创建了一个名为highs的空列表（见❶），再遍历文件中余下的各行（见❷）。阅读器对象从其停留的地方继续往下读取CSV文件，每次都自动返回当前所处位置的下一行。由于我们已经读取了文件头行，这个循环将从第二行开始——从这行开始包含的是实际数据。每次执行该循环时，我们都将索引1处（第2列）的数据附加到highs末尾（见❸）。

下面显示了highs现在存储的数据：

```
['64', '71', '64', '59', '69', '62', '61', '55', '57', '61', '57', '59', '57',
 '61', '64', '61', '59', '63', '60', '57', '69', '63', '62', '59', '57', '57',
 '61', '59', '61', '61', '66']
```

我们提取了每天的最高气温，并将它们作为字符串整洁地存储在一个列表中。

下面使用int()将这些字符串转换为数字，让matplotlib能够读取它们：

highs_lows.py

```
--snip--
    highs = []
    for row in reader:
❶       high = int(row[1])
        highs.append(high)

    print(highs)
```

在❶处，我们将表示气温的字符串转换成了数字，再将其附加到列表末尾。这样，最终的列表将包含以数字表示的每日最高气温：

```
[64, 71, 64, 59, 69, 62, 61, 55, 57, 61, 57, 59, 57, 61, 64, 61, 59, 63, 60, 57,
 69, 63, 62, 59, 57, 57, 61, 59, 61, 61, 66]
```

下面来对这些数据进行可视化。

16.1.4　绘制气温图表

为可视化这些气温数据，我们首先使用matplotlib创建一个显示每日最高气温的简单图形，如下所示：

highs_lows.py

```
import csv

from matplotlib import pyplot as plt

# 从文件中获取最高气温
--snip--

# 根据数据绘制图形
fig = plt.figure(dpi=128, figsize=(10, 6))
❶ plt.plot(highs, c='red')
```

```
   # 设置图形的格式
❷ plt.title("Daily high temperatures, July 2014", fontsize=24)
❸ plt.xlabel('', fontsize=16)
   plt.ylabel("Temperature (F)", fontsize=16)
   plt.tick_params(axis='both', which='major', labelsize=16)

   plt.show()
```

我们将最高气温列表传给plot()（见❶），并传递c='red'以便将数据点绘制为红色（红色显示最高气温，蓝色显示最低气温）。接下来，我们设置了一些其他的格式，如字体大小和标签（见❷），这些都在第15章介绍过。鉴于我们还没有添加日期，因此没有给x轴添加标签，但plt.xlabel()确实修改了字体大小，让默认标签更容易看清。图16-1显示了绘制的图表：一个简单的折线图，显示了阿拉斯加锡特卡2014年7月每天的最高气温。

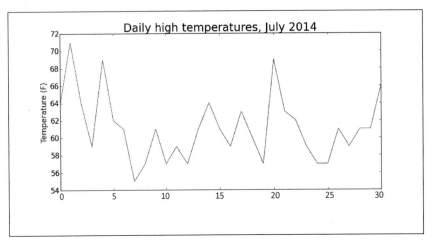

图16-1　阿拉斯加锡特卡2014年7月每日最高气温折线图

16.1.5　模块 datetime

下面在图表中添加日期，使其更有用。在天气数据文件中，第一个日期在第二行：

```
2014-7-1,64,56,50,53,51,48,96,83,58,30.19,--snip--
```

读取该数据时，获得的是一个字符串，因为我们需要想办法将字符串'2014-7-1'转换为一个表示相应日期的对象。为创建一个表示2014年7月1日的对象，可使用模块datetime中的方法strptime()。我们在终端会话中看看strptime()的工作原理：

```
>>> from datetime import datetime
>>> first_date = datetime.strptime('2014-7-1', '%Y-%m-%d')
>>> print(first_date)
2014-07-01 00:00:00
```

我们首先导入了模块datetime中的datetime类，然后调用方法strptime()，并将包含所需日期的字符串作为第一个实参。第二个实参告诉Python如何设置日期的格式。在这个示例中，'%Y-'让Python将字符串中第一个连字符前面的部分视为四位的年份；'%m-'让Python将第二个连字符前面的部分视为表示月份的数字；而'%d'让Python将字符串的最后一部分视为月份中的一天（1~31）。

方法strptime()可接受各种实参，并根据它们来决定如何解读日期。表16-1列出了其中一些这样的实参。

表16-1　模块datetime中设置日期和时间格式的实参

实　　参	含　　义
%A	星期的名称，如Monday
%B	月份名，如January
%m	用数字表示的月份（01~12）
%d	用数字表示月份中的一天（01~31）
%Y	四位的年份，如2015
%y	两位的年份，如15
%H	24小时制的小时数（00~23）
%I	12小时制的小时数（01~12）
%p	am或pm
%M	分钟数（00~59）
%S	秒数（00~61）

16.1.6　在图表中添加日期

知道如何处理CSV文件中的日期后，就可对气温图形进行改进了，即提取日期和最高气温，并将它们传递给plot()，如下所示：

highs_lows.py

```
import csv
from datetime import datetime

from matplotlib import pyplot as plt

# 从文件中获取日期和最高气温
filename = 'sitka_weather_07-2014.csv'
with open(filename) as f:
    reader = csv.reader(f)
    header_row = next(reader)

❶    dates, highs = [], []
    for row in reader:
❷        current_date = datetime.strptime(row[0], "%Y-%m-%d")
        dates.append(current_date)
```

16

```
            high = int(row[1])
            highs.append(high)

    # 根据数据绘制图形
    fig = plt.figure(dpi=128, figsize=(10, 6))
❸ plt.plot(dates, highs, c='red')

    # 设置图形的格式
    plt.title("Daily high temperatures, July 2014", fontsize=24)
    plt.xlabel('', fontsize=16)
❹ fig.autofmt_xdate()
    plt.ylabel("Temperature (F)", fontsize=16)
    plt.tick_params(axis='both', which='major', labelsize=16)

    plt.show()
```

　　我们创建了两个空列表，用于存储从文件中提取的日期和最高气温（见❶）。然后，我们将包含日期信息的数据（row[0]）转换为datetime对象（见❷），并将其附加到列表dates末尾。在❸处，我们将日期和最高气温值传递给plot()。在❹处，我们调用了fig.autofmt_xdate()来绘制斜的日期标签，以免它们彼此重叠。图16-2显示了改进后的图表。

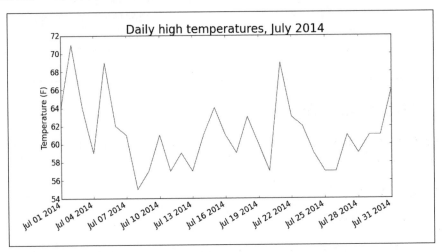

图16-2　现在图表的x轴上有日期，含义更丰富

16.1.7　涵盖更长的时间

　　设置好图表后，我们来添加更多的数据，以成一幅更复杂的锡特卡天气图。请将文件 sitka_weather_2014.csv复制到存储本章程序的文件夹中，该文件包含Weather Underground提供的整年的锡特卡天气数据。

　　现在可以创建覆盖整年的天气图了：

highs_lows.py

```
--snip--
# 从文件中获取日期和最高气温
❶ filename = 'sitka_weather_2014.csv'
with open(filename) as f:
--snip--
# 设置图形的格式
❷ plt.title("Daily high temperatures - 2014", fontsize=24)
plt.xlabel('', fontsize=16)
--snip--
```

　　我们修改了文件名，以使用新的数据文件sitka_weather_2014.csv（见❶）；我们还修改了图表的标题，以反映其内容的变化（见❷）。图16-3显示了生成的图形。

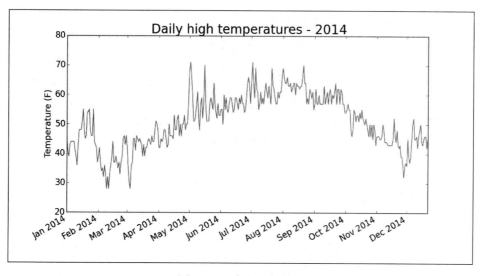

图16-3　一年的天气数据

16.1.8　再绘制一个数据系列

　　图16-3所示的改进后的图表显示了大量意义深远的数据，但我们可以在其中再添加最低气温数据，使其更有用。为此，需要从数据文件中提取最低气温，并将它们添加到图表中，如下所示：

highs_lows.py

```
--snip--
# 从文件中获取日期、最高气温和最低气温
filename = 'sitka_weather_2014.csv'
with open(filename) as f:
    reader = csv.reader(f)
    header_row = next(reader)
```

❶   ```
       dates, highs, lows = [], [], []
       for row in reader:
           current_date = datetime.strptime(row[0], "%Y-%m-%d")
           dates.append(current_date)

           high = int(row[1])
           highs.append(high)
       ```
❷      ```
           low = int(row[3])
           lows.append(low)
       # 根据数据绘制图形
       fig = plt.figure(dpi=128, figsize=(10, 6))
       plt.plot(dates, highs, c='red')
       ```
❸   ```
       plt.plot(dates, lows, c='blue')
       ```

       ```
       # 设置图形的格式
       ```
❹      ```
       plt.title("Daily high and low temperatures - 2014", fontsize=24)
       --snip--
       ```

在❶处，我们添加了空列表lows，用于存储最低气温。接下来，我们从每行的第4列（row[3]）提取每天的最低气温，并存储它们（见❷）。在❸处，我们添加了一个对plot()的调用，以使用蓝色绘制最低气温。最后，我们修改了标题（见❹）。图16-4显示了这样绘制出来的图表。

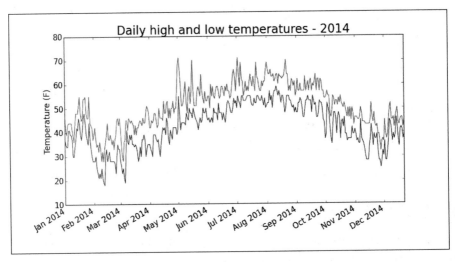

图16-4　在一个图表中包含两个数据系列

16.1.9　给图表区域着色

添加两个数据系列后，我们就可以了解每天的气温范围了。下面来给这个图表做最后的修饰，通过着色来呈现每天的气温范围。为此，我们将使用方法fill_between()，它接受一个x值系列和两个y值系列，并填充两个y值系列之间的空间：

highs_lows.py

```
--snip--
# 根据数据绘制图形
fig = plt.figure(dpi=128, figsize=(10, 6))
❶ plt.plot(dates, highs, c='red', alpha=0.5)
   plt.plot(dates, lows, c='blue', alpha=0.5)
❷ plt.fill_between(dates, highs, lows, facecolor='blue', alpha=0.1)
--snip--
```

❶处的实参alpha指定颜色的透明度。Alpha值为0表示完全透明，1（默认设置）表示完全不透明。通过将alpha设置为0.5，可让红色和蓝色折线的颜色看起来更浅。

在❷处，我们向fill_between()传递了一个x值系列：列表dates，还传递了两个y值系列：highs和lows。实参facecolor指定了填充区域的颜色，我们还将alpha设置成了较小的值0.1，让填充区域将两个数据系列连接起来的同时不分散观察者的注意力。图16-5显示了最高气温和最低气温之间的区域被填充的图表。

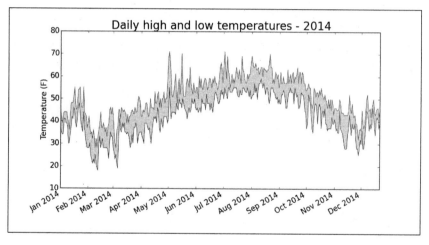

图16-5　给两个数据集之间的区域着色

通过着色，让两个数据集之间的区域显而易见。

16.1.10　错误检查

我们应该能够使用有关任何地方的天气数据来运行highs_lows.py中的代码，但有些气象站会偶尔出现故障，未能收集部分或全部其应该收集的数据。缺失数据可能会引发异常，如果不妥善地处理，还可能导致程序崩溃。

例如，我们来看看生成加利福尼亚死亡谷的气温图时出现的情况。将文件death_valley_2014.csv复制到本章程序所在的文件夹，再修改highs_lows.py，使其生成死亡谷的气温图：

highs_lows.py

```
--snip--
# 从文件中获取日期、最高气温和最低气温
filename = 'death_valley_2014.csv'
with open(filename) as f:
--snip--
```

运行这个程序时，出现了一个错误，如下述输出的最后一行所示：

```
Traceback (most recent call last):
  File "highs_lows.py", line 17, in <module>
    high = int(row[1])
ValueError: invalid literal for int() with base 10: ''
```

该traceback指出，Python无法处理其中一天的最高气温，因为它无法将空字符串（' '）转换为整数。只要看一下death_valley_2014.csv，就能发现其中的问题：

```
2014-2-16,,,,,,,,,,,,,,,,,,,0.00,,,-1
```

其中好像没有记录2014年2月16日的数据，表示最高温度的字符串为空。为解决这种问题，我们在从CSV文件中读取值时执行错误检查代码，对分析数据集时可能出现的异常进行处理，如下所示：

highs_lows.py

```
--snip--
# 从文件中获取日期、最高气温和最低气温
filename = 'death_valley_2014.csv'
with open(filename) as f:
    reader = csv.reader(f)
    header_row = next(reader)

    dates, highs, lows = [], [], []
    for row in reader:
❶       try:
            current_date = datetime.strptime(row[0], "%Y-%m-%d")
            high = int(row[1])
            low = int(row[3])
        except ValueError:
❷           print(current_date, 'missing data')
        else:
❸           dates.append(current_date)
            highs.append(high)
            lows.append(low)

# 根据数据绘制图形
--snip--

# 设置图形的格式
```

❹ title = "Daily high and low temperatures - 2014\nDeath Valley, CA"
plt.title(title, fontsize=20)
--snip--

对于每一行，我们都尝试从中提取日期、最高气温和最低气温（见❶）。只要缺失其中一项数据，Python就会引发ValueError异常，而我们可这样处理：打印一条错误消息，指出缺失数据的日期（见❷）。打印错误消息后，循环将接着处理下一行。如果获取特定日期的所有数据时没有发生错误，将运行else代码块，并将数据附加到相应列表的末尾（见❸）。鉴于我们绘图时使用的是有关另一个地方的信息，我们修改了标题，在图表中指出了这个地方（见❹）。

如果你现在运行highs_lows.py，将发现缺失数据的日期只有一个：

2014-02-16 missing data

图16-6显示了绘制出的图形。

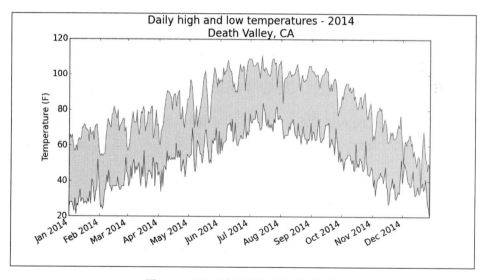

图16-6　死亡谷每日高气温和最低气温

将这个图表与锡特卡的图表对比可知，总体而言，死亡谷比阿拉斯加东南部暖和，这可能符合预期，但这个沙漠中每天的温差也更大，从着色区域的高度可以明显看出这一点。

使用的很多数据集都可能缺失数据、数据格式不正确或数据本身不正确。对于这样的情形，可使用本书前半部分介绍的工具来处理。在这里，我们使用了一个try-except-else代码块来处理数据缺失的问题。在有些情况下，需要使用continue来跳过一些数据，或者使用remove()或del将已提取的数据删除。可采用任何管用的方法，只要能进行精确而有意义的可视化就好。

16

动手试一试

16-1 旧金山：旧金山的气温更接近于锡特卡还是死亡谷呢？请绘制一个显示旧金山最高气温和最低气温的图表，并进行比较。可从 http://www.wunderground.com/history/下载几乎任何地方的天气数据。为此，请输入相应的地方和日期范围，滚动到页面底部，找到名为 Comma-Delimited File 的链接，再单击该链接，将数据存储为 CSV 文件。

16-2 比较锡特卡和死亡谷的气温：在有关锡特卡和死亡谷的图表中，气温刻度反映了数据范围的不同。为准确地比较锡特卡和死亡谷的气温范围，需要在 y 轴上使用相同的刻度。为此，请修改图 16-5 和图 16-6 所示图表的 y 轴设置，对锡特卡和死亡谷的气温范围进行直接比较（你也可以对任何两个地方的气温范围进行比较）。你还可以尝试在一个图表中呈现这两个数据集。

16-3 降雨量：选择你感兴趣的任何地方，通过可视化将其降雨量呈现出来。为此，可先只涵盖一个月的数据，确定代码正确无误后，再使用一整年的数据来运行它。

16-4 探索：生成一些图表，对你好奇的任何地方的其他天气数据进行研究。

16.2 制作世界人口地图：JSON 格式

在本节中，你将下载JSON格式的人口数据，并使用json模块来处理它们。Pygal提供了一个适合初学者使用的地图创建工具，你将使用它来对人口数据进行可视化，以探索全球人口的分布情况。

16.2.1 下载世界人口数据

将文件population_data.json复制到本章程序所在的文件夹中，这个文件包含全球大部分国家1960~2010年的人口数据。Open Knowledge Foundation（http://data.okfn.org/）提供了大量可以免费使用的数据集，这些数据就来自其中一个数据集。

16.2.2 提取相关的数据

我们来研究一下population_data.json，看看如何着手处理这个文件中的数据：

population_data.json

```
[
  {
    "Country Name": "Arab World",
    "Country Code": "ARB",
    "Year": "1960",
    "Value": "96388069"
  },
```

```
{
  "Country Name": "Arab World",
  "Country Code": "ARB",
  "Year": "1961",
  "Value": "98882541.4"
},
--snip--
]
```

这个文件实际上就是一个很长的Python列表，其中每个元素都是一个包含四个键的字典：国家名、国别码、年份以及表示人口数量的值。我们只关心每个国家2010年的人口数量，因此我们首先编写一个打印这些信息的程序：

world_population.py

```
import json

# 将数据加载到一个列表中
filename = 'population_data.json'
with open(filename) as f:
❶     pop_data = json.load(f)

# 打印每个国家2010年的人口数量
❷ for pop_dict in pop_data:
❸     if pop_dict['Year'] == '2010':
❹         country_name = pop_dict['Country Name']
          population = pop_dict['Value']
          print(country_name + ": " + population)
```

我们首先导入了模块json，以便能够正确地加载文件中的数据，然后，我们将数据存储在pop_data中（见❶）。函数json.load()将数据转换为Python能够处理的格式，这里是一个列表。在❷处，我们遍历pop_data中的每个元素。每个元素都是一个字典，包含四个键-值对，我们将每个字典依次存储在pop_dict中。

在❸处，我们检查字典的'Year'键对应的值是否是2010（由于population_data.json中的值都是用引号括起的，因此我们执行的是字符串比较）。如果年份为2010，我们就将与'Country Name'相关联的值存储到country_name中，并将与'Value'相关联的值存储在population中（见❹）。接下来，我们打印每个国家的名称和人口数量。

输出为一系列国家的名称和人口数量：

```
Arab World: 357868000
Caribbean small states: 6880000
East Asia & Pacific (all income levels): 2201536674
--snip--
Zimbabwe: 12571000
```

我们捕获的数据并非都包含准确的国家名，但这开了一个好头。现在，我们需要将数据转换为Pygal能够处理的格式。

16.2.3　将字符串转换为数字值

population_data.json中的每个键和值都是字符串。为处理这些人口数据，我们需要将表示人口数量的字符串转换为数字值，为此我们使用函数int()：

world_population.py

```
--snip--
for pop_dict in pop_data:
    if pop_dict['Year'] == '2010':
        country_name = pop_dict['Country Name']
❶      population = int(pop_dict['Value'])
❷      print(country_name + ": " + str(population))
```

在❶处，我们将每个人口数量值都存储为数字格式。打印人口数量值时，需要将其转换为字符串（见❷）。

然而，对于有些值，这种转换会导致错误，如下所示：

```
Arab World: 357868000
Caribbean small states: 6880000
East Asia & Pacific (all income levels): 2201536674
--snip--
Traceback (most recent call last):
  File "print_populations.py", line 12, in <module>
    population = int(pop_dict['Value'])
❶ ValueError: invalid literal for int() with base 10: '1127437398.85751'
```

原始数据的格式常常不统一，因此经常会出现错误。导致上述错误的原因是，Python不能直接将包含小数点的字符串'1127437398.85751'转换为整数（这个小数值可能是人口数据缺失时通过插值得到的）。为消除这种错误，我们先将字符串转换为浮点数，再将浮点数转换为整数：

world_population.py

```
--snip--
for pop_dict in pop_data:
    if pop_dict['Year'] == '2010':
        country = pop_dict['Country Name']
        population = int(float(pop_dict['Value']))
        print(country + ": " + str(population))
```

函数float()将字符串转换为小数，而函数int()丢弃小数部分，返回一个整数。现在，我们可以打印2010年的完整人口数据，不会导致错误了：

```
Arab World: 357868000
Caribbean small states: 6880000
East Asia & Pacific (all income levels): 2201536674
```

```
--snip--
Zimbabwe: 12571000
```

每个字符串都成功地转换成了浮点数，再转换为整数。以数字格式存储人口数量值后，就可以使用它们来制作世界人口地图了。

16.2.4　获取两个字母的国别码

制作地图前，还需要解决数据存在的最后一个问题。Pygal中的地图制作工具要求数据为特定的格式：用国别码表示国家，以及用数字表示人口数量。处理地理政治数据时，经常需要用到几个标准化国别码集。population_data.json中包含的是三个字母的国别码，但Pygal使用两个字母的国别码。我们需要想办法根据国家名获取两个字母的国别码。

Pygal使用的国别码存储在模块i18n（internationalization的缩写）中。字典COUNTRIES包含的键和值分别为两个字母的国别码和国家名。要查看这些国别码，可从模块i18n中导入这个字典，并打印其键和值：

countries.py

```
from pygal.i18n import COUNTRIES

❶ for country_code in sorted(COUNTRIES.keys()):
      print(country_code, COUNTRIES[country_code])
```

在上面的for循环中，我们让Python将键按字母顺序排序（见❶），然后打印每个国别码及其对应的国家：

```
ad Andorra
ae United Arab Emirates
af Afghanistan
--snip--
zw Zimbabwe
```

为获取国别码，我们将编写一个函数，它在COUNTRIES中查找并返回国别码。我们将这个函数放在一个名为country_codes的模块中，以便能够在可视化程序中导入它：

country_codes.py

```
from pygal.i18n import COUNTRIES

❶ def get_country_code(country_name):
      """根据指定的国家，返回Pygal使用的两个字母的国别码"""
❷     for code, name in COUNTRIES.items():
❸         if name == country_name:
              return code
      # 如果没有找到指定的国家，就返回None
❹     return None
```

16

```
print(get_country_code('Andorra'))
print(get_country_code('United Arab Emirates'))
print(get_country_code('Afghanistan'))
```

get_country_code()接受国家名，并将其存储在形参country_name中（见❶）。接下来，我们遍历COUNTRIES中的国家名-国别码对（见❷）；如果找到指定的国家名，就返回相应的国别码（见❸）。在循环后面，我们在没有找到指定的国家名时返回None（见❹）。最后，我们使用了三个国家名来调用这个函数，以核实它能否正确地工作。与预期的一样，这个程序输出了三个由两个字母组成的国别码：

```
ad
ae
af
```

使用这个函数前，先将country_codes.py中的print语句删除。

接下来，在world_population.py中导入get_country_code：

world_population.py

```
import json

from country_codes import get_country_code
--snip--

# 打印每个国家2010年的人口数量
for pop_dict in pop_data:
    if pop_dict['Year'] == '2010':
        country_name = pop_dict['Country Name']
        population = int(float(pop_dict['Value']))
❶      code = get_country_code(country_name)
        if code:
❷          print(code + ": "+ str(population))
❸      else:
            print('ERROR - ' + country_name)
```

提取国家名和人口数量后，我们将国别码存储在code中，如果没有国别码，就在其中存储None（见❶）。如果返回了国别码，就打印国别码和相应国家的人口数量（见❷）。如果没有找到国别码，就显示一条错误消息，其中包含无法找到国别码的国家的名称（见❸）。如果你运行这个程序，将看到一些国别码和相应国家的人口数量，还有一些错误消息：

```
ERROR - Arab World
ERROR - Caribbean small states
ERROR - East Asia & Pacific (all income levels)
--snip--
af: 34385000
al: 3205000
dz: 35468000
--snip--
```

```
ERROR - Yemen, Rep.
zm: 12927000
zw: 12571000
```

导致显示错误消息的原因有两个。首先，并非所有人口数量对应的都是国家，有些人口数量
对应的是地区（阿拉伯世界）和经济类群（所有收入水平）。其次，有些统计数据使用了不同的
完整国家名（如Yemen, Rep.，而不是Yemen）。当前，我们将忽略导致错误的数据，看看根据成
功恢复了的数据制作出的地图是什么样的。

16.2.5 制作世界地图

有了国别码后，制作世界地图易如反掌。Pygal提供了图表类型Worldmap，可帮助你制作呈现
各国数据的世界地图。为演示如何使用Worldmap，我们来创建一个突出北美、中美和南美的简单
地图：

americas.py

```
import pygal

❶ wm = pygal.Worldmap()
   wm.title = 'North, Central, and South America'

❷ wm.add('North America', ['ca', 'mx', 'us'])
   wm.add('Central America', ['bz', 'cr', 'gt', 'hn', 'ni', 'pa', 'sv'])
   wm.add('South America', ['ar', 'bo', 'br', 'cl', 'co', 'ec', 'gf',
       'gy', 'pe', 'py', 'sr', 'uy', 've'])

❸ wm.render_to_file('americas.svg')
```

在❶处，我们创建了一个Worldmap实例，并设置了该地图的的title属性。在❷处，我们使用
了方法add()，它接受一个标签和一个列表，其中后者包含我们要突出的国家的国别码。每次调
用add()都将为指定的国家选择一种新颜色，并在图表左边显示该颜色和指定的标签。我们要以
同一种颜色显示整个北美地区，因此第一次调用add()时，在传递给它的列表中包含'ca'、'mx'
和'us'，以同时突出加拿大、墨西哥和美国。接下来，对中美和南美国家做同样的处理。

❸处的方法render_to_file()创建一个包含该图表的.svg文件，你可以在浏览器中打开它。输
出是一幅以不同颜色突出北美、中美和南美的地图，如图16-7所示。

16

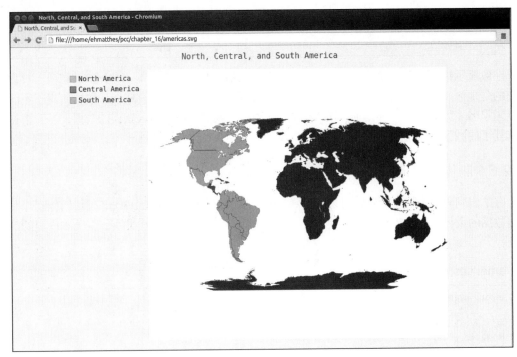

图16-7 图表类型Worldmap的一个简单实例

知道如何创建包含彩色区域、颜色标示和标签的地图后，我们在地图中添加数据，以显示有关国家的信息。

16.2.6 在世界地图上呈现数字数据

为练习在地图上呈现数字数据，我们来创建一幅地图，显示三个北美国家的人口数量：

na_populations.py

```
import pygal

wm = pygal.Worldmap()
wm.title = 'Populations of Countries in North America'
❶ wm.add('North America', {'ca': 34126000, 'us': 309349000, 'mx': 113423000})

wm.render_to_file('na_populations.svg')
```

首先，创建了一个Worldmap实例并设置了标题。接下来，使用了方法add()，但这次通过第二个实参传递了一个字典而不是列表（见❶）。这个字典将两个字母的Pygal国别码作为键，将人口数量作为值。Pygal根据这些数字自动给不同国家着以深浅不一的颜色（人口最少的国家颜色最浅，人口最多的国家颜色最深），如图16-8所示。

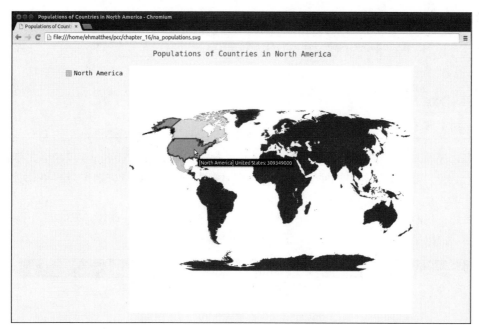

图16-8　北美国家的人口数量

这幅地图具有交互性：如果你将鼠标指向某个国家，将看到其人口数量。下面在这个地图中添加更多的数据。

16.2.7　绘制完整的世界人口地图

要呈现其他国家的人口数量，需要将前面处理的数据转换为Pygal要求的字典格式：键为两个字母的国别码，值为人口数量。为此，在world_population.py中添加如下代码：

world_population.py

```
import json

import pygal

from country_codes import get_country_code

# 将数据加载到列表中
--snip--

# 创建一个包含人口数量的字典
❶ cc_populations = {}
for pop_dict in pop_data:
    if pop_dict['Year'] == '2010':
        country = pop_dict['Country Name']
        population = int(float(pop_dict['Value']))
```

```
        code = get_country_code(country)
        if code:
❷            cc_populations[code] = population

❸ wm = pygal.Worldmap()
   wm.title = 'World Population in 2010, by Country'
❹ wm.add('2010', cc_populations)

   wm.render_to_file('world_population.svg')
```

我们首先导入了pygal。在❶处，我们创建了一个空字典，用于以Pygal要求的格式存储国别码和人口数量。在❷处，如果返回了国别码，就将国别码和人口数量分别作为键和值填充字典cc_populations。我们还删除了所有的print语句。

在❸处，我们创建了一个Worldmap实例，并设置其title属性。在❹处，我们调用了add()，并向它传递由国别码和人口数量组成的字典。图16-9显示了生成的地图。

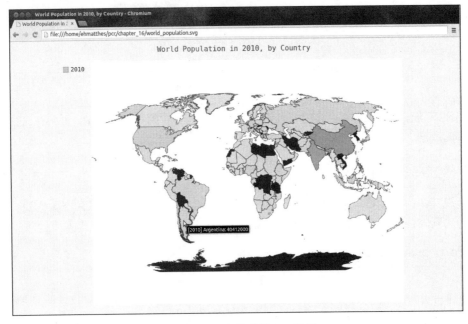

图16-9　2010年的世界人口数量

有几个国家没有相关的数据，我们将其显示为黑色，但对于大多数国家，都根据其人口数量进行了着色。本章后面将处理数据缺失的问题，这里先来修改着色，以更准确地反映各国的人口数量。在当前的地图中，很多国家都是浅色的，只有两个国家是深色的。对大多数国家而言，颜色深浅的差别不足以反映其人口数量的差别。为修复这种问题，我们将根据人口数量将国家分组，再分别给每个组着色。

16.2.8　根据人口数量将国家分组

印度和中国的人口比其他国家多得多，但在当前的地图中，它们的颜色与其他国家差别较小。中国和印度的人口都超过了10亿，接下来人口最多的国家是美国，但只有大约3亿。下面不将所有国家都作为一个编组，而是根据人口数量分成三组——少于1000万的、介于1000万和10亿之间的以及超过10亿的：

world_population.py

```
--snip--
# 创建一个包含人口数据的字典
cc_populations = {}
for pop_dict in pop_data:
    if pop_dict['Year'] == '2010':
        --snip--
        if code:
            cc_populations[code] = population

# 根据人口数量将所有的国家分成三组
❶ cc_pops_1, cc_pops_2, cc_pops_3 = {}, {}, {}
❷ for cc, pop in cc_populations.items():
    if pop < 10000000:
        cc_pops_1[cc] = pop
    elif pop < 1000000000:
        cc_pops_2[cc] = pop
    else:
        cc_pops_3[cc] = pop

# 看看每组分别包含多少个国家
❸ print(len(cc_pops_1), len(cc_pops_2), len(cc_pops_3))

wm = pygal.Worldmap()
wm.title = 'World Population in 2010, by Country'
❹ wm.add('0-10m', cc_pops_1)
wm.add('10m-1bn', cc_pops_2)
wm.add('>1bn', cc_pops_3)

wm.render_to_file('world_population.svg')
```

为将国家分组，我们创建了三个空字典（见❶）。接下来，遍历cc_populations，检查每个国家的人口数量（见❷）。if-elif-else代码块将每个国别码–人口数量对加入到合适的字典（cc_pops_1、cc_pops_2或cc_pops_3）中。

在❸处，我们打印这些字典的长度，以获悉每个分组的规模。绘制地图时，我们将全部三个分组都添加到Worldmap中（见❹）。如果你现在运行这个程序，首先看到的将是每个分组的规模：

```
85 69 2
```

上述输出表明，人口少于1000万的国家有85个，人口介于1000万和10亿之间的国家有69个，还有两个国家比较特殊，其人口都超过了10亿。这样的分组看起来足够了，让地图包含丰富的信息。图16-10显示了生成的地图。

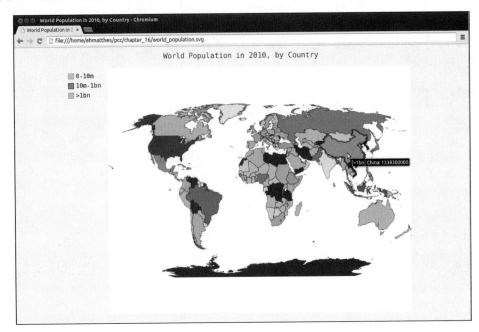

图16-10   分三组显示的世界各国人口

现在使用了三种不同的颜色，让我们能够看出人口数量上的差别。在每组中，各个国家都按人口从少到多着以从浅到深的颜色。

16.2.9   使用 Pygal 设置世界地图的样式

在这个地图中，根据人口将国家分组虽然很有效，但默认的颜色设置很难看。例如，在这里，Pygal选择了鲜艳的粉色和绿色基色。下面使用Pygal样式设置指令来调整颜色。

我们也让Pygal使用一种基色，但将指定该基色，并让三个分组的颜色差别更大：

world_population.py

```
import json

import pygal
❶ from pygal.style import RotateStyle
  --snip--
  # 根据人口数量将所有的国家分成三组
  cc_pops_1, cc_pops_2, cc_pops_3 = {}, {}, {}
  for cc, pop in cc_populations.items():
      if pop < 10000000:
          --snip--
```

```
❷ wm_style = RotateStyle('#336699')
❸ wm = pygal.Worldmap(style=wm_style)
  wm.title = 'World Population in 2010, by Country'
  --snip--
```

　　Pygal样式存储在模块style中，我们从这个模块中导入了样式RotateStyle（见❶）。创建这个类的实例时，需要提供一个实参——十六进制的RGB颜色（见❷）；Pygal将根据指定的颜色为每组选择颜色。十六进制格式的RGB颜色是一个以井号（#）打头的字符串，后面跟着6个字符，其中前两个字符表示红色分量，接下来的两个表示绿色分量，最后两个表示蓝色分量。每个分量的取值范围为00（没有相应的颜色）~FF（包含最多的相应颜色）。如果你在线搜索hex color chooser（十六进制颜色选择器），可找到让你能够尝试选择不同的颜色并显示其RGB值的工具。这里使用的颜色值（#336699）混合了少量的红色（33）、多一些的绿色（66）和更多一些的蓝色（99），它为RotateStyle提供了一种淡蓝色基色。

　　RotateStyle返回一个样式对象，我们将其存储在wm_style中。为使用这个样式对象，我们在创建Worldmap实例时以关键字实参的方式传递它（见❸）。更新后的地图如图16-11所示。

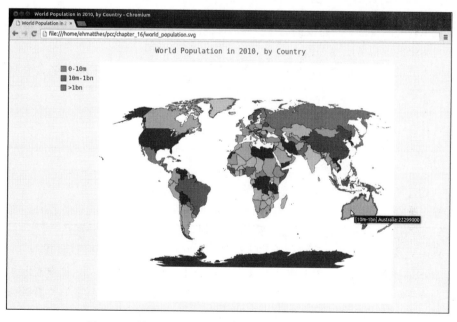

图16-11　按人口划分的三个国家编组了统一的颜色主题

　　前面的样式设置让地图的颜色更一致，也更容易区分不同的编组。

16.2.10　加亮颜色主题

　　Pygal通常默认使用较暗的颜色主题。为方便印刷，我使用LightColorizedStyle加亮了地图的颜色。这个类修改整个图表的主题，包括背景色、标签以及各个国家的颜色。要使用这个样式，先导入它：

```
from pygal.style import LightColorizedStyle
```

然后就可独立地使用LightColorizedStyle了，例如：

```
wm_style = LightColorizedStyle
```

然而使用这个类时，你不能直接控制使用的颜色，Pygal将选择默认的基色。要设置颜色，可使用RotateStyle，并将LightColorizedStyle作为基本样式。为此，导入LightColorizedStyle和RotateStyle：

```
from pygal.style import LightColorizedStyle, RotateStyle
```

再使用RotateStyle创建一种样式，并传入另一个实参base_style：

```
wm_style = RotateStyle('#336699', base_style=LightColorizedStyle)
```

这设置了较亮的主题，同时根据通过实参传递的颜色给各个国家着色。使用这种样式时，生成的图表与本书的屏幕截图更一致。

尝试为不同的可视化选择合适的样式设置指令时，在import语句中指定别名会有所帮助：

```
from pygal.style import LightColorizedStyle as LCS, RotateStyle as RS
```

这样，样式定义将更短：

```
wm_style = RS('#336699', base_style=LCS)
```

通过使用几个样式设置指令，就能很好地控制图表和地图的外观。

动手试一试

16-5 涵盖所有国家：本节制作人口地图时，对于大约 12 个国家，程序不能自动确定其两个字母的国别码。请找出这些国家，在字典 COUNTRIES 中找到它们的国别码；然后，对于每个这样的国家，都在 get_country_code()中添加一个 if-elif 代码块，以返回其国别码：

```
if country_name == 'Yemen, Rep.'
    return 'ye'
elif --snip--
```

将这些代码放在遍历 COUNTRIES 的循环和语句 return None 之间。完成这样的修改后，你看到的地图将更完整。

    16-6 国内生产总值：Open Knowledge Foundation 提供了一个数据集，其中包含全球各国的国内生产总值（GDP），可在 http://data.okfn.org/data/core/gdp/ 找到这个数据集。请下载这个数据集的 JSON 版本，并绘制一个图表，将全球各国最近一年的 GDP 呈现出来。

    16-7 选择你自己的数据：世界银行（The World Bank）提供了很多数据集，其中包含有关全球各国的信息。请访问 http://data.worldbank.org/indicator/，并找到一个你感兴趣的数据集。单击该数据集，再单击链接 Download Data 并选择 CSV。你将收到三个 CSV 文件，其中两个包含字样 Metadata，你应使用第三个 CSV 文件。编写一个程序，生成一个字典，它将两个字母的 Pygal 国别码作为键，并将你从这个文件中选择的数据作为值。使用 Worldmap 制作一个地图，在其中呈现这些数据，并根据你的喜好设置这个地图的样式。

    16-8 测试模块 country_codes：我们编写模块 country_codes 时，使用了 print 语句来核实 get_country_code() 能否按预期那样工作。请利用你在第 11 章学到的知识，为这个函数编写合适的测试。

16.3　小结

    在本章中，你学习了：如何使用网上的数据集；如何处理CSV和JSON文件，以及如何提取你感兴趣的数据；如何使用matplotlib来处理以往的天气数据，包括如何使用模块datetime，以及如何在同一个图表中绘制多个数据系列；如何使用Pygal绘制呈现各国数据的世界地图，以及如何设置Pygal地图和图表的样式。

    有了使用CSV和JSON文件的经验后，你将能够处理几乎任何要分析的数据。大多数在线数据集都可以以这两种格式中的一种或两种下载。学习使用这两种格式为学习使用其他格式的数据做好了准备。

    在下一章，你将编写自动从网上采集数据并对其进行可视化的程序。如果你只是将编程作为业余爱好，学会这些技能可以增加乐趣；如果你有志于成为专业程序员，就必须掌握这些技能。

16

使用API

在本章中，你将学习如何编写一个独立的程序，并对其获取的数据进行可视化。这个程序将使用**Web应用编程接口**（API）自动请求网站的特定信息而不是整个网页，再对这些信息进行可视化。由于这样编写的程序始终使用最新的数据来生成可视化，因此即便数据瞬息万变，它呈现的信息也都是最新的。

17.1 使用 Web API

Web API是网站的一部分，用于与使用非常具体的URL请求特定信息的程序交互。这种请求称为API调用。请求的数据将以易于处理的格式（如JSON或CSV）返回。依赖于外部数据源的大多数应用程序都依赖于API调用，如集成社交媒体网站的应用程序。

17.1.1 Git 和 GitHub

本章的可视化将基于来自GitHub的信息，这是一个让程序员能够协作开发项目的网站。我们将使用GitHub的API来请求有关该网站中Python项目的信息，然后使用Pygal生成交互式可视化，以呈现这些项目的受欢迎程度。

GitHub（https://github.com/）的名字源自Git，Git是一个分布式版本控制系统，让程序员团队能够协作开发项目。Git帮助大家管理为项目所做的工作，避免一个人所做的修改影响其他人所做的修改。你在项目中实现新功能时，Git将跟踪你对每个文件所做的修改。确定代码可行后，你提交所做的修改，而Git将记录项目最新的状态。如果你犯了错，想撤销所做的修改，可轻松地返回以前的任何可行状态（要更深入地了解如何使用Git进行版本控制，请参阅附录D）。GitHub上的项目都存储在仓库中，后者包含与项目相关联的一切：代码、项目参与者的信息、问题或bug报告等。

对于喜欢的项目，GitHub用户可给它加星（star）以表示支持，用户还可跟踪他可能想使用的项目。在本章中，我们将编写一个程序，它自动下载GitHub上星级最高的Python项目的信息，并对这些信息进行可视化。

17.1.2 使用 API 调用请求数据

GitHub的API让你能够通过API调用来请求各种信息。要知道API调用是什么样的，请在浏览器的地址栏中输入如下地址并按回车键：

```
https://api.github.com/search/repositories?q=language:python&sort=stars
```

这个调用返回GitHub当前托管了多少个Python项目，还有有关最受欢迎的Python仓库的信息。下面来仔细研究这个调用。第一部分（https://api.github.com/）将请求发送到GitHub网站中响应API调用的部分；接下来的一部分（search/repositories）让API搜索GitHub上的所有仓库。

repositories后面的问号指出我们要传递一个实参。q表示查询，而等号让我们能够开始指定查询（q=）。通过使用language:python，我们指出只想获取主要语言为Python的仓库的信息。最后一部分（&sort=stars）指定将项目按其获得的星级进行排序。

下面显示了响应的前几行。从响应可知，该URL并不适合人工输入。

```
{
  "total_count": 713062,
  "incomplete_results": false,
  "items": [
    {
      "id": 3544424,
      "name": "httpie",
      "full_name": "jkbrzt/httpie",
      --snip--
```

从第二行输出可知，编写本书时，GitHub总共有713 062个Python项目。"incomplete_results"的值为false，据此我们知道请求是成功的（它并非不完整的）。倘若GitHub无法全面处理该API，它返回的这个值将为true。接下来的列表中显示了返回的"items"，其中包含GitHub上最受欢迎的Python项目的详细信息。

17.1.3 安装 requests

requests包让Python程序能够轻松地向网站请求信息以及检查返回的响应。要安装requests，请执行类似于下面的命令：

```
$ pip install --user requests
```

如果你还没有使用过pip，请参阅12.2.1节（根据系统的设置，你可能需要使用这个命令的稍微不同的版本）。

17.1.4　处理 API 响应

下面来编写一个程序，它执行API调用并处理结果，找出GitHub上星级最高的Python项目：

python_repos.py

```
❶ import requests

  # 执行API调用并存储响应
❷ url = 'https://api.github.com/search/repositories?q=language:python&sort=stars'
❸ r = requests.get(url)
❹ print("Status code:", r.status_code)

  # 将API响应存储在一个变量中
❺ response_dict = r.json()

  # 处理结果
  print(response_dict.keys())
```

在❶处，我们导入了模块requests。在❷处，我们存储API调用的URL，然后使用requests来执行调用（见❸）。我们调用get()并将URL传递给它，再将响应对象存储在变量r中。响应对象包含一个名为status_code的属性，它让我们知道请求是否成功了（状态码200表示请求成功）。在❹处，我们打印status_code，核实调用是否成功了。

这个API返回JSON格式的信息，因此我们使用方法json()将这些信息转换为一个Python字典（见❺）。我们将转换得到的字典存储在response_dict中。

最后，我们打印response_dict中的键。输出如下：

```
Status code: 200
dict_keys(['items', 'total_count', 'incomplete_results'])
```

状态码为200，因此我们知道请求成功了。响应字典只包含三个键：'items'、'total_count'和'incomplete_results'。

注意　像这样简单的调用应该会返回完整的结果集，因此完全可以忽略与'incomplete_results'相关联的值。但执行更复杂的API调用时，程序应检查这个值。

17.1.5　处理响应字典

将API调用返回的信息存储到字典中后，就可以处理这个字典中的数据了。下面来生成一些概述这些信息的输出。这是一种不错的方式，可确认收到了期望的信息，进而可以开始研究感兴趣的信息：

python_repos.py

```
import requests
```

```
# 执行API调用并存储响应
url = 'https://api.github.com/search/repositories?q=language:python&sort=stars'
r = requests.get(url)
print("Status code:", r.status_code)

# 将API响应存储在一个变量中
response_dict = r.json()
❶ print("Total repositories:", response_dict['total_count'])

# 探索有关仓库的信息
❷ repo_dicts = response_dict['items']
print("Repositories returned:", len(repo_dicts))

# 研究第一个仓库
❸ repo_dict = repo_dicts[0]
❹ print("\nKeys:", len(repo_dict))
❺ for key in sorted(repo_dict.keys()):
    print(key)
```

在❶处，我们打印了与'total_count'相关联的值，它指出了GitHub总共包含多少个Python仓库。

与'items'相关联的值是一个列表，其中包含很多字典，而每个字典都包含有关一个Python仓库的信息。在❷处，我们将这个字典列表存储在repo_dicts中。接下来，我们打印repo_dicts的长度，以获悉我们获得了多少个仓库的信息。

为更深入地了解返回的有关每个仓库的信息，我们提取了repo_dicts中的第一个字典，并将其存储在repo_dict中（见❸）。接下来，我们打印这个字典包含的键数，看看其中有多少信息（见❹）。在❺处，我们打印这个字典的所有键，看看其中包含哪些信息。

输出让我们对实际包含的数据有了更清晰的认识：

```
Status code: 200
Total repositories: 713062
Repositories returned: 30

❶ Keys: 68
archive_url
assignees_url
blobs_url
--snip--
url
watchers
watchers_count
```

GitHub的API返回有关每个仓库的大量信息：repo_dict包含68个键（见❶）。通过仔细查看这些键，可大致知道可提取有关项目的哪些信息（要准确地获悉API将返回哪些信息，要么阅读文档，要么像此处这样使用代码来查看这些信息）。

下面来提取repo_dict中与一些键相关联的值：

python_repos.py

```
--snip--
# 研究有关仓库的信息
repo_dicts = response_dict['items']
print("Repositories returned:", len(repo_dicts))

# 研究第一个仓库
repo_dict = repo_dicts[0]

print("\nSelected information about first repository:")
❶ print('Name:', repo_dict['name'])
❷ print('Owner:', repo_dict['owner']['login'])
❸ print('Stars:', repo_dict['stargazers_count'])
   print('Repository:', repo_dict['html_url'])
❹ print('Created:', repo_dict['created_at'])
❺ print('Updated:', repo_dict['updated_at'])
   print('Description:', repo_dict['description'])
```

在这里，我们打印了表示第一个仓库的字典中与很多键相关联的值。在❶处，我们打印了项目的名称。项目所有者是用一个字典表示的，因此在❷处，我们使用键owner来访问表示所有者的字典，再使用键key来获取所有者的登录名。在❸处，我们打印项目获得了多少个星的评级，以及项目在GitHub仓库的URL。接下来，我们显示项目的创建时间（见❹）和最后一次更新的时间（见❺）。最后，我们打印仓库的描述。输出类似于下面这样：

```
Status code: 200
Total repositories: 713065
Repositories returned: 30

Selected information about first repository:
Name: httpie
Owner: jkbrzt
Stars: 16101
Repository: https://github.com/jkbrzt/httpie
Created: 2012-02-25T12:39:13Z
Updated: 2015-07-13T14:56:41Z
Description: CLI HTTP client; user-friendly cURL replacement featuring intuitive UI, JSON support,
syntax highlighting, wget-like downloads, extensions, etc.
```

从上述输出可知，编写本书时，GitHub上星级最高的Python项目为HTTPie，其所有者为用户jkbrzt，有16 000多个GitHub用户给这个项目加星。我们可以看到这个项目的仓库的URL，其创建时间为2012年2月，且最近更新了。最后，描述指出HTTPie用于帮助从终端执行HTTP调用（CLI是命令行界面的缩写）。

17.1.6　概述最受欢迎的仓库

对这些数据进行可视化时，我们需要涵盖多个仓库。下面就来编写一个循环，打印API调用返回的每个仓库的特定信息，以便能够在可视化中包含所有这些信息：

python_repos.py

```
--snip--
# 研究有关仓库的信息
repo_dicts = response_dict['items']
print("Repositories returned:", len(repo_dicts))

❶ print("\nSelected information about each repository:")
❷ for repo_dict in repo_dicts:
      print('\nName:', repo_dict['name'])
      print('Owner:', repo_dict['owner']['login'])
      print('Stars:', repo_dict['stargazers_count'])
      print('Repository:', repo_dict['html_url'])
      print('Description:', repo_dict['description'])
```

在❶处，我们打印了一条说明性消息。在❷处，我们遍历repo_dicts中的所有字典。在这个循环中，我们打印每个项目的名称、所有者、星级、在GitHub上的URL以及描述：

```
Status code: 200
Total repositories: 713067
Repositories returned: 30

Selected information about each repository:

Name: httpie
Owner: jkbrzt
Stars: 16101
Repository: https://github.com/jkbrzt/httpie
Description: CLI HTTP client; user-friendly cURL replacement featuring intuitive UI, JSON support,
syntax highlighting, wget-like downloads, extensions, etc.

Name: django
Owner: django
Stars: 15028
Repository: https://github.com/django/django
Description: The Web framework for perfectionists with deadlines.
--snip--

Name: powerline
Owner: powerline
Stars: 4315
Repository: https://github.com/powerline/powerline
Description: Powerline is a statusline plugin for vim, and provides statuslines and prompts for several
other applications, including zsh, bash, tmux, IPython, Awesome and Qtile.
```

上述输出中有一些有趣的项目，可能值得再看一眼。但不要在这上面花费太多时间，因为我们即将创建的可视化可让你更容易地看清结果。

17.1.7 监视 API 的速率限制

大多数API都存在速率限制，即你在特定时间内可执行的请求数存在限制。要获悉你是否接近了GitHub的限制，请在浏览器中输入https://api.github.com/rate_limit，你将看到类似于下面的响应：

```
{
  "resources": {
    "core": {
      "limit": 60,
      "remaining": 58,
      "reset": 1426082320
    },
    "search": {
      "limit": 10,
      "remaining": 8,
      "reset": 1426078803
    }
  },
  "rate": {
    "limit": 60,
    "remaining": 58,
    "reset": 1426082320
  }
}
```

❶ ❷ ❸ ❹

我们关心的信息是搜索API的速率限制（见❶）。从❷处可知，极限为每分钟10个请求，而在当前这一分钟内，我们还可执行8个请求（见❸）。reset值指的是配额将重置的Unix时间或新纪元时间（1970年1月1日午夜后多少秒）（见❹）。用完配额后，你将收到一条简单的响应，由此知道已到达API极限。到达极限后，你必须等待配额重置。

注意　很多API都要求你注册获得API密钥后才能执行API调用。编写本书时，GitHub没有这样的要求，但获得API密钥后，配额将高得多。

17.2　使用 Pygal 可视化仓库

有了一些有趣的数据后，我们来进行可视化，呈现GitHub上Python项目的受欢迎程度。我们将创建一个交互式条形图：条形的高度表示项目获得了多少颗星。单击条形将带你进入项目在GitHub上的主页。下面是首次尝试这样做：

python_repos.py

```python
import requests
import pygal
from pygal.style import LightColorizedStyle as LCS, LightenStyle as LS

# 执行API调用并存储响应
URL = 'https://api.github.com/search/repositories?q=language:python&sort=star'
r = requests.get(URL)
print("Status code:", r.status_code)
```

```
# 将API响应存储在一个变量中
response_dict = r.json()
print("Total repositories:", response_dict['total_count'])

# 研究有关仓库的信息
repo_dicts = response_dict['items']
```
❶
```
names, stars = [], []
for repo_dict in repo_dicts:
```
❷
```
    names.append(repo_dict['name'])
    stars.append(repo_dict['stargazers_count'])

# 可视化
```
❸
```
my_style = LS('#333366', base_style=LCS)
```
❹
```
chart = pygal.Bar(style=my_style, x_label_rotation=45, show_legend=False)
chart.title = 'Most-Starred Python Projects on GitHub'
chart.x_labels = names
```
❺
```
chart.add('', stars)
chart.render_to_file('python_repos.svg')
```

我们首先导入了pygal以及要应用于图表的Pygal样式。接下来，打印API调用响应的状态以及找到的仓库总数，以便获悉API调用是否出现了问题。我们不再打印返回的有关项目的信息，因为将通过可视化来呈现这些信息。

在❶处，我们创建了两个空列表，用于存储将包含在图表中的信息。我们需要每个项目的名称，用于给条形加上标签，我们还需要知道项目获得了多少个星，用于确定条形的高度。在循环中，我们将项目的名称和获得的星数附加到这些列表的末尾❷。

接下来，我们使用LightenStyle类（别名LS）定义了一种样式，并将其基色设置为深蓝色（见❸）。我们还传递了实参base_style，以使用LightColorizedStyle类（别名LCS）。然后，我们使用Bar()创建一个简单的条形图，并向它传递了my_style（见❹）。我们还传递了另外两个样式实参：让标签绕x轴旋转45度（x_label_rotation=45），并隐藏了图例（show_legend=False），因为我们只在图表中绘制一个数据系列。接下来，我们给图表指定了标题，并将属性x_labels设置为列表names。

由于我们不需要给这个数据系列添加标签，因此在❺处添加数据时，将标签设置成了空字符串。生成的图表如图17-1所示。从中可知，前几个项目的受欢迎程度比其他项目高得多，但所有这些项目在Python生态系统中都很重要。

17

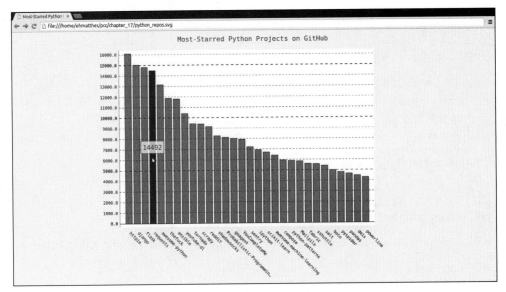

图17-1 GitHub上受欢迎程度最高的Python项目

17.2.1 改进 Pygal 图表

下面来改进这个图表的样式。我们将进行多个方面的定制，因此先来稍微调整代码的结构，创建一个配置对象，在其中包含要传递给Bar()的所有定制：

python_repos.py

```
--snip--

# 可视化
my_style = LS('#333366', base_style=LCS)

❶ my_config = pygal.Config()
❷ my_config.x_label_rotation = 45
  my_config.show_legend = False
❸ my_config.title_font_size = 24
  my_config.label_font_size = 14
  my_config.major_label_font_size = 18
❹ my_config.truncate_label = 15
❺ my_config.show_y_guides = False
❻ my_config.width = 1000

❼ chart = pygal.Bar(my_config, style=my_style)
  chart.title = 'Most-Starred Python Projects on GitHub'
  chart.x_labels = names

  chart.add('', stars)
  chart.render_to_file('python_repos.svg')
```

在❶处，我们创建了一个Pygal类Config的实例，并将其命名为my_config。通过修改my_config的属性，可定制图表的外观。在❷处，我们设置了两个属性——x_label_rotation和show_legend，它们原来是在创建Bar实例时以关键字实参的方式传递的。在❸处，我们设置了图表标题、副标签和主标签的字体大小。在这个图表中，副标签是x轴上的项目名以及y轴上的大部分数字。主标签是y轴上为5000整数倍的刻度；这些标签应更大，以与副标签区分开来。在❹处，我们使用truncate_label将较长的项目名缩短为15个字符（如果你将鼠标指向屏幕上被截短的项目名，将显示完整的项目名）。接下来，我们将show_y_guides设置为False，以隐藏图表中的水平线（见❺）。最后，在❻处设置了自定义宽度，让图表更充分地利用浏览器中的可用空间。

在❼处创建Bar实例时，我们将my_config作为第一个实参，从而通过一个实参传递了所有的配置设置。我们可以通过my_config做任意数量的样式和配置修改，而❼处的代码行将保持不变。图17-2显示了重新设置样式后的图表。

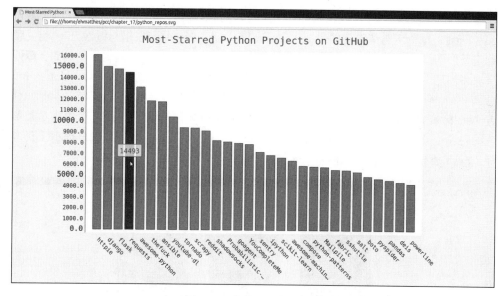

图17-2　改进了图表的样式

17.2.2　添加自定义工具提示

在Pygal中，将鼠标指向条形将显示它表示的信息，这通常称为工具提示。在这个示例中，当前显示的是项目获得了多少个星。下面来创建一个自定义工具提示，以同时显示项目的描述。

来看一个简单的示例，它可视化前三个项目，并给每个项目对应的条形都指定自定义标签。为此，我们向add()传递一个字典列表，而不是值列表：

bar_descriptions.py

```
import pygal
```

17

```
from pygal.style import LightColorizedStyle as LCS, LightenStyle as LS

my_style = LS('#333366', base_style=LCS)
chart = pygal.Bar(style=my_style, x_label_rotation=45, show_legend=False)

chart.title = 'Python Projects'
chart.x_labels = ['httpie', 'django', 'flask']
```

❶ `plot_dicts = [`
❷ `    {'value': 16101, 'label': 'Description of httpie.'},`
`    {'value': 15028, 'label': 'Description of django.'},`
`    {'value': 14798, 'label': 'Description of flask.'},`
`    ]`

❸ `chart.add('', plot_dicts)`
`chart.render_to_file('bar_descriptions.svg')`

在❶处，我们定义了一个名为plot_dicts的列表，其中包含三个字典，分别针对项目HTTPie、
Django和Flask。每个字典都包含两个键：'value'和'label'。Pygal根据与键'value'相关联的数
字来确定条形的高度，并使用与'label'相关联的字符串给条形创建工具提示。例如，❷处的第
一个字典将创建一个条形，用于表示一个获得了16 101颗星、工具提示为Description of httpie的
项目。

方法add()接受一个字符串和一个列表。这里调用add()时，我们传入了一个由表示条形的字
典组成的列表（plot_dicts）（见❸）。图17-3显示了一个工具提示：除默认工具提示（获得的星
数）外，Pygal还显示了我们传入的自定义提示。

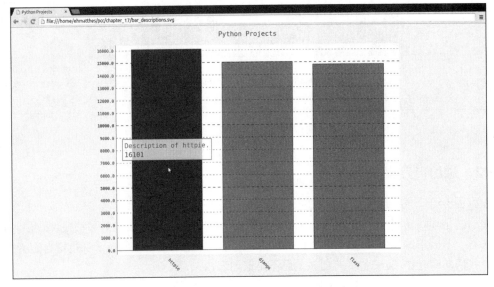

图17-3   每个条形都有自定义的工具提示标签

17.2.3　根据数据绘图

为根据数据绘图，我们将自动生成plot_dicts，其中包含API调用返回的30个项目的信息。完成这种工作的代码如下：

python_repos.py

```
--snip--
# 研究有关仓库的信息
repo_dicts = response_dict['items']
print("Number of items:", len(repo_dicts))

❶ names, plot_dicts = [], []
   for repo_dict in repo_dicts:
       names.append(repo_dict['name'])

❷     plot_dict = {
           'value': repo_dict['stargazers_count'],
           'label': repo_dict['description'],
           }
❸     plot_dicts.append(plot_dict)

   # 可视化
   my_style = LS('#333366', base_style=LCS)
   --snip--

❹ chart.add('', plot_dicts)
   chart.render_to_file('python_repos.svg')
```

在❶处，我们创建了两个空列表names和plot_dicts。为生成x轴上的标签，我们依然需要列表names。

在循环内部，对于每个项目，我们都创建了字典plot_dict（见❷）。在这个字典中，我们使用键'value'存储了星数，并使用键'label'存储了项目描述。接下来，我们将字典plot_dict附加到plot_dicts末尾（见❸）。在❹处，我们将列表plot_dicts传递给了add()。图17-4显示了生成的图表。

17

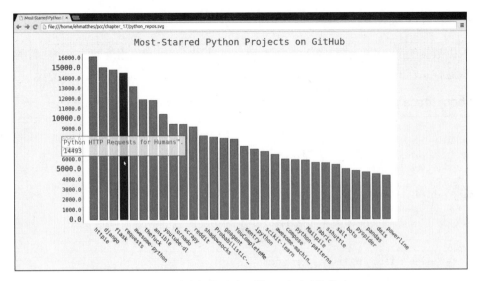

图17-4 将鼠标指向条形将显示项目的描述

17.2.4 在图表中添加可单击的链接

Pygal还允许你将图表中的每个条形用作网站的链接。为此，只需添加一行代码，在为每个项目创建的字典中，添加一个键为'xlink'的键-值对：

python_repos.py

```
--snip--
names, plot_dicts = [], []
for repo_dict in repo_dicts:
    names.append(repo_dict['name'])

    plot_dict = {
        'value': repo_dict['stargazers_count'],
        'label': repo_dict['description'],
        'xlink': repo_dict['html_url'],
        }
    plot_dicts.append(plot_dict)
--snip--
```

Pygal根据与键'xlink'相关联的URL将每个条形都转换为活跃的链接。单击图表中的任何条形时，都将在浏览器中打开一个新的标签页，并在其中显示相应项目的GitHub页面。至此，你对API获取的数据进行了可视化，它是交互性的，包含丰富的信息！

17.3 Hacker News API

为探索如何使用其他网站的API调用，我们来看看Hacker News(http://news.ycombinator.com/)。

在Hacker News网站，用户分享编程和技术方面的文章，并就这些文章展开积极的讨论。Hacker News的API让你能够访问有关该网站所有文章和评论的信息，且不要求你通过注册获得密钥。

下面的调用返回本书编写时最热门的文章的信息：

```
https://hacker-news.firebaseio.com/v0/item/9884165.json
```

响应是一个字典，包含ID为9884165的文章的信息：

```
{
❶     'url': 'http://www.bbc.co.uk/news/science-environment-33524589',
      'type': 'story',
❷     'title': 'New Horizons: Nasa spacecraft speeds past Pluto',
❸     'descendants': 141,
      'score': 230,
      'time': 1436875181,
      'text': '',
      'by': 'nns',
      'id': 9884165,
❹     'kids': [9884723, 9885099, 9884789, 9885604, 9885844]
}
```

这个字典包含很多键，如'url'（见❶）和'title'（见❷）。与键'descendants'相关联的值是文章被评论的次数（见❸）。与键'kids'相关联的值包含对文章所做的所有评论的ID（见❹）。每个评论自己也可能有kid，因此文章的后代（descendant）数量可能比其kid数量多。

下面来执行一个API调用，返回Hacker News上当前热门文章的ID，再查看每篇排名靠前的文章：

hn_submissions.py

```
import requests

from operator import itemgetter

# 执行API调用并存储响应
❶ url = 'https://hacker-news.firebaseio.com/v0/topstories.json'
r = requests.get(url)
print("Status code:", r.status_code)

# 处理有关每篇文章的信息
❷ submission_ids = r.json()
❸ submission_dicts = []
for submission_id in submission_ids[:30]:
     # 对于每篇文章，都执行一个API调用
❹    url = ('https://hacker-news.firebaseio.com/v0/item/' +
               str(submission_id) + '.json')
     submission_r = requests.get(url)
     print(submission_r.status_code)
     response_dict = submission_r.json()

❺    submission_dict = {
        'title': response_dict['title'],
        'link': 'http://news.ycombinator.com/item?id=' + str(submission_id),
```

```
❻          'comments': response_dict.get('descendants', 0)
           }
       submission_dicts.append(submission_dict)

❼ submission_dicts = sorted(submission_dicts, key=itemgetter('comments'),
                              reverse=True)

❽ for submission_dict in submission_dicts:
       print("\nTitle:", submission_dict['title'])
       print("Discussion link:", submission_dict['link'])
       print("Comments:", submission_dict['comments'])
```

首先，我们执行了一个API调用，并打印了响应的状态（见❶）。这个API调用返回一个列表，其中包含Hacker News上当前最热门的500篇文章的ID。接下来，我们将响应文本转换为一个Python列表（见❷），并将其存储在submission_ids中。我们将使用这些ID来创建一系列字典，其中每个字典都存储了一篇文章的信息。

在❸处，我们创建了一个名为submission_dicts的空列表，用于存储前面所说的字典。接下来，我们遍历前30篇文章的ID。对于每篇文章，我们都执行一个API调用，其中的URL包含submission_id的当前值（见❹）。我们打印每次请求的状态，以便知道请求是否成功了。

在❺处，我们为当前处理的文章创建一个字典，并在其中存储文章的标题以及到其讨论页面的链接。在❻处，我们在这个字典中存储了评论数。如果文章还没有评论，响应字典中将没有键'descendants'。不确定某个键是否包含在字典中时，可使用方法dict.get()，它在指定的键存在时返回与之相关联的值，并在指定的键不存在时返回你指定的值（这里是0）。最后，我们将submission_dict附加到submission_dicts末尾。

Hacker News上的文章是根据总体得分排名的，而总体得分取决于很多因素，其中包含被推荐的次数、评论数以及发表的时间。我们要根据评论数对字典列表submission_dicts进行排序，为此，使用了模块operator中的函数itemgetter()（见❼）。我们向这个函数传递了键'comments'，因此它将从这个列表的每个字典中提取与键'comments'相关联的值。这样，函数sorted()将根据这种值对列表进行排序。我们将列表按降序排列，即评论最多的文章位于最前面。

对列表排序后，我们遍历这个列表（见❽），对于每篇热门文章，都打印其三项信息：标题、到讨论页面的链接以及文章现有的评论数：

```
Status code: 200
200
200
200
--snip--

Title: Firefox deactivates Flash by default
Discussion link: http://news.ycombinator.com/item?id=9883246
Comments: 231

Title: New Horizons: Nasa spacecraft speeds past Pluto
Discussion link: http://news.ycombinator.com/item?id=9884165
```

```
      Comments: 142

      Title: Iran Nuclear Deal Is Reached With World Powers
      Discussion link: http://news.ycombinator.com/item?id=9884005
      Comments: 141

      Title: Match Group Buys PlentyOfFish for $575M
      Discussion link: http://news.ycombinator.com/item?id=9884417
      Comments: 75

      Title: Our Nexus 4 devices are about to explode
      Discussion link: http://news.ycombinator.com/item?id=9885625
      Comments: 14
```

--snip--

使用任何API来访问和分析信息时，流程都与此类似。有了这些数据后，你就可以进行可视化，指出最近哪些文章引发了最激烈的讨论。

动手试一试

17-1 其他语言：修改 python_repos.py 中的 API 调用，使其在生成的图表中显示使用其他语言编写的最受欢迎的项目。请尝试语言 JavaScript、Ruby、C、Java、Perl、Haskell 和 Go 等。

17-2 最活跃的讨论：使用 hn_submissions.py 中的数据，创建一个条形图，显示 Hacker News 上当前最活跃的讨论。条形的高度应对应于文章得到的评论数量，条形的标签应包含文章的标题，而每个条形应是到该文章讨论页面的链接。

17-3 测试 python_repos.py：在 python_repos.py 中，打印 status_code 的值，以核实 API 调用是否成功了。请编写一个名为 test_python_repos.py 的程序，它使用单元测试来断言 status_code 的值为 200。想想你还可做出哪些断言，如返回的条目数符合预期，仓库总数超过特定的值等。

17.4 小结

在本章中，你学习了：如何使用API来编写独立的程序，它们自动采集所需的数据并对其进行可视化；使用GitHub API来探索GitHub上星级最高的Python项目，还大致地了解了Hacker News API；如何使用requests包来自动执行GitHub API调用，以及如何处理调用的结果。我们还简要地介绍了一些Pygal设置，使用它们可进一步定制生成的图表的外观。

在本书的最后一个项目中，我们将使用Django来创建一个Web应用程序。

17

项目3　Web应用程序

Django入门 *18*

当今的网站实际上都是富应用程序（rich application），就像成熟的桌面应用程序一样。Python提供了一组开发Web应用程序的卓越工具。在本章中，你将学习如何使用Django（http://djangoproject.com/）来开发一个名为"学习笔记"（Learning Log）的项目，这是一个在线日志系统，让你能够记录所学习的有关特定主题的知识。

我们将为这个项目制定规范，然后为应用程序使用的数据定义模型。我们将使用Django的管理系统来输入一些初始数据，再学习编写视图和模板，让Django能够为我们的网站创建网页。

Django是一个**Web框架**——一套用于帮助开发交互式网站的工具。Django能够响应网页请求，还能让你更轻松地读写数据库、管理用户等。在第19章和第20章，我们将改进"学习笔记"项目，再将其部署到活动的服务器，让你和你的朋友能够使用它。

18.1 建立项目

建立项目时，首先需要以规范的方式对项目进行描述，再建立虚拟环境，以便在其中创建项目。

18.1.1 制定规范

完整的规范详细说明了项目的目标，阐述了项目的功能，并讨论了项目的外观和用户界面。与任何良好的项目规划和商业计划书一样，规范应突出重点，帮助避免项目偏离轨道。这里不会制定完整的项目规划，而只列出一些明确的目标，以突出开发的重点。我们制定的规范如下：

> 我们要编写一个名为"学习笔记"的Web应用程序，让用户能够记录感兴趣的主题，并在学习每个主题的过程中添加日志条目。"学习笔记"的主页对这个网站进行描述，并邀请用户注册或登录。用户登录后，就可创建新主题、添加新条目以及阅读既有的条目。

　　学习新的主题时，记录学到的知识可帮助跟踪和复习这些知识。优秀的应用程序让这个记录过程简单易行。

18.1.2　建立虚拟环境

　　要使用 Django，首先需要建立一个虚拟工作环境。虚拟环境是系统的一个位置，你可以在其中安装包，并将其与其他 Python 包隔离。将项目的库与其他项目分离是有益的，且为了在第 20 章将"学习笔记"部署到服务器，这也是必须的。

　　为项目新建一个目录，将其命名为 learning_log，再在终端中切换到这个目录，并创建一个虚拟环境。如果你使用的是 Python 3，可使用如下命令来创建虚拟环境：

```
learning_log$ python -m venv ll_env
learning_log$
```

　　这里运行了模块 venv，并使用它来创建一个名为 ll_env 的虚拟环境。如果这样做管用，请跳到后面的 18.1.4 节；如果不管用，请阅读 18.1.3 节。

18.1.3　安装 virtualenv

　　如果你使用的是较早的 Python 版本，或者系统没有正确地设置，不能使用模块 venv，可安装 virtualenv 包。为此，可执行如下命令：

```
$ pip install --user virtualenv
```

　　别忘了，对于这个命令，你可能需要使用稍微不同的版本（如果你没有使用过 pip，请参阅 12.2.1 节）。

注意　如果你使用的是 Linux 系统，且上面的做法不管用，可使用系统的包管理器来安装 virtualenv。例如，要在 Ubuntu 系统中安装 virtualenv，可使用命令 sudo apt-get install python-virtualenv。

　　在终端中切换到目录 learning_log，并像下面这样创建一个虚拟环境：

```
learning_log$ virtualenv ll_env
New python executable in ll_env/bin/python
Installing setuptools, pip...done.
learning_log$
```

注意　如果你的系统安装了多个 Python 版本，需要指定 virtualenv 使用的版本。例如，命令 virtualenv ll_env --python=python3 创建一个使用 Python 3 的虚拟环境。

18.1.4 激活虚拟环境

建立虚拟环境后，需要使用下面的命令激活它：

```
learning_log$ source ll_env/bin/activate
❶ (ll_env)learning_log$
```

这个命令运行ll_env/bin中的脚本activate。环境处于活动状态时，环境名将包含在括号内，如❶处所示。在这种情况下，你可以在环境中安装包，并使用已安装的包。你在ll_env中安装的包仅在该环境处于活动状态时才可用。

注意 如果你使用的是Windows系统，请使用命令ll_env\Scripts\activate（不包含source）来激活这个虚拟环境。

要停止使用虚拟环境，可执行命令deactivate：

```
(ll_env)learning_log$ deactivate
learning_log$
```

如果关闭运行虚拟环境的终端，虚拟环境也将不再处于活动状态。

18.1.5 安装 Django

创建并激活虚拟环境后，就可安装Django了：

```
(ll_env)learning_log$ pip install Django
Installing collected packages: Django
Successfully installed Django
Cleaning up...
(ll_env)learning_log$
```

由于我们是在虚拟环境中工作，因此在所有的系统中，安装Django的命令都相同：不需要指定标志--user，也无需使用python -m pip install package_name这样较长的命令。

别忘了，Django仅在虚拟环境处于活动状态时才可用。

18.1.6 在 Django 中创建项目

在依然处于活动的虚拟环境的情况下（ll_env包含在括号内），执行如下命令来新建一个项目：

```
❶ (ll_env)learning_log$ django-admin.py startproject learning_log .
❷ (ll_env)learning_log$ ls
learning_log ll_env manage.py
❸ (ll_env)learning_log$ ls learning_log
__init__.py settings.py urls.py wsgi.py
```

18

❶处的命令让Django新建一个名为learning_log的项目。这个命令末尾的句点让新项目使用合适的目录结构，这样开发完成后可轻松地将应用程序部署到服务器。

注意　千万别忘了这个句点，否则部署应用程序时将遭遇一些配置问题。如果忘记了这个句点，就将创建的文件和文件夹删除（ll_env除外），再重新运行这个命令。

在❷处，运行了命令ls（在Windows系统上应为dir），结果表明Django新建了一个名为learning_log的目录。它还创建了一个名为manage.py的文件，这是一个简单的程序，它接受命令并将其交给Django的相关部分去运行。我们将使用这些命令来管理诸如使用数据库和运行服务器等任务。

目录learning_log包含4个文件（见❸），其中最重要的是settings.py、urls.py和wsgi.py。文件settings.py指定Django如何与你的系统交互以及如何管理项目。在开发项目的过程中，我们将修改其中一些设置，并添加一些设置。文件urls.py告诉Django应创建哪些网页来响应浏览器请求。文件wsgi.py帮助Django提供它创建的文件，这个文件名是web server gateway interface（Web服务器网关接口）的首字母缩写。

18.1.7　创建数据库

Django将大部分与项目相关的信息都存储在数据库中，因此我们需要创建一个供Django使用的数据库。为给项目"学习笔记"创建数据库，请在处于活动虚拟环境中的情况下执行下面的命令：

```
  (ll_env)learning_log$ python manage.py migrate
❶ Operations to perform:
    Synchronize unmigrated apps: messages, staticfiles
    Apply all migrations: contenttypes, sessions, auth, admin
    --snip--
    Applying sessions.0001_initial... OK
❷ (ll_env)learning_log$ ls
  db.sqlite3  learning_log  ll_env  manage.py
```

我们将修改数据库称为迁移数据库。首次执行命令migrate时，将让Django确保数据库与项目的当前状态匹配。在使用SQLite（后面将更详细地介绍）的新项目中首次执行这个命令时，Django将新建一个数据库。在❶处，Django指出它将创建必要的数据库表，用于存储我们将在这个项目（Synchronize unmigrated apps，同步未迁移的应用程序）中使用的信息，再确保数据库结构与当前代码（Apply all migrations，应用所有的迁移）匹配。

在❷处，我们运行了命令ls，其输出表明Django又创建了一个文件——db.sqlite3。SQLite是一种使用单个文件的数据库，是编写简单应用程序的理想选择，因为它让你不用太关注数据库管理的问题。

18.1.8　查看项目

下面来核实Django是否正确地创建了项目。为此，可执行命令runserver，如下所示：

```
(ll_env)learning_log$ python manage.py runserver
Performing system checks...

❶ System check identified no issues (0 silenced).
  July 15, 2015 - 06:23:51
❷ Django version 1.8.4, using settings 'learning_log.settings'
❸ Starting development server at http://127.0.0.1:8000/
  Quit the server with CONTROL-C.
```

　　Django启动一个服务器，让你能够查看系统中的项目，了解它们的工作情况。当你在浏览器中输入URL以请求网页时，该Django服务器将进行响应：生成合适的网页，并将其发送给浏览器。

　　在❶处，Django通过检查确认正确地创建了项目；在❷处，它指出了使用的Django版本以及当前使用的设置文件的名称；在❸处，它指出了项目的URL。URL http://127.0.0.1:8000/表明项目将在你的计算机（即localhost）的端口8000上侦听请求。localhost是一种只处理当前系统发出的请求，而不允许其他任何人查看你正在开发的网页的服务器。

　　现在打开一款Web浏览器，并输入URL：http://localhost:8000/；如果这不管用，请输入http://127.0.0.1:8000/。你将看到类似于图18-1所示的页面，这个页面是Django创建的，让你知道到目前为止一切正常。现在暂时不要关闭这个服务器。若要关闭这个服务器，按Ctrl + C即可。

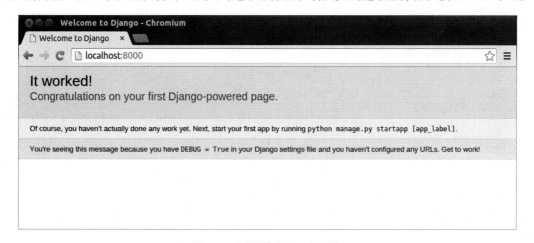

图18-1　到目前为止一切正常

18

注意　如果出现错误消息"That port is already in use"（指定端口已被占用），请执行命令python manage.py runserver 8001，让Django使用另一个端口；如果这个端口也不可用，请不断执行上述命令，并逐渐增大其中的端口号，直到找到可用的端口。

动手试一试

18-1 新项目：为更深入地了解 Django 做了些什么，可创建两个空项目，看看 Django 创建了什么。新建一个文件夹，并给它指定简单的名称，如 InstaBook 或 FaceGram（不要在目录 learning_log 中新建该文件夹），在终端中切换到该文件夹，并创建一个虚拟环境。在这个虚拟环境中安装 Django，并执行命令 `django-admin.py startproject instabook.`（千万不要忘了这个命令末尾的句点）。

看看这个命令创建了哪些文件和文件夹，并与项目"学习笔记"包含的文件和文件夹进行比较。这样多做几次，直到对 Django 新建项目时创建的东西了如指掌。然后，将项目目录删除——如果你想这样做的话。

18.2 创建应用程序

Django 项目由一系列应用程序组成，它们协同工作，让项目成为一个整体。我们暂时只创建一个应用程序，它将完成项目的大部分工作。在第 19 章，我们将再添加一个管理用户账户的应用程序。

当前，在前面打开的终端窗口中应该还运行着 runserver。请再打开一个终端窗口（或标签页），并切换到 manage.py 所在的目录。激活该虚拟环境，再执行命令 startapp：

```
learning_log$ source ll_env/bin/activate
(ll_env)learning_log$ python manage.py startapp learning_logs
❶ (ll_env)learning_log$ ls
db.sqlite3  learning_log  learning_logs  ll_env  manage.py
❷ (ll_env)learning_log$ ls learning_logs/
admin.py  __init__.py  migrations  models.py  tests.py  views.py
```

命令 startapp *appname* 让 Django 建立创建应用程序所需的基础设施。如果现在查看项目目录，将看到其中新增了一个文件夹 learning_logs（见❶）。打开这个文件夹，看看 Django 都创建了什么（见❷）。其中最重要的文件是 models.py、admin.py 和 views.py。我们将使用 models.py 来定义我们要在应用程序中管理的数据。admin.py 和 views.py 将在稍后介绍。

18.2.1 定义模型

我们来想想涉及的数据。每位用户都需要在学习笔记中创建很多主题。用户输入的每个条目都与特定主题相关联，这些条目将以文本的方式显示。我们还需要存储每个条目的时间戳，以便能够告诉用户各个条目都是什么时候创建的。

打开文件 models.py，看看它当前包含哪些内容：

models.py

```
from django.db import models

# 在这里创建模型
```

这为我们导入了模块models，还让我们创建自己的模型。模型告诉Django如何处理应用程序中存储的数据。在代码层面，模型就是一个类，就像前面讨论的每个类一样，包含属性和方法。下面是表示用户将要存储的主题的模型：

```
from django.db import models

class Topic(models.Model):
    """用户学习的主题"""
❶   text = models.CharField(max_length=200)
❷   date_added = models.DateTimeField(auto_now_add=True)

❸   def __str__(self):
        """返回模型的字符串表示"""
        return self.text
```

我们创建了一个名为Topic的类，它继承了Model——Django中一个定义了模型基本功能的类。Topic类只有两个属性：text和date_added。

属性text是一个CharField——由字符或文本组成的数据（见❶）。需要存储少量的文本，如名称、标题或城市时，可使用CharField。定义CharField属性时，必须告诉Django该在数据库中预留多少空间。在这里，我们将max_length设置成了200（即200个字符），这对存储大多数主题名来说足够了。

属性date_added是一个DateTimeField——记录日期和时间的数据（见❷）。我们传递了实参auto_add_now=True，每当用户创建新主题时，这都让Django将这个属性自动设置成当前日期和时间。

> **注意** 要获悉可在模型中使用的各种字段，请参阅Django Model Field Reference（Django模型字段参考），其网址为https://docs.djangoproject.com/en/1.8/ref/models/fields/。就当前而言，你无需全面了解其中的所有内容，但自己开发应用程序时，这些内容会提供极大的帮助。

我们需要告诉Django，默认应使用哪个属性来显示有关主题的信息。Django调用方法__str__()来显示模型的简单表示。在这里，我们编写了方法__str__()，它返回存储在属性text中的字符串（见❸）。

> **注意** 如果你使用的是Python 2.7，应调用方法__unicode__()，而不是__str__()，但其中的代码相同。

18

18.2.2　激活模型

要使用模型，必须让Django将应用程序包含到项目中。为此，打开settings.py（它位于目录 learning_log/learning_log中），你将看到一个这样的片段，即告诉Django哪些应用程序安装在项 目中：

settings.py

```
--snip--
INSTALLED_APPS = (
    'django.contrib.admin',
    'django.contrib.auth',
    'django.contrib.contenttypes',
    'django.contrib.sessions',
    'django.contrib.messages',
    'django.contrib.staticfiles',
)
--snip--
```

这是一个元组，告诉Django项目是由哪些应用程序组成的。请将INSTALLED_APPS修改成下面 这样，将前面的应用程序添加到这个元组中：

```
--snip--
INSTALLED_APPS = (
    --snip--
    'django.contrib.staticfiles',

    # 我的应用程序
    'learning_logs',
)
--snip--
```

通过将应用程序编组，在项目不断增大，包含更多的应用程序时，有助于对应用程序进行跟 踪。这里新建了一个名为My apps的片段，当前它只包含应用程序learning_logs。

接下来，需要让Django修改数据库，使其能够存储与模型Topic相关的信息。为此，在终端 窗口中执行下面的命令：

```
(ll_env)learning_log$ python manage.py makemigrations learning_logs
Migrations for 'learning_logs':
  0001_initial.py:
    - Create model Topic
(ll_env)learning_log$
```

命令makemigrations让Django确定该如何修改数据库，使其能够存储与我们定义的新模型相 关联的数据。输出表明Django创建了一个名为0001_initial.py的迁移文件，这个文件将在数据库中 为模型Topic创建一个表。

下面来应用这种迁移，让Django替我们修改数据库：

```
(ll_env)learning_log$ python manage.py migrate
--snip--
Running migrations:
  Rendering model states... DONE
❶ Applying learning_logs.0001_initial... OK
```

这个命令的大部分输出都与我们首次执行命令migrate的输出相同。我们需要检查的是❶处的输出行，在这里，Django确认为learning_logs应用迁移时一切正常（OK）。

每当需要修改“学习笔记”管理的数据时，都采取如下三个步骤：修改models.py；对learning_logs调用makemigrations；让Django迁移项目。

18.2.3　Django 管理网站

为应用程序定义模型时，Django提供的管理网站（admin site）让你能够轻松地处理模型。网站的管理员可使用管理网站，但普通用户不能使用。在本节中，我们将建立管理网站，并通过它使用模型Topic来添加一些主题。

1. 创建超级用户
Django允许你创建具备所有权限的用户——超级用户。权限决定了用户可执行的操作。最严格的权限设置只允许用户阅读网站的公开信息；注册了的用户通常可阅读自己的私有数据，还可查看一些只有会员才能查看的信息。为有效地管理Web应用程序，网站所有者通常需要访问网站存储的所有信息。优秀的管理员会小心对待用户的敏感信息，因为用户对其访问的应用程序有极大的信任。

为在Django中创建超级用户，请执行下面的命令并按提示做：

```
(ll_env)learning_log$ python manage.py createsuperuser
❶ Username (leave blank to use 'ehmatthes'): ll_admin
❷ Email address:
❸ Password:
Password (again):
Superuser created successfully.
(ll_env)learning_log$
```

你执行命令createsuperuser时，Django提示你输入超级用户的用户名（见❶）。这里我们输入的是ll_admin，但你可以输入任何用户名，比如电子邮件地址，也可让这个字段为空（见❷）。你需要输入密码两次（见❸）。

注意　可能会对网站管理员隐藏有些敏感信息。例如，Django并不存储你输入的密码，而存储从该密码派生出来的一个字符串——散列值。每当你输入密码时，Django都计算其散列值，并将结果与存储的散列值进行比较。如果这两个散列值相同，就通过了身份验证。通过存储散列值，即便黑客获得了网站数据库的访问权，也只能获取其中存储的散列值，而无法获得密码。在网站配置正确的情况下，几乎无法根据散列值推导出原始密码。

2. 向管理网站注册模型

Django 自动在管理网站中添加了一些模型，如 User 和 Group，但对于我们创建的模型，必须手工进行注册。

我们创建应用程序 learning_logs 时，Django 在 models.py 所在的目录中创建了一个名为 admin.py 的文件：

admin.py

```
from django.contrib import admin

# 在这里注册你的模型
```

为向管理网站注册 Topic，请输入下面的代码：

```
from django.contrib import admin
```
❶ `from learning_logs.models import Topic`

❷ `admin.site.register(Topic)`

这些代码导入我们要注册的模型 Topic（见❶），再使用 admin.site.register()（见❷）让 Django 通过管理网站管理我们的模型。

现在，使用超级用户账户访问管理网站：访问 http://localhost:8000/admin/，并输入你刚创建的超级用户的用户名和密码，你将看到类似于图 18-2 所示的屏幕。这个网页让你能够添加和修改用户和用户组，还可以管理与刚才定义的模型 Topic 相关的数据。

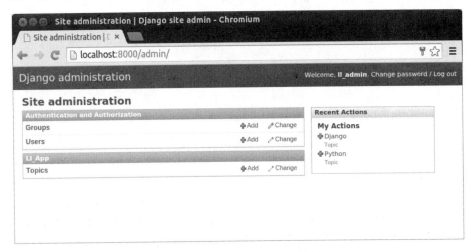

图18-2　包含模型Topic的管理网站

> **注意**　如果你在浏览器中看到一条消息，指出访问的网页不可用，请确认你在终端窗口中运行着Django服务器。如果没有，请激活虚拟环境，并执行命令python manage.py runserver。

3. 添加主题

向管理网站注册Topic后，我们来添加第一个主题。为此，单击Topics进入主题网页，它几乎是空的，这是因为我们还没有添加任何主题。单击Add，你将看到一个用于添加新主题的表单。在第一个方框中输入Chess，再单击Save，这将返回到主题管理页面，其中包含刚创建的主题。

下面再创建一个主题，以便有更多的数据可供使用。再次单击Add，并创建另一个主题Rock Climbing。当你单击Save时，将重新回到主题管理页面，其中包含主题Chess和Rock Climbing。

18.2.4　定义模型 Entry

要记录学到的国际象棋和攀岩知识，需要为用户可在学习笔记中添加的条目定义模型。每个条目都与特定主题相关联，这种关系被称为多对一关系，即多个条目可关联到同一个主题。

下面是模型Entry的代码：

models.py

```
from django.db import models

class Topic(models.Model):
    --snip--

❶ class Entry(models.Model):
       """学到的有关某个主题的具体知识"""
❷     topic = models.ForeignKey(Topic)
❸     text = models.TextField()
       date_added = models.DateTimeField(auto_now_add=True)

❹     class Meta:
           verbose_name_plural = 'entries'

       def __str__(self):
           """返回模型的字符串表示"""
❺         return self.text[:50] + "..."
```

像Topic一样，Entry也继承了Django基类Model（见❶）。第一个属性topic是一个ForeignKey实例（见❷）。外键是一个数据库术语，它引用了数据库中的另一条记录；这些代码将每个条目关联到特定的主题。每个主题创建时，都给它分配了一个键（或ID）。需要在两项数据之间建立联系时，Django使用与每项信息相关联的键。稍后我们将根据这些联系获取与特定主题相关联的所有条目。

接下来是属性text，它是一个TextField实例（见❸）。这种字段不需要长度限制，因为我们不想限制条目的长度。属性date_added让我们能够按创建顺序呈现条目，并在每个条目旁边放置时间戳。

18

在❹处，我们在Entry类中嵌套了Meta类。Meta存储用于管理模型的额外信息，在这里，它让我们能够设置一个特殊属性，让Django在需要时使用Entries来表示多个条目。如果没有这个类，Django将使用Entrys来表示多个条目。最后，方法__str__()告诉Django，呈现条目时应显示哪些信息。由于条目包含的文本可能很长，我们让Django只显示text的前50个字符（见❺）。我们还添加了一个省略号，指出显示的并非整个条目。

18.2.5　迁移模型 Entry

由于我们添加了一个新模型，因此需要再次迁移数据库。你将慢慢地对这个过程了如指掌：修改 models.py，执行命令python manage.py makemigrations *app_name*，再执行命令python manage.py migrate。

下面来迁移数据库并查看输出：

```
(ll_env)learning_log$ python manage.py makemigrations learning_logs
Migrations for 'learning_logs':
❶  0002_entry.py:
     - Create model Entry
(ll_env)learning_log$ python manage.py migrate
Operations to perform:
   --snip--
❷  Applying learning_logs.0002_entry... OK
```

生成了一个新的迁移文件——0002_entry.py，它告诉Django如何修改数据库，使其能够存储与模型Entry相关的信息（见❶）。执行命令migrate，我们发现Django应用了这种迁移且一切顺利（见❷）。

18.2.6　向管理网站注册 Entry

我们还需要注册模型Entry。为此，需要将admin.py修改成类似于下面这样：

admin.py

```
from django.contrib import admin

from learning_logs.models import Topic, Entry

admin.site.register(Topic)
admin.site.register(Entry)
```

返回到http://localhost:8000/admin/，你将看到learning_logs下列出了Entries。单击Entries的Add链接，或者单击Entries再选择Add entry。你将看到一个下拉列表，让你能够选择要为哪个主题创建条目，还有一个用于输入条目的文本框。从下拉列表中选择Chess，并添加一个条目。下面是我添加的第一个条目。

The opening is the first part of the game, roughly the first ten moves or so. In the opening, it's a good idea to do three things— bring out your bishops and knights, try to control the center of the board, and castle your king. （国际象棋的第一个阶段是开局，大致是前10步左右。在开局阶段，最好做三件事情：将象和马调出来；努力控制棋盘的中间区域；用车将王护住。）

Of course, these are just guidelines. It will be important to learn when to follow these guidelines and when to disregard these suggestions. （当然，这些只是指导原则。学习什么情况下遵守这些原则、什么情况下不用遵守很重要。）

当你单击Save时，将返回到主条目管理页面。在这里，你将发现使用text[:50]作为条目的字符串表示的好处：管理界面中，只显示了条目的开头部分而不是其所有文本，这使得管理多个条目容易得多。

再来创建一个国际象棋条目，并创建一个攀岩条目，以提供一些初始数据。下面是第二个国际象棋条目。

In the opening phase of the game, it's important to bring out your bishops and knights. These pieces are powerful and maneuverable enough to play a significant role in the beginning moves of a game. （在国际象棋的开局阶段，将象和马调出来很重要。这些棋子威力大，机动性强，在开局阶段扮演着重要角色。）

下面是第一个攀岩条目：

One of the most important concepts in climbing is to keep your weight on your feet as much as possible. There's a myth that climbers can hang all day on their arms. In reality, good climbers have practiced specific ways of keeping their weight over their feet whenever possible. （最重要的攀岩概念之一是尽可能让双脚承受体重。有谬误认为攀岩者能依靠手臂的力量坚持一整天。实际上，优秀的攀岩者都经过专门训练，能够尽可能让双脚承受体重。）

继续往下开发"学习笔记"时，这三个条目可为我们提供使用的数据。

18.2.7　Django shell

输入一些数据后，就可通过交互式终端会话以编程方式查看这些数据了。这种交互式环境称为Django shell，是测试项目和排除其故障的理想之地。下面是一个交互式shell会话示例：

```
(ll_env)learning_log$ python manage.py shell
❶ >>> from learning_logs.models import Topic
>>> Topic.objects.all()
[<Topic: Chess>, <Topic: Rock Climbing>]
```

18

在活动的虚拟环境中执行时，命令python manage.py shell启动一个Python解释器，可使用它来探索存储在项目数据库中的数据。在这里，我们导入了模块learning_logs.models中的模型Topic（见❶），然后使用方法Topic.objects.all()来获取模型Topic的所有实例；它返回的是一个列表，称为查询集（queryset）。

我们可以像遍历列表一样遍历查询集。下面演示了如何查看分配给每个主题对象的ID：

```
>>> topics = Topic.objects.all()
>>> for topic in topics:
...     print(topic.id, topic)
...
1 Chess
2 Rock Climbing
```

我们将返回的查询集存储在topics中，然后打印每个主题的id属性和字符串表示。从输出可知，主题Chess的ID为1，而Rock Climbing的ID为2。

知道对象的ID后，就可获取该对象并查看其任何属性。下面来看看主题Chess的属性text和date_added的值：

```
>>> t = Topic.objects.get(id=1)
>>> t.text
'Chess'
>>> t.date_added
datetime.datetime(2015, 5, 28, 4, 39, 11, 989446, tzinfo=<UTC>)
```

我们还可以查看与主题相关联的条目。前面我们给模型Entry定义了属性topic，这是一个ForeignKey，将条目与主题关联起来。利用这种关联，Django能够获取与特定主题相关联的所有条目，如下所示：

```
❶ >>> t.entry_set.all()
[<Entry: The opening is the first part of the game, roughly...>, <Entry: In the opening phase of the
game, it's important t...>]
```

为通过外键关系获取数据，可使用相关模型的小写名称、下划线和单词set（见❶）。例如，假设你有模型Pizza和Topping，而Topping通过一个外键关联到Pizza；如果你有一个名为my_pizza的对象，表示一张比萨，就可使用代码my_pizza.topping_set.all()来获取这张比萨的所有配料。

编写用户可请求的网页时，我们将使用这种语法。确认代码能获取所需的数据时，shell很有帮助。如果代码在shell中的行为符合预期，那么它们在项目文件中也能正确地工作。如果代码引发了错误或获取的数据不符合预期，那么在简单的shell环境中排除故障要比在生成网页的文件中排除故障容易得多。我们不会太多地使用shell，但应继续使用它来熟悉对存储在项目中的数据进行访问的Django语法。

注意　每次修改模型后，你都需要重启shell，这样才能看到修改的效果。要退出shell会话，可按Ctrl + D；如果你使用的是Windows系统，应按Ctrl + Z，再按回车键。

动手试一试

18-2 简短的条目：当前，Django 在管理网站或 shell 中显示 Entry 实例时，模型 Entry 的方法 __str__() 都在它的末尾加上省略号。请在方法 __str__() 中添加一条 if 语句，以便仅在条目长度超过 50 字符时才添加省略号。使用管理网站来添加一个长度少于 50 字符的条目，并核实显示它时没有省略号。

18-3 Django API：编写访问项目中的数据的代码时，你编写的是查询。请浏览有关如何查询数据的文档，其网址为 https://docs.djangoproject.com/en/7.8/topics/db/queries/。其中大部分内容都是你不熟悉的，但等你自己开发项目时，这些内容会很有用。

18-4 比萨店：新建一个名为 pizzeria 的项目，并在其中添加一个名为 pizzas 的应用程序。定义一个名为 Pizza 的模型，它包含字段 name，用于存储比萨名称，如 Hawaiian 和 Meat Lovers。定义一个名为 Topping 的模型，它包含字段 pizza 和 name，其中字段 pizza 是一个关联到 Pizza 的外键，而字段 name 用于存储配料，如 pineapple、Canadian bacon 和 sausage。

向管理网站注册这两个模型，并使用管理网站输入一些比萨名和配料。使用 shell 来查看你输入的数据。

18.3　创建网页：学习笔记主页

使用Django创建网页的过程通常分三个阶段：定义URL、编写视图和编写模板。首先，你必须定义URL模式。URL模式描述了URL是如何设计的，让Django知道如何将浏览器请求与网站URL匹配，以确定返回哪个网页。

每个URL都被映射到特定的视图——视图函数获取并处理网页所需的数据。视图函数通常调用一个模板，后者生成浏览器能够理解的网页。为明白其中的工作原理，我们来创建学习笔记的主页。我们将定义该主页的URL、编写其视图函数并创建一个简单的模板。

鉴于我们只是要确保"学习笔记"按要求的那样工作，我们将暂时让这个网页尽可能简单。Web应用程序能够正常运行后，设置样式可使其更有趣，但中看不中用的应用程序毫无意义。就目前而言，主页只显示标题和简单的描述。

18.3.1　映射 URL

用户通过在浏览器中输入URL以及单击链接来请求网页，因此我们需要确定项目需要哪些URL。主页的 URL 最重要，它是用户用来访问项目的基础 URL。当前，基础 URL（http://localhost:8000/）返回默认的Django网站，让我们知道正确地建立了项目。我们将修改这一点，将这个基础URL映射到"学习笔记"的主页。

打开项目主文件夹learning_log中的文件urls.py，你将看到如下代码：

18

urls.py

```
❶ from django.conf.urls import include, url
   from django.contrib import admin

❷ urlpatterns = [
❸     url(r'^admin/', include(admin.site.urls)),
   ]
```

前两行导入了为项目和管理网站管理URL的函数和模块（见❶）。这个文件的主体定义了变量urlpatterns（见❷）。在这个针对整个项目的urls.py文件中，变量urlpatterns包含项目中的应用程序的URL。❸处的代码包含模块admin.site.urls，该模块定义了可在管理网站中请求的所有URL。

我们需要包含learning_logs的URL：

```
   from django.conf.urls import include, url
   from django.contrib import admin

   urlpatterns = [
       url(r'^admin/', include(admin.site.urls)),
❶     url(r'', include('learning_logs.urls', namespace='learning_logs')),
   ]
```

在❶处，我们添加了一行代码来包含模块learning_logs.urls。这行代码包含实参namespace，让我们能够将learning_logs的URL同项目中的其他URL区分开来，这在项目开始扩展时很有帮助。

默认的urls.py包含在文件夹learning_log中，现在我们需要在文件夹learning_logs中创建另一个urls.py文件：

urls.py

```
❶ """定义learning_logs的URL模式"""

❷ from django.conf.urls import url

❸ from . import views

❹ urlpatterns = [
       # 主页
❺     url(r'^$', views.index, name='index'),
   ]
```

为弄清楚当前位于哪个urls.py文件中，我们在这个文件开头添加了一个文档字符串（见❶）。接下来，我们导入了函数url，因为我们需要使用它来将URL映射到视图（见❷）。我们还导入了模块views（见❸），其中的句点让Python从当前的urls.py模块所在的文件夹中导入视图。在这个模块中，变量urlpatterns是一个列表，包含可在应用程序learning_logs中请求的网页（见❹）。

实际的URL模式是一个对函数url()的调用，这个函数接受三个实参（见❺）。第一个是一个正则表达式。Django在urlpatterns中查找与请求的URL字符串匹配的正则表达式，因此正则表达式定义了Django可查找的模式。

我们来看看正则表达式r'^$'。其中的r让Python将接下来的字符串视为原始字符串，而引号告诉Python正则表达式始于和终于何处。脱字符（^）让Python查看字符串的开头，而美元符号让Python查看字符串的末尾。总体而言，这个正则表达式让Python查找开头和末尾之间没有任何东西的URL。Python忽略项目的基础URL（http://localhost:8000/），因此这个正则表达式与基础URL匹配。其他URL都与这个正则表达式不匹配。如果请求的URL不与任何URL模式匹配，Django将返回一个错误页面。

url()的第二个实参（见❻）指定了要调用的视图函数。请求的URL与前述正则表达式匹配时，Django将调用views.index（这个视图函数将在下一节编写）。第三个实参将这个URL模式的名称指定为index，让我们能够在代码的其他地方引用它。每当需要提供到这个主页的链接时，我们都将使用这个名称，而不编写URL。

注意　正则表达式通常被称为regex，几乎每种编程语言都使用它。它们的用途多得难以置信，但需要经过一定的练习才能熟悉。如果你不明白前面介绍的内容，也不用担心，你在完成这个项目的过程中，将会看到很多正则表达式。

18.3.2　编写视图

视图函数接受请求中的信息，准备好生成网页所需的数据，再将这些数据发送给浏览器——这通常是使用定义了网页是什么样的模板实现的。

learning_logs中的文件views.py是你执行命令python manage.py startapp时自动生成的，当前其内容如下：

views.py

```
from django.shortcuts import render

# 在这里创建视图
```

当前，这个文件只导入了函数render()，它根据视图提供的数据渲染响应。下面的代码演示了该如何为主页编写视图：

```
from django.shortcuts import render

def index(request):
    """学习笔记的主页"""
    return render(request, 'learning_logs/index.html')
```

18

URL请求与我们刚才定义的模式匹配时，Django将在文件views.py中查找函数index()，再将请求对象传递给这个视图函数。在这里，我们不需要处理任何数据，因此这个函数只包含调用render()的代码。这里向函数render()提供了两个实参：原始请求对象以及一个可用于创建网页的模板。下面来编写这个模板。

18.3.3　编写模板

模板定义了网页的结构。模板指定了网页是什么样的，而每当网页被请求时，Django将填入相关的数据。模板让你能够访问视图提供的任何数据。我们的主页视图没有提供任何数据，因此相应的模板非常简单。

在文件夹learning_logs中新建一个文件夹，并将其命名为templates。在文件夹templates中，再新建一个文件夹，并将其命名为learning_logs。这好像有点多余（我们在文件夹learning_logs中创建了文件夹templates，又在这个文件夹中创建了文件夹learning_logs），但建立了Django能够明确解读的结构，即便项目很大，包含很多应用程序亦如此。在最里面的文件夹learning_logs中，新建一个文件，并将其命名为index.html，再在这个文件中编写如下代码：

index.html

```
<p>Learning Log</p>

<p>Learning Log helps you keep track of your learning, for any topic you're
learning about.</p>
```

这个文件非常简单。对于不熟悉HTML的读者，这里解释一下：标签<p></p>标识段落；标签<p>指出了段落的开头位置，而标签</p>指出了段落的结束位置。这里定义了两个段落：第一个充当标题，第二个阐述了用户可使用"学习笔记"来做什么。

现在，如果你请求这个项目的基础URL——http://localhost:8000/，将看到刚才创建的网页，而不是默认的Django网页。Django接受请求的URL，发现该URL与模式r'^$'匹配，因此调用函数views.index()，这将使用index.html包含的模板来渲染网页，结果如图18-3所示。

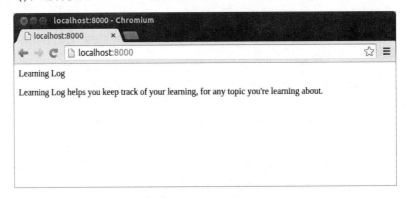

图18-3　学习笔记的主页

创建网页的过程看起来可能很复杂，但将URL、视图和模板分离的效果实际上很好。这让我们能够分别考虑项目的不同方面，且在项目很大时，让各个参与者可专注于其最擅长的方面。例如，数据库专家可专注于模型，程序员可专注于视图代码，而Web设计人员可专注于模板。

动手试一试

18-5 膳食规划程序：假设你要创建一个应用程序，帮助用户规划一周的膳食。为此，新建一个文件夹，并将其命名为 meal_planner，再在这个文件夹中新建一个 Django 项目。接下来，新建一个名为 meal_plans 的应用程序，并为这个项目创建一个简单的主页。

18-6 比萨店主页：在你为完成练习 18-4 而创建的项目 Pizzeria 中，添加一个主页。

18.4　创建其他网页

制定创建网页的流程后，可以开始扩充"学习笔记"项目了。我们将创建两个显示数据的网页，其中一个列出所有的主题，另一个显示特定主题的所有条目。对于每个网页，我们都将指定URL模式，编写一个视图函数，并编写一个模板。但这样做之前，我们先创建一个父模板，项目中的其他模板都将继承它。

18.4.1　模板继承

创建网站时，几乎都有一些所有网页都将包含的元素。在这种情况下，可编写一个包含通用元素的父模板，并让每个网页都继承这个模板，而不必在每个网页中重复定义这些通用元素。这种方法能让你专注于开发每个网页的独特方面，还能让修改项目的整体外观容易得多。

1. 父模板

我们首先来创建一个名为base.html的模板，并将其存储在index.html所在的目录中。这个文件包含所有页面都有的元素；其他的模板都继承base.html。当前，所有页面都包含的元素只有顶端的标题。我们将在每个页面中包含这个模板，因此我们将这个标题设置为到主页的链接：

base.html

```
  <p>
❶   <a href="{% url 'learning_logs:index' %}">Learning Log</a>
  </p>

❷ {% block content %}{% endblock content %}
```

这个文件的第一部分创建一个包含项目名的段落，该段落也是一个到主页的链接。为创建链接，我们使用了一个模板标签，它是用大括号和百分号（{% %}）表示的。模板标签是一小段代码，生成要在网页中显示的信息。在这个实例中，模板标签{% url 'learning_logs:index' %}

生成一个URL，该URL与learning_logs/urls.py中定义的名为index的URL模式匹配（见❶）。在这个示例中，learning_logs是一个命名空间，而index是该命名空间中一个名称独特的URL模式。

在简单的HTML页面中，链接是使用锚标签定义的：

```
<a href="link_url">link text</a>
```

让模板标签来生成URL，可让链接保持最新容易得多。要修改项目中的URL，只需修改urls.py中的URL模式，这样网页被请求时，Django将自动插入修改后的URL。在我们的项目中，每个网页都将继承base.html，因此从现在开始，每个网页都包含到主页的链接。

在❷处，我们插入了一对块标签。这个块名为content，是一个占位符，其中包含的信息将由子模板指定。

子模板并非必须定义父模板中的每个块，因此在父模板中，可使用任意多个块来预留空间，而子模板可根据需要定义相应数量的块。

注意 在Python代码中，我们几乎总是缩进四个空格。相比于Python文件，模板文件的缩进层级更多，因此每个层级通常只缩进两个空格。

---

2. 子模板

现在需要重新编写index.html，使其继承base.html，如下所示：

index.html

```
❶  {% extends "learning_logs/base.html" %}

❷  {% block content %}
     <p>Learning Log helps you keep track of your learning, for any topic you're
     learning about.</p>
❸  {% endblock content %}
```

如果将这些代码与原来的index.html进行比较，可发现我们将标题Learning Log替换成了从父模板那里继承的代码（见❶）。子模板的第一行必须包含标签{% extends %}，让Django知道它继承了哪个父模板。文件base.html位于文件夹learning_logs中，因此父模板路径中包含learning_logs。这行代码导入模板base.html的所有内容，让index.html能够指定要在content块预留的空间中添加的内容。

在❷处，我们插入了一个名为content的{% block %}标签，以定义content块。不是从父模板继承的内容都包含在content块中，在这里是一个描述项目"学习笔记"的段落。在❸处，我们使用标签{% endblock content %}指出了内容定义的结束位置。

模板继承的优点开始显现出来了：在子模板中，只需包含当前网页特有的内容。这不仅简化了每个模板，还使得网站修改起来容易得多。要修改很多网页都包含的元素，只需在父模板中修改该元素，你所做的修改将传导到继承该父模板的每个页面。在包含数十乃至数百个网页的项目中，这种结构使得网站改进起来容易而且快捷得多。

注意　在大型项目中，通常有一个用于整个网站的父模板——base.html，且网站的每个主要部分都有一个父模板。每个部分的父模板都继承base.html，而网站的每个网页都继承相应部分的父模板。这让你能够轻松地修改整个网站的外观、网站任何一部分的外观以及任何一个网页的外观。这种配置提供了一种效率极高的工作方式，让你乐意不断地去改进网站。

18.4.2　显示所有主题的页面

有了高效的网页创建方法，就能专注于另外两个网页了：显示全部主题的网页以及显示特定主题中条目的网页。所有主题页面显示用户创建的所有主题，它是第一个需要使用数据的网页。

1. URL模式

首先，我们来定义显示所有主题的页面的URL。通常，使用一个简单的URL片段来指出网页显示的信息；我们将使用单词topics，因此URL http://localhost:8000/topics/将返回显示所有主题的页面。下面演示了该如何修改learning_logs/urls.py：

urls.py

```
"""为learning_logs定义URL模式"""
--snip--
urlpatterns = [
    # 主页
    url(r'^$', views.index, name='index'),

    # 显示所有的主题
❶  url(r'^topics/$', views.topics, name='topics'),
]
```

我们只是在用于主页URL的正则表达式中添加了topics/（见❶）。Django检查请求的URL时，这个模式与这样的URL匹配：基础URL后面跟着topics。可以在末尾包含斜杠，也可以省略它，但单词topics后面不能有任何东西，否则就与该模式不匹配。其URL与该模式匹配的请求都将交给views.py中的函数topics()进行处理。

2. 视图

函数topics()需要从数据库中获取一些数据，并将其发送给模板。我们需要在views.py中添加的代码如下：

views.py

```
from django.shortcuts import render

❶ from .models import Topic
```

```
    def index(request):
        --snip--

❷  def topics(request):
        """显示所有的主题"""
❸      topics = Topic.objects.order_by('date_added')
❹      context = {'topics': topics}
❺      return render(request, 'learning_logs/topics.html', context)
```

　　我们首先导入了与所需数据相关联的模型（见❶）。函数topics()包含一个形参：Django从服务器那里收到的request对象（见❷）。在❸处，我们查询数据库——请求提供Topic对象，并按属性date_added对它们进行排序。我们将返回的查询集存储在topics中。

　　在❹处，我们定义了一个将要发送给模板的上下文。上下文是一个字典，其中的键是我们将在模板中用来访问数据的名称，而值是我们要发送给模板的数据。在这里，只有一个键-值对，它包含我们将在网页中显示的一组主题。创建使用数据的网页时，除对象request和模板的路径外，我们还将变量context传递给render()（见❺）。

　　3. 模板

　　显示所有主题的页面的模板接受字典context，以便能够使用topics()提供的数据。请创建一个文件，将其命名为topics.html，并存储到index.html所在的目录中。下面演示了如何在这个模板中显示主题：

topics.html

```
{% extends "learning_logs/base.html" %}

{% block content %}

  <p>Topics</p>

❶  <ul>
❷    {% for topic in topics %}
❸      <li>{{ topic }}</li>
❹    {% empty %}
        <li>No topics have been added yet.</li>
❺    {% endfor %}
❻  </ul>

{% endblock content %}
```

　　就像模板index.html一样，我们首先使用标签{% extends %}来继承base.html，再开始定义content块。这个网页的主体是一个项目列表，其中列出了用户输入的主题。在标准HTML中，项目列表被称为无序列表，用标签<ul></ul>表示。包含所有主题的项目列表始于❶处。

　　在❷处，我们使用了一个相当于for循环的模板标签，它遍历字典context中的列表topics。模板中使用的代码与Python代码存在一些重要差别：Python使用缩进来指出哪些代码行是for循环的组成部分，而在模板中，每个for循环都必须使用{% endfor %}标签来显式地指出其结束位置。

因此在模板中，循环类似于下面这样：

```
{% for item in list %}
    do something with each item
{% endfor %}
```

在循环中，我们要将每个主题转换为一个项目列表项。要在模板中打印变量，需要将变量名用双花括号括起来。每次循环时，❸处的代码{{ topic }}都被替换为topic的当前值。这些花括号不会出现在网页中，它们只是用于告诉Django我们使用了一个模板变量。HTML标签<li></li>表示一个项目列表项，在标签对<ul></ul>内部，位于标签<li>和</li>之间的内容都是一个项目列表项。

在❹处，我们使用了模板标签{% empty %}，它告诉Django在列表topics为空时该怎么办：这里是打印一条消息，告诉用户还没有添加任何主题。最后两行分别结束for循环（见❺）和项目列表（见❻）。

现在需要修改父模板，使其包含到显示所有主题的页面的链接：

base.html

```
    <p>
❶    <a href="{% url 'learning_logs:index' %}">Learning Log</a> -
❷    <a href="{% url 'learning_logs:topics' %}">Topics</a>
    </p>

{% block content %}{% endblock content %}
```

我们在到主页的链接后面添加了一个连字符（见❶），然后添加了一个到显示所有主题的页面的链接——使用的也是模板标签url（见❷）。这一行让Django生成一个链接，它与learning_logs/urls.py中名为topics的URL模式匹配。

现在如果你刷新浏览器中的主页，将看到链接Topics。单击这个链接，将看到类似于图18-4所示的网页。

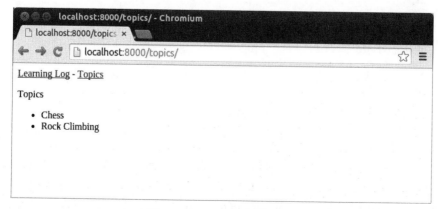

图18-4　显示所有主题的网页

18

18.4.3　显示特定主题的页面

接下来，我们需要创建一个专注于特定主题的页面——显示该主题的名称及该主题的所有条目。同样，我们将定义一个新的URL模式，编写一个视图并创建一个模板。我们还将修改显示所有主题的网页，让每个项目列表项都是一个链接，单击它将显示相应主题的所有条目。

1. URL模式

显示特定主题的页面的URL模式与前面的所有URL模式都稍有不同，因为它将使用主题的id属性来指出请求的是哪个主题。例如，如果用户要查看主题Chess（其id为1）的详细页面，URL将为http://localhost:8000/topics/1/。下面是与这个URL匹配的模式，它包含在learning_logs/urls.py中：

urls.py

```
--snip--
urlpatterns = [
    --snip--
    # 特定主题的详细页面
    url(r'^topics/(?P<topic_id>\d+)/$', views.topic, name='topic'),
]
```

我们来详细研究这个URL模式中的正则表达式——r'^topics/(?P<topic_id>\d+)/$'。r让Django将这个字符串视为原始字符串，并指出正则表达式包含在引号内。这个表达式的第二部分（/(?P<topic_id>\d+)/）与包含在两个斜杠内的整数匹配，并将这个整数存储在一个名为topic_id的实参中。这部分表达式两边的括号捕获URL中的值；?P<topic_id>将匹配的值存储到topic_id中；而表达式\d+与包含在两个斜杆内的任何数字都匹配，不管这个数字为多少位。

发现URL与这个模式匹配时，Django将调用视图函数topic()，并将存储在topic_id中的值作为实参传递给它。在这个函数中，我们将使用topic_id的值来获取相应的主题。

2. 视图

函数topic()需要从数据库中获取指定的主题以及与之相关联的所有条目，如下所示：

views.py

```
--snip--
❶ def topic(request, topic_id):
      """显示单个主题及其所有的条目"""
❷     topic = Topic.objects.get(id=topic_id)
❸     entries = topic.entry_set.order_by('-date_added')
❹     context = {'topic': topic, 'entries': entries}
❺     return render(request, 'learning_logs/topic.html', context)
```

这是第一个除request对象外还包含另一个形参的视图函数。这个函数接受正则表达式(?P<topic_id>\d+)捕获的值，并将其存储到topic_id中（见❶）。在❷处，我们使用get()来获取指定的主题，就像前面在Django shell中所做的那样。在❸处，我们获取与该主题相关联的条目，并将它们按date_added排序：date_added前面的减号指定按降序排列，即先显示最近的条目。我们将主题和条目都存储在字典context中（见❹），再将这个字典发送给模板topic.html（见❺）。

注意　❷处和❸处的代码被称为查询，因为它们向数据库查询特定的信息。在自己的项目中编写这样的查询时，先在Django shell中进行尝试大有裨益。相比于编写视图和模板，再在浏览器中检查结果，在shell中执行代码可更快地获得反馈。

---

3. 模板

这个模板需要显示主题的名称和条目的内容；如果当前主题不包含任何条目，我们还需向用户指出这一点：

topic.html

```
{% extends 'learning_logs/base.html' %}

{% block content %}

❶   <p>Topic: {{ topic }}</p>

    <p>Entries:</p>
❷   <ul>
❸   {% for entry in entries %}
      <li>
❹       <p>{{ entry.date_added|date:'M d, Y H:i' }}</p>
❺       <p>{{ entry.text|linebreaks }}</p>
      </li>
❻   {% empty %}
      <li>
        There are no entries for this topic yet.
      </li>
    {% endfor %}
    </ul>

{% endblock content %}
```

像这个项目的其他页面一样，这里也继承了base.html。接下来，我们显示当前的主题（见❶），它存储在模板变量{{ topic }}中。为什么可以使用变量topic呢？因为它包含在字典context中。接下来，我们开始定义一个显示每个条目的项目列表（见❷），并像前面显示所有主题一样遍历条目（见❸）。

每个项目列表项都将列出两项信息：条目的时间戳和完整的文本。为列出时间戳（见❹），我们显示属性date_added的值。在Django模板中，竖线（|）表示模板过滤器——对模板变量的值进行修改的函数。过滤器date:'M d, Y H:i'以这样的格式显示时间戳：January 1, 2015 23:00。接下来的一行显示text的完整值，而不仅仅是entry的前50个字符。过滤器linebreaks（见❺）将包含换行符的长条目转换为浏览器能够理解的格式，以免显示为一个不间断的文本块。在❻处，我们使用模板标签{% empty %}打印一条消息，告诉用户当前主题还没有条目。

18

4. 将显示所有主题的页面中的每个主题都设置为链接

在浏览器中查看显示特定主题的页面前，我们需要修改模板topics.html，让每个主题都链接到相应的网页，如下所示：

topics.html

```
--snip--
  {% for topic in topics %}
    <li>
      <a href="{% url 'learning_logs:topic' topic.id %}">{{ topic }}</a>
    </li>
  {% empty %}
--snip--
```

我们使用模板标签url根据learning_logs中名为topic的URL模式来生成合适的链接。这个URL模式要求提供实参topic_id，因此我们在模板标签url中添加了属性topic.id。现在，主题列表中的每个主题都是一个链接，链接到显示相应主题页面，如http://localhost:8000/topics/1/。

如果你刷新显示所有主题的页面，再单击其中的一个主题，将看到类似于图18-5所示的页面。

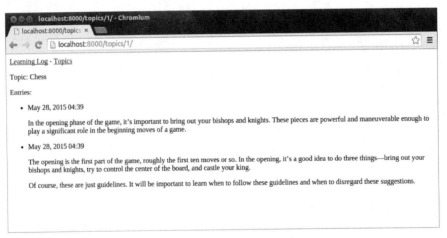

图18-5　特定主题的详细页面，其中显示了该主题的所有条目

动手试一试

18-7 模板文档：请浏览 Django 模板文档，其网址为https://docs.djangoproject.com/en/1.8/ref/templates/。自己开发项目时，可再回过头来参考该文档。

18-8 比萨店页面：在练习 18-6 中开发的项目 Pizzeria 中添加一个页面，它显示供应的比萨的名称。然后，将每个比萨名称都设置成一个链接，单击这种链接将显示一个页面，其中列出了相应比萨的配料。请务必使用模板继承来高效地创建页面。

18.5 小结

在本章中，你首先学习了如何使用Django框架来创建Web应用程序。你制定了简要的项目规范，在虚拟环境中安装了Django，创建了一个项目，并核实该项目已正确地创建。你学习了如何创建应用程序，以及如何定义表示应用程序数据的模型。你学习了数据库，以及在你修改模型后，Django可为你迁移数据库提供什么样的帮助。你学习了如何创建可访问管理网站的超级用户，并使用管理网站输入了一些初始数据。

你还探索了Django shell，它让你能够在终端会话中处理项目的数据。你学习了如何定义URL、创建视图函数以及编写为网站创建网页的模板。最后，你使用了模板继承，它可简化各个模板的结构，并使得修改网站更容易。

在第19章，我们将创建对用户友好而直观的网页，让用户无需通过管理网站就能添加新的主题和条目，以及编辑既有的条目。我们还将添加一个用户注册系统，让用户能够创建账户和自己的学习笔记。让任意数量的用户都能与之交互，是Web应用程序的核心所在。

18

用户账户

Web应用程序的核心是让任何用户都能够注册账户并能够使用它，不管用户身处何方。在本章中，你将创建一些表单，让用户能够添加主题和条目，以及编辑既有的条目。你还将学习Django如何防范对基于表单的网页发起的常见攻击，这让你无需花太多时间考虑确保应用程序安全的问题。

然后，我们将实现一个用户身份验证系统。你将创建一个注册页面，供用户创建账户，并让有些页面只能供已登录的用户访问。接下来，我们将修改一些视图函数，使得用户只能看到自己的数据。你将学习如何确保用户数据的安全。

19.1 让用户能够输入数据

建立用于创建用户账户的身份验证系统之前，我们先来添加几个页面，让用户能够输入数据。我们将让用户能够添加新主题、添加新条目以及编辑既有条目。

当前，只有超级用户能够通过管理网站输入数据。我们不想让用户与管理网站交互，因此我们将使用Django的表单创建工具来创建让用户能够输入数据的页面。

19.1.1 添加新主题

首先来让用户能够添加新主题。创建基于表单的页面的方法几乎与前面创建网页一样：定义一个URL，编写一个视图函数并编写一个模板。一个主要差别是，需要导入包含表单的模块forms.py。

1. 用于添加主题的表单

让用户输入并提交信息的页面都是表单，哪怕它看起来不像表单。用户输入信息时，我们需要进行验证，确认提供的信息是正确的数据类型，且不是恶意的信息，如中断服务器的代码。然后，我们再对这些有效信息进行处理，并将其保存到数据库的合适地方。这些工作很多都是由Django自动完成的。

在Django中，创建表单的最简单方式是使用ModelForm，它根据我们在第18章定义的模型中的信息自动创建表单。创建一个名为forms.py的文件，将其存储到models.py所在的目录中，并在其中编写你的第一个表单：

forms.py

```
from django import forms

from .models import Topic

❶ class TopicForm(forms.ModelForm):
       class Meta:
❷          model = Topic
❸          fields = ['text']
❹          labels = {'text': ''}
```

我们首先导入了模块forms以及要使用的模型Topic。在❶处，我们定义了一个名为TopicForm的类，它继承了forms.ModelForm。

最简单的ModelForm版本只包含一个内嵌的Meta类，它告诉Django根据哪个模型创建表单，以及在表单中包含哪些字段。在❷处，我们根据模型Topic创建一个表单，该表单只包含字段text（见❸）。❹处的代码让Django不要为字段text生成标签。

2. URL模式new_topic

这个新网页的URL应简短而具有描述性，因此当用户要添加新主题时，我们将切换到http://localhost:8000/new_topic/。下面是网页new_topic的URL模式，我们将其添加到learning_logs/urls.py中：

urls.py

```
--snip--
urlpatterns = [
    --snip--
    # 用于添加新主题的网页
    url(r'^new_topic/$', views.new_topic, name='new_topic'),
]
```

这个URL模式将请求交给视图函数new_topic()，接下来我们将编写这个函数。

3. 视图函数new_topic()

函数new_topic()需要处理两种情形：刚进入new_topic网页（在这种情况下，它应显示一个空表单）；对提交的表单数据进行处理，并将用户重定向到网页topics：

views.py

```
from django.shortcuts import render
from django.http import HttpResponseRedirect
from django.core.urlresolvers import reverse
```

```
     from .models import Topic
     from .forms import TopicForm

     --snip--
     def new_topic(request):
         """添加新主题"""
❶       if request.method != 'POST':
             # 未提交数据：创建一个新表单
❷           form = TopicForm()
         else:
             # POST提交的数据,对数据进行处理
❸           form = TopicForm(request.POST)
❹           if form.is_valid():
❺               form.save()
❻               return HttpResponseRedirect(reverse('learning_logs:topics'))

❼       context = {'form': form}
         return render(request, 'learning_logs/new_topic.html', context)
```

我们导入了HttpResponseRedirect类，用户提交主题后我们将使用这个类将用户重定向到网页topics。函数reverse()根据指定的URL模型确定URL，这意味着Django将在页面被请求时生成URL。我们还导入了刚才创建的表单TopicForm。

4. GET请求和POST请求

创建Web应用程序时，将用到的两种主要请求类型是GET请求和POST请求。对于只是从服务器读取数据的页面，使用GET请求；在用户需要通过表单提交信息时，通常使用POST请求。处理所有表单时，我们都将指定使用POST方法。还有一些其他类型的请求，但这个项目没有使用。

函数new_topic()将请求对象作为参数。用户初次请求该网页时，其浏览器将发送GET请求；用户填写并提交表单时，其浏览器将发送POST请求。根据请求的类型，我们可以确定用户请求的是空表单（GET请求）还是要求对填写好的表单进行处理（POST请求）。

❶处的测试确定请求方法是GET还是POST。如果请求方法不是POST，请求就可能是GET，因此我们需要返回一个空表单（即便请求是其他类型的，返回一个空表单也不会有任何问题）。我们创建一个TopicForm实例（见❷），将其存储在变量form中，再通过上下文字典将这个表单发送给模板（见❼）。由于实例化TopicForm时我们没有指定任何实参，Django将创建一个可供用户填写的空表单。

如果请求方法为POST，将执行else代码块，对提交的表单数据进行处理。我们使用用户输入的数据（它们存储在request.POST中）创建一个TopicForm实例（见❸），这样对象form将包含用户提交的信息。

要将提交的信息保存到数据库，必须先通过检查确定它们是有效的（见❹）。函数is_valid()核实用户填写了所有必不可少的字段（表单字段默认都是必不可少的），且输入的数据与要求的字段类型一致（例如，字段text少于200个字符，这是我们在第18章中的models.py中指定的）。这种自动验证避免了我们去做大量的工作。如果所有字段都有效，我们就可调用save()（见❺），将表单中的数据写入数据库。保存数据后，就可离开这个页面了。我们使用reverse()获取页面

topics的URL，并将其传递给HttpResponseRedirect()（见❻），后者将用户的浏览器重定向到页面topics。在页面topics中，用户将在主题列表中看到他刚输入的主题。

5. 模板new_topic
下面来创建新模板new_topic.html，用于显示我们刚创建的表单：

new_topic.html

```
{% extends "learning_logs/base.html" %}

{% block content %}
  <p>Add a new topic:</p>
❶ <form action="{% url 'learning_logs:new_topic' %}" method='post'>
❷   {% csrf_token %}
❸   {{ form.as_p }}
❹   <button name="submit">add topic</button>
  </form>

{% endblock content %}
```

这个模板继承了base.html，因此其基本结构与项目"学习笔记"的其他页面相同。在❶处，我们定义了一个HTML表单。实参action告诉服务器将提交的表单数据发送到哪里，这里我们将它发回给视图函数new_topic()。实参method让浏览器以POST请求的方式提交数据。

Django使用模板标签{% csrf_token %}（见❷）来防止攻击者利用表单来获得对服务器未经授权的访问（这种攻击被称为跨站请求伪造）。在❸处，我们显示表单，从中可知Django使得完成显示表单等任务有多简单：我们只需包含模板变量{{ form.as_p }}，就可让Django自动创建显示表单所需的全部字段。修饰符as_p让Django以段落格式渲染所有表单元素，这是一种整洁地显示表单的简单方式。

Django不会为表单创建提交按钮，因此我们在❹处定义了一个这样的按钮。

6. 链接到页面new_topic
接下来，我们在页面topics中添加一个到页面new_topic的链接：

topics.html

```
{% extends "learning_logs/base.html" %}

{% block content %}

  <p>Topics</p>

  <ul>
    --snip--
  </ul>

  <a href="{% url 'learning_logs:new_topic' %}">Add a new topic:</a>

{% endblock content %}
```

19

这个链接放在了既有主题列表的后面。图19-1显示了生成的表单。请使用这个表单来添加几个新主题。

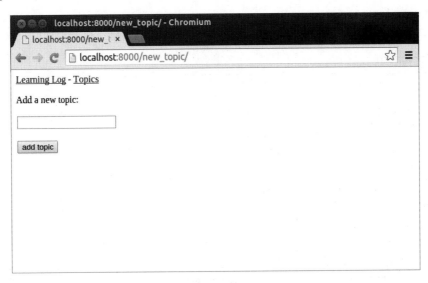

图19-1　用于添加新主题的页面

19.1.2　添加新条目

现在用户可以添加新主题了，但他们还想添加新条目。我们将再次定义URL，编写视图函数和模板，并链接到添加新条目的网页。但在此之前，我们需要在forms.py中再添加一个类。

1. 用于添加新条目的表单

我们需要创建一个与模型Entry相关联的表单，但这个表单的定制程度比TopicForm要高些：

forms.py

```
from django import forms

from .models import Topic, Entry

class TopicForm(forms.ModelForm):
    --snip--

class EntryForm(forms.ModelForm):
    class Meta:
        model = Entry
        fields = ['text']
❶        labels = {'text': ''}
❷        widgets = {'text': forms.Textarea(attrs={'cols': 80})}
```

我们首先修改了import语句，使其除导入Topic外，还导入Entry。新类EntryForm继承了

forms.ModelForm，它包含的Meta类指出了表单基于的模型以及要在表单中包含哪些字段。这里也给字段'text'指定了一个空标签（见❶）。

　　在❷处，我们定义了属性widgets。小部件（widget）是一个HTML表单元素，如单行文本框、多行文本区域或下拉列表。通过设置属性widgets，可覆盖Django选择的默认小部件。通过让Django使用forms.Textarea，我们定制了字段'text'的输入小部件，将文本区域的宽度设置为80列，而不是默认的40列。这给用户提供了足够的空间，可以编写有意义的条目。

2. URL模式new_entry

　　在用于添加新条目的页面的URL模式中，需要包含实参topic_id，因为条目必须与特定的主题相关联。该URL模式如下，我们将它添加到了learning_logs/urls.py中：

urls.py

```
--snip--
urlpatterns = [
    --snip--
    # 用于添加新条目的页面
    url(r'^new_entry/(?P<topic_id>\d+)/$', views.new_entry, name='new_entry'),
]
```

　　这个URL模式与形式为http://localhost:8000/new_entry/*id*/的URL匹配，其中*id*是一个与主题ID匹配的数字。代码(?P<topic_id>\d+)捕获一个数字值，并将其存储在变量topic_id中。请求的URL与这个模式匹配时，Django将请求和主题ID发送给函数new_entry()。

3. 视图函数new_entry()

　　视图函数new_entry()与函数new_topic()很像：

views.py

```
from django.shortcuts import render
--snip--

from .models import Topic
from .forms import TopicForm, EntryForm

--snip--
def new_entry(request, topic_id):
    """在特定的主题中添加新条目"""
❶   topic = Topic.objects.get(id=topic_id)

❷   if request.method != 'POST':
        # 未提交数据，创建一个空表单
❸       form = EntryForm()
    else:
        # POST提交的数据，对数据进行处理
❹       form = EntryForm(data=request.POST)
        if form.is_valid():
❺           new_entry = form.save(commit=False)
❻           new_entry.topic = topic
```

19

```
❼          new_entry.save()
           return HttpResponseRedirect(reverse('learning_logs:topic',
                                       args=[topic_id]))

    context = {'topic': topic, 'form': form}
    return render(request, 'learning_logs/new_entry.html', context)
```

　　我们修改了import语句，在其中包含了刚创建的EntryForm。new_entry()的定义包含形参topic_id，用于存储从URL中获得的值。渲染页面以及处理表单数据时，都需要知道针对的是哪个主题，因此我们使用topic_id来获得正确的主题（见❶）。

　　在❷处，我们检查请求方法是POST还是GET。如果是GET请求，将执行if代码块：创建一个空的EntryForm实例（见❸）。如果请求方法为POST，我们就对数据进行处理：创建一个EntryForm实例，使用request对象中的POST数据来填充它（见❹）；再检查表单是否有效，如果有效，就设置条目对象的属性topic，再将条目对象保存到数据库。

　　调用save()时，我们传递了实参commit=False（见❺），让Django创建一个新的条目对象，并将其存储到new_entry中，但不将它保存到数据库中。我们将new_entry的属性topic设置为在这个函数开头从数据库中获取的主题（见❻），然后调用save()，且不指定任何实参。这将把条目保存到数据库，并将其与正确的主题相关联。

　　在❼处，我们将用户重定向到显示相关主题的页面。调用reverse()时，需要提供两个实参：要根据它来生成URL的URL模式的名称；列表args，其中包含要包含在URL中的所有实参。在这里，列表args只有一个元素——topic_id。接下来，调用HttpResponseRedirect()将用户重定向到显示新增条目所属主题的页面，用户将在该页面的条目列表中看到新添加的条目。

4. 模板new_entry
从下面的代码可知，模板new_entry类似于模板new_topic：

new_entry.html

```
{% extends "learning_logs/base.html" %}

{% block content %}

❶   <p><a href="{% url 'learning_logs:topic' topic.id %}">{{ topic }}</a></p>

    <p>Add a new entry:</p>
❷   <form action="{% url 'learning_logs:new_entry' topic.id %}" method='post'>
      {% csrf_token %}
      {{ form.as_p }}
      <button name='submit'>add entry</button>
    </form>

{% endblock content %}
```

　　我们在页面顶端显示了主题（见❶），让用户知道他是在哪个主题中添加条目；该主题名也是一个链接，可用于返回到该主题的主页面。

　　表单的实参action包含URL中的topic_id值,让视图函数能够将新条目关联到正确的主题(见 ❷)。除此之外,这个模板与模板new_topic.html完全相同。

5. 链接到页面new_entry

接下来,我们需要在显示特定主题的页面中添加到页面new_entry的链接:

topic.html

```
{% extends "learning_logs/base.html" %}

{% block content %}

  <p>Topic: {{ topic }}</p>

  <p>Entries:</p>
  <p>
    <a href="{% url 'learning_logs:new_entry' topic.id %}">add new entry</a>
  </p>
  <ul>
  --snip--
  </ul>

{% endblock content %}
```

　　我们在显示条目前添加链接,因为在这种页面中,执行的最常见的操作是添加新条目。图19-2 显示了页面new_entry。现在用户可以添加新主题,还可以在每个主题中添加任意数量的条目。 请在一些既有主题中添加一些新条目,尝试使用一下页面new_entry。

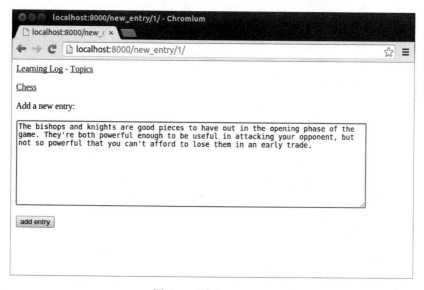

图19-2　页面new_entry

19.1.3　编辑条目

下面来创建一个页面，让用户能够编辑既有的条目。

1. URL模式edit_entry

这个页面的URL需要传递要编辑的条目的ID。修改后的learning_logs/urls.py如下：

urls.py

```
--snip--
urlpatterns = [
    --snip--
    # 用于编辑条目的页面
    url(r'^edit_entry/(?P<entry_id>\d+)/$', views.edit_entry,
        name='edit_entry'),
]
```

在URL（如http://localhost:8000/edit_entry/1/）中传递的ID存储在形参entry_id中。这个URL模式将预期匹配的请求发送给视图函数edit_entry()。

2. 视图函数edit_entry()

页面edit_entry收到GET请求时，edit_entry()将返回一个表单，让用户能够对条目进行编辑。该页面收到POST请求（条目文本经过修订）时，它将修改后的文本保存到数据库中：

views.py

```
from django.shortcuts import render
--snip--

from .models import Topic, Entry
from .forms import TopicForm, EntryForm
--snip--

def edit_entry(request, entry_id):
    """编辑既有条目"""
❶   entry = Entry.objects.get(id=entry_id)
    topic = entry.topic

    if request.method != 'POST':
        # 初次请求，使用当前条目填充表单
❷       form = EntryForm(instance=entry)
    else:
        # POST提交的数据，对数据进行处理
❸       form = EntryForm(instance=entry, data=request.POST)
        if form.is_valid():
❹           form.save()
❺           return HttpResponseRedirect(reverse('learning_logs:topic',
                                         args=[topic.id]))

    context = {'entry': entry, 'topic': topic, 'form': form}
    return render(request, 'learning_logs/edit_entry.html', context)
```

我们首先需要导入模型Entry。在❶处，我们获取用户要修改的条目对象，以及与该条目相关联的主题。在请求方法为GET时将执行的if代码块中，我们使用实参instance=entry创建一个EntryForm实例（见❷）。这个实参让Django创建一个表单，并使用既有条目对象中的信息填充它。用户将看到既有的数据，并能够编辑它们。

处理POST请求时，我们传递实参instance=entry和data=request.POST（见❸），让Django根据既有条目对象创建一个表单实例，并根据request.POST中的相关数据对其进行修改。然后，我们检查表单是否有效，如果有效，就调用save()，且不指定任何实参（见❹）。接下来，我们重定向到显示条目所属主题的页面（见❺），用户将在其中看到其编辑的条目的新版本。

3. 模板edit_entry

下面是模板edit_entry.html，它与模板new_entry.html类似：

edit_entry.html

```
{% extends "learning_logs/base.html" %}

{% block content %}

  <p><a href="{% url 'learning_logs:topic' topic.id %}">{{ topic }}</a></p>

  <p>Edit entry:</p>

❶ <form action="{% url 'learning_logs:edit_entry' entry.id %}" method='post'>
    {% csrf_token %}
    {{ form.as_p }}
❷   <button name="submit">save changes</button>
  </form>

{% endblock content %}
```

在❶处，实参action将表单发回给函数edit_entry()进行处理。在标签{% url %}中，我们将条目ID作为一个实参，让视图对象能够修改正确的条目对象。我们将提交按钮命名为save changes，以提醒用户：单击该按钮将保存所做的编辑，而不是创建一个新条目（见❷）。

4. 链接到页面edit_entry

现在，在显示特定主题的页面中，需要给每个条目添加到页面edit_entry的链接：

topic.html

```
--snip--
  {% for entry in entries %}
    <li>
      <p>{{ entry.date_added|date:'M d, Y H:i' }}</p>
      <p>{{ entry.text|linebreaks }}</p>
      <p>
        <a href="{% url 'learning_logs:edit_entry' entry.id %}">edit entry</a>
      </p>
    </li>
--snip--
```

19

我们将编辑链接放在每个条目的日期和文本后面。在循环中，我们使用模板标签{% url %}根据URL模式edit_entry和当前条目的ID属性（entry.id）来确定URL。链接文本为"edit entry"，它出现在页面中每个条目的后面。图19-3显示了包含这些链接时，显示特定主题的页面是什么样的。

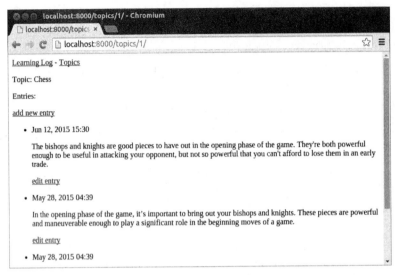

图19-3　每个条目都有一个用于对其进行编辑的链接

至此，"学习笔记"已具备了需要的大部分功能。用户可添加主题和条目，还可根据需要查看任何一组条目。在下一节，我们将实现一个用户注册系统，让任何人都可向"学习笔记"申请账户，并创建自己的主题和条目。

动手试一试

19-1 博客：新建一个 Django 项目，将其命名为 Blog。在这个项目中，创建一个名为 blogs 的应用程序，并在其中创建一个名为 BlogPost 的模型。这个模型应包含 title、text 和 date_added 等字段。为这个项目创建一个超级用户，并使用管理网站创建几个简短的帖子。创建一个主页，在其中按时间顺序显示所有的帖子。

创建两个表单，其中一个用于发布新帖子，另一个用于编辑既有的帖子。

尝试填写这些表单，确认它们能够正确地工作。

19.2　创建用户账户

在这一节，我们将建立一个用户注册和身份验证系统，让用户能够注册账户，进而登录和注销。我们将创建一个新的应用程序，其中包含与处理用户账户相关的所有功能。我们还将对模型Topic稍做修改，让每个主题都归属于特定用户。

19.2.1　应用程序 users

我们首先使用命令startapp来创建一个名为users的应用程序：

```
(ll_env)learning_log$ python manage.py startapp users
(ll_env)learning_log$ ls
❶ db.sqlite3  learning_log  learning_logs  ll_env  manage.py  users
(ll_env)learning_log$ ls users
❷ admin.py __init__.py migrations models.py tests.py views.py
```

这个命令新建一个名为users的目录（见❶），其结构与应用程序learning_logs相同（见❷）。

1. 将应用程序users添加到settings.py中

在settings.py中，我们需要将这个新的应用程序添加到INSTALLED_APPS中，如下所示：

settings.py

```
--snip--
INSTALLED_APPS = (
    --snip--
    # 我的应用程序
    'learning_logs',
    'users',
)
--snip--
```

这样，Django将把应用程序users包含到项目中。

2. 包含应用程序users的URL

接下来，我们需要修改项目根目录中的urls.py，使其包含我们将为应用程序users定义的URL：

urls.py

```
from django.conf.urls import include, url
from django.contrib import admin

urlpatterns = [
    url(r'^admin/', include(admin.site.urls)),
    url(r'^users/', include('users.urls', namespace='users')),
    url(r'', include('learning_logs.urls', namespace='learning_logs')),
]
```

我们添加了一行代码，以包含应用程序users中的文件urls.py。这行代码与任何以单词users打头的URL（如http://localhost:8000/users/login/）都匹配。我们还创建了命名空间'users'，以便将应用程序learning_logs的URL同应用程序users的URL区分开来。

19

19.2.2　登录页面

我们首先来实现登录页面的功能。为此，我们将使用Django提供的默认登录视图，因此URL
模式会稍有不同。在目录learning_log/users/中，新建一个名为urls.py的文件，并在其中添加如下
代码：

urls.py

```
"""为应用程序users定义URL模式"""

  from django.conf.urls import url
❶ from django.contrib.auth.views import login

  from . import views

  urlpatterns = [
      # 登录页面
❷     url(r'^login/$', login, {'template_name': 'users/login.html'},
          name='login'),
  ]
```

我们首先导入了默认视图login（见❶）。登录页面的URL模式与URL http://localhost:8000/
users/login/匹配（见❷）。这个URL中的单词users让Django在users/urls.py中查找，而单词login让
它将请求发送给Django默认视图login（请注意，视图实参为login，而不是views.login）。鉴于
我们没有编写自己的视图函数，我们传递了一个字典，告诉Django去哪里查找我们将编写的模板。
这个模板包含在应用程序users而不是learning_logs中。

1. 模板login.html

用户请求登录页面时，Django将使用其默认视图login，但我们依然需要为这个页面提供模
板。为此，在目录learning_log/users/中，创建一个名为templates的目录，并在其中创建一个名为
users的目录。以下是模板login.html，你应将其存储到目录learning_log/users/templates/users/中：

login.html

```
  {% extends "learning_logs/base.html" %}

  {% block content %}

❶   {% if form.errors %}
    <p>Your username and password didn't match. Please try again.</p>
    {% endif %}

❷   <form method="post" action="{% url 'users:login' %}">
    {% csrf_token %}
❸   {{ form.as_p }}

❹   <button name="submit">log in</button>
❺   <input type="hidden" name="next" value="{% url 'learning_logs:index' %}" />
    </form>
```

```
{% endblock content %}
```

这个模板继承了base.html，旨在确保登录页面的外观与网站的其他页面相同。请注意，一个应用程序中的模板可继承另一个应用程序中的模板。

如果表单的errors属性被设置，我们就显示一条错误消息（见❶），指出输入的用户名-密码对与数据库中存储的任何用户名-密码对都不匹配。

我们要让登录视图处理表单，因此将实参action设置为登录页面的URL（见❷）。登录视图将一个表单发送给模板，在模板中，我们显示这个表单（见❸）并添加一个提交按钮（见❹）。在❺处，我们包含了一个隐藏的表单元素——'next'，其中的实参value告诉Django在用户成功登录后将其重定向到什么地方——在这里是主页。

2. 链接到登录页面

下面在base.html中添加到登录页面的链接，让所有页面都包含它。用户已登录时，我们不想显示这个链接，因此将它嵌套在一个{% if %}标签中：

base.html

```
<p>
  <a href="{% url 'learning_logs:index' %}">Learning Log</a> -
  <a href="{% url 'learning_logs:topics' %}">Topics</a> -
❶ {% if user.is_authenticated %}
❷   Hello, {{ user.username }}.
  {% else %}
❸   <a href="{% url 'users:login' %}">log in</a>
  {% endif %}
</p>
```

```
{% block content %}{% endblock content %}
```

在Django身份验证系统中，每个模板都可使用变量user，这个变量有一个is_authenticated属性：如果用户已登录，该属性将为True，否则为False。这让你能够向已通过身份验证的用户显示一条消息，而向未通过身份验证的用户显示另一条消息。

在这里，我们向已登录的用户显示一条问候语（见❶）。对于已通过身份验证的用户，还设置了属性username，我们使用这个属性来个性化问候语，让用户知道他已登录（见❷）。在❸处，对于还未通过身份验证的用户，我们再显示一个到登录页面的链接。

3. 使用登录页面

前面建立了一个用户账户，下面来登录一下，看看登录页面是否管用。请访问http://localhost:8000/admin/，如果你依然是以管理员的身份登录的，请在页眉上找到注销链接并单击它。

注销后，访问http://localhost:8000/users/login/，你将看到类似于图19-4所示的登录页面。输入你在前面设置的用户名和密码，将进入页面index。在这个主页的页眉中，显示了一条个性化问候语，其中包含你的用户名。

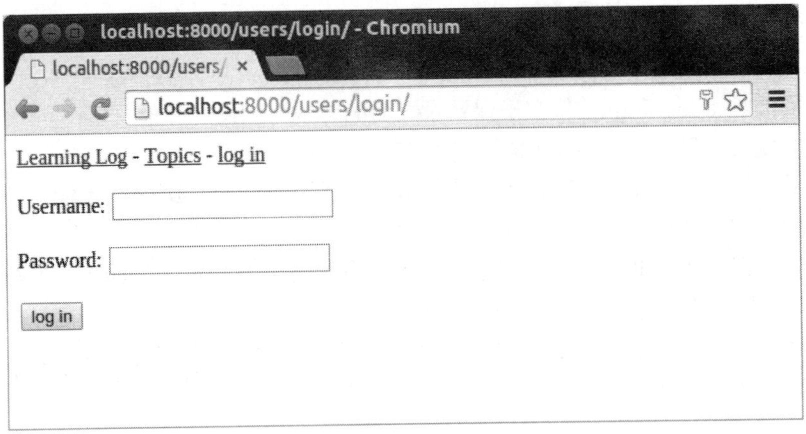

图19-4   登录页面

19.2.3   注销

现在需要提供一个让用户注销的途径。我们不创建用于注销的页面，而让用户只需单击一个链接就能注销并返回到主页。为此，我们将为注销链接定义一个URL模式，编写一个视图函数，并在base.html中添加一个注销链接。

1. 注销URL

下面的代码为注销定义了URL模式，该模式与URL http://locallwst:8000/users/logout/匹配。修改后的users/urls.py如下：

urls.py

```
--snip--
urlpatterns = [
    # 登录页面
    --snip--
    # 注销
    url(r'^logout/$', views.logout_view, name='logout'),
]
```

这个URL模式将请求发送给函数logout_view()。这样给这个函数命名，旨在将其与我们将在其中调用的函数logout()区分开来（请确保你修改的是users/urls.py，而不是learning_log/ urls.py）。

2. 视图函数logout_view()

函数logout_view()很简单：只是导入Django函数logout()，并调用它，再重定向到主页。请打开users/views.py，并输入下面的代码：

views.py

```
from django.http import HttpResponseRedirect
from django.core.urlresolvers import reverse
```

```
❶ from django.contrib.auth import logout

  def logout_view(request):
      """注销用户"""
❷     logout(request)
❸     return HttpResponseRedirect(reverse('learning_logs:index'))
```

我们从django.contrib.auth中导入了函数logout()（见❶）。在❷处，我们调用了函数logout()，它要求将request对象作为实参。然后，我们重定向到主页（见❸）。

3. 链接到注销视图

现在我们需要添加一个注销链接。我们在base.html中添加这种链接，让每个页面都包含它；我们将它放在标签{% if user.is_authenticated %}中，使得仅当用户登录后才能看到它：

base.html

```
--snip--
  {% if user.is_authenticated %}
    Hello, {{ user.username }}.
    <a href="{% url 'users:logout' %}">log out</a>
  {% else %}
    <a href="{% url 'users:login' %}">log in</a>
  {% endif %}
--snip--
```

图19-5显示了用户登录后看到的主页。这里的重点是创建能够正确工作的网站，因此几乎没有设置任何样式。确定所需的功能都能正确运行后，我们将设置这个网站的样式，使其看起来更专业。

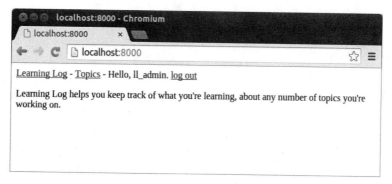

图19-5　包含个性化问候语和注销链接的主页

19.2.4　注册页面

下面来创建一个让新用户能够注册的页面。我们将使用Django提供的表单UserCreationForm，但编写自己的视图函数和模板。

19

1. 注册页面的URL模式

下面的代码定义了注册页面的URL模式，它也包含在users/urls.py中：

urls.py

```
--snip--
urlpatterns = [
    # 登录页面
    --snip--
    # 注册页面
    url(r'^register/$', views.register, name='register'),
]
```

这个模式与URL http://localhost:8000/users/register/匹配，并将请求发送给我们即将编写的函数register()。

2. 视图函数register()

在注册页面首次被请求时，视图函数register()需要显示一个空的注册表单，并在用户提交填写好的注册表单时对其进行处理。如果注册成功，这个函数还需让用户自动登录。请在users/views.py中添加如下代码：

views.py

```
from django.shortcuts import render
from django.http import HttpResponseRedirect
from django.core.urlresolvers import reverse
from django.contrib.auth import login, logout, authenticate
from django.contrib.auth.forms import UserCreationForm

def logout_view(request):
    --snip--

def register(request):
    """注册新用户"""
    if request.method != 'POST':
        # 显示空的注册表单
❶        form = UserCreationForm()
    else:
        # 处理填写好的表单
❷        form = UserCreationForm(data=request.POST)

❸        if form.is_valid():
❹            new_user = form.save()
            # 让用户自动登录，再重定向到主页
❺            authenticated_user = authenticate(username=new_user.username,
                password=request.POST['password1'])
❻            login(request, authenticated_user)
❼            return HttpResponseRedirect(reverse('learning_logs:index'))

    context = {'form': form}
    return render(request, 'users/register.html', context)
```

　　我们首先导入了函数render()，然后导入了函数login()和authenticate()，以便在用户正确地填写了注册信息时让其自动登录。我们还导入了默认表单UserCreationForm。在函数register()中，我们检查要响应的是否是POST请求。如果不是，就创建一个UserCreationForm实例，且不给它提供任何初始数据（见❶）。

　　如果响应的是POST请求，我们就根据提交的数据创建一个UserCreationForm实例（见❷），并检查这些数据是否有效：就这里而言，是用户名未包含非法字符，输入的两个密码相同，以及用户没有试图做恶意的事情。

　　如果提交的数据有效，我们就调用表单的方法save()，将用户名和密码的散列值保存到数据库中（见❹）。方法save()返回新创建的用户对象，我们将其存储在new_user中。

　　保存用户的信息后，我们让用户自动登录，这包含两个步骤。首先，我们调用authenticate()，并将实参new_user.username和密码传递给它（见❺）。用户注册时，被要求输入密码两次；由于表单是有效的，我们知道输入的这两个密码是相同的，因此可以使用其中任何一个。在这里，我们从表单的POST数据中获取与键'password1'相关联的值。如果用户名和密码无误，方法authenticate()将返回一个通过了身份验证的用户对象，而我们将其存储在authenticated_user中。接下来，我们调用函数login()，并将对象request和authenticated_user传递给它（见❻），这将为新用户创建有效的会话。最后，我们将用户重定向到主页（见❼），其页眉中显示了一条个性化的问候语，让用户知道注册成功了。

3. 注册模板
注册页面的模板与登录页面的模板类似，请务必将其保存到login.html所在的目录中：

register.html

```
{% extends "learning_logs/base.html" %}

{% block content %}

  <form method="post" action="{% url 'users:register' %}">
    {% csrf_token %}
    {{ form.as_p }}

    <button name="submit">register</button>
    <input type="hidden" name="next" value="{% url 'learning_logs:index' %}" />
  </form>

{% endblock content %}
```

　　这里也使用了方法as_p，让Django在表单中正确地显示所有的字段，包括错误消息——如果用户没有正确地填写表单。

4. 链接到注册页面
接下来，我们添加这样的代码，即在用户没有登录时显示到注册页面的链接：

base.html

```
--snip--
  {% if user.is_authenticated %}
    Hello, {{ user.username }}.
    <a href="{% url 'users:logout' %}">log out</a>
  {% else %}
    <a href="{% url 'users:register' %}">register</a> -
    <a href="{% url 'users:login' %}">log in</a>
  {% endif %}
--snip--
```

现在，已登录的用户看到的是个性化的问候语和注销链接，而未登录的用户看到的是注册链接和登录链接。请尝试使用注册页面创建几个用户名各不相同的用户账户。

在下一节，我们将对一些页面进行限制，仅让已登录的用户访问它们，我们还将确保每个主题都属于特定用户。

注意　这里的注册系统允许用户创建任意数量的账户。有些系统要求用户确认其身份：发送一封确认邮件，用户回复后其账户才生效。通过这样做，系统生成的垃圾账户将比这里使用的简单系统少。然而，学习创建应用程序时，完全可以像这里所做的那样，使用简单的用户注册系统。

动手试一试

19-2 博客账户：在你为完成练习 19-1 而开发的项目 Blog 中，添加一个用户身份验证和注册系统。让已登录的用户在屏幕上看到其用户名，并让未注册的用户看到一个到注册页面的链接。

19.3　让用户拥有自己的数据

用户应该能够输入其专有的数据，因此我们将创建一个系统，确定各项数据所属的用户，再限制对页面的访问，让用户只能使用自己的数据。

在本节中，我们将修改模型 Topic，让每个主题都归属于特定用户。这也将影响条目，因为每个条目都属于特定的主题。我们先来限制对一些页面的访问。

19.3.1　使用 @login_required 限制访问

Django 提供了装饰器 @login_required，让你能够轻松地实现这样的目标：对于某些页面，只允许已登录的用户访问它们。装饰器（decorator）是放在函数定义前面的指令，Python 在函数运行前，根据它来修改函数代码的行为。下面来看一个示例。

1. 限制对topics页面的访问

每个主题都归特定用户所有，因此应只允许已登录的用户请求topics页面。为此，在learning_logs/views.py中添加如下代码：

views.py

```
--snip--
from django.core.urlresolvers import reverse
from django.contrib.auth.decorators import login_required

from .models import Topic, Entry
--snip--

@login_required
def topics(request):
    """显示所有的主题"""
    --snip--
```

我们首先导入了函数login_required()。我们将login_required()作为装饰器用于视图函数topics()——在它前面加上符号@和login_required，让Python在运行topics()的代码前先运行login_required()的代码。

login_required()的代码检查用户是否已登录，仅当用户已登录时，Django才运行topics()的代码。如果用户未登录，就重定向到登录页面。

为实现这种重定向，我们需要修改settings.py，让Django知道到哪里去查找登录页面。请在settings.py末尾添加如下代码：

settings.py

```
"""
项目learning_log的Django设置
--snip--

# 我的设置
LOGIN_URL = '/users/login/'
```

现在，如果未登录的用户请求装饰器@login_required的保护页面，Django将重定向到settings.py中的LOGIN_URL指定的URL。

要测试这个设置，可注销并进入主页。然后，单击链接Topics，这将重定向到登录页面。接下来，使用你的账户登录，并再次单击主页中的Topics链接，你将看到topics页面。

2. 全面限制对项目"学习笔记"的访问

Django让你能够轻松地限制对页面的访问，但你必须针对要保护哪些页面做出决定。最好先确定项目的哪些页面不需要保护，再限制对其他所有页面的访问。你可以轻松地修改过于严格的访问限制，其风险比不限制对敏感页面的访问更低。

19

在项目"学习笔记"中，我们将不限制对主页、注册页面和注销页面的访问，并限制对其他所有页面的访问。

在 下 面 的 learning_logs/views.py 中 ， 对 除 index() 外 的 每 个 视 图 都 应 用 了 装 饰 器 @login_required：

views.py

```
--snip--
@login_required
def topics(request):
    --snip--

@login_required
def topic(request, topic_id):
    --snip--

@login_required
def new_topic(request):
    --snip--

@login_required
def new_entry(request, topic_id):
    --snip--

@login_required
def edit_entry(request, entry_id):
    --snip--
```

如果你在未登录的情况下尝试访问这些页面，将被重定向到登录页面。另外，你还不能单击到new_topic等页面的链接。但如果你输入URL http://localhost:8000/new_topic/，将重定向到登录页面。对于所有与私有用户数据相关的URL，都应限制对它们的访问。

19.3.2　将数据关联到用户

现在，需要将数据关联到提交它们的用户。我们只需将最高层的数据关联到用户，这样更低层的数据将自动关联到用户。例如，在项目"学习笔记"中，应用程序的最高层数据是主题，而所有条目都与特定主题相关联。只要每个主题都归属于特定用户，我们就能确定数据库中每个条目的所有者。

下面来修改模型Topic，在其中添加一个关联到用户的外键。这样做后，我们必须对数据库进行迁移。最后，我们必须对有些视图进行修改，使其只显示与当前登录的用户相关联的数据。

1. 修改模型Topic

对models.py的修改只涉及两行代码：

models.py

```
from django.db import models
from django.contrib.auth.models import User
```

```
class Topic(models.Model):
    """用户要学习的主题"""
    text = models.CharField(max_length=200)
    date_added = models.DateTimeField(auto_now_add=True)
    owner = models.ForeignKey(User)

    def __str__(self):
        """返回模型的字符串表示"""
        return self.text

class Entry(models.Model):
    --snip--
```

我们首先导入了django.contrib.auth中的模型User，然后在Topic中添加了字段owner，它建立到模型User的外键关系。

2. 确定当前有哪些用户

我们迁移数据库时，Django将对数据库进行修改，使其能够存储主题和用户之间的关联。为执行迁移，Django需要知道该将各个既有主题关联到哪个用户。最简单的办法是，将既有主题都关联到同一个用户，如超级用户。为此，我们需要知道该用户的ID。

下面来查看已创建的所有用户的ID。为此，启动一个Django shell会话，并执行如下命令：

```
(venv)learning_log$ python manage.py shell
❶ >>> from django.contrib.auth.models import User
❷ >>> User.objects.all()
[<User: ll_admin>, <User: eric>, <User: willie>]
❸ >>> for user in User.objects.all():
...     print(user.username, user.id)
...
ll_admin 1
eric 2
willie 3
>>>
```

在❶处，我们在shell会话中导入了模型User。然后，我们查看到目前为止都创建了哪些用户（见❷）。输出中列出了三个用户：ll_admin、eric和willie。

在❸处，我们遍历用户列表，并打印每位用户的用户名和ID。Django询问要将既有主题关联到哪个用户时，我们将指定其中的一个ID值。

3. 迁移数据库

知道用户ID后，就可以迁移数据库了。

```
❶ (venv)learning_log$ python manage.py makemigrations learning_logs
❷ You are trying to add a non-nullable field 'owner' to topic without a default;
  we can't do that (the database needs something to populate existing rows).
❸ Please select a fix:
   1) Provide a one-off default now (will be set on all existing rows)
   2) Quit, and let me add a default in models.py
```

19

```
❹ Select an option: 1
❺ Please enter the default value now, as valid Python
  The datetime and django.utils.timezone modules are available, so you can do e.g. timezone.now()
❻ >>> 1
  Migrations for 'learning_logs':
    0003_topic_owner.py:
      - Add field owner to topic
```

我们首先执行了命令makemigrations（见❶）。在❷处的输出中，Django指出我们试图给既有模型Topic添加一个必不可少（不可为空）的字段，而该字段没有默认值。在❸处，Django给我们提供了两种选择：要么现在提供默认值，要么退出并在models.py中添加默认值。在❹处，我们选择了第一个选项，因此Django让我们输入默认值（见❺）。

为将所有既有主题都关联到管理用户ll_admin，我输入了用户ID值1（见❻）。并非必须使用超级用户，而可使用已创建的任何用户的ID。接下来，Django使用这个值来迁移数据库，并生成了迁移文件0003_topic_owner.py，它在模型Topic中添加字段owner。

现在可以执行迁移了。为此，在活动的虚拟环境中执行下面的命令：

```
(venv)learning_log$ python manage.py migrate
Operations to perform:
  Synchronize unmigrated apps: messages, staticfiles
  Apply all migrations: learning_logs, contenttypes, sessions, admin, auth
--snip--
Running migrations:
  Rendering model states... DONE
❶  Applying learning_logs.0003_topic_owner... OK
(venv)learning_log$
```

Django应用新的迁移，结果一切顺利（见❶）。

为验证迁移符合预期，可在shell会话中像下面这样做：

```
❶ >>> from learning_logs.models import Topic
❷ >>> for topic in Topic.objects.all():
...       print(topic, topic.owner)
...
Chess ll_admin
Rock Climbing ll_admin
>>>
```

我们从learning_logs.models中导入Topic（见❶），再遍历所有的既有主题，并打印每个主题及其所属的用户（见❷）。正如你看到的，现在每个主题都属于用户ll_admin。

注意　你可以重置数据库而不是迁移它，但如果这样做，既有的数据都将丢失。一种不错的做法是，学习如何在迁移数据库的同时确保用户数据的完整性。如果你确实想要一个全新的数据库，可执行命令python manage.py flush，这将重建数据库的结构。如果你这样做，就必须重新创建超级用户，且原来的所有数据都将丢失。

19.3.3 只允许用户访问自己的主题

当前，不管你以哪个用户的身份登录，都能够看到所有的主题。我们来改变这种情况，只向用户显示属于自己的主题。

在views.py中，对函数topics()做如下修改：

views.py

```
--snip--
@login_required
def topics(request):
    """显示所有的主题"""
    topics = Topic.objects.filter(owner=request.user).order_by('date_added')
    context = {'topics': topics}
    return render(request, 'learning_logs/topics.html', context)
--snip--
```

用户登录后，request对象将有一个user属性，这个属性存储了有关该用户的信息。代码Topic.objects.filter(owner=request.user)让Django只从数据库中获取owner属性为当前用户的Topic对象。由于我们没有修改主题的显示方式，因此无需对页面topics的模板做任何修改。

要查看结果，以所有既有主题关联到的用户的身份登录，并访问topics页面，你将看到所有的主题。然后，注销并以另一个用户的身份登录，topics页面将不会列出任何主题。

19.3.4 保护用户的主题

我们还没有限制对显示单个主题的页面的访问，因此任何已登录的用户都可输入类似于http://localhost:8000/topics/1/的URL，来访问显示相应主题的页面。

你自己试一试就明白了。以拥有所有主题的用户的身份登录，访问特定的主题，并复制该页面的URL，或将其中的ID记录下来。然后，注销并以另一个用户的身份登录，再输入显示前述主题的页面的URL。虽然你是以另一个用户登录的，但依然能够查看该主题中的条目。

为修复这种问题，我们在视图函数topic()获取请求的条目前执行检查：

views.py

```
from django.shortcuts import render
❶ from django.http import HttpResponseRedirect, Http404
from django.core.urlresolvers import reverse
--snip--

@login_required
def topic(request, topic_id):
    """显示单个主题及其所有的条目"""
    topic = Topic.objects.get(id=topic_id)
    # 确认请求的主题属于当前用户
❷   if topic.owner != request.user:
        raise Http404
```

19

```
    entries = topic.entry_set.order_by('-date_added')
    context = {'topic': topic, 'entries': entries}
    return render(request, 'learning_logs/topic.html', context)
--snip--
```

服务器上没有请求的资源时，标准的做法是返回404响应。在这里，我们导入了异常Http404（见❶），并在用户请求它不能查看的主题时引发这个异常。收到主题请求后，我们在渲染网页前检查该主题是否属于当前登录的用户。如果请求的主题不归当前用户所有，我们就引发Http404异常（见❷），让Django返回一个404错误页面。

现在，如果你试图查看其他用户的主题条目，将看到Django发送的消息Page Not Found。在第20章，我们将对这个项目进行配置，让用户看到更合适的错误页面。

19.3.5　保护页面 edit_entry

页面edit_entry的URL为http://localhost:8000/edit_entry/*entry_id*/，其中*entry_id*是一个数字。下面来保护这个页面，禁止用户通过输入类似于前面的URL来访问其他用户的条目：

views.py

```
--snip--
@login_required
def edit_entry(request, entry_id):
    """编辑既有条目"""
    entry = Entry.objects.get(id=entry_id)
    topic = entry.topic
    if topic.owner != request.user:
        raise Http404

    if request.method != 'POST':
        # 初次请求，使用当前条目的内容填充表单
        --snip--
```

我们获取指定的条目以及与之相关联的主题，然后检查主题的所有者是否是当前登录的用户，如果不是，就引发Http404异常。

19.3.6　将新主题关联到当前用户

当前，用于添加新主题的页面存在问题，因此它没有将新主题关联到特定用户。如果你尝试添加新主题，将看到错误消息IntegrityError，指出learning_logs_topic.user_id不能为NULL。Django的意思是说，创建新主题时，你必须指定其owner字段的值。

由于我们可以通过request对象获悉当前用户，因此存在一个修复这种问题的简单方案。请添加下面的代码，将新主题关联到当前用户：

views.py

```
--snip--
@login_required
def new_topic(request):
    """添加新主题"""
    if request.method != 'POST':
        # 没有提交的数据,创建一个空表单
        form = TopicForm()
    else:
        # POST提交的数据,对数据进行处理
        form = TopicForm(request.POST)
        if form.is_valid():
❶          new_topic = form.save(commit=False)
❷          new_topic.owner = request.user
❸          new_topic.save()
            return HttpResponseRedirect(reverse('learning_logs:topics'))

    context = {'form': form}
    return render(request, 'learning_logs/new_topic.html', context)
--snip--
```

我们首先调用form.save(),并传递实参commit=False,这是因为我们先修改新主题,再将其保存到数据库中(见❶)。接下来,将新主题的owner属性设置为当前用户(见❷)。最后,对刚定义的主题实例调用save()(见❸)。现在主题包含所有必不可少的数据,将被成功地保存。

现在,这个项目允许任何用户注册,而每个用户想添加多少新主题都可以。每个用户都只能访问自己的数据,无论是查看数据、输入新数据还是修改旧数据时都如此。

动手试一试

19-3 重构:在 views.py 中,我们在两个地方核实主题关联到的用户为当前登录的用户。请将执行这种检查的代码放在一个名为 check_topic_owner()的函数中,并在恰当的地方调用这个函数。

19-4 保护页面 new_entry:一个用户可在另一个用户的学习笔记中添加条目,方法是输入这样的 URL,即其中包含输入另一个用户的主题的 ID。为防范这种攻击,请在保存新条目前,核实它所属的主题归当前用户所有。

19-5 受保护的博客:在你创建的项目 Blog 中,确保每篇博文都与特定用户相关联。确保任何用户都可访问所有的博文,但只有已登录的用户能够发表博文以及编辑既有博文。在让用户能够编辑其博文的视图中,在处理表单前确认用户编辑的是他自己发表的博文。

19

19.4　小结

在本章中，你学习了如何使用表单来让用户添加新主题、添加新条目和编辑既有条目。接下来，你学习了如何实现用户账户。你让老用户能够登录和注销，并学习了如何使用Django提供的表单UserCreationForm让用户能够创建新账户。

建立简单的用户身份验证和注册系统后，你通过使用装饰器@login_required禁止未登录的用户访问特定页面。然后，你通过使用外键将数据关联到特定用户，还学习了如何执行要求指定默认数据的数据库迁移。

最后，你学习了如何修改视图函数，让用户只能看到属于他的数据。你使用方法filter()来获取合适的数据，并学习了如何将请求的数据的所有者同当前登录的用户进行比较。

该让哪些数据可随便访问，该对哪些数据进行保护呢？这可能并非总是那么显而易见，但通过不断地练习就能掌握这种技能。在本章中，我们就该如何保护用户数据所做的决策表明，与人合作开发项目是个不错的主意：有人对项目进行检查的话，更容易发现其薄弱环节。

至此，我们创建了一个功能齐备的项目，它运行在本地计算机上。在本书的最后一章，我们将设置这个项目的样式，使其更漂亮；我们还将把它部署到一台服务器上，让任何人都可通过互联网注册并创建账户。

第 20 章

设置应用程序的样式并对其进行部署

　　当前，项目"学习笔记"功能已齐备，但未设置样式，也只是在本地计算机上运行。在本章中，我们将以简单而专业的方式设置这个项目的样式，再将其部署到一台服务器上，让世界上的任何人都能够建立账户。

　　为设置样式，我们将使用Bootstrap库，这是一组工具，用于为Web应用程序设置样式，使其在任何现代设备上都看起来很专业，无论是大型的平板显示器还是智能手机。为此，我们将使用应用程序django-bootstrap3，这也让你能够练习使用其他Django开发人员开发的应用程序。

　　我们将把项目"学习笔记"部署到Heroku，这个网站让你能够将项目推送到其服务器，让任何有网络连接的人都可使用它。我们还将使用版本控制系统Git来跟踪对这个项目所做的修改。

　　完成项目"学习笔记"后，你将能够开发简单的Web应用程序，让它们看起来很漂亮，再将它们部署到服务器。你还能够利用更高级的学习资源来提高技能。

20.1　设置项目"学习笔记"的样式

　　我们一直专注于项目"学习笔记"的功能，而没有考虑样式设置的问题，这是有意为之的。这是一种不错的开发方法，因为能正确运行的应用程序才是有用的。当然，应用程序能够正确运行后，外观就显得很重要了，因为漂亮的应用程序才能吸引用户使用它。

　　在本节中，我将简要地介绍应用程序django-bootstrap3，并演示如何将其继承到项目中，为部署项目做好准备。

20.1.1　应用程序 django-bootstrap3

我们将使用django-bootstrap3来将Bootstrap继承到项目中。这个应用程序下载必要的Bootstrap文件，将它们放到项目的合适位置，让你能够在项目的模板中使用样式设置指令。

为安装django-bootstrap3，在活动的虚拟环境中执行如下命令：

```
(ll_env)learning_log$ pip install django-bootstrap3
--snip--
Successfully installed django-bootstrap3
```

接下来，需要在settings.py的INSTALLED_APPS中添加如下代码，在项目中包含应用程序django-boostrap3：

settings.py

```
--snip--
INSTALLED_APPS = (
    --snip--
    'django.contrib.staticfiles',

    # 第三方应用程序
    'bootstrap3',

    # 我的应用程序
    'learning_logs',
    'users',
)
--snip--
```

新建一个用于指定其他开发人员开发的应用程序的片段，将其命名为"第三方应用程序"，并在其中添加'bootstrap3'。大多数应用程序都需要包含在INSTALLED_APPS中，为确定这一点，请阅读要使用的应用程序的设置说明。

我们需要让django-bootstrap3包含jQuery，这是一个JavaScript库，让你能够使用Bootstrap模板提供的一些交互式元素。请在settings.py的末尾添加如下代码：

settings.py

```
--snip--
# 我的设置
LOGIN_URL = '/users/login/'

# django-bootstrap3的设置
BOOTSTRAP3 = {
    'include_jquery': True,
    }
```

这些代码让你无需手工下载jQuery并将其放到正确的地方。

20.1.2　使用 Bootstrap 来设置项目"学习笔记"的样式

　　Bootstrap基本上就是一个大型的样式设置工具集，它还提供了大量的模板，你可将它们应用于项目以创建独特的总体风格。对Bootstrap初学者来说，这些模板比各个样式设置工具使用起来要容易得多。要查看Bootstrap提供的模板，可访问http://getbootstrap.com/，单击Getting Started，再向下滚动到Examples部分，并找到Navbars in action。我们将使用模板Static top navbar，它提供了简单的顶部导航条、页面标题和用于放置页面内容的容器。

　　图20-1显示了对base.html应用这个Bootstrap模板并对index.html做细微修改后的主页。

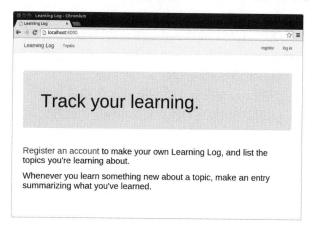

图20-1　项目"学习笔记"的主页——使用Bootstrap设置样式后

　　知道要获得的效果后，接下来的内容理解起来将更容易。

20.1.3　修改 base.html

　　我们需要修改模板base.html，以使用前述Bootstrap模板。我们把新的base.html分成几个部分进行介绍。

1. 定义HTML头部

　　对base.html所做的第一项修改是，在这个文件中定义HTML头部，使得显示"学习笔记"的每个页面时，浏览器标题栏都显示这个网站的名称。我们还将添加一些在模板中使用Bootstrap所需的信息。删除base.html的全部代码，并输入下面的代码：

base.html

❶ `{% load bootstrap3 %}`

❷ `<!DOCTYPE html>`
❸ `<html lang="en">`
❹ `  <head>`
`    <meta charset="utf-8">`

```
        <meta http-equiv="X-UA-Compatible" content="IE=edge">
        <meta name="viewport" content="width=device-width, initial-scale=1">

❺      <title>Learning Log</title>

❻      {% bootstrap_css %}
        {% bootstrap_javascript %}

❼      </head>
```

在❶处，我们加载了django-bootstrap3中的模板标签集。接下来，我们将这个文件声明为使用英语（见❸）编写的HTML文档（见❷）。HTML文件分为两个主要部分：头部（head）和主体（body）；在这个文件中，头部始于❹处。HTML文件的头部不包含任何内容：它只是将正确显示页面所需的信息告诉浏览器。在❺处，我们包含了一个title元素，在浏览器中打开网站"学习笔记"的页面时，浏览器的标题栏将显示该元素的内容。

在❻处，我们使用了django-bootstrap3的一个自定义模板标签，它让Django包含所有的Bootstrap样式文件。接下来的标签启用你可能在页面中使用的所有交互式行为，如可折叠的导航栏。❼处为结束标签</head>。

2. 定义导航栏
下面来定义页面顶部的导航栏：

```
--snip--
      </head>

    <body>

      <!-- Static navbar -->
❶    <nav class="navbar navbar-default navbar-static-top">
        <div class="container">

          <div class="navbar-header">
❷          <button type="button" class="navbar-toggle collapsed"
                data-toggle="collapse" data-target="#navbar"
                aria-expanded="false" aria-controls="navbar">
            </button>
❸          <a class="navbar-brand" href="{% url 'learning_logs:index' %}">
                Learning Log</a>
          </div>

❹          <div id="navbar" class="navbar-collapse collapse">
❺            <ul class="nav navbar-nav">
❻              <li><a href="{% url 'learning_logs:topics' %}">Topics</a></li>
              </ul>

❼            <ul class="nav navbar-nav navbar-right">
                {% if user.is_authenticated %}
                  <li><a>Hello, {{ user.username }}.</a></li>
                  <li><a href="{% url 'users:logout' %}">log out</a></li>
                {% else %}
```

```
            <li><a href="{% url 'users:register' %}">register</a></li>
            <li><a href="{% url 'users:login' %}">log in</a></li>
          {% endif %}
❽     </ul>
    </div><!--/.nav-collapse -->

   </div>
  </nav>
```

第一个元素为起始标签<body>。HTML文件的主体包含用户将在页面上看到的内容。❶处是一个<nav>元素，表示页面的导航链接部分。对于这个元素内的所有内容，都将根据选择器（selector）navbar、navbar-default和navbar-static-top定义的Bootstrap样式规则来设置样式。选择器决定了特定样式规则将应用于页面上的哪些元素。

在❷处，这个模板定义了一个按钮，它将在浏览器窗口太窄、无法水平显示整个导航栏时显示出来。如果用户单击这个按钮，将出现一个下拉列表，其中包含所有的导航元素。在用户缩小浏览器窗口或在屏幕较小的移动设备上显示网站时，collapse会使导航栏折叠起来。

在❸处，我们在导航栏的最左边显示项目名，并将其设置为到主页的链接，因为它将出现在这个项目的每个页面中。

在❹处，我们定义了一组让用户能够在网站中导航的链接。导航栏其实就是一个以<ul>打头的列表（见❺），其中每个链接都是一个列表项（<li>）。要添加更多的链接，可插入更多使用下述结构的行：

```
<li><a href="{% url 'learning_logs:title' %}">Title</a></li>
```

这行表示导航栏中的一个链接。这个链接是直接从base.html的前一个版本中复制而来的。

在❼处，我们添加了第二个导航链接列表，这里使用的选择器为navbar-right。选择器navbar-right设置一组链接的样式，使其出现在导航栏右边——登录链接和注册链接通常出现在这里。在这里，我们要么显示问候语和注销链接，要么显示注册链接和登录链接。这部分余下的代码结束包含导航栏的元素（见❽）。

3. 定义页面的主要部分

base.html的剩余部分包含页面的主要部分：

```
--snip--
  </nav>

❶  <div class="container">

    <div class="page-header">
❷    {% block header %}{% endblock header %}
    </div>
    <div>
❸    {% block content %}{% endblock content %}
    </div>

  </div> <!-- /container -->
```

```
    </body>
</html>
```

❶处是一个<div>起始标签，其class属性为container。div是网页的一部分，可用于任何目的，并可通过边框、元素周围的空间（外边距）、内容和边框之间的间距（内边距）、背景色和其他样式规则来设置其样式。这个div是一个容器，其中包含两个元素：一个新增的名为header的块（见❷）以及我们在第18章使用的content块（见❸）。header块的内容告诉用户页面包含哪些信息以及用户可在页面上执行哪些操作；其class属性值page-header将一系列样式应用于这个块。content块是一个独立的div，未使用class属性指定样式。

如果你在浏览器中加载"学习笔记"的主页，将看到一个类似于图20-1所示的专业级导航栏。请尝试调整窗口的大小，使其非常窄；此时导航栏将变成一个按钮，如果你单击这个按钮，将打开一个下拉列表，其中包含所有的导航链接。

注意　这个简化的Bootstrap模板适用于最新的浏览器，而较早的浏览器可能不能正确地渲染某些样式。完整的模板可在http://getbootstrap.com/getting-started/#examples/找到，它几乎在所有浏览器中都管用。

20.1.4　使用 jumbotron 设置主页的样式

下面来使用新定义的header块及另一个名为jumbotron的Bootstrap元素修改主页。jumbotron元素是一个大框，相比于页面的其他部分显得鹤立鸡群，你想在其中包含什么东西都可以；它通常用于在主页中呈现项目的简要描述。我们还可以修改主页显示的消息。index.html的代码如下：

index.html

```
{% extends "learning_logs/base.html" %}

❶  {% block header %}
❷    <div class='jumbotron'>
        <h1>Track your learning.</h1>
      </div>
    {% endblock header %}

    {% block content %}
❸    <h2>
        <a href="{% url 'users:register' %}">Register an account</a> to make
        your own Learning Log, and list the topics you're learning about.
      </h2>
      <h2>
        Whenever you learn something new about a topic, make an entry
        summarizing what you've learned.
      </h2>
    {% endblock content %}
```

在❶处，我们告诉Django，我们要定义header块包含的内容。在一个jumbotron元素（见❷）中，我们放置了一条简短的标语——Track your Learning，让首次访问者大致知道"学习笔记"是做什么用的。

在❸处，我们通过添加一些文本，做了更详细的说明。我们邀请用户建立账户，并描述了用户可执行的两种主要操作：添加新主题以及在主题中创建条目。现在的主页类似于图20-1所示，与设置样式前相比，有了很大的改进。

20.1.5　设置登录页面的样式

我们改进了登录页面的整体外观，但还未改进登录表单，下面来让表单与页面的其他部分一致：

login.html

```
  {% extends "learning_logs/base.html" %}
❶ {% load bootstrap3 %}

❷ {% block header %}
     <h2>Log in to your account.</h2>
  {% endblock header %}

  {% block content %}

❸   <form method="post" action="{% url 'users:login' %}" class="form">
       {% csrf_token %}
❹     {% bootstrap_form form %}

❺     {% buttons %}
         <button name="submit" class="btn btn-primary">log in</button>
       {% endbuttons %}

       <input type="hidden" name="next" value="{% url 'learning_logs:index' %}" />
     </form>

  {% endblock content %}
```

在❶处，我们在这个模板中加载了bootstrap3模板标签。在❷处，我们定义了header块，它描述了这个页面是做什么用的。注意，我们从这个模板中删除了{% if form.errors %}代码块，因为django-bootstrap3会自动管理表单错误。

在❸处，我们添加了属性class="form"；然后使用模板标签{% bootstrap_form %}来显示表单（见❹）；这个标签替换了我们在第19章使用的标签{{ form.as_p }}。模板标签{% boostrap_form %}将Bootstrap样式规则应用于各个表单元素。❺处是bootstrap3起始模板标签{% buttons %}，它将Bootstrap样式应用于按钮。

图20-2显示了现在渲染的登录表单。这个页面比以前整洁得多，其风格一致，用途明确。如果你尝试使用错误的用户名或密码登录，将发现消息的样式与整个网站也是一致的，毫无违和感。

20

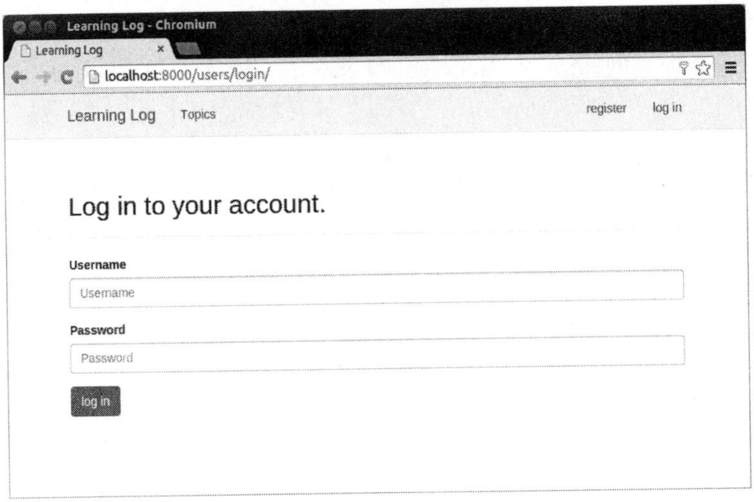

图20-2 使用Bootstrap设置样式后的登录页面

20.1.6 设置 new_topic 页面的样式

下面来让其他网页的风格也一致。首先来修改new_topic页面

new_topic.html

```
  {% extends "learning_logs/base.html" %}
❶ {% load bootstrap3 %}

  {% block header %}
    <h2>Add a new topic:</h2>
  {% endblock header %}

  {% block content %}

❷ <form action="{% url 'learning_logs:new_topic' %}" method='post'
      class="form">

    {% csrf_token %}
❸ {% bootstrap_form form %}

❹ {% buttons %}
      <button name="submit" class="btn btn-primary">add topic</button>
    {% endbuttons %}

  </form>

  {% endblock content %}
```

这里的大多数修改都类似于对login.html所做的修改：在❶处加载bootstrap3，添加header块并在其中包含合适的消息；接下来，我们在标签<form>中添加属性class="form"（见❷），使用模板标签{% bootstrap_form %}代替{{ form.as_p }}（见❸），并使用bootstrap3结构来定义提交按钮（见❹）。如果你现在登录并导航到new_topic页面，将发现其外观类似于登录页面。

20.1.7　设置 topics 页面的样式

下面来确保用于查看信息的页面的样式也是合适的，首先来设置topics页面的样式：

topics.html

```
{% extends "learning_logs/base.html" %}

❶ {% block header %}
    <h1>Topics</h1>
{% endblock header %}

{% block content %}

  <ul>
    {% for topic in topics %}
      <li>
❷      <h3>
          <a href="{% url 'learning_logs:topic' topic.id %}">{{ topic }}</a>
        </h3>
      </li>
    {% empty %}
      <li>No topics have been added yet.</li>
    {% endfor %}
  </ul>

❸  <h3><a href="{% url 'learning_logs:new_topic' %}">Add new topic</h3>

{% endblock content %}
```

我们不需要标签{% load bootstrap3 %}，因为我们在这个文件中没有使用任何bootstrap3自定义标签。我们在header块中添加了标题Topics（见❶）。为设置每个主题的样式，我们将它们都设置为<h3>元素，让它们在页面上显得大些（见❷）；对于添加新主题的链接，也做了同样的处理（见❸）。

20.1.8　设置 topic 页面中条目的样式

topic页面包含的内容比其他大部分页面都多，因此需要做的样式设置工作要多些。我们将使用Bootstrap面板（panel）来突出每个条目。面板是一个带预定义样式的div，非常适合用于显示主题的条目：

topic.html

```
{% extends 'learning_logs/base.html' %}
```

20

```
❶ {% block header %}
     <h2>{{ topic }}</h2>
   {% endblock header %}

   {% block content %}
     <p>
       <a href="{% url 'learning_logs:new_entry' topic.id %}">add new entry</a>
     </p>

     {% for entry in entries %}
❷     <div class="panel panel-default">
❸       <div class="panel-heading">
❹         <h3>
             {{ entry.date_added|date:'M d, Y H:i' }}
❺           <small>
               <a href="{% url 'learning_logs:edit_entry' entry.id %}">
                 edit entry</a>
             </small>
           </h3>
         </div>
❻       <div class="panel-body">
           {{ entry.text|linebreaks }}
         </div>
       </div> <!-- panel -->
     {% empty %}
       There are no entries for this topic yet.
     {% endfor %}

   {% endblock content %}
```

我们首先将主题放在了header块中（见❶）。然后，我们删除了这个模板中以前使用的无序列表结构。在❷处，我们创建了一个面板式div元素（而不是将每个条目作为一个列表项），其中包含两个嵌套的div：一个面板标题（panel-heading）div（见❸）和一个面板主体（panel-body）div（见❹）。其中面板标题div包含条目的创建日期以及用于编辑条目的链接，它们都被设置为<h3>元素，而对于编辑条目的链接，还使用了标签<small>，使其比时间戳小些（见❺）。

❻处是面板主体div，其中包含条目的实际文本。注意，只修改了影响页面外观的元素，对在页面中包含信息的Django代码未做任何修改。

图20-3显示了修改后的topic页面。"学习笔记"的功能没有任何变化，但显得更专业了，对用户会更有吸引力。

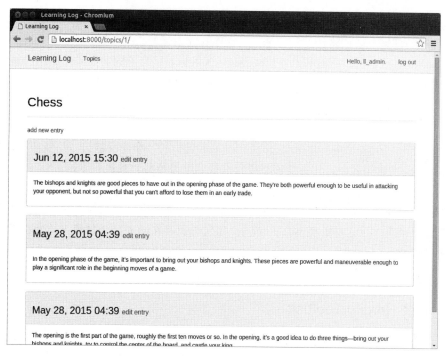

图20-3　使用Bootstrap设置样式后的topic页面

注意　要使用其他Bootstrap模板，可采用与本章类似的流程：将这个模板复制到base.html中，并修改包含实际内容的元素，以使用该模板来显示项目的信息；然后，使用Bootstrap的样式设置工具来设置各个页面中内容的样式。

动手试一试

20-1　其他表单：我们对登录页面和 add_topic 页面应用了 Bootstrap 样式。请对其他基于表单的页面做类似的修改：new_entry 页面、edit_entry 页面和注册页面。

20-2　设置博客的样式：对于你在第 19 章创建的项目 Blog，使用 Bootstrap 来设置其样式。

20.2　部署"学习笔记"

至此，项目"学习笔记"的外观显得很专业了，下面来将其部署到一台服务器，让任何有网

20

络连接的人都能够使用它。为此，我们将使用Heroku，这是一个基于Web的平台，让你能够管理Web应用程序的部署。我们将让"学习笔记"在Heroku上运行。

在Windows系统上的部署过程与在Linux和OS X系统上稍有不同。如果你使用的是Windows，请阅读各节的"注意"，它们指出了在Windows系统上需要采取的不同做法。

20.2.1　建立 Heroku 账户

要建立账户，请访问https://heroku.com/，并单击其中的一个注册链接。注册账户是免费的，Heroku提供了免费试用服务，让你能够将项目部署到服务器并对其进行测试。

注意　Heroku提供的免费试用服务存在一些限制，如可部署的应用程序数量以及用户访问应用程序的频率。但这些限制都很宽松，让你完全能够在不支付任何费用的情况下练习部署应用程序。

20.2.2　安装 Heroku Toolbelt

要将项目部署到Heroku的服务器并对其进行管理，需要使用Heroku Toolbelt提供的工具。要安装最新的Heroku Toolbelt版本，请访问https://toolbelt.heroku.com/，并根据你使用的操作系统按相关的说明做：使用只包含一行的终端命令，或下载并运行安装程序。

20.2.3　安装必要的包

你还需安装很多包，以帮助在服务器上支持Django项目提供的服务。为此，在活动的虚拟环境中执行如下命令：

```
(ll_env)learning_log$ pip install dj-database-url
(ll_env)learning_log$ pip install dj-static
(ll_env)learning_log$ pip install static3
(ll_env)learning_log$ pip install gunicorn
```

务必逐个地执行这些命令，这样你就能知道哪些包未能正确地安装。dj-database-url包帮助Django与Heroku使用的数据库进行通信，dj-static和static3包帮助Django正确地管理静态文件，而gunicorn是一个服务器软件，能够在在线环境中支持应用程序提供的服务。（静态文件包括样式规则和JavaScript文件。）

注意　在Windows系统中，有些必不可少的包可能无法安装，因此如果在你尝试安装有些这样的包时出现错误消息，也不用担心。重要的是让Heroku在部署中安装这些包，下一节就将这样做。

20.2.4　创建包含包列表的文件 requirements.txt

Heroku需要知道我们的项目依赖于哪些包，因此我们将使用pip来生成一个文件，其中列出了这些包。同样，进入活动虚拟环境，并执行如下命令：

```
(ll_env)learning_log$ pip freeze > requirements.txt
```

命令freeze让pip将项目中当前安装的所有包的名称都写入到文件requirements.txt中。请打开文件requirements.txt，查看项目中安装的包及其版本（如果你使用的是Windows系统，看到的内容可能不全）：

requirements.txt

```
Django==1.8.4
dj-database-url==0.3.0
dj-static==0.0.6
django-bootstrap3==6.2.2
gunicorn==19.3.0
static3==0.6.1
```

"学习笔记"依赖于6个特定版本的包，因此需要在相应的环境中才能正确地运行。我们部署"学习笔记"时，Heroku将安装requirements.txt列出的所有包，从而创建一个环境，其中包含我们在本地使用的所有包。有鉴于此，我们可以信心满满，深信项目部署到Heroku后，行为将与它在本地系统上的完全相同。当你在自己的系统上开发并维护各种项目时，这将是一个巨大的优点。

接下来，我们需要在包列表中添加psycopg2，它帮助Heroku管理活动数据库。为此，打开文件requirements.txt，并添加代码行psycopg2>=2.6.1。这将安装2.6.1版的psycopg2——如果有更高的版本，则安装更高的版本：

requirements.txt

```
Django==1.8.4
dj-database-url==0.3.0
dj-static==0.0.6
django-bootstrap3==6.2.2
gunicorn==19.3.0
static3==0.6.1
psycopg2>=2.6.1
```

如果有必不可少的包在你的系统中没有安装，请将其添加到文件requirements.txt中。最终的文件requirements.txt应包含上面列出的每个包。如果在你的系统中，requirements.txt列出的包的版本与上面列出的不同，请保留原来的版本号。

注意　如果你使用的是Windows系统，请确保文件requirements.txt的内容与前面列出的一致，而不要管你在系统中能够安装哪些包。

20

20.2.5　指定 Python 版本

如果你没有指定Python版本，Heroku将使用其当前的Python默认版本。下面来确保Heroku使用我们使用的Python版本。为此，在活动的虚拟环境中，执行命令python --version：

```
(ll_env)learning_log$ python --version
Python 3.5.0
```

上面的输出表明，我使用的是Python 3.5.0。请在manage.py所在的文件夹中新建一个名为runtime.txt的文件，并在其中输入如下内容：

runtime.txt

```
python-3.5.0
```

这个文件应只包含一行内容，以上面所示的格式指定了你使用的Python版本；请确保输入小写的python，在它后面输入一个连字符，再输入由三部分组成的版本号。

注意　如果出现错误消息，指出不能使用你指定的Python版本，请访问https://devcenter.heroku.com/并单击Python，再单击链接Specifying a Python Runtime。浏览打开的文章，了解支持的Python版本，并使用与你使用的Python版本最接近的版本。

20.2.6　为部署到 Herohu 而修改 settings.py

现在需要在settings.py末尾添加一个片段，在其中指定一些Heroku环境设置：

settings.py

```
--snip--
# django-bootstrap3设置
BOOTSTRAP3 = {
    'include_jquery': True,
    }

# Heroku设置
❶ if os.getcwd() == '/app':
❷     import dj_database_url
    DATABASES = {
        'default': dj_database_url.config(default='postgres://localhost')
    }

    # 让request.is_secure()承认X-Forwarded-Proto头
❸ SECURE_PROXY_SSL_HEADER = ('HTTP_X_FORWARDED_PROTO', 'https')

    # 支持所有的主机头（host header）
❹ ALLOWED_HOSTS = ['*']
```

```
# 静态资产配置
❺  BASE_DIR = os.path.dirname(os.path.abspath(__file__))
   STATIC_ROOT = 'staticfiles'
   STATICFILES_DIRS = (
       os.path.join(BASE_DIR, 'static'),
   )
```

在❶处，我们使用了函数getcwd()，它获取当前的工作目录（当前运行的文件所在的目录）。在Heroku部署中，这个目录总是/app。在本地部署中，这个目录通常是项目文件夹的名称（就我们的项目而言，为learning_log）。这个if测试确保仅当项目被部署到Heroku时，才运行这个代码块。这种结构让我们能够将同一个设置文件用于本地开发环境和在线服务器。

在❷处，我们导入了dj_database_url，用于在Heroku上配置服务器。Heroku使用PostgreSQL（也叫Postgres）——一种比SQLite更高级的数据库；这些设置对项目进行配置，使其在Heroku上使用Postgres数据库。其他设置的作用分别如下：支持HTTPS请求（见❸）；让Django能够使用Heroku的URL来提供项目提供的服务（见❹）；设置项目，使其能够在Heroku上正确地提供静态文件（见❺）。

20.2.7 创建启动进程的 Procfile

Procfile告诉Heroku启动哪些进程，以便能够正确地提供项目提供的服务。这个文件只包含一行，你应将其命名为Procfile（其中的P为大写），不指定文件扩展名，并保存到manage.py所在的目录中。

Procfile的内容如下：

Procfile

```
web: gunicorn learning_log.wsgi --log-file -
```

这行代码让Heroku将gunicorn用作服务器，并使用learning_log/wsgi.py中的设置来启动应用程序。标志log-file告诉Heroku应将哪些类型的事件写入日志。

20.2.8 为部署到 Herohu 而修改 wsgi.py

为部署到Heroku，我们还需修改wsgi.py，因为Heroku需要的设置与我们一直在使用的设置稍有不同：

wsgi.py

```
--snip--
import os

from django.core.wsgi import get_wsgi_application
from dj_static import Cling
```

```
os.environ.setdefault("DJANGO_SETTINGS_MODULE", "learning_log.settings")
application = Cling(get_wsgi_application())
```

我们导入了帮助正确地提供静态文件的Cling，并使用它来启动应用程序。这些代码在本地也适用，因此无需将其放在if代码块内。

20.2.9   创建用于存储静态文件的目录

在Heroku上，Django搜集所有的静态文件，并将它们放在一个地方，以便能够高效地管理它们。我们将创建一个用于存储这些静态文件的目录。在文件夹learning_log中，有一个名称也为learning_log的子文件夹。在这个子文件夹中，新建一个名为static的文件夹，因此这个文件夹的路径为learning_log/learning_log/static/。我们还需在这个文件夹中创建一个占位文件，因为项目被推送到Heroku时，它将不会包含原来为空的文件夹。在目录static/中，创建一个名为placeholder.txt的文件：

placeholder.txt

```
This file ensures that learning_log/static/ will be added to the project.
Django will collect static files and place them in learning_log/static/.
```

上述内容没有什么特别之处，只是指出了在项目中添加这个文件的原因。

20.2.10   在本地使用 gunicorn 服务器

如果你使用的是Linux或OS X，可在部署到Heroku前尝试在本地使用gunicorn服务器。为此，在活动的虚拟环境中，执行命令heroku local以启动Procfile指定的进程：

```
(ll_env)learning_log$ heroku local
Installing Heroku Toolbelt v4... done
--snip--
forego | starting web.1 on port 5000
❶ web.1  | [2015-08-13 22:00:45 -0800] [12875] [INFO] Starting gunicorn 19.3.0
❷ web.1  | [2015-08-13 22:00:45 -0800] [12875] [INFO] Listening at:
      http://0.0.0.0:5000 (12875)
❸ web.1  | [2015-08-13 22:00:45 -0800] [12878] [INFO] Booting worker with pid: 12878
```

首次执行命令heroku local时，将安装Heroku Toolbelt中的很多包。这里的输出表明启动了gunicorn，其进程id为12875（见❶）。❷处的输出表明，gunicorn在端口5000上侦听请求。另外，gunicorn还启动了一个工作进程（12878），用于帮助处理请求（见❸）。

为确认一切运行正常，请访问http://localhost:5000/，你将看到"学习笔记"的主页，就像使用Django服务器（runserver）时一样。为停止heroku local启动的进程，请按Ctrl + C，你将在本地开发中继续使用runserver。

注意　gunicorn不能在Windows系统上运行，因此如果你使用的是Windows系统，请跳过这一步。但这不会影响你将项目部署到Heroku。

20.2.11　使用 Git 跟踪项目文件

如果你阅读完了第17章，就知道Git是一个版本控制程序，让你能够在每次成功实现新功能后都拍摄项目代码的快照。无论出现什么问题（如实现新功能时不小心引入了bug），你都可以轻松地恢复到最后一个可行的快照。每个快照都被称为提交。

使用Git意味着你在试着实现新功能时无需担心破坏项目。将项目部署到服务器时，需要确保部署的是可行版本。如果你想更详细地了解Git和版本控制，请参阅附录D。

1. 安装Git

Heroku Toolbelt包含Git，因此它应该已经安装到了你的系统中。然而，在安装Heroku Toolbelt之前打开的终端窗口中无法访问Git，因此请打开一个新的终端窗口，并在其中执行命令git --version：

```
(ll_env)learning_log$ git --version
git version 2.5.0
```

如果由于某种原因出现了错误消息，请参阅附录D中的Git安装说明。

2. 配置Git

Git跟踪谁修改了项目，即便项目由一个人开发时亦如此。为进行跟踪，Git需要知道你的用户名和email。因此，你必须提供用户名，但对于练习项目，可随便伪造一个email：

```
(ll_env)learning_log$ git config --global user.name "ehmatthes"
(ll_env)learning_log$ git config --global user.email "eric@example.com"
```

如果你忘记了这一步，当你首次提交时，Git将提示你提供这些信息。

3. 忽略文件

我们无需让Git跟踪项目中的每个文件，因此将让Git忽略一些文件。为此，在manage.py所在的文件夹中创建一个名为.gitignore的文件。注意，这个文件名以句点打头，且不包含扩展名。在这个文件中输入如下内容：

.gitignore

```
ll_env/
__pycache__/
*.sqlite3
```

我们让Git忽略目录ll_env，因为我们随时都可以自动重新创建它。我们还指定不跟踪目录__pycache__，这个目录包含Django运行.py文件时自动创建的.pyc文件。我们没有跟踪对本地数据库的修改，因为这是一个糟糕的做法：如果你在服务器上使用的是SQLite，当你将项目推送到服务器时，可能会不小心用本地测试数据库覆盖在线数据库。

注意　如果你使用的是Python 2.7，请将_pycache_替换为*.pyc，因为Python 2.7不会创建目录
pycache。

---

4. 提交项目

我们需要为"学习笔记"初始化一个Git仓库，将所有必要的文件都加入到这个仓库中，并
提交项目的初始状态，如下所示：

```
❶ (ll_env)learning_log$ git init
  Initialized empty Git repository in /home/ehmatthes/pcc/learning_log/.git/
❷ (ll_env)learning_log$ git add .
❸ (ll_env)learning_log$ git commit -am "Ready for deployment to heroku."
  [master (root-commit) dbc1d99] Ready for deployment to heroku.
   43 files changed, 746 insertions(+)
   create mode 100644 .gitignore
   create mode 100644 Procfile
   --snip--
   create mode 100644 users/views.py
❹ (ll_env)learning_log$ git status
  # On branch master
  nothing to commit, working directory clean
  (ll_env)learning_log$
```

在❶处，我们执行命令git init，在"学习笔记"所在的目录中初始化一个空仓库。在❷处，
我们执行了命令git add .（千万别忘了这个句点），它将未被忽略的文件都添加到这个仓库中。
在❸处，我们执行了命令git commit -am *commit message*，其中的标志-a让Git在这个提交中包含
所有修改过的文件，而标志-m让Git记录一条日志消息。

在❹处，我们执行了命令git status，输出表明当前位于分支master中，而工作目录是干净
（clean）的。每当你要将项目推送到Heroku时，都希望看到这样的状态。

20.2.12　推送到 Heroku

我们终于为将项目推送到Heroku做好了准备。在活动的虚拟环境中，执行下面的命令：

```
❶ (ll_env)learning_log$ heroku login
  Enter your Heroku credentials.
  Email: eric@example.com
  Password (typing will be hidden):
  Logged in as eric@example.com
❷ (ll_env)learning_log$ heroku create
  Creating afternoon-meadow-2775... done, stack is cedar-14
  https://afternoon-meadow-2775.herokuapp.com/ |
      https://git.heroku.com/afternoon-meadow-2775.git
  Git remote heroku added
❸ (ll_env)learning_log$ git push heroku master
```

```
--snip--
remote: -----> Launching... done, v6
```
❹ `remote:        https://afternoon-meadow-2775.herokuapp.com/ deployed to Heroku`
```
remote: Verifying deploy.... done.
To https://git.heroku.com/afternoon-meadow-2775.git
   bdb2a35..62d711d  master -> master
(ll_env)learning_log$
```

首先，在终端会话中，使用你在https://heroku.com/创建账户时指定的用户名和密码来登录Heroku（见❶）。然后，让Heroku创建一个空项目（见❷）。Heroku生成的项目名由两个单词和一个数字组成，你以后可修改这个名称。接下来，我们执行命令git push heroku master（见❸），它让Git将项目的分支master推送到Heroku刚才创建的仓库中；Heroku随后使用这些文件在其服务器上创建项目。❹处列出了用于访问这个项目的URL。

执行这些命令后，项目就部署好了，但还未对其做全面的配置。为核实正确地启动了服务器进程，请执行命令heroku ps：

```
(ll_env)learning_log$ heroku ps
```
❶ `Free quota left: 17h 40m`
❷ `=== web (Free): `gunicorn learning_log.wsgi __log-file -``
```
web.1: up 2015/08/14 07:08:51 (~ 10m ago)
(ll_env)learning_log$
```

输出指出了在接下来的24小时内，项目还可在多长时间内处于活动状态（见❶）。编写本书时，Heroku允许免费部署在24小时内最多可以有18小时处于活动状态。项目的活动时间超过这个限制后，将显示标准的服务器错误页面，稍后我们将设置这个错误页面。在❷处，我们发现启动了Procfile指定的进程。

现在，我们可以使用命令heroku open在浏览器中打开这个应用程序了：

```
(ll_env)learning_log$ heroku open
Opening afternoon-meadow-2775... done
```

你也可以启动浏览器并输入Heroku告诉你的URL，但上述命令可实现同样的结果。你将看到“学习笔记”的主页，其样式设置正确无误，但你还无法使用这个应用程序，因为我们还没有建立数据库。

注意　部署到Heroku的流程会不断变化。如果你遇到无法解决的问题，请通过查看Heroku文档来获取帮助。为此，可访问https://devcenter.heroku.com/，单击Python，再单击链接Getting Started with Django。如果你看不懂这些文档，请参阅附录C提供的建议。

20.2.13　在 Heroku 上建立数据库

为建立在线数据库，我们需要再次执行命令migrate，并应用在开发期间生成的所有迁移。

20

要对Heroku项目执行Django和Python命令，可使用命令heroku run。下面演示了如何对Heroku部
署执行命令migrate：

```
❶ (ll_env)learning_log$ heroku run python manage.py migrate
❷ Running `python manage.py migrate` on afternoon-meadow-2775... up, run.2435
     --snip--
❸ Running migrations:
     --snip--
   Applying learning_logs.0001_initial... OK
   Applying learning_logs.0002_entry... OK
   Applying learning_logs.0003_topic_user... OK
   Applying sessions.0001_initial... OK
   (ll_env)learning_log$
```

　　我们首先执行了命令heroku run python manage.py migrate（见❶）；Heroku随后创建一个终
端会话来执行命令migrate（见❷）。在❸处，Django应用默认迁移以及我们在开发"学习笔记"
期间生成的迁移。

　　现在如果你访问这个部署的应用程序，将能够像在本地系统上一样使用它。然而，你看不到
你在本地部署中输入的任何数据，因为它们没有复制到在线服务器。一种通常的做法是不将本地
数据复制到在线部署中，因为本地数据通常是测试数据。

　　你可以分享"学习笔记"的Heroku URL，让任何人都可以使用它。在下一节，我们将再完
成几个任务，以结束部署过程并让你能够继续开发"学习笔记"。

20.2.14　改进 Heroku 部署

　　在本节中，我们将通过创建超级用户来改进部署，就像在本地一样。我们还将让这个项目更
安全：将DEBUG设置为False，让用户在错误消息中看不到额外的信息，以防他们使用这些信息来
攻击服务器。

1. 在Heroku上创建超级用户

　　我们知道可使用命令heroku run来执行一次性命令，但也可这样执行命令：在连接到了Heroku
服务器的情况下，使用命令heroku run bash来打开Bash终端会话。Bash是众多Linux终端运行的
语言。我们将使用Bash终端会话来创建超级用户，以便能够访问在线应用程序的管理网站：

```
   (ll_env)learning_log$ heroku run bash
   Running `bash` on afternoon-meadow-2775... up, run.6244
❶ ~ $ ls
   learning_log learning_logs manage.py Procfile requirements.txt runtime.txt users
   staticfiles
❷ ~ $ python manage.py createsuperuser
   Username (leave blank to use 'u41907'): ll_admin
   Email address:
   Password:
   Password (again):
   Superuser created successfully.
❸ ~ $ exit
```

```
exit
(ll_env)learning_log$
```

在❶处，我们执行命令ls，以查看服务器上有哪些文件和目录；服务器包含的文件和目录应该与本地系统相同。你可以像遍历其他文件系统一样遍历这个文件系统。

注意　即便你使用的是Windows系统，也应使用这里列出的命令（如ls而不是dir），因为你正通过远程连接运行一个Linux终端。

在❷处，我们执行了创建超级用户的命令，它像第18章在本地系统创建超级用户一样提示你输入相关的信息。在这个终端会话中创建超级用户后，使用命令exit返回到本地系统的终端会话（见❸）。

现在，你可以在在线应用程序的URL末尾添加/admin/来登录管理网站了。对我而言，这个URL为https://afternoon-meadow-2775.herokuapp.com/admin/。

如果已经有其他人开始使用这个项目，别忘了你可以访问他们的所有数据！千万别不把这当回事，否则用户就不会再将其数据托付给你了。

2. 在Heroku上创建对用户友好的URL

你可能希望URL更友好，比https://afternoon-meadow-2775.herokuapp.com/更好记。为此，可只需使用一个命令来重命名应用程序：

```
(ll_env)learning_log$ heroku apps:rename learning-log
Renaming afternoon-meadow-2775 to learning-log... done
https://learning-log.herokuapp.com/ | https://git.heroku.com/learning-log.git
Git remote heroku updated
(ll_env)learning_log$
```

给应用程序命名时，可使用字母、数字和连字符；你想怎么命名应用程序都可以，只要指定的名称未被别人使用就行。现在，项目的URL变成了https://learning-log.herokuapp.com/；使用以前的URL再也无法访问它，命令apps:rename将整个项目都移到了新的URL处。

注意　你使用Heroku提供的免费服务来部署项目时，如果项目在指定的时间内未收到请求或过于活跃，Heroku将让项目进入休眠状态。用户初次访问处于休眠状态的网站时，加载时间将更长，但对于后续请求，服务器的响应速度将更快。这就是Heroku能够提供免费部署的原因所在。

20.2.15　确保项目的安全

当前，我们部署的项目存在一个严重的安全问题：settings.py包含设置DEBUG=True，它在发生错误时显示调试信息。开发项目时，Django的错误页面向你显示了重要的调试信息，如果将项目部署到服务器后依然保留这个设置，将给攻击者提供大量可供利用的信息。我们还需确保任何人都无法看到这些信息，也不能冒充项目托管网站来重定向请求。

下面来修改settings.py，以让我们能够在本地看到错误消息，但部署到服务器后不显示任何错误消息：

settings.py

```
--snip--
# Heroku设置
if os.getcwd() == '/app':
    --snip--
    # 让request.is_secure()承认X-Forwarded-Proto头
    SECURE_PROXY_SSL_HEADER = ('HTTP_X_FORWARDED_PROTO', 'https')

    # 只允许Heroku托管这个项目
❶   ALLOWED_HOSTS = ['learning-log.herokuapp.com']

❷   DEBUG = False

    # 静态资产配置
    --snip--
```

我们只需做两方面的修改。在❶处，修改ALLOWED_HOSTS，只允许Heroku托管这个项目。你需要使用应用程序的名称，可以是Heroku提供的名称（如afternoon-meadow-2775.herokuapp.com），也可以是你选择的名称。在❷处，我们将DEBUG设置为False，让Django不在错误发生时显示敏感信息。

20.2.16　提交并推送修改

现在需要将对settings.py所做的修改提交到Git仓库，再将修改推送到Heroku。下面的终端会话演示了这个过程：

```
❶ (ll_env)learning_log$ git commit -am "Set DEBUG=False for Heroku."
[master 081f635] Set DEBUG=False for Heroku.
 1 file changed, 4 insertions(+), 2 deletions(-)
❷ (ll_env)learning_log$ git status
# On branch master
nothing to commit, working directory clean
(ll_env)learning_log$
```

我们执行命令git commit，并指定了一条简短而具有描述性的提交消息（见❶）。别忘了，标志-am让Git提交所有修改过的文件，并记录一条日志消息。Git找出唯一一个修改过的文件，并将所做的修改提交到仓库。

❷处显示的状态表明我们在仓库的分支master上工作，当前没有任何未提交的修改。推送到

Heroku之前，必须检查状态并看到刚才所说的消息。如果你没有看到这样的消息，说明有未提交的修改，而这些修改将不会推送到服务器。在这种情况下，可尝试再次执行命令commit，但如果你不知道该如何解决这个问题，请阅读附录D，更深入地了解Git的用法。

下面来将修改后的仓库推送到Heroku：

```
(ll_env)learning_log$ git push heroku master
--snip--
remote: -----> Python app detected
remote: -----> Installing dependencies with pip
--snip--
remote: -----> Launching... done, v8
remote:        https://learning-log.herokuapp.com/ deployed to Heroku
remote: Verifying deploy.... done.
To https://git.heroku.com/learning-log.git
   4c9d111..ef65d2b  master -> master
(ll_env)learning_log$
```

Heroku发现仓库发生了变化，因此重建项目，确保所有的修改都已生效。它不会重建数据库，因此这次无需执行命令migrate。

现在要核实部署更安全了，请输入项目的URL，并在末尾加上我们未定义的扩展。例如，尝试访问http://learning-log.herokuapp.com/letmein/。你将看到一个通用的错误页面，它没有泄露任何有关该项目的具体信息。如果你尝试向本地的"学习笔记"发出同样的请求——输入URL http://localhost:8000/letmein/，你将看到完整的Django错误页面。这样的结果非常理想，你接着开发这个项目时，将看到信息丰富的错误消息，但用户看不到有关项目代码的重要信息。

20.2.17 创建自定义错误页面

在第19章，我们对"学习笔记"进行了配置，使其在用户请求不属于他的主题或条目时返回404错误。你可能还遇到过一些500错误（内部错误）。404错误通常意味着你的Django代码是正确的，但请求的对象不存在。500错误通常意味着你编写的代码有问题，如views.py中的函数有问题。当前，在这两种情况下，Django都返回通用的错误页面，但我们可以编写外观与"学习笔记"一致的404和500错误页面模板。这些模板必须放在根模板目录中。

1. 创建自定义模板

在文件夹learning_log/learning_log中，新建一个文件夹，并将其命名为templates；再在这个文件夹中新建一个名为404.html的文件，并在其中输入如下内容：

404.html

```
{% extends "learning_logs/base.html" %}

{% block header %}
    <h2>The item you requested is not available. (404)</h2>
{% endblock header %}
```

这个简单的模板指定了通用的404错误页面包含的信息，并且该页面的外观与网站的其他部分一致。

再创建一个名为500.html的文件，并在其中输入如下代码：

500.html

```
{% extends "learning_logs/base.html" %}

{% block header %}
    <h2>There has been an internal error. (500)</h2>
{% endblock header %}
```

这些新文件要求对settings.py做细微的修改：

settings.py

```
--snip--
TEMPLATES = [
    {
        'BACKEND': 'django.template.backends.django.DjangoTemplates',
        'DIRS': [os.path.join(BASE_DIR, 'learning_log/templates')],
        'APP_DIRS': True,
        --snip--
    },
]
--snip--
```

这项修改让Django在根模板目录中查找错误页面模板。

2. 在本地查看错误页面

在将项目推送到Heroku之前，如果你要在本地查看错误页面是什么样的，首先需要在本地设置中设置Debug=False，以禁止显示默认的Django调试页面。为此，可对settings.py做如下修改（请确保你修改的是用于本地环境的settings.py部分，而不是用于Heroku的部分）：

settings.py

```
--snip--
# 安全警告：不要在在线环境中启用调试！
DEBUG = False

ALLOWED_HOSTS = ['localhost']
--snip--
```

DEBUG被设置为False时，你必须在ALLOWED_HOSTS中指定一个主机。现在，请求一个不属于你的主题或条目，以查看404错误页面；请求不存在的URL（如localhost:8000/letmein/），以查看500错误页面。

查看错误页面后，将DEBUG重新设置为True，以方便你进一步开发"学习笔记"。（在settings.py中用于Heroku部署的部分中，确保DEBUG依然被设置为False）。

注意 500错误页面不会显示任何有关当前用户的信息，因为发生服务器错误时，Django不会通过响应发送任何上下文信息。

3. 将修改推送到Heroku
现在需要提交对模板所做的修改，并将这些修改推送到Heroku：

```
❶ (ll_env)learning_log$ git add .
❷ (ll_env)learning_log$ git commit -am "Added custom 404 and 500 error pages."
  3 files changed, 15 insertions(+), 10 deletions(-)
  create mode 100644 learning_log/templates/404.html
  create mode 100644 learning_log/templates/500.html
❸ (ll_env)learning_log$ git push heroku master
  --snip--
  remote: Verifying deploy.... done.
  To https://git.heroku.com/learning-log.git
     2b34ca1..a64d8d3  master -> master
  (ll_env)learning_log$
```

在❶处，我们执行了命令git add，这是因为我们在项目中创建了一些新文件，因此需要让Git跟踪这些文件。然后，我们提交所做的修改（见❷），并将修改后的项目推送到Heroku（见❸）。

现在，错误页面出现时，其样式应该与网站的其他部分一致，这样在发生错误时，用户将不会感到突兀。

4. 使用方法get_object_or_404()
现在，如果用户手工请求不存在的主题或条目，将导致500错误。Django尝试渲染请求的页面，但没有足够的信息来完成这项任务，进而引发500错误。对于这种情形，将其视为404错误更合适，为此可使用Django快捷函数get_object_or_404()。这个函数尝试从数据库获取请求的对象，如果这个对象不存在，就引发404异常。我们在views.py中导入这个函数，并用它替换函数get()：

views.py

```
--snip--
from django.shortcuts import render, get_object_or_404
from django.http import HttpResponseRedirect, Http404
--snip--
@login_required
def topic(request, topic_id):
    """显示单个主题及其所有的条目"""
    topic = get_object_or_404(Topic, id=topic_id)
    # 确定主题属于当前用户
    --snip--
```

现在，如果你请求不存在的主题（例如，使用URL http://localhost:8000/topics/999999/），将看到404错误页面。为部署这里所做的修改，再次提交，并将项目推送到Heroku。

20

20.2.18　继续开发

　　将项目"学习笔记"推送到服务器后，你可能想进一步开发它或开发要部署的其他项目。更新项目的过程几乎完全相同。

　　首先，你对本地项目做必要的修改。如果在修改过程中创建了新文件，使用命令git add .（千万别忘记这个命令末尾的句点）将它们加入到Git仓库中。如果有修改要求迁移数据库，也需要执行这个命令，因为每个迁移都将生成新的迁移文件。

　　然后，使用命令git commit -am "*commit message*"将修改提交到仓库，再使用命令git push heroku master将修改推送到Heroku。如果你在本地迁移了数据库，也需要迁移在线数据库。为此，你可以使用一次性命令heroku run python manage.py migrate，也可使用heroku run bash打开一个远程终端会话，并在其中执行命令python manage.py migrate。然后访问在线项目，确认你期望看到的修改已生效。

　　在这个过程中很容易犯错，因此看到错误时不要大惊小怪。如果代码不能正确地工作，请重新审视所做的工作，尝试找出其中的错误。如果找不出错误，或者不知道如何撤销错误，请参阅附录C中有关如何寻求帮助的建议。不要羞于去寻求帮助：每个学习开发项目的人都可能遇到过你面临的问题，因此总有人乐意伸出援手。通过解决遇到的每个问题，可让你的技能稳步提高，最终能够开发可靠而有意义的项目，还能解决别人遇到的问题。

20.2.19　设置 SECRET_KEY

　　Django根据settings.py中设置SECRET_KEY的值来实现大量的安全协议。在这个项目中，我们提交到仓库的设置文件包含设置SECRET_KEY。对于一个练习项目而言，这足够了，但对于生产网站，应更细致地处理设置SECRET_KEY。如果你创建的项目的用途很重要，务必研究如何更安全地处理设置SECRET_KEY。

20.2.20　将项目从 Heroku 删除

　　一个不错的练习是，使用同一个项目或一系列小项目执行部署过程多次，直到对部署过程了如指掌。然而，你需要知道如何删除部署的项目。Heroku可能还限制了你可免费托管的项目数，另外，你也不希望让自己的账户中塞满大量的练习项目。

　　在Heroku网站（https://heroku.com/）登录后，你将被重定向到一个页面，其中列出了你托管的所有项目。单击要删除的项目，你将看到另一个页面，其中显示了有关这个项目的信息。单击链接Settings，再向下滚动，找到用于删除项目的链接并单击它。这种操作是不可撤销的，因此Heroku让你手工输入要删除的项目的名称，以确认你确实要删除它。

　　如果你喜欢在终端中工作，也可使用命令destroy来删除项目：

```
(ll_env)learning_log$ heroku apps:destroy --app appname
```

其中*appname*是要删除的项目的名称，可能类似于afternoon-meadow-2775，也可能类似于learning-log（如果你重命名了项目）。你将被要求再次输入项目名，以确认你确实要删除它。

注意　删除Heroku上的项目对本地项目没有任何影响。如果没有人使用你部署的项目，就尽管去练习部署过程好了，在Heroku删除项目再重新部署完全合情合理。

动手试一试

　　20-3 在线博客：将你一直在开发的项目 Blog 部署到 Heroku。确保将 DEBUG 设置为 False，并修改设置 ALLOWED_HOSTS，让部署相当安全。

　　20-4 在更多的情况下显示 404 错误页面：在视图函数 new_entry()和 edit_entry() 中，也使用函数 get_object_or_404()。完成这些修改后进行测试：输入类似于 http://localhost:8000/new_entry/99999/的 URL，确认你能够看到 404 错误页面。

　　20-5 扩展"学习笔记"：在"学习笔记"中添加一项功能，将修改推送到在线部署。尝试做一项简单的修改，如在主页中对项目作更详细的描述；再尝试添加一项更高级的功能，如让用户能够将主题设置为公开的。为此，需要在模型 Topic 中添加一个名为 public 的属性（其默认值为 False），并在 new_topic 页面中添加一个表单元素，让用户能够将私有主题改为公开的。然后，你需要迁移项目，并修改 views.py，让未登录的用户也可以看到所有公开的主题。将修改推送到 Heroku 后，别忘了迁移在线数据库。

20.3　小结

　　在本章中，你学习了如何使用Bootstrap库和应用程序django-bootstrap3赋予应用程序简单而专业的外观。使用Bootstrap意味着无论用户使用哪种设备来访问你的项目，你选择的样式都将实现几乎相同的效果。

　　你学习了Bootstrap的模板，并使用模板Static top navbar赋予了"学习笔记"简单的外观。你学习了如何使用jumbotron来突出主页中的消息，还学习了如何给网站的所有网页设置一致的样式。

　　在本章的最后一部分，你学习了如何将项目部署到Heroku的服务器，让任何人都能够访问它。你创建了一个Heroku账户，并安装了一些帮助管理部署过程的工具。你使用Git将能够正确运行的项目提交到一个仓库，再将这个仓库推送到Heroku的服务器。最后，你将DEBUG设置为False，以确保在线服务器上应用程序的安全。

　　至此，开发完了项目"学习笔记"后，你可以自己动手开发项目了。请先让项目尽可能简单，确定它能正确运行后，再添加复杂的功能。愿你学习愉快，开发项目时有好运相伴！

20

安装Python

Python有多个不同的版本，而在各种操作系统中安装它的方式有很多。如果第1章介绍的方法不管用，或者你要安装非系统自带的Python版本，这个附录可提供帮助。

A.1　在 Linux 系统中安装 Python

几乎所有Linux系统都默认安装了Python，但你可能想使用非默认版本。如果是这样，请首先确定已安装的Python版本。

A.1.1　确定已安装的版本

打开一个终端窗口，并执行如下命令：

```
$ python --version
Python 2.7.6
```

输出表明默认版本是2.7.6，但系统可能还安装了一个Python 3版本。为核实这一点，请执行如下命令：

```
$ python3 --version
Python 3.5.0
```

输出表明也安装了Python 3.5.0。安装新版本前，有必要执行上述两个命令。

A.1.2　在 Linux 系统中安装 Python 3

如果你的系统没有安装Python 3，或者你想安装较新的Python 3版本，只需执行几个命令即可。我们使用一个名为deadsnakes的包，它让安装多个Python版本变得很容易：

```
$ sudo add-apt-repository ppa:fkrull/deadsnakes
$ sudo apt-get update
$ sudo apt-get install python3.5
```

这些命令在你的系统中安装Python 3.5。下面的命令启动一个运行Python 3.5的终端会话：

```
$ python3.5
>>>
```

配置文本编辑器使其使用Python 3以及从终端运行程序时，也需要用到这个命令。

A.2　在 OS X 系统中安装 Python

大多数OS X系统都安装了Python，但你可能想使用非默认版本。如果是这样，请首先确定已安装了哪个版本的Python。

A.2.1　确定已安装的版本

打开一个终端窗口，并执行如下命令：

```
$ python --version
Python 2.7.6
```

你还应尝试执行命令python3 --version。执行这个命令时，可能会出现错误消息，但若要确定安装了哪些Python版本，有必要执行这个命令。

A.2.2　使用 Homebrew 来安装 Python 3

如果你的系统只安装了Python 2，或者已安装的Python 3版本较旧，可使用一个名为Homebrew的包来安装最新的Python 3版本。

1. 安装Homebrew

Homebrew依赖于Apple包Xcode，因此请打开一个终端窗口并执行如下命令：

```
$ xcode-select --install
```

在不断出现的确认对话框中都单击OK按钮（根据网络连接的速度，这可能会花一些时间）。接下来安装Homebrew：

```
$ ruby -e "$(curl -fsSL https://raw.githubusercontent.com/Homebrew/install/master/install)"
```

这个命令可在Homebrew网站（http://brew.sh/）的首页找到。在curl -fsSL和URL之间，务必包含一个空格。

注意   这个命令中的-e让Ruby（Homebrew就是使用这种编程语言编写的）执行下载的代码。除非来源是你信任的，否则不要运行这样的命令。

为确认正确地安装了Homebrew，请执行如下命令：

```
$ brew doctor
Your system is ready to brew.
```

上述输出表明你可以使用Homebrew来安装Python包了。

2. 安装Python 3

为安装最新的Python 3版本，请执行如下命令：

```
$ brew install python3
```

下面来检查使用这个命令安装的是哪个版本：

```
$ python3 --version
Python 3.5.0
$
```

现在，你可以使用命令python3来启动Python 3终端会话了，还可使用命令python3来配置文本编辑器，使其使用Python 3而不是Python 2来运行Python程序。

A.3   在 Windows 系统中安装 Python

Windows系统默认未安装Python，但有必要检查系统是否安装了它。为此，按住Shift键并右击桌面，再选择"在此处打开命令窗口"来打开一个终端窗口。你也可以在开始菜单中执行命令command。在打开的终端窗口中，执行如下命令：

```
> python --version
Python 3.5.0
```

如果你看到了类似于上面的输出，说明已安装了Python，但你可能想安装更新的版本。如果看到一条错误消息，就说明你需要下载并安装Python。

A.3.1   在 Windows 系统中安装 Python 3

访问http://python.org/downloads/，并单击你要安装的Python版本。下载安装程序，并在运行它时选择复选框Add Python to PATH。这让你不用手工修改系统的环境变量，在执行命令

python时也无需指定其完整路径。安装Python后，打开一个新的终端窗口，并在其中执行命令python --version。如果没有报错，就说明Python安装好了。

A.3.2　查找 Python 解释器

如果不能执行简单命令python，你就需要告诉Windows去哪里查找Python解释器。要确定Python解释器的位置，请打开C盘，并在其中查找名称以Python打头的文件夹（要找到这样的文件夹，你可能需要在Windows资源管理器中的搜索栏中输入单词python）。打开这个文件夹，并查找名称为python（全部小写）的文件。右击这个文件并选择"属性"，你将在"位置:"右边看到它的路径。

在终端窗口中，使用该路径来确定刚安装的Python版本：

```
$ C:\\Python35\python --version
Python 3.5.0
```

A.3.3　将 Python 添加到环境变量 Path 中

如果每次启动Python终端时都需要输入完整的路径，那就太讨厌了；有鉴于此，我们将在系统中添加这个路径，让你只需使用命令python即可。如果你在安装Python时选择了复选框Add Python to PATH，可跳过这一步。打开控制面板并单击"系统和安全"，再单击"系统"。单击"高级系统设置"，在打开的窗口中单击按钮"环境变量"。

在"系统变量"部分，找到并单击变量Path，再单击按钮"编辑"。在出现的对话框中，单击"变量值"，并使用右箭头键滚到最右边。千万不要覆盖变量原来的值，如果你不小心这样做了，单击"取消"按钮，再重复前面的步骤。在变量值的末尾添加一个分号，再添加文件python.exe的路径：

```
%SystemRoot%\system32\...\System32\WindowsPowerShell\v1.0\;C:\Python34
```

关闭终端窗口，再打开一个新的终端窗口。这将在终端会话中加载变量Path的新值。现在当你执行命令python --version时，将看到刚才在变量Path中设置的Python版本。现在，你只需在命令提示符下输入python并按回车，就可启动Python终端会话了。

A.4　Python 关键字和内置函数

Python包含一系列关键字和内置函数，给变量命名时，知道这些关键字和内置函数很重要。编程中面临的一个挑战是给变量指定合适的名称，变量名可以是任何东西，只要它长短合适并描述了变量的作用。同时，不能将Python关键字用作变量名；也不应将Python内置函数的名称用作变量名，否则将覆盖相应的内置函数。

本节将列出Python关键字和内置函数的名称，让你知道应避免使用哪些变量名。

A.4.1 Python 关键字

下面的关键字都有特殊含义，如果你将它们用作变量名，将引发错误：

False	class	finally	is	return
None	continue	for	lambda	try
True	def	from	nonlocal	while
and	del	global	not	with
as	elif	if	or	yield
assert	else	import	pass	
break	except	in	raise	

A.4.2 Python 内置函数

将内置函数名用作变量名时，不会导致错误，但将覆盖这些函数的行为：

abs()	divmod()	input()	open()	staticmethod()
all()	enumerate()	int()	ord()	str()
any()	eval()	isinstance()	pow()	sum()
basestring()	execfile()	issubclass()	print()	super()
bin()	file()	iter()	property()	tuple()
bool()	filter()	len()	range()	type()
bytearray()	float()	list()	raw_input()	unichr()
callable()	format()	locals()	reduce()	unicode()
chr()	frozenset()	long()	reload()	vars()
classmethod()	getattr()	map()	repr()	xrange()
cmp()	globals()	max()	reversed()zip()	Zip()
compile()	hasattr()	memoryview()	round()	__import__()
complex()	hash()	min()	set()	apply()
delattr()	help()	next()	setattr()	buffer()
dict()	hex()	object()	slice()	coerce()
dir()	id()	oct()	sorted()	intern()

注意 在Python 2.7中，print是关键字而不是函数。另外，Python 3没有内置函数unicode()。这两个单词都不应用作变量名。

附录 B

文本编辑器

　　程序员花大量时间来编写、阅读和编辑代码，因此使用的文本编辑器必须能够尽可能提高完成这种工作的效率。高效的编辑器应突出代码的结构，让你在编写代码时就能够发现常见的bug。它还应包含自动缩进功能、显示代码长度的标志以及用于执行常见操作的快捷键。

　　如果你是编程新手，应使用具备上述功能但学习起来又不难的编辑器。另外，你最好对更高级的编辑器有所了解，这样就知道何时该考虑升级编辑器了。

　　对于每种主要的操作系统，我们都将介绍一款符合上述条件的编辑器：使用Linux或Windows系统的初学者可使用Geany；使用OS X的初学者可使用Sublime Text（它在Linux和Windows系统中的效果也很好）。我们还将介绍Python自带的编辑器IDLE。最后，我们将介绍Emacs和vim，这是两款高级编辑器，随着你不断地学习编程，经常会听到有人提起它们。我们将把hello_world.py作为示例程序，在上述每款编辑器中运行它。

B.1　Geany

　　Geany是一款简单的编辑器，你可以在其中直接运行几乎任何程序。它还在一个终端窗口中显示程序的输出，这有助于你逐渐习惯使用终端。

B.1.1　在 Linux 系统中安装 Geany

　　在大多数Linux系统中，安装Geany只需一个命令：

```
$ sudo apt-get install geany
```

　　如果你的系统安装了多个版本的Python，就必须配置Geany，使其使用正确的版本。启动Geany，选择菜单File ▸ Save As，将当前的空文件保存为hello_world.py，再在编辑窗口中输入下面一行代码：

```
print("Hello Python world!")
```

选择菜单Build ▶ Set Build Commands，你将看到文字Compile和Execute，它们旁边都有一个命令。默认情况下，这两个命令都是python，要让Geany使用命令python3，必须做相应的修改。将编译命令修改成下面这样：

```
python3 -m py_compile "%f"
```

你必须完全按这里显示的这样输出这个命令，确保空格和大小写都完全相同。
将执行命令修改成下面这样：

```
python3 "%f"
```

同样，务必确保空格和大小写都完全与显示的相同。

B.1.2 在 Windows 系统中安装 Geany

要下载Windows Geany安装程序，可访问http://geany.org/，单击Download下的Releases，找到安装程序geany-1.25_setup.exe或类似的文件。下载安装程序后，运行它并接受所有的默认设置。

启动Geany，选择菜单File ▶ Save As，将当前的空文件保存为hello_world.py，再在编辑窗口中输入下面一行代码：

```
print("Hello Python world!")
```

现在选择菜单Build ▶ Set Build Commands，你将看到文字Compile和Execute，它们旁边都有一个命令。默认情况下，这两个命令都是python（全部小写），但Geany不知道这个命令位于系统的什么地方。你需要添加启动终端会话时使用的路径（如果你按附录A描述的那样设置了变量Path，可跳过这些步骤）。在编译命令和执行命令中，添加命令python所在的驱动器和文件夹。编译命令应类似于下面这样：

```
C:\Python35\python -m py_compile "%f"
```

在你的系统上，路径可能稍有不同，但你必须确保空格和大小写都与这里显示的完全相同。执行命令应类似于下面这样：

```
C:\Python35\python "%f"
```

同样，务必确保空格和大小写都与这里显示的完全相同。正确地设置这些命令后，单击OK按钮。现在，你应该能够成功地运行程序了。

B.1.3 在 Geany 中运行 Python 程序

在Geany中运行程序的方式有三种。为运行程序hello_world.py，可选择菜单Build ▶ Execute、单击由两个齿轮组成的图标或按F5。运行hello_world.py时，将弹出一个终端窗口，其中包含如下输出：

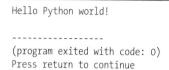

```
Hello Python world!

------------------
(program exited with code: 0)
Press return to continue
```

B.1.4　定制 Geany 的设置

下面来定制本附录开头提到的功能，尽可能提高Geany的效率。

1. 将制表符转换为空格

在代码中混合使用制表符和空格可能会给Python程序带来极难诊断的问题。为在Geany中查看缩进设置，选择菜单Edit ▸ Preferences，再依次单击Editor和Indentation。将制表符宽度设置为4，并将Type设置为Spaces。

如果你在程序中混合使用了标识符和空格，可选择菜单Document ▸ Replace Tabs by Spaces（"替换制表符为空格"），将所有制表符都转换为空格。

2. 设置行长标志

在大多数编辑器中，都可设置视觉线索（通常是一条竖线），来指出代码行应在什么地方结束。要在Geany中设置这项功能，请选择菜单Edit ▸ Preferences，再依次单击Editor和Display，确保启用了长行标志，再确保文本框"列"中的值为79。

3. 缩进和撤销缩进代码块

要缩进代码块，可选择它，再选择菜单Edit ▸ Format ▸ Increase Indent，也可按Ctrl + I。要撤销代码块缩进，可选择菜单Edit ▸ Format ▸ Decrease Indent，也可按Ctrl + U。

4. 将代码块注释掉

要暂时禁用一个代码块，可选择它，并将它注释掉，这样Python将忽略它。为此，可选择菜单Edit ▸ Format ▸ Toggle Line Commentation，也可按Ctrl + E。选择的代码将被注释掉，并使用特殊字符序列#~指出这不是常规注释。要对代码块取消注释，可选择它，并再次选择前述菜单。

B.2　Sublime Text

Sublime Text是一款简单的文本编辑器，它在OS X（及其他系统）中易于安装，让你能够直接运行几乎所有程序。它还能在内嵌在Sublime Text窗口内的终端会话中运行代码，让你能够轻松地查看输出。

Sublime Text的许可策略非常灵活，你可以永久地免费使用这款编辑器，但如果你喜欢它并想长期使用，作者建议你购买许可证。我们将下载Sublime Text 3——编写本书时的最新版本。

B.2.1　在 OS X 系统中安装 Sublime Text

要下载Sublime Text安装程序，可访问http://sublimetext.com/3，单击链接Download，并查找OS X安装程序。下载安装程序后，打开它，再将Sublime Text图标拖放到文件夹Applications。

B.2.2　在 Linux 系统中安装 Sublime Text

在大多数Linux系统中，安装Sublime Text的最简单方式是通过终端会话，如下所示：

```
$ sudo add-apt-repository ppa:webupd8team/sublime-text-3
$ sudo apt-get update
$ sudo apt-get install sublime-text-installer
```

B.2.3　在 Windows 系统中安装 Sublime Text

从http://www.sublimetext.com/3下载Windows安装程序。运行这个安装程序，你将在开始菜单中看到Sublime Text。

B.2.4　在 Sublime Text 中运行 Python 程序

如果你使用的是系统自带的Python版本，可能无需调整任何设置就能运行程序。要运行程序，可选择菜单Tools ▶ Build或按Ctrl＋B。运行hello_world.py时，你将在Sublime Text窗口的底部看到一个终端屏幕，其中包含如下输出：

```
Hello Python world!
[Finished in 0.1s]
```

B.2.5　配置 Sublime Text

如果你安装了多个Python版本或者Sublime Text不能自动运行程序，你可能需要设置一个配置文件。你首先需要知道Python解释器的完整路径，为此，在Linux或OS X系统中执行如下命令：

```
$ type -a python3
python3 is /usr/local/bin/python3
```

请将python3替换为你启动终端会话时使用的命令。

如果你使用的是Windows系统，要获悉Python解释器的路径，请参阅"在Windows系统中安装Python 3"一节。

现在，启动Sublime Text，并选择菜单Tools ▶ Build System ▶ New Build System，这将打开一个新的配置文件。删除其中的所有内容，再输入如下内容：

Python3 .sublime-build

```
{
    "cmd": ["/usr/local/bin/python3", "-u", "$file"],
}
```

这些代码让Sublime Text使用命令python3来运行当前打开的文件。请确保其中的路径为你在前一步获悉的路径（在Windows系统中，该路径类似于C:/Python35/python）。将这个配置文件命名为Python3.sublime-build，并将其保存到默认目录——选择菜单Save时Sublime Text打开的目录。

打开hello_world.py，选择菜单Tools ▶ Build System ▶ Python3，再选择菜单Tools ▶ Build，你将在内嵌在Sublime Text窗口底部的终端中看到输出。

B.2.6　定制 Sublime Text 的设置

下面来定制本附录开头提到的功能，以尽可能提高Sublime Text的效率。

1. 将制表符转换为空格

选择菜单View ▶ Indentation，核实选择了复选框Indent Using Spaces。如果没有选择该复选框，现在选择它。

2. 设置行长标志

选择菜单View ▶ Ruler，再单击80，Sublime Text将在这个80字符标志处放置一条竖线。

3. 缩进和取消缩进代码块

要缩进代码块，可选择它，再选择菜单Edit ▶ Line ▶ Indent或按Ctrl +]。要取消缩进代码块，可选择菜单Edit ▶ Line ▶ Unindent或按Ctrl + [。

4. 将代码块注释掉

要将代码块注释掉，可选择它，再选择菜单Edit ▶ Comment ▶ Toggle Comment或按Ctrl + /。要取消代码块注释，再次执行这个命令。

B.3　IDLE

IDLE是Python的默认编辑器，相比于Geany和Sublime Text，它不那么直观，但其他教程指出它适合初学者使用，因此你不妨试一试。

B.3.1　在 Linux 系统中安装 IDLE

如果你使用的是Python 3，请像下面这样安装idle3包：

```
$ sudo apt-get install idle3
```

如果你使用的是Python 2，请像下面这样安装idle包：

```
$ sudo apt-get install idle
```

B.3.2　在 OS X 系统中安装 IDLE

如果你的Python是使用Homebrew安装的，那么可能已经安装了IDLE。在终端中，执行命令 `brew linkapps`，它告诉IDLE如何在系统中查找正确的Python解释器。随后，你会在文件夹 Applications中看到IDLE。

如果你的Python不是使用Homebrew安装的，请访问https://www.python.org/download/mac/ tcltk/，并按这里的说明做。你还需安装IDLE依赖的一些图形包。

B.3.3　在 Windows 系统中安装 IDLE

你安装Python时，应该自动安装了IDLE，因此它应该包含在开始菜单中。

B.3.4　定制 IDLE 的设置

由于IDLE是默认的Python编辑器，因此它的大多数设置都被设置为推荐的Python设置：将制表符自动转换为空格；行长标志出现在80字符处。

1. 缩进和取消缩进代码块

要缩进代码块，可选择它，再选择菜单Format ▸ Indent Region或按Ctrl +]；要取消代码块缩进，可选择菜单Format ▸ Dedent Region或按Ctrl + [。

2. 将代码块注释掉

要将代码块注释掉，可选择它，再选择菜单Format ▸ Comment Out Region或按Alt + 3。要取消代码块注释，可选择菜单Format ▸ Uncomment Region或按Alt + 4。

B.4　Emacs 和 vim

Emacs和vim是两款流行的编辑器，深受众多经验丰富的程序员的喜爱，因为使用它们时，用户根本不用离开键盘。因此，学会使用这些编辑器后，编写、阅读和编辑代码的效率将极高；这也意味着学习使用它们的难度极大。

程序员通常会推荐你试一试，但很多熟练的程序员忘了编程新手尝试学习使用它们将花费很多时间。知道这些编辑器是有益的，但请先使用简单的编辑器，它们让你能够专注于学习编程，而不是费时间去学习如何使用编辑器。等你能够熟悉地编写和编辑代码后，再去使用这些编辑器吧。

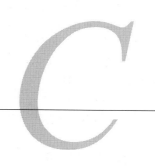

附录 C

寻求帮助

每个人学习编程时都会遇到困难，因此作为程序员，需要学习的最重要的技能之一是如何高效地摆脱困境。这个附录简要地介绍几种方法，以帮助你摆脱编程困境。

C.1 第一步

陷入困境后，首先需要判断形势。你必须能够明确地回答如下三个问题，才能够从他人那里获得帮助。

- ❑ 你想要做什么？
- ❑ 你已尝试哪些方式？
- ❑ 结果如何？

答案应尽可能具体。对于第一个问题，像"我要在我的Windows 10计算机上安装最新版本的Python 3"这样明确的陈述足够详细，让Python社区的其他人员能够施以援手；而像"我要安装Python"这样的陈述没有提供足够的信息，别人无法提供太多的帮助。

对于第二个问题，你的答案应提供足够多的细节，这样别人就不会建议你去重复已经尝试过的方式：相比于"我访问Python网站，并下载了一个安装程序"，"我访问http://python.org/downloads/，并单击Python 3的Download按钮，再运行这个安装程序"提供的信息更详细。

对于最后一个问题，知道准确的错误消息对在线搜索解决方案或寻求帮助很有用。

有时候，通过回答这三个问题，你会发现遗漏了什么，从而无需再做其他的事情就能摆脱困境。程序员甚至给这种情形提供了一个名称，称之为橡皮鸭子调试法。如果你向一只橡皮鸭子（或任何无生命的东西)清楚地阐述自己的处境,并向它提出具体的问题,你常常能够回答这个问题。有些编程公司甚至在办公室放置一个橡皮鸭子,旨在鼓励程序员"与这只鸭子交流"。

C.1.1　再试试

只需回过头去重新来一次,就足以解决很多问题。假设你正模仿本书的示例编写一个for循环,你可能遗漏了某种简单的东西,如for语句末尾的冒号。再试一次可能就会帮助你避免重复同样的错误。

C.1.2　歇一会儿

如果你很长时间内一直在试图解决同一个问题,那么休息一会儿实际上是你可采取的最佳战术。长时间从事一个任务时,你可能变得一根筋,脑子里想的都是一个解决方案。你对所做的假设往往会视而不见,而休息一会儿有助于你从不同的角度看问题。不用休息很长时间,只需让你能够摆脱当前的思维方式就行。如果你坐了很长时间,起来做做运动。溜达溜达或去外面待一会儿,也可以喝杯水,或者吃点清淡而健康的零食。

如果你心情沮丧,也许该将工作放到一边,整天都不考虑了。晚上睡个好觉后,你常常会发现问题并不是那么难解决。

C.1.3　参考本书的在线资源

本书通过https://www.nostarch.com/pythoncrashcourse/提供了配套的在线资源,其中包含大量有用的信息,比如如何设置系统以及如何解决每章可能遇到的难题。如果你还没有查看这些资源,现在就去查看吧,看看它们能否提供帮助。

C.2　在线搜索

很可能有人以前遇到过你面临的问题,并在网上发表了相关的文章。良好的搜索技能和具体的关键字有助于你找到现有的资源,供你用来解决当前面临的问题。例如,如果你无法在使用Windows 10的计算机上安装Python 3,那么搜索"python 3 windows 10"可能会让你马上找到解决问题的方案。

搜索计算机显示的错误消息也极有帮助。例如,假设你试图启动Python终端会话时出现了如下错误消息:

```
> python
'python' is not recognized as an internal or external command
>
```

通过搜索完整的错误消息"python is not recognized as an internal or external command",也许能得到不错的建议。

当你搜索与编程相关的主题时，有几个网站会反复出现。下面简要地介绍一下这些网站，让你知道它们可能提供什么样的帮助。

C.2.1　Stack Overflow

Stack Overflow（http://stackoverflow.com/）是最受程序员欢迎的问答网站之一，当你执行与Python相关的搜索时，它常常会出现在第一个结果页中。其成员在陷入困境时提出问题，其他成员努力提供有帮助的答案。用户可推荐他认为最有帮助的答案，因此前几个答案通常就是最佳答案。

对于很多基本的Python问题，Stack Overflow都有非常明确的答案，因为这个社区在不断改进。它鼓励用户发布更新的帖子，因此这里的答案通常与时俱进。编写本书时，Stack Overflow回答的与Python相关的问题超过了400 000个。

C.2.2　Python 官方文档

对初学者来说，Python官方文档（http://docs.python.org/）显得有点漫不经心，因为其主要目的是阐述这门语言，而不是进行解释。官方文档中的示例应该很有用，但你也许不能完全弄懂。虽然如此，这还是一个不错的资源，如果它出现在搜索结果中，就值得你去参考；另外，随着你对Python的认识越来越深入，这个资源的用处将越来越大。

C.2.3　官方库文档

如果你使用了库，如Pygame、matplotlib、Django等，搜索结果中通常会包含到其官方文档的链接，例如，http://docs.djangoproject.com/就很有用。如果你要使用这些库，最好熟悉其官方文档。

C.2.4　r/learnpython

Reddit包含很多子论坛，这些子论坛被称为subreddit，其中的r/learnpython（http://reddit.com/r/learnpython/）非常活跃，提供的信息也很有帮助。你可以在这里阅读其他人提出的问题，也可提出自己的问题。

C.2.5　博客

很多程序员都有博客，旨在与人分享针对其使用的语言部分撰写的帖子。接受博客文章提供的建议前，你应大致浏览一下前几个评论，看看其他人的反应。如果文章没有任何评论，请对其持保留态度——它提供的建议可能还没有人验证过。

C.3　IRC

程序员通过IRC（Internet Relay Chat）实时地交流。如果你被问题困住，那么在网上搜索也找不到答案，那么在相关的IRC频道（channel）中寻求帮助可能是最佳选择。出没在这些频道中的人大多彬彬有礼、乐于助人，在你能够详细地描述你想做什么、尝试了哪些方法以及这些方法的结果时尤其如此。

C.3.1　创建 IRC 账户

要建立IRC账户，请访问http://webchat.freenode.net/，选择一个昵称，输入验证码，再单击Connect。你将看到一条消息，欢迎你访问freenode IRC服务器。在窗口底部的方框中，输入如下命令：

```
/msg nickserv register password email
```

请将其中的*password*和*email*替换为你的密码和电子邮件地址。请选择一个不用于其他账户的简单密码，这个密码不会以安全的方式传输，因此根本不要试图去创建安全的密码。你将收到一封邮件，其中包含有关如何验证账户的说明。这封邮件将向你提供一个类似于下面的命令：

```
/msg nickserv verify register nickname verification_code
```

将这一行粘贴到IRC网站，将其中的*nickname*替换为你在前面选择的昵称，并将*verification_code*替换为你看到的验证码。现在，你就可以加入频道了。

C.3.2　加入频道

要加入Python主频道，可在输入框中输入/join #python，你将看到一条确认消息，指出你加入了该频道，还将看到有关该频道的简介。

频道##learnpython（两个井号）也非常活跃。这个频道与http://reddit.com/r/learnpython/相关联，因此你在其中也将看到有关r/learnpython上发表的帖子的消息。频道#pyladies专注于支持学习Python的女性和女性程序员拥趸。如果你正在开发Web应用程序，可能想加入频道#django。

加入频道后，就可看到其他人的交流，还可提出问题。

C.3.3　IRC 文化

要获得有效的帮助，你需要知道一些有关IRC文化的细节。将重点放在这个附录开头所说的三个问题，无疑有助于获得可行的解决方案。如果你能准确地阐述你要做什么、尝试了哪些方法以及得到的结果，别人就会乐意伸出援手。为分享代码或输出，IRC成员使用专门为此创建的外部网站，如https://bpaste.net/+python/（#python通过它来分享代码和输出）。这避免了频道充斥着代码，还让分享的代码阅读起来容易得多。

一定要有耐心，这样别人才会更乐意帮助你。准确地提出问题，并等待别人来回答。虽然大家都在忙于交流，但通常总会有人及时地回答你的问题。如果频道的参与者较少，可能需要等一段时间才会有人回答你的问题。

使用Git进行版本控制

版本控制软件让你能够拍摄处于可行状态的项目的快照。修改项目（如实现新功能）后，如果项目不能正常运行，可恢复到前一个可行状态。

通过使用版本控制软件，你可以无忧无虑地改进项目，不用担心项目因你犯了错而遭到破坏。对大型项目来说，这显得尤其重要，但对于较小的项目，哪怕是只包含一个文件的程序，这也大有裨益。

在这个附录中，你将学习如何安装Git，以及如何使用它来对当前开发的程序进行版本控制。Git是当前最流行的版本控制软件，它包含很多高级工具，可帮助团队协作开发大型项目，但其最基本的功能也非常适合独立开发人员使用。Git通过跟踪对项目中每个文件的修改来实现版本控制，如果你犯了错，只需恢复到保存的前一个状态即可。

D.1 安装 Git

Git可在所有操作系统上运行，但其安装方法因操作系统而异。接下来的几节详细说明了如何在各种操作系统中安装它。

D.1.1 在 Linux 系统中安装 Git

要在Linux系统中安装Git，请执行如下命令：

```
$ sudo apt-get install git
```

这就成了。你现在可以在项目中使用Git了。

D.1.2 在 OS X 系统中安装 Git

你的OS X系统可能已经安装了Git，因此请尝试执行命令git --version。如果你在输出中看到了具体的版本号，说明你的系统安装了Git；如果你看到一条消息，提示你安装或升级Git，只需按屏幕上的说明做即可。

你也可以访问https://git-scm.com/，单击链接Downloads，再单击适合你所用系统的安装程序。

D.1.3　在 Windows 系统中安装 Git

要在Windows系统中安装Git，请访问http://msysgit.github.io/，并单击Download。

D.1.4　配置 Git

Git跟踪谁修改了项目，哪怕参与项目开发的人只有一个。为此，Git需要知道你的用户名和电子邮件地址。你必须提供用户名，但可以使用虚构的电子邮件地址：

```
$ git config --global user.name "username"
$ git config --global user.email "username@example.com"
```

如果你忘记了这一步，在你首次提交时，Git将提示你提供这些信息。

D.2　创建项目

我们来创建一个要进行版本控制的项目。在你的系统中创建一个文件夹，并将其命名为git_practice。在这个文件夹中，创建一个简单的Python程序：

hello_world.py

```
print("Hello Git world!")
```

我们将使用这个程序来探索Git的基本功能。

D.3　忽略文件

扩展名为.pyc的文件是根据.py文件自动生成的，因此我们无需让Git跟踪它们。这些文件存储在目录__pycache__中。为让Git忽略这个目录，创建一个名为.gitignore的特殊文件（这个文件名以句点打头，且没有扩展名），并在其中添加下面一行内容：

.gitignore

```
__pycache__/
```

这让Git忽略目录__pycache__中的所有文件。使用文件.gitignore可避免项目混乱，开发起来更容易。

注意　如果你使用的是Python 2.7，请将这行内容改为*.pyc。Python 2.7不会创建目录__pycache__，它将每个.pyc文件都存储在相应.py文件所在的目录中。其中的星号让Git忽略所有扩展名为.pyc的文件。

　　你可能需要修改文本编辑器的设置，使其显示隐藏的文件，这样才能使用它来打开文件.gitignore。有些编辑器被设置成忽略名称以句点打头的文件。

D.4　初始化仓库

　　你创建了一个目录，其中包含一个Python文件和一个.gitignore文件，可以初始化一个Git仓库了。为此，打开一个终端窗口，切换到文件夹git_practice，并执行如下命令：

```
git_practice$ git init
Initialized empty Git repository in git_practice/.git/
git_practice$
```

　　输出表明Git在git_practice中初始化了一个空仓库。仓库是程序中被Git主动跟踪的一组文件。Git用来管理仓库的文件都存储在隐藏的.git/中，你根本不需要与这个目录打交道，但千万不要删除这个目录，否则将丢弃项目的所有历史记录。

D.5　检查状态

　　执行其他操作前，先来看一下项目的状态：

```
git_practice$ git status
❶ # On branch master
  #
  # Initial commit
  #
❷ # Untracked files:
  #   (use "git add <file>..." to include in what will be committed)
  #
  #   .gitignore
  #   hello_world.py
  #
❸ nothing added to commit but untracked files present (use "git add" to track)
git_practice$
```

　　在Git中，分支是项目的一个版本。从这里的输出可知，我们位于分支master上（见❶）。你每次查看项目的状态时，输出都将指出你位于分支master上。接下来的输出表明，我们将进行初始提交。提交是项目在特定时间点的快照。

　　Git指出了项目中未被跟踪的文件（见❷），因为我们还没有告诉它要跟踪哪些文件。接下来，我们被告知没有将任何东西添加到当前提交中，但我们可能需要将未跟踪的文件加入到仓库中（见❸）。

D.6   将文件加入到仓库中

下面将这两个文件加入到仓库中，并再次检查状态：

```
❶ git_practice$ git add .
❷ git_practice$ git status
  # On branch master
  #
  # Initial commit
  #
  # Changes to be committed:
  #   (use "git rm --cached <file>..." to unstage)
  #
❸ #   new file:    .gitignore
  #   new file:    hello_world.py
  #
  git_practice$
```

命令git add .将项目中未被跟踪的所有文件都加入到仓库中（见❶）。它不提交这些文件，而只是让Git开始关注它们。现在我们检查项目的状态时，发现Git找出了需要提交的一些修改（见❷）。标签new file意味着这些文件是新添加到仓库中的（见❸）。

D.7   执行提交

下面来执行第一次提交：

```
❶ git_practice$ git commit -m "Started project."
❷ [master (root-commit) c03d2a3] Started project.
❸  2 files changed, 1 insertion(+)
   create mode 100644 .gitignore
   create mode 100644 hello_world.py
❹ git_practice$ git status
  # On branch master
  nothing to commit, working directory clean
  git_practice$
```

我们执行命令git commit -m "*message*"（见❶）以拍摄项目的快照。标志-m让Git将接下来的消息（"Started project."）记录到项目的历史记录中。输出表明我们在分支master上（见❷），且有两个文件被修改了（见❸）。

现在我们检查状态时，发现我们在分支master上，且工作目录是干净的（见❹）。这是你每次提交项目的可行状态时都希望看到的消息。如果显示的消息不是这样的，请仔细阅读，很可能你在提交前忘记了添加文件。

D.8　查看提交历史

Git记录所有的项目提交。下面来看一下提交历史：

```
git_practice$ git log
commit a9d74d87f1aa3b8f5b2688cb586eac1a908cfc7f
Author: Eric Matthes <eric@example.com>
Date:    Mon Mar 16 07:23:32 2015 -0800

    Started project.
git_practice$
```

你每次提交时，Git都会生成一个包含40字符的独一无二的引用ID。它记录提交是谁执行的、提交的时间以及提交时指定的消息。并非在任何情况下你都需要所有这些信息，因此Git提供了一个选项，让你能够打印提交历史条目的更简单的版本：

```
git_practice$ git log --pretty=oneline
a9d74d87f1aa3b8f5b2688cb586eac1a908cfc7f Started project.
git_practice$
```

标志--pretty=oneline指定显示两项最重要的信息：提交的引用ID以及为提交记录的消息。

D.9　第二次提交

为展示版本控制的强大威力，我们需要对项目进行修改，并提交所做的修改。为此，我们在hello_world.py中再添加一行代码：

hello_world.py

```
print("Hello Git world!")
print("Hello everyone.")
```

如果我们现在查看项目的状态，将发现Git注意到了这个文件发生了变化：

```
git_practice$ git status
❶ # On branch master
# Changes not staged for commit:
#   (use "git add <file>..." to update what will be committed)
#   (use "git checkout -- <file>..." to discard changes in working directory)
#
❷ #   modified:   hello_world.py
#
❸ no changes added to commit (use "git add" and/or "git commit -a")
git_practice$
```

输出指出了我们当前所在的分支（见❶）、被修改了的文件的名称（见❷），还指出了所做的修改未提交（见❸）。下面来提交所做的修改，并再次查看状态：

```
❶ git_practice$ git commit -am "Extended greeting."
  [master 08d4d5e] Extended greeting.
   1 file changed, 1 insertion(+)
❷ git_practice$ git status
  # On branch master
  nothing to commit, working directory clean
❸ git_practice$ git log --pretty=oneline
  08d4d5e39cb906f6cff197bd48e9ab32203d7ed6 Extended greeting.
  be017b7f06d390261dbc64ff593be6803fd2e3a1 Started project.
  git_practice$
```

我们再次执行了提交，并在执行命令git commit时指定了标志-am（见❶）。标志-a让Git将仓库中所有修改了的文件都加入到当前提交中（如果你在两次提交之间创建了新文件，可再次执行命令git add .将这些新文件加入到仓库中）。标志-m让Git在提交历史中记录一条消息。

我们查看项目的状态时，发现工作目录也是干净的（见❷）。最后，我们发现提交历史中包含两个提交（见❸）。

D.10　撤销修改

下面来看看如何放弃所做的修改，恢复到前一个可行状态。为此，首先在hello_world.py中再添加一行代码：

hello_world.py

```
print("Hello Git world!")
print("Hello everyone.")

print("Oh no, I broke the project!")
```

保存并运行这个文件。

我们查看状态，发现Git注意到了所做的修改：

```
  git_practice$ git status
  # On branch master
  # Changes not staged for commit:
  #   (use "git add <file>..." to update what will be committed)
  #   (use "git checkout -- <file>..." to discard changes in working directory)
  #
❶ #   modified:   hello_world.py
  #
  no changes added to commit (use "git add" and/or "git commit -a")
  git_practice$
```

Git注意到我们修改了hello_world.py（见❶）。我们可以提交所做的修改，但这次我们不提交所做的修改，而要恢复到最后一个提交（我们知道，那次提交时项目能够正常地运行）。为此，我们不对hello_world.py执行任何操作——不删除刚添加的代码行，也不使用文本编辑器的撤销功能，而在终端会话中执行如下命令：

```
git_practice$ git checkout .
git_practice$ git status
# On branch master
nothing to commit, working directory clean
git_practice$
```

命令git checkout让你能够恢复到以前的任何提交。命令git checkout .放弃自最后一次提交后所做的所有修改，将项目恢复到最后一次提交的状态。

如果我们返回到文本编辑器，将发现hello_world.py被修改成了下面这样：

```
print("Hello Git world!")
print("Hello everyone.")
```

就这个项目而言，恢复到前一个状态微不足道，但如果我们开发的是大型项目，其中数十个文件都被修改了，那么恢复到前一个状态，将撤销自最后一次提交后对这些文件所做的所有修改。这个功能很有用：实现新功能时，你可以根据需要做任意数量的修改，如果这些修改不可行，可撤销它们，而不会对项目有任何伤害。你无需记住做了哪些修改，因而不必手工撤销所做的修改，Git会替你完成所有这些工作。

注意 想要看到以前的版本，你可能需要在编辑器窗口中单击，以刷新文件。

D.11 检出以前的提交

你可以检出提交历史中的任何提交，而不仅仅是最后一次提交，为此可在命令git check末尾指定该提交的引用ID的前6个字符（而不是句点）。通过检出以前的提交，你可以对其进行审核，然后返回到最后一次提交，或者放弃最近所做的工作，并选择以前的提交：

```
git_practice$ git log --pretty=oneline
08d4d5e39cb906f6cff197bd48e9ab32203d7ed6 Extended greeting.
be017b7f06d390261dbc64ff593be6803fd2e3a1 Started project.
git_practice$ git checkout be017b
Note: checking out 'be017b'.
```

❶ You are in 'detached HEAD' state. You can look around, make experimental
changes and commit them, and you can discard any commits you make in this
state without impacting any branches by performing another checkout.

If you want to create a new branch to retain commits you create, you may
do so (now or later) by using -b with the checkout command again. Example:

  git checkout -b new_branch_name

```
HEAD is now at be017b7... Started project.
git_practice$
```

检出以前的提交后，你将离开分支master，并进入Git所说的分离头指针（detached HEAD）状态（见❶）。HEAD表示项目的当前状态，之所以说我们处于分离状态，是因为我们离开了一个命名分支（这里是master）。

要回到分支master，可检出它：

```
git_practice$ git checkout master
Previous HEAD position was be017b7... Started project.
Switched to branch 'master'
git_practice$
```

这让你回到分支master。除非你要使用Git的高级功能，否则在检出以前的提交后，最好不要对项目做任何修改。然而，如果参与项目开发的人只有你自己，而你又想放弃较近的所有提交，并恢复到以前的状态，也可以将项目重置到以前的提交。为此，可在处于分支master上的情况下，执行如下命令：

```
❶ git_practice$ git status
  # On branch master
  nothing to commit, working directory clean
❷ git_practice$ git log --pretty=oneline
  08d4d5e39cb906f6cff197bd48e9ab32203d7ed6 Extended greeting.
  be017b7f06d390261dbc64ff593be6803fd2e3a1 Started project.
❸ git_practice$ git reset --hard be017b
  HEAD is now at be017b7 Started project.
❹ git_practice$ git status
  # On branch master
  nothing to commit, working directory clean
❺ git_practice$ git log --pretty=oneline
  be017b7f06d390261dbc64ff593be6803fd2e3a1 Started project.
  git_practice$
```

我们首先查看了状态，确认我们在分支master上（见❶）。查看提交历史时，我们看到了两个提交（见❷）。接下来，我们执行命令git reset --hard，并在其中指定了要永久地恢复到的提交的引用ID的前6个字符（见❸）。再次查看状态，发现我们在分支master上，且没有需要提交的修改（见❹）。再次查看提交历史时，发现我们处于要从它重新开始的提交中（见❺）。

D.12　删除仓库

有时候，仓库的历史记录被你搞乱了，而你又不知道如何恢复。在这种情况下，你首先应考虑使用附录C介绍的方法寻求帮助。如果无法恢复且参与项目开发的只有你一个人，可继续使用这些文件，但要将项目的历史记录删除——删除目录.git。这不会影响任何文件的当前状态，而只会删除所有的提交，因此你将无法检出项目的其他任何状态。

　　为此，可打开一个文件浏览器，并将目录.git删除，也可通过命令行完成这个任务。这样做后，你需要重新创建一个仓库，以重新对修改进行跟踪。下面演示了如何在终端会话中完成这个过程：

```
❶ git_practice$ git status
  # On branch master
  nothing to commit, working directory clean
❷ git_practice$ rm -rf .git
❸ git_practice$ git status
  fatal: Not a git repository (or any of the parent directories): .git
❹ git_practice$ git init
  Initialized empty Git repository in git_practice/.git/
❺ git_practice$ git status
  # On branch master
  #
  # Initial commit
  #
  # Untracked files:
  #   (use "git add <file>..." to include in what will be committed)
  #
  #   .gitignore
  #   hello_world.py
  #
  nothing added to commit but untracked files present (use "git add" to track)
❻ git_practice$ git add .
  git_practice$ git commit -m "Starting over."
  [master (root-commit) 05f5e01] Starting over.
   2 files changed, 2 insertions(+)
   create mode 100644 .gitignore
   create mode 100644 hello_world.py
❼ git_practice$ git status
  # On branch master
  nothing to commit, working directory clean
  git_practice$
```

　　我们首先查看了状态，发现工作目录是干净的（见❶）。接下来，我们使用命令rm -rf .git（在Windows系统中，应使用命令rmdir /s .git）删除了目录.git（见❷）。删除文件夹.git后，当我们再次查看状态时，被告知这不是一个Git仓库（见❸）。Git用来跟踪仓库的信息都存储在文件夹.git中，因此删除该文件夹也将删除整个仓库。

　　接下来，我们使用命令git init新建一个全新的仓库（见❹）。然后，我们查看状态，发现又回到了初始状态，等待着第一次提交（见❺）。我们将所有文件都加入仓库，并执行第一次提交（见❻）。然后，我们再次查看状态，发现我们在分支master上，且没有任何未提交的修改（见❼）。

　　需要经过一定的练习才能学会使用版本控制，但一旦开始使用，你就再也离不开它。

后　　记

　　祝贺你！你已学习了Python基本知识，并利用这些知识创建了一些有意义的项目：创建了一款游戏，对一些数据进行了可视化，还创建了一个Web应用程序。现在，可以通过众多不同的方式进一步提高编程技能了。

　　首先，你应该根据自己的兴趣继续开发有意义的项目。当你通过编程来解决重要的相关问题时，编程将更具吸引力，而现在你具备了开发各种项目所需的技能。你可以开发自己的游戏，也可以开发模仿经典街机游戏的游戏。你可能想研究一些对你来说很重要的数据，并通过可视化将其中有趣的规律和关系展示出来。你可以创建自己的Web应用程序，也可尝试模拟自己喜欢的应用程序。

　　只要有机会就向别人发出邀请，让他们尝试使用你编写的程序。如果你编写了游戏，邀请别人来玩一玩；如果你创建了图表，向别人展示展示，看看他们能否看明白；如果你创建了Web应用程序，将其部署到在线服务器，并邀请别人尝试使用它。听听用户怎么说，并尝试根据他们的反馈对项目进行改进，这样你就能成为更优秀的程序员。

　　自己动手开发项目时，肯定会遇到棘手乃至自己无法解决的问题。想办法寻求帮助，在Python社区找到适合自己的位置。加入当地的Python用户组，或者到一些在线Python社区去逛逛。另外，考虑参加附近举办的Python开发者大会（PyCon）。

　　你应尽力在开发自己感兴趣的项目和提高Python技能之间取得平衡。网上有很多Python学习资料，市面上还有大量针对中级程序员编写的Python图书。现在你掌握了基本知识，并知道了如何将学到的技能付诸应用，因此这些资料中很多都是你能看懂的。通过阅读教程和图书积累更多的知识，加深你对编程和Python的认识。深入学习Python后再去开发项目时，你将能够更高效地解决更多的问题。

　　祝贺你在学习Python的道路上走了这么远，愿你在以后的学习中有好运相伴！

站在巨人的肩上
Standing on Shoulders of Giants

TURING
图灵教育

iTuring.cn